سهم من

رُمان ایرانی

[۱]

سهم مَن

پری نوش صنیعی

سرشناسه: صنیعی، پرینوش.
عنوان و نام پدیدآور: سهم من / نوشته پرینوش صنیعی.
مشخصات نشر: تهران، روزبهان، ۱۳۸۱. مشخصات ظاهری: ۵۲۵ ص. شابک: ۱-۷۵-۵۵۲۹-۹۶۴-۹۷۸
یادداشت: چاپ دوم: ۱۳۸۱ یادداشت: چاپ سوم: فروردین ۱۳۸۲ یادداشت: چاپ چهارم و پنجم: ۱۳۸۲ یادداشت: چاپ دوازدهم: پاییز ۱۳۸۴
موضوع: داستان‌های فارسی ـ قرن ۱۴. رده بندی کنگره: ۱۳۸۱ ۹س ۹۵ ن/PIR۸۱۳۴ رده بندی دیویی: ۶۲/ ۲ فا۸
شماره کتابشناسی ملی: ۲۵۶۱ـ۸۰ م

سهم من

پری نوش صنیعی

چاپ اول، بهار ۱۳۸۱
چاپ نوزدهم، تابستان ۱۳۸۸

مدیریت تولید	حامد کنی
ویراستاری و نمونه خوانی	دفتر ویرایش انتشارات روزبهان
مدیریت هنری	کاوه حسن‌بیگلو گرافیک‌مهر
طرح و اجرای جلد	پارسوا باشی
حروف‌چینی	شرکت قلم
آماده‌سازی برای چاپ	شرکت قلم
چاپ جلد	مجموعهٔ چاپ آوازه
چاپ متن و صحافی	چاپخانهٔ سکه

۵۰۰۰ نسخه

دفترمرکزی: تهران، خیابان انقلاب، خیابان دانشگاه، کوچه آشتیانی، شماره ۳، طبقه اول
کد پستی: ۱۳۱۴۷۷۳۹۱۳ تلفن: ۶۶۹۶۶۷۹۷ـ ۶۶۹۶۶۷۹۸ تلفکس: ۶۶۴۹۵۸۵۵
فروشگاه: تهران، خیابان انقلاب، روبروی دانشگاه تهران، شماره ۱۳۴۲ کد پستی: ۱۳۱۴۷۵۴۷۱۱
تلفن: ۶۶۴۰۸۶۶۷ تلفکس: ۶۶۴۹۲۲۵۳
www.roozbahanpub.ir info@roozbahanpub.ir

۱۱۰۰۰ تومان

| فهرست |

تقدیم به

پدر و مادر نازنینم
که عشق و زندگی را از آنها آموختم
و همسر همیشه همراه و یاورم.

فصلِ اوّل

همیشه از کارهای پروانه تعجب می‌کردم. اصلاً به فکر آبروی آقاجونش نبود. توی خیابون بلند حرف می‌زد، به ویترین مغازه‌ها نگاه‌می‌کرد، گاهی هم می‌ایستاد و یک چیزایی رو به من نشون می‌داد. هر چی می‌گفتم زشته، بیابریم، محل نمی‌ذاشت. حتی یک بار منو از اون طرف خیابون صدا کرد، اون هم به اسم کوچیک، نزدیک بود از خجالت آب بشم برم توی زمین. خدا رحم‌کرد که هیچکدوم از داداشام اون اطراف نبودند، وگرنه خدا می‌دونه چی می‌شد.

ما وقتی از قم اومدیم، آقاجون اجازه داد که من به مدرسه برم، حتی وقتی گفتم تو مدرسه‌های تهرون هیچ‌کس چادر سر نمی‌کنه و منو مسخره می‌کنن، بهم اجازه داد که روسری سَرکنم به شرط اینکه مواظب باشم خراب نشم و آبروش رو نریزم. من نمی‌فهمیدم خراب شدن چه جوریه و یه دختر چطور می‌تونه مثل یه غذای مونده خراب بشه ولی می‌دونستم حتی بدون چادر و حجاب درست حسابی چه کار باید بکنم که آبروی آقاجون نریزه. قربون عموعبّاس برم! خودم شنیدم که به آقاجون می‌گفت:

ـ داداش! دختر باید ذاتش خوب باشه. به حجاب مجاب نیست. اگه بد باشه زیر چادر هم هزار کار می‌کنه که آبرو برای باباش نمونه. حالا که اومدی تهرون باید مثل تهرونیها زندگی کنی، دیگه گذشت اون وقتها که دختر رو تو خونه حبس می‌کردن. بذار بره مدرسه، رختش هم مثل بقیه باشه و گرنه بیشتر انگشت‌نما می‌شه.

اصلاً این عموعبّاس خیلی آدم فهمیده‌ای بود، خوب باید هم می‌بود، اون موقع نزدیک به ده سال بود که تهرون زندگی می‌کرد، فقط وقتی کسی می‌مرد

می‌اومد قم. مادربزرگم، ننه‌جون، خدابیامرز هر دفعه که عموعبّاس می آمد می گفت:

ـ ننه، عبّاس، چرا دیربه‌دیر به من سر می‌زنی.

عموعبّاس با اون خنده‌های بلندش می گفت:

ـ چکار کنم ننه، بگو فامیل زودبه‌زود بمیرن که منم زودبه‌زود بیام قم.

ننه جون همچین تو صورتش می‌زد و لپشو می‌کند که تا مدت‌ها جاش می‌موند.

زنِ عموعبّاس تهرونی بود، هر وقت می‌اومد قم چادر سرش می‌کرد ولی همه می‌دونستن توی تهرون هم حجاب زیاد درستی نداره، دختراش که اصلاً این چیزا حالیشون نبود، مدرسه هم بی‌حجاب می‌رفتن.

وقتی ننه‌جون مرد، خونهٔ پدری‌رو که ما توش زندگی می‌کردیم فروختن و سهم همه رو دادن. عموعبّاس به آقاجون گفت:

ـ داداش اینجا دیگه جای زندگی نیست، پاشو بیا تهرون سهم‌هامونو رو هم می‌ذاریم یه مغازه برای خودمون می‌خریم، باهم کار می‌کنیم، خودم برات خونه اجاره می‌کنم نزدیک مغازه، تو هم بیا یواش‌یواش زندگیتو روبه‌راه کن، پول فقط تو تهرون درمی‌آد.

اول داداش بزرگم محمود مخالفت کرد، می گفت:

ـ تو تهرون دین و ایمونِ آدم به باد می‌ره.

ولی داداش احمد خیلی خوشحال بود می گفت:

ـ آره باید بریم، بالاخره ما هم باید سری تو سرا درآریم.

خانم‌جون می گفت:

ـ آخه فکر دخترا رو هم بکنین، اونجا نمی‌تونن شوهر درست و حسابی بکنن، هیچ‌کس ما رو نمی‌شناسه، ما همهٔ کس‌وکارمون اینجان، معصوم که تصدیق شیشمو گرفته یک سال هم بیشتر خونده، دیگه وقت شوهر کردنشه، فاطی هم که امسال باید تازه بره مدرسه، خدا می‌دونه تو تهرون چی از آب دربیاد. همه می‌گن دختری که تو تهرون بزرگ بشه وضعش خوب نیست.

علی که کلاس سوم دبستان بود گفت:

ـ غلط می‌کنه، مگه من مُردم؟ همچین مواظبشم که نمی‌ذارم تکون بخوره.

و با لگد به فاطی که روی زمین نشسته بود و بازی می‌کرد زد. فاطی جیغش دراومد ولی هیچکسی محلش نگذاشت، من رفتم بغلش کردم و گفتم:

ـ چه حرفها می‌زنید، یعنی همۀ دخترای تهرون بدن؟

داداش احمد که عشق تهرون کشته بودش، گفت:

ـ تو خفه! اگه مشکل معصومه‌اس که همین‌جا شوهرش می‌دیم بعد مـی‌ریم تهرون، اینجوری بهتر هم هست یه سرِخر کم می‌شه، فاطی رو هم میسپریم دست علی، به پشت علی زد و، با افتخار گفت بچه غیرت داره، حواسش هست.

بند دلم پاره شد، اصلاً داداش احمد از اول هم با مدرسه رفتن من مخالف بود، نه اینکه خودش درس نخوند و کلاس هفتم هی رد شد تا ترک تحصیل کرد، حالا نمی‌خواست من بیشتر از اون درس بخونم. ننه‌جون خدابیامرز هم از اینکه مـن هنوز مدرسه می‌رفتم خیلی دلخور بود، مرتب به خانم‌جون سرکوفت می‌زد که:

ـ دخترت هیچ هنری نداره، وقتی بره خونۀ شوهر، سرِ ماه برش می‌گردونن.

به آقاجون می‌گفت:

ـ چیه هی خرج این دختر می‌کنی، دختر که فایده نداره، مال مردمه، این همه زحمت می‌کشی خرج می‌کنی، آخر سر هم باید یه عالمه روش بذاری و بدی بره.

❧

احمد با اینکه دیگه نزدیک بیست سالش بود، هیچ کـار درست و حسـابی نمی‌کرد. مثلاً شاگرد مغازۀ دایی اسدالله بود ولی همیشه تو خیابونا پرسه‌می‌زد، مثل داداش محمود نبود که تو حجره بشینه و به قول آقامظفر بشه روش حساب کرد. آقاجون می‌گفت: اصلاً مغازۀ آقامظفرو محمود می‌چرخونه. با اینکه همش دو سال از احمد بزرگتر بود، خیلی با خدا بود، نماز روزه‌اش ترک نمی‌شد، همه فکر می‌کردن ده سال از احمد بزرگتره، خانم جون خیلی دلش می‌خواس دخترخاله‌ام، احترام‌ساداتو براش بگیره، می‌گفت سیّدِ اولادِ پیـغمبره، ولی مـن مـی‌دونسـتم داداش از محبوبه دخترعمه‌م خوشش می‌آد، هر وقت محبوبه می‌اومد خـونۀ مـا

رنگ و روی داداش محمود تغییر می‌کرد، سرخ و سفید می‌شد به تته‌پته می‌افتاد. یواشکی یک گوشه وامیستاد و به محبوبه نگاه‌می‌کرد، مخصوصاً وقتی چادر نمازش می‌افتاد، محبوبه هم که قربونش برم این‌قدر بازیگوش بود و هرّه‌وکرّه می‌کرد که یادش می‌رفت حجابشو نگه داره. وقتی هم که ننه‌جون دعواش می‌کرد که خجالت بکش مرد نامحرم اینجاس، می‌گفت:

ـ ول کن ننه جون، اینها مثل برادرامن!

و باز غش‌غش می‌خندید.

من متوجّه بودم که همیشه بعد از رفتن محبوبه داداش محمود دو ساعت می‌نشست سر نماز و بعد هی می‌گفت: استغفراللّه! استغفراللّه! لابد توی فکرش یه گناهی می‌کرد، خدا خودش بهتر می‌دونه.

برای تهرون اومدن مدت‌ها توی خونهٔ ما جنگ و جدال و بحث بود. تنها چیزی که همه با آن موافق بودن شوهر دادن و خلاصی از شرِ من بود. انگار تمام تهرون منتظر بودن که من بیام و اونا منو از راه به در کنن. هر روز می‌رفتم حرم حضرت معصومه و قسمش می‌دادم که کاری کنه تا منو هم با خودشون ببرن و بذارن که مدرسه برم. با گریه می‌گفتم که کاش منم پسر بودم، یا مثل زری خنّاق می‌گرفتم و می‌مُردم. زری سه سال از من بزرگتر بود، در هشت سالگی دیفتری گرفت و مرد. الحمدلله دعاهام گیرا شد و در اون مدت هیچ احدالنّاسی به عنوان خواستگار درِ خونهٔ ما رو نزد.

کم‌کم آقاجون کاراشو سروسامون داد، عموعبّاس هم خونه‌ای طرفهای خیابون گرگان برامون اجاره کرد، که بعدها همون‌رو خریدیم، همه مونده بودن معطل من، خانم‌جون هر جا که می‌رفت و به نظرش آدم حسابی می‌آمد می‌گفت:

ـ معصوم هم وقت شوهر کردنشه.

و من از خجالت و حرص سرخ می‌شدم.

ولی حضرت، قربونش برم، هوامو؛ داشت هیچ‌کس نیامد که نیامد. بالاخره نمی‌دونم چطوری به گوش یکی از خواستگارای سابق که یک بار ازدواج کرده و

زنشو طلاق داده بود، رسوندن که دوباره پا پیش بذار. وضع مالیش خوب بود، تقریباً هم جوون بود ولی کسی نمی‌دونست که چرا بعد از چند ماه زنش‌و طلاق داده، قیافه‌اش از نظر من خیلی بداخلاق و ترسناک بود. وقتی فهمیدم قراره چه بلایی سرم بیاد رودرواستی راکنار گذاشتم، خودمو انداختم روی پاهای آقاجون به اندازهٔ یک تشت اشک ریختم تا قبول‌کرد منو هم با خودشون به تهرون ببرن، آقاجون دل‌رحم بود، مرا هم با اینکه دختر بودم دوست داشت، خودم می‌فهمیدم. بعد از مُردنِ زری به قول خانم‌جون بفهمی‌نفهمی دست و دلش برای من می‌لرزید، نه اینکه من خیلی لاغر بودم می‌ترسید منم بمیرم. همیشه خیال می‌کرد که چون موقع دنیااومدن زری ناشکری کرده، خدا بدش اومده و اونو گرفته، شاید موقع دنیااومدن منم ناشکری کرده بود، کسی چه می‌دونه؟ ولی من خیلی دوستش داشتم، به نظرم توی خونهٔ ما اون تنها کسی بود که می‌فهمید. وقتی از راه می‌رسید، حوله‌رو دستم می‌گرفتم می‌رفتم کنار حوض، دستش‌رو می‌ذاشت روی شونهٔ من پاهاشو چند بار توی آب حوض می‌کرد. بعد که دست و صورتشو هم می‌شست حوله‌رو بهش می‌دادم، صورتشو خشک می‌کرد و از بالای حوله با اون چشمای قهوه‌ای کمرنگش یه جوری نگام‌می‌کرد که می‌فهمیدم دوسم داره و ازم راضیه، اونوقت دلم می‌خواست ماچش کنم، ولی خوب زشته یه دختر گنده مردی‌رو ماچ کنه، حتی اگه آقاش باشه، خلاصه آقاجون دلش سوخت، منم هر چی قسم توی دنیا بلد بودم خوردم که خراب نشم و آبروشو تو تهرون نبرم.

برای مدرسه رفتن در تهرون هم داستانی داشتیم. داداشام هر دو با مدرسه رفتن من مخالف بودن. خانم‌جون معتقد بود کلاس خیاطی واجب‌تره. ولی من با همون التماسا و اشکای بی‌اختیار، آقاجون‌رو راضی کردم تا جلوی همه ایستاد و اسممو در کلاس هشتم دبیرستان نوشت.

مدرسهٔ ما چندتا چارراه پایین‌تر از خونه بود و به اندازهٔ یه ربع تا بیست دقیقه پیاده‌روی داشت. داداش احمد می‌خواست خفه‌ام کنه، به هر بهانه‌ای منو به

باد کتک می‌گرفت، ولی من می‌دونستم دلش از کجا می‌سوزه، هیچی نمی‌گفتم. اوایل تعقیبم می‌کرد، منم چادرمو سفت می‌گرفتم و مواظب بـودم بـهـانه‌ای بـه دستش ندم. داداش محمود هم اصلاً باهام حرف نمی‌زد و محلم نمی‌ذاشت. بالاخره هر دو کار پیدا کردن. محمود در حجرهٔ برادر آقای مظفری مشغول شـد و احـمـد شاگرد یه مغازهٔ چوب‌بری طرفای پیچ‌شمرون شد. کلی هـم رفیق پیدا کـرد. عصرها با اونا می‌رفت و شب دیروقت می‌آمد. کم‌کم همه فهمیدن بوی گندی که می‌ده بوی عرقه، ولی هیچ‌کس به روی خودش نمی‌آورد، آقاجون سرش‌رو پایین می‌انداخت و جواب سلامشو نمی‌داد، محمود روشو بـرمی‌گردوند و مـی‌گفت: استغفراللّه! استغفراللّه، خانم‌جون تندتند غذاشو گرم می‌کرد و مـی‌گفت بـچه‌م دندونش دردمی‌کنه الکل زده، معلوم نبود این چه دردیه که هـیچ‌وقت خـوب نمی‌شه، اصلاً خانم‌جون عادت داشت کارهای احمد رو لاپوشونی کنه، آخه اون عزیز کرده خانم‌جون بود. احمدآقا یک سرگرمی دیگه هم توی خونه پیدا کرده بود: دید زدن خونهٔ پروین‌خانم همسایمون از پنجرهٔ اتاق بالا.

پروین‌خانم معمولاً توی حیاط یه کاری می‌کرد و البته چادرش هم همیشه می‌افتاد. احمد از جلوی پنجرهٔ اتاق مهمون‌خونه تکون نمی‌خورد یه بار هم خودم از اون یکی پنجره دیدم که با ایما و اشاره با هم حرف می‌زدند.

به هر حال داداش احمد این‌قدر سرش گرم شد که منو فراموش کـرد، حـتی وقتی آقاجون اجازه داد که با روسری مدرسه برم فقط یکی دو روز دعوا مرافعه بود، بعد یادش رفت. اما داداش محمود هیچ‌وقت یادش نرفت، حرفی نمی‌زد، دعوا نمی‌کرد ولی دیگه من براش گناه مجسم بودم، حتی به من نگاه هم نمی‌کرد.

اما برای من هیچ چیز اهمّیت نداشت. من مدرسه می‌رفتم، درسم خوب بود و با تمام بچه‌ها دوست شده بودم، دیگه چی از دنیا می‌خواستم؟ خیلی خوشحال بودم مخصوصاً از وقتی که پروانه باهام دوست صمیمی شد و قسم خوردیم کـه هیچ چیزو از هم پنهون نکنیم.

پروانه دختر شاد و خنده‌رویی بود، خیلی خوب والیبال بازی می‌کرد و در تیم مدرسه بود، ولی درسش تعریفی نداشت، مطمئن بودم که خراب نیست، ولی خوب خیلی چیزا رو رعایت نمی‌کرد، یعنی اصلاً نمی‌فهمید که چی بده و چی خوبه، اصلاً حالیش نبود که چطوری باید مواظب آبروی باباش باشه. با اینکه برادر هم داشت ولی هیچ ازشون نمی‌ترسید، می‌گفت بعضی وقتها هم دعوا می‌کنیم ولی اگه اونا بزنن منم می‌زنم. از همه چیز خنده‌ش می‌گرفت، هر جا هم که بود می‌خندید، حتی توی خیابون، انگار هیچ‌کس بهش نگفته بود دختر موقع خنده نباید دندوناش پیدا بشه و صدای خنده‌شو کسی بشنوه. فکر می‌کنم منهم به همون اندازه برای اون عجیب بودم وقتی می‌گفتم زشته، نکن، با تعجّب نگام می‌کرد و می‌پرسید: چرا؟ گاهی جوری نگام می‌کرد که انگار از پشت کوه اومدم. مثلاً اون اسم تمام ماشین‌هارو می‌دونست خیلی هم دلش می‌خواست باباش یه شورولت مشکی بخره، من نمی‌دونستم کدوم یک از ماشینا شورولته، نمی‌خواستم خودم‌رو هم از تک‌وتا بندازم، یه روز ماشینی‌رو که نو بود و به نظرم خوشگل اومد نشونش دادم و گفتم:

ـ پروانه، تو از اون شورولت‌ها دوست داری؟ پروانه اوّل به ماشین و بعد به من نگاه‌کرد و زد زیر خنده، حالا نخند، کی بخند و گفت:

ـ وای چقدر بامزه! به فیات می‌گه شورولت.

تا گوشام سرخ شده بود داشتم از خجالت می‌مُردم، هم از خندهٔ اون توی خیابون و هم از حماقت خودم که بالاخره نادونیم رو نشون‌داده‌بودم.

اونا توی خونشون هم رادیو داشتن، هم تلویزیون. من خونهٔ عموعبّاس تلویزیون دیده بودم ولی خودمون فقط یه رادیوی بزرگ داشتیم، تا وقتی ننه‌جون زنده بود و هر وقت داداش محمود خونه بود ما موسیقی گوش نمی‌دادیم، چون گناه داشت مخصوصاً اگه زن می‌خوند و آهنگ هم قری بود، البته آقاجون و خانم‌جون هم می‌دونستن موسیقی حرومه، خیلی هم با خدا بودن ولی هیچکدوم به سخت‌گیری داداش محمود نبودند. حتی خوششون هم می‌آمد، وقتی محمود نبود خانم‌جون رادیو رو روشن می‌کرد ولی با صدای کم که همسایه‌ها نشنون و

آبروریزی نشه. تازه خودش هم بعضی تصنیف‌هارو بلد بود مخصوصاً شعرای پوران شاپوری که توی آشپزخونه زیرلب زمزمه می‌کرد. یه دفعه گفتم:

ـ خانم‌جون، تو هم خوب شعرای پوران‌و بلدی‌ها.

مثل ترقه از جاش پرید که:

ـ ساکت دختر این حرف‌ها چیه، مبادا یک وقت به گوش داداشت برسه.

آقاجون هم از راه که می‌رسید به هوای اخبارِ ساعتِ دو، رادیو رو روشن می‌کرد بعد مثلاً یادش می‌رفت خاموشش کنه. وقتی برنامهٔ گلها پخش می‌شد بی‌اختیار سرشو تکون می‌داد، هر کس هر چی می‌خواد بگه ولی من مطمئنم که اون عاشق صدای مرضیه بود. محال بود وقتی اون می‌خونه بگه استغفرالله، اون غارغارکو خاموش کنین. ولی وقتی ویگن می‌خوند یاد مسلمونیش می‌افتاد و داد می‌زد:

ـ باز این ارمنیه می‌خونه، خاموشش کن.

ولی من چقدر صدای ویگن‌رو دوست داشتم. نمی‌دونم چرا صدای اون منو یاد دایی‌حمید می‌انداخت.

دایی‌حمیدم تا اونجا که یادمه مرد خوش قیافه‌ای بود، با بقیهٔ خواهر برادراش فرق داشت، بوی ادکلن خوبی می‌داد، چیزی که در اطرافم خیلی کم بود ... همیشه منو که بچّه بودم بغل می‌کرد می‌گفت:

ـ باریک‌الله خواهر! عجب دختر خوشگلی زاییدی، اگه شکل پسرات می‌شد چیکار می‌کرد؟ باید یه خمره می‌گرفتی و ترشی‌ش می‌انداختی. خانم‌جون می‌گفت:

ـ وا داداش این چه حرفیه؟ کجای پسرام زشته ماشاالله عین شاخ شمشادن حالا کمی سبزن، اینم که برای مرد بد نیست، تازه مرد که نباید خوشگلی داشته باشه، از قدیم گفتن مرد باید بی‌ریخت باشه، زشت و بداخلاق، زشت و بداخلاق!

این رو با آهنگ می‌خوند و دایی‌حمید هم غش‌غش می‌خندید.

من بیشتر شکل آقام و عمه‌م بودم. همیشه مردم فکرمی‌کردن من و محبوبه خواهریم، البته اون از من خوشگل‌تر بود، چون من لاغر بودم ولی اون تُپل‌مُپل

بود و موهاش هم برعکس موهای صاف و لَخت من که هر کاری می‌کردم حالت نمی‌گرفت، فری و حلقه‌حلقه بود، ولی خوب هر دو چشمای سبز تیره و پوست روشن داشتیم. موقع خندیدن هم لُپامون عین همدیگه گود می‌رفت فقط اون یه کمی دندوناش ناصاف بود، همیشه به من می‌گفت خوش به حالت که دندونات این‌قدر سفید و مرتبه. خانم‌جون اینها یه شکل دیگه بودن، تقریباً سبزه، با چشم و ابروی مشکی و موهای تابدار و تقریباً همگی چاق، ولی هیچ‌کدوم به چاقی خاله‌قمر نبودند. البته زشت نبودن، مخصوصاً خانم‌جون که وقتی بند می‌نداخت و ابروهاشو برمی‌داشت عین نقاشی‌های خورشیدخانم که روی ظرفهامون بود می‌شد، یه خال هم گوشهٔ لبش داشت که می‌گفت وقتی آقات اومد خواستگاری تا سرشو بلند کرد و خال لب منو دید، عاشقم شد.

❀

وقتی که دایی‌حمید داشت می‌رفت، هفت یا هشت سالم بود ولی خوب یادمه موقع خداحافظی منو بغل کرد و بوسید و به خانم‌جون گفت:

ـ آبجی، تورو خدا این دسته گلت‌و زود شوهر نده بذار درس بخونه، بـرای خودش خانمی بشه. حیفه.

دایی‌حمید در خانوادهٔ ما اولین نفری بود که به فرنگ رفت. هیچ تصوری از خارج نداشتم. فکر می‌کردم یک چیزیه مثل تهرون رفتن فقط یک کمی دورتر. بعضی وقتا برای عزیزجون نامه و عکس می‌داد، چه عکسایی خیلی خـوشگل بودن نمی‌دونم چرا همیشه توی باغچه بود، دوروبرش همه جا سبز و پر از درخت و گل بود بعد هم عکسشو با یه خانم بی‌حجاب و موبور فرستاد و نـوشت کـه عروسی کرده، هیچوقت اون روز رو یادم نمی‌ره، عصر بود که عـزیز اومـد تـا آقاجون نامه‌رو براش بخونه، آقاجون کنار ننه روی مخدّه نشسته بود، اول نامه رو برای خودش خوند یه مرتبه گفت:

ـ به به مبارکه، حمیدآقا هم که زن گرفته، اینم عکس زنشه.

عزیز جون غش‌کرد، ننه‌جون (مادر آقام) که هیچوقت با عزیز خوب نبود، چادرشو رو لباش گرفت و خندید. خانم‌جون زد توی سرش، نمی‌دونست باید

غش کنه، یا عزیزو بلند کنه، بالاخره وقتی عزیز به هوش اومد و کلی آب‌قند خورد، گفت:

ـ مگه اونجایی‌ها کافر نیستن؟

آقاجون شانه‌هاشو بالا انداخت و گفت:

ـ نه! کافر که نه، بالاخره اهلِ کتابن، ارمنی هستن.

دوباره عزیزجون زد توی سرش، خانم‌جون دست‌هاشو گرفت و گفت:

ـ عزیز تورو خدا نکن، مگه چی شده؟ خوب مسلمونش کرده، برو از هر آقایی دوست داری بپرس، مرد مسلمون می‌تونه زن خارج از دین بگیره و مسلمونش کنه، تازه خیلی هم ثواب داره.

عزیز با چشمای بی‌حال نگاهش‌کرد و گفت:

ـ می‌دونم، ائمه اطهارم زن غیرمسلمون گرفتن.

آقاجون خندید و گفت:

ـ خوب انشاالله که مبارکه، حالا کی می‌خواید شیرینی بدید؟ عروسِ فرنگی دیگه خیلی شیرینی داره.

ننه جون، اخماش‌رو توی هم کرد و گفت:

ـ واه واه خدا به دور، عروس چی هست که فرنگی و زبون‌نفهم هم باشه، نجسی و پاکی هم سرش نشه.

عزیز خودش و جمع‌وجور کرد مثل اینکه دوباره جون گرفته بود، درحالی‌که بلند می‌شد که بره گفت:

ـ عروس برکت خونس، ما مثل بعضیا نیستیم که قدر عروسشونو ندونن و خیال‌کنن کلفت آوردن، ما عروسمونو می‌ذاریم روی سرمون حلوا حلوا می‌کنیم. اونم عروس خارجی!

ننه‌جون دیگه این پزو نمی‌تونست تحمل کنه. گفت:

ـ آره دیدم چطوری زن اسدالله خان‌رو گذاشتین روی سرتون. و با بدجنسی ادامه داد:

ـ تازه از کجا معلوم دختره مسلمون شده باشه، شایدم حمیدآقارو کافر کرده

باشه، هر چند که حمیدآقا از اولش هم دین و ایمون درست و حسابی نداشت وگرنه نمی‌رفت کافرستون.

عزیز گفت:

ـ می‌بینی مصطفی‌خان، می‌بینی چی به من می‌گه؟

آقاجون پرید وسط و غائله‌رو ختم کرد.

عزیز مهمونی بزرگی گرفت، پز عروس فرنگی‌رو به همه داد. عکسشو هم‌قاب کرد و گذاشت تو طاقچه و به زَنا نشون داد. ولی تا لحظه‌ای که می‌مرد یواشکی از خانم‌جون می‌پرسید یعنی زن حمید حتماً مسلمون شده؟ نکنه حمید ارمنی شده باشه. از وقتی که عزیز مُرد، ما هم تا سال‌های سال از دایی‌حمید خبر درست و حسابی نداشتیم.

من یک دفعه عکسای دایی‌حمیدو بردم مدرسه به بچّه‌ها نشون دادم، پروانه خیلی خوشش اومد. گفت:

ـ چقدر خوش تیپه، خوش به حالش رفته خارج. کاش ما هم می‌رفتیم.

❦

پروانه تمام تصنیف‌ها رو بلد بود، از طرفدارای دلکش بود، توی مدرسه نصف طرفدار دلکش بودن نصف طرفدار مرضیه، منم باید طرفدار دلکش می‌شدم وگرنه پروانه با من دوست نمی‌شد. تازه اون خواننده‌های خارجی‌رو هم می‌شناخت، یه گرامافون داشتن که روش صفحه می‌ذاشتن. یک بار جلوی در خونه بهم نشون داد، شکل یه چمدان کوچیک بود با در قرمز، می‌گفت این مدل کیفیشه.

❦

هنوز سال تموم نشده بود که منم خیلی چیزا یاد گرفتم، پروانه همیشه دفترها و جزوه‌های منو می‌گرفت، گاهی با هم درس می‌خوندیم، برای اون مهم نبود که خونهٔ ما بیاد، خیلی دختر خوب و راحتی بود، اصلاً به روی خودش نمی‌آورد که ما چی داریم، چی نداریم. خونهٔ ما نسبتاً کوچیک بود؛ از در کوچه سه تا پله می‌خورد و می‌اومد توی حیاط، وسطِ حیاط حوضِ مستطیلی بود، یک طرفش

تخت چوبی بزرگی گذاشته بودیم و طرف دیگَش باغچهٔ درازی بود که برعکسِ حوض قرار گرفته بود یعنی ضلع بلندش طرفِ ضلعِ کوچکتر حوض بود، ته حیاط هم آشپزخونه بود که توش همیشه تاریک و سیاه بود، اون طرفش هم مستراح بود، یک دستشویی هم کنار حیاط داشتیم، دیگه مجبور نبودیم با شیرِ دمِ حوض که کنار تلمبه بود دست و صورت بشوریم. دست چپِ درِ ورودی چهار تا پله می‌خورد و می‌اومد توی پاگرد کوچیک، درهای دو تا اتاق پایین که در امتداد هم بودن توی اون باز می‌شد بعد پله می‌خورد می‌رفت بالا، دو تا اتاق هم عیناً بالا داشتیم که به هم راه داشتند، اتاق جلویی دو تا پنجره رو به حیاط داشت، که از توی اونا از یه طرف خونهٔ پروین‌خانم و از یه طرف حیاط خودمون و قسمتی از کوچه رو می‌شد دید، پنجره‌های آن یکی اتاق که احمد و محمود توی اون می‌خوابیدن رو به حیاط خلوت بود و حیاط خانهٔ پشتی هم از توی اون به خوبی دیده می‌شد.

وقتی پروانه می‌اومد، می‌رفتیم بالا توی اتاق مهمونخونه می‌نشستیم، چیز زیادی توی اون اتاق نبود فقط یه قالیِ بزرگِ قرمز با یه میزِ گرد و شیش تا صندلی لهستانی یه بخاری گنده هم گوشهٔ اتاق بود، کنارش هم پشتی و مخدّه گذاشته بودیم، تنها زینت دیوار یه تابلوی فرشی بود که روش «وان یکاد» نوشته بودن، یک طاقچه هم داشت که خانم‌جون با پیش بخاری گلدوزی شده اون رو پوشونده و آینه، چراغِ سرِ عقدش رو روی اون گذاشته بود.

ما روی مخدّه‌ها می‌نشستیم و پچ‌پچ حرف می‌زدیم و می‌خندیدیم وسطش هم درس می‌خوندیم، ولی من به هیچ وجه اجازه نداشتم به منزل اونا برم. داداش احمد می‌گفت حق‌نداری پاتو بذاری خونهٔ این دختره، اولاً که یه برادر نره‌خر داره، ثانیاً دختر جلف و سربه‌هواییه، خودش به جهنم، ننه‌اش هم حجاب، مجاب نداره من هم می‌گفتم حالا توی این شهر کی داره؟ البته زیر لب.

یه بار که پروانه می‌خواست مجله‌های زنِ روزشو بهم بده یواشکی داخل خونَشون رفتم فقط برای پنج دقیقه. همه جا تمیز و قشنگ بود، خیلی چیزای

خوشگل داشتن به تمام در و دیوارها تابلوی منظره و خانم زده بودن. توی اتاق مهمونخونه مبل‌های بزرگ سرمه‌ای بود که پایینش منگوله داشت، یک طرف اتاق پنجره‌های رو به حیاط بود که پرده‌های مخمل به رنگ مبل‌ها داشت و یک طرف دیگه اتاق ناهارخوری که با پرده از مهمون خونه جدا می‌شد توی هال هم تلویزیون گذاشته بودن با چند تا مبل، دَرِ آشپزخانه و حمام و دستشویی هم توی همین هال باز می‌شد دیگه مجبور نبودن برای هر کاری توی زمستون و تابستون برن توی حیاط. اتاق خواب‌ها طبقهٔ بالا بود پروانه با خواهر کوچیکش فرزانه یه اتاق داشتن، خوش به حالشون! ما جا کم داشتیم. با اینکه ظاهراً چهار اتاق بود ولی ما در واقع فقط توی اتاق بزرگهٔ پایین زندگی می‌کردیم. شام و ناهار اونجا می‌خوردیم، زمستون‌ها هم توش کرسی می‌ذاشتیم، شبها هم من و فاطی و علی اونجا می‌خوابیدیم اتاق پشتی یه تخت چوبی داشت که روش رختخوابهارو می‌ذاشتیم، خانم‌جون و آقاجون هم اونجا می‌خوابیدن، یه کمد بزرگ هم توش بود که جای لباسا و خرت‌وپرتا بود توی اتاق بزرگه یه طاقچه بود که چند تا طبقه داشت هر طبقه مال کتابای یکی از ما بود، ولی چون من کتابام از همه بیشتر بود دو تا طبقه گرفتم.

خانم جون هم از عکسای زنِ روز خوشش می‌آمد و اونارو نگاه‌می‌کرد، ولی از جلوی چشم محمود و آقاجون دور نگهشون می‌داشتیم. من داستانهای دنباله‌دار و بر سر دوراهی‌هارو می‌خوندم و برای خانم‌جون تعریف می‌کردم، همچین هم با آب و تاب می‌گفتم که گریه‌اش می‌گرفت، خودم هم دوباره گریه می‌کردم. با پروانه قرار گذاشته بودیم هر هفته بعد از اینکه مجله‌هارو خوندن بدن ما هم بخونیم. من به پروانه گفتم که برادرام اجازه نمی‌دن به خونهٔ اونا برم. با تعجب پرسید:

ـ چرا؟

ـ آخه برادر بزرگ داری.

ـ داریوش ما؟ کجاش بزرگه؟! تازه یه سال هم از ما کوچیکتره.

ـ باشه بازم بزرگه. می‌گن بده!
ـ من که از این رسمای شماها هیچی نمی‌فهمم.
ولی دیگه اصرار هم نکرد که به خونَشون برم.

تو امتحانات ثلث سوم نمره‌هام خیلی خوب شد، تو مدرسه همه خیلی ازم تعریف کردن ولی توی خونه هیچ‌کس عکس‌العملی نشون نداد، خانم‌جون اصلاً نفهمید من چی می‌گم. محمود گفت:
ـ که چی؟ خیال می‌کنی هنر کردی؟!
آقاجون گفت:
ـ حالا چرا شاگرد اول نشدی؟

با شروع تابستان من و پروانه از هم دور افتادیم، روزهای اول، وقتی داداشا نبودن پروانه می‌اومد دم در خونه با هم حرف می‌زدیم، ولی خانم‌جون خیلی غر می‌زد، یادش رفته بود وقتی قم بودیم خودش هر روز عصر می‌نشست دم در با زنای همسایه تخمه می‌شکستن و حرف می‌زدن تا آقام می‌اومد. حالا اینجا دوست و آشنا نداره خانمای همسایه هم زیاد محلش نمی‌گذارن، چند دفعه هم بهش خندیدن، اونم ناراحت شد و کم‌کم عادت گپ‌زدن دمِ درِ کوچه از سرش افتاد، واسه همین من بیچاره هم نباید دیگه با دوستام حرف می‌زدم.
خانم‌جون در مجموع از اومدن به تهران خوشحال نبود، می‌گفت:
ـ ما رو برای اینجا نساختن، همهٔ کس و کارمون اونجان، من اینجا تنها موندم، زن عموتون هم با اون همه فیس‌وافاده به درد دل ما نمی‌رسه، صد رحمت به غریبه‌ها!
آن‌قدر غر زد و غر زد تا آقامو راضی کرد، در مدت تعطیلی مدرسه‌ها ما رو به قم منزل خواهرش بفرسته گفتم:
ـ همه برای تابستون می‌رن ییلاق آنوقت ما بریم قم؟
خانم جون با عصبانیت به من چشم‌غُرّه رفت و گفت:

ـ واه، واه! به همین زودی یادت رفته مال کجایی؟ تمام سال اونجا بودیم صداتون در نمی‌اومد، حالا خانم واسه من ییلاق برو شده، یکسال آزگاره خواهرِ بیچارمو ندیدم، از برادرام بی‌خبرم سر خاک کس و کارم نرفتم، خونهٔ هر کدوم از فامیل هم که یه هفته بمونیم تابستون تمام شده.

محمود با اینکه با قم رفتن ما موافق بود ولی می‌خواست ما فقط خونهٔ عمه بمونیم تا آخر هفته‌ها که برای دیدن می‌آد فقط عمه و محبوبه‌رو ببینه به همین دلیل گفت:

ـ لازم نیست خونهٔ همه برید همون خونهٔ عمه بمونین، و گرنه همه پاشون واز می‌شه و اینجا سرازیر می‌شن، آنوقت خر بیار و باقالی بار کن!

خانم جون با بغض گفت:

ـ آره خونهٔ عمه بریم و اونا بیان عیب نداره، اما اگه خواهر بیچارهٔ من بیاد واویلاست.

*

آن تابستان ما به قم رفتیم، منم زیاد مخالفت نکردم چون پروانه‌اینها هم به گلاب‌درّه، باغ پدربزرگشان می‌رفتند. اوایل شهریور برگشتیم چون علی تجدیدی داشت و باید امتحان می‌داد، نمی‌دونم چرا برادرای من این‌قدر در درس خوندن تنبل بودن، طفلک آقاجون چقدر آرزو داشت پسراش دکتر و مهندس بشن. به هر حال من که از برگشتن خیلی خوشحال بودم، چون دیگه تحملِ آوارگی توی خونهٔ خاله و دایی و عمه و عمورو نداشتم، مخصوصاً خونهٔ خاله که عین مسجد بود، مرتب می‌پرسید نمازتونو خوندین و هی ایراد می‌گرفت که نمازتون درست نبود، مرتب هم به خانم‌جون پز دین‌داریش و خانوادهٔ شوهرش که همه آخوندند را می‌داد.

*

یکی دو هفته بعد پروانه‌اینها هم آمدند و با باز شدن مدارس دنیا برایم بار دیگر شیرین و دوست‌داشتنی شد، دیدن دوستان و معلم‌ها هیجان‌انگیز بود، دیگر مثل پارسال غریب و ناوارد نبودم، از همه چیز تعجب نمی‌کردم، حرف‌های

احمقانه نمی‌زدم، انشاهایم ادبی‌تر و بهتر شده بود، به اندازهٔ دخترهای تهرانی می‌دانستم و می‌توانستم اظهارنظر کنم و بابت این پیشرفت از پروانه که اولین و بهترین معلمم بود سپاسگزار بودم. در همان سال، لذت خواندن کتاب‌های غیردرسی را هم کشف کردم. رمان‌های عاشقانه را دست‌به‌دست می‌گرداندیم و با اشک و آه می‌خواندیم و در موردشان صحبت می‌کردیم.

پروانه یک دفتر عقاید خیلی خوشگل داشت، عنوان‌ها را پسرخالهٔ خوش خطش با قلم درشت نوشته بود، در مقابل هر موضوع هم یک عکس مناسب چسبونده بود، همهٔ بچه‌های کلاس، فامیل‌ها و چندتا از دوستای خانوادگی پروانه به سؤال‌ها جواب‌داده‌بودند. با چه اشتیاقی آن‌ها را می‌خواندیم، پاسخ‌های داده شده به سؤالاتی مانند: چه رنگی را دوست دارید؟ یا کتاب مورد علاقهٔ شما کدام است؟ و از این قبیل زیاد مهم نبودند، ولی جواب سؤال‌های نظرتان در مورد عشق چیست؟ آیا تا به حال عاشق شده‌اید؟ همسر ایده‌آل شما چگونه شخصیتی است؟ واقعاً خواندنی بودند، بعضیها با پررویی هر چه دلشان می‌خواست می‌نوشتند، فکر هم نمی‌کردند اگر دفتر به دست خانوم ناظم بیفتد چه می‌شود.

من هم یک دفتر شعر داشتم، از هر شعری که خوشم می‌آمد با خط خوب در دفترم می‌نوشتم، گاهی هم کنارشان نقّاشی می‌کردم یا از عکس‌هایی که پروانه از مجلات خارجی می‌چید و برام می‌آورد می‌چسباندم.

یک روزِ درخشانِ پاییزی که من و پروانه سرخوش و گفت‌وگوکنان از مدرسه برمی‌گشتیم پروانه برای خرید یک چسب زخم مرا به داروخانه برد. داروخانه درست وسط راه مدرسه و خانه قرار داشت، آقای دکتر عطایی پیرمرد محترمی بود، همه او را می‌شناختند و احترامش می‌کردند. وقتی وارد داروخانه شدیم کسی پشت پیشخوان نبود، پروانه صدا کرد آقای دکتر و روی پنجه‌های پایش بلند شد و پشت پیشخوان را نگاه کرد، مرد جوانی با روپوش سفید داشت داروها را در طبقهٔ پایین می‌چید، برگشت نگاهی به ما کرد و گفت:

ـ فرمایشی داشتید؟ پروانه گفت:

ـ چسب زخم می‌خواستم.

ـ چشم الآن بهتون می‌دم.

پروانه مشتی به پهلوی من زد و با صدای آهسته گفت:

ـ این دیگه کیه؟ چه خوشگله!

جوان چسب را به پروانه داد، پروانه در حالی که زانوهایش را خم کرده بود تا از کیف مدرسه پول در آورد با صدای آهسته گفت:

ـ دِ... نِگاش کن، ببین چه خوش تیپه.

سرم را بلند کردم در یک لحظه نگاهمان به هم افتاد، احساس عجیبی مثل برق‌گرفتگی در تمام بدنم دوید و صورتم به شدت سرخ شد فوراً سرم را پایین انداختم این اولین بار در عمرم بود که با احساسی چنین غریب روبرو می‌شدم، به پروانه گفتم:

ـ بریم دیگه.

و خودم راهم را کشیدم و بیرون آمدم، پروانه دنبالم دوید و گفت:

ـ چته؟ مگه تا حالا آدم ندیدی؟ چرا یدفه رم کردی؟

ـ خجالت کشیدم!

ـ از چی؟

ـ از حرفایی که تو در مورد یه مرد غریبه می‌زنی.

ـ خوب بزنم مگه چی می‌شه؟

ـ چی می‌شه؟ خیلی زشته، فکر می‌کنم خودش هم شنید.

ـ نه خیر هیچم نشنید، تازه مگه من چی گفتم؟

ـ خوش تیپه و از این چیزا.

ـ برو بابا، اگرم شنیده باشه خیلی هم خوشحال شده، ولی خودمونیم از جلو که نگاش کردم، همچنین چیز تحفه‌ای هم نبود، برم به بابام بگم که دکتر شاگرد آورده.

۞

فردای آن روز کمی دیر شده بود با عجله از جلوی داروخانه رد می‌شدیم که

او را دیدیم او هم نگاهمان کرد، موقع برگشت از پشت شیشه نگاه کردیم مشغول کار بود ولی گویا او هم ما را دید، پس از آن هر صبح و هر عصر بر اساس قراری ناگفته یکدیگر را ملاقات می‌کردیم. بدین ترتیب موضوع جدید و بسیار جذاب دیگری برای حرف زدن پیدا کردیم. کم‌کم آوازهٔ او در مدرسه هم پیچید، دخترها از جوان خوش‌قیافه‌ای که به تازگی در داروخانه مشغول کار شده، می‌گفتند و به بهانه‌های مختلف به داروخانه می‌رفتند و هر کدام سعی داشتند توجّه او را به نحوی جلب کنند.

ما به دیدار روزانهٔ او عادت کردیم و می‌توانم قسم بخورم که او هم منتظر این دیدارها بود و به هر ترتیب شده سعی می‌کرد جلوی چشمان ما ظاهر شود. من و پروانه در مورد اینکه او شبیه به کدامیک از هنرپیشه‌هاست بحث می‌کردیم بالاخره به توافق رسیدیم که شکل «استیومک کویین» است. من واقعاً پیشرفت کرده بودم، حالا دیگر هنرپیشه‌های خارجی را هم می‌شناختم. خانم‌جون را یک بار به زور بردم سینما، خیلی خوشش آمد بعد از آن دور از چشم داداش محمود هر هفته به سینمایی که سر خیابان بود و بیشتر وقت‌ها فیلم هندی می‌داد می‌رفتیم و توی سینما مثل بارون اشک می‌ریختیم.

پروانه خیلی زود مشخصات او را پیدا کرد آقای دکتر که دوست پدرش بود گفته بود، «این آقا سعید دانشجوی رشته داروسازیه پسر خوبیه و اهل رضاییه است» بعد از آن نگاهمان آشناتر شد. ولی پروانه اسم دیگری برایش انتخاب کرده بود که ما او را به آن اسم صدا می‌کردیم «حاج عبدل نگران» می‌گفت،
ـ انگار همیشه منتظر و نگرانه، با نگاهش دنبال کسی می‌گرده.

آن سال بهترین سال زندگیم بود؛ همه چیز به خوبی و بر وفق مراد گذشت، درسهایم همه خوب بودند، دوستیم با پروانه روزبه‌روز مستحکم‌تر می‌شد کم‌کم داشتیم تبدیل به یک روح در دو بدن می‌شدیم تنها نگرانی که روزهای روشن و شیرینم را تیره و تار می‌کرد وحشت از زمزمه‌هایی بود که با نزدیک شدن به

پایان سال تحصیلی قوّت می‌گرفت و می‌توانست مانع ادامهٔ تحصیلم شود، پروانه گفت:

ـ محاله با تو این کارو بکنن. آخه تو دَرسِت خیلی خوبه، حیفه که وسط کار ولش کنی.

ـ تو نمی‌دونی، برای اونا مهم نیست که درس من خوبه یا بده، می‌گن بیشتر از سیکل به درد دختر نمی‌خوره.

ـ سیکل چیه؟ حالا دیگه دیپلم هم کمه، تمام دخترای فامیل ما دانشگاه می‌رن البته اونایی که کنکور قبول شدن. تو هم حتماً قبول می‌شی از همهٔ اونا زرنگتری.

ـ ای بابا! بذارن دیپلم بگیرم، دانشگاه پیشکشم.

ـ خوب باید جلوشون وایسی.

پروانه هم عجب حرفهایی می‌زد، اصلاً نمی‌فهمید من در چه شرایطی هستم، من جلوی خانم‌جون می‌توانستم بایستم، به حرفهایش جواب دهم و از خودم دفاع کنم، ولی در مقابل برادرها جرأت این بلبل‌زبانی‌ها را نداشتم.

در امتحانات ثلث سوم شاگرد دوم شدم، معلم ادبیاتمان خیلی با من خوب بود. وقتی کارنامه گرفتم، گفت:

ـ آفرین! تو خیلی استعداد داری، حالا چه رشته‌ای می‌ری؟

ـ خیلی آرزو داشتم برم رشتهٔ ادبی.

ـ خیلی خوبه، خوب برو، اتفاقاً منم می‌خواستم همینو پیشنهاد کنم.

ـ آخه نمی‌شه خانواده‌ام مخالفن اونها می‌گن سیکل برای دختر بسه.

خانم بهرامی اخم‌هایش را درهم‌کشید و درحالی‌که سرش را تکان‌می‌داد رفت توی دفتر، بعد از چند دقیقه با خانم مدیر آمدند. خانم مدیر کارنامهٔ مرا از دستم گرفت و گفت:

ـ صادقی بگو فردا پدرت بیاد مدرسه کارش دارم، کارنامه تو رو هم نمی‌دم تا خودش بیاد، یادت نره‌ها!

شب که به آقاجون گفتم خانم مدیر با او کار دارد تعجب کرد و گفت:

ـ چکار کردی که منو خواستن؟

ـ هیچی به خدا ...

ـ خانم برو ببین چکار دارن؟

ـ نه نمی‌شه گفتن حتماً خودتون باید بیاین.

ـ یعنی چه؟ من که مدرسهٔ زنونه نمی‌رم!

ـ چرا؟ پدرای همه بچه‌ها میآن، گفتن اگه پدرت نیاد کارنامه بهت نمی‌دیم!

اخم‌هایش را در هم کشید، برایش چای ریختم، یک کمی خودشیرینی کردم، هی پرسیدم آقاجون سرتون درد می‌کنه؟ می‌خواهید قرص بیارم. پشتش بالش گذاشتم، آب آوردم. بالاخره راضی شد که فردا با من به مدرسه بیاید.

خانم مدیر وقتی آقاجون را دید از پشت میزش بلند شد، سلام علیک گرمی کرد، او را نزدیک خودش نشاند و گفت:

ـ بهتون تبریک می‌گم دختر شما واقعاً نمونه‌س، هم درسش خوبه، هم اخلاق و رفتارش.

من کنارِ درِ دفتر ایستاده بودم، سرم را پایین انداختم و از خوشحالی بی‌اختیار لبخند می‌زدم. خانم مدیر رو به من کرد و گفت:

ـ معصومه، شما لطفاً بیرون منتظر باشید تا من کمی با آقای صادقی صحبت کنم.

نمی‌دانم خانم مدیر چه گفت که وقتی آقاجون بیرون آمد صورتش گل انداخته بود، چشمهایش برق می‌زد، با مهربانی و غرور نگاهم کرد و گفت:

ـ بریم اتاق خانم ناظم یدفه اسمت‌رو هم بنویسیم چون دیگه وقت ندارم.

از خوشحالی داشتم پس می‌افتادم. همینطور که دنبالش راه می‌رفتم می‌گفتم:

ـ مرسی آقاجون، الهی قربونتون برم. قول می‌دم شاگرد اول بشم، هر کاری بگید می‌کنم، الهی فداتون بشم.

آقاجون خنده‌اش گرفت، و گفت:

ـ بسه دیگه، کاش یه موی تو توی تن این داداشای بی‌غیرتت بود. پروانه که به قول خودش تمام شب از نگرانی خوابش نبرده بود، با نگاه و ایما و اشاره پرسید:

ـ چی شده؟ سعی کردم قیافهٔ غمگین بگیرم شانه بالا انداختم و گفتم:

ـ نشد!

انگار اشک‌هایش حاضر و آماده پشت چشم‌ها ایستاده‌بودند که یک‌دفعه همه با هم سرازیر شدند. پشیمان از کارم به طرفش دویدم، بغلش کردم و گفتم:

ـ نه دروغ گفتم، درست شد اسممو هم نوشتم.

مثل دیوانه‌ها وسط حیاط بالا و پایین می‌پریدیم و با خنده اشک‌هایمان را پاک می‌کردیم.

❊

این تصمیم آقاجون در خانه غوغایی به پا کرد، ولی او محکم و مطمئن جلوی همه ایستاد و گفت:

ـ مدیرشون گفته این خیلی با استعداده آدم مهمی می‌شه.

و من سرمست و شادمان به هیچ حرفی اهمیت نمی‌دادم، حتی نگاه‌های نفرت‌بار احمد که سنگین‌تر از همیشه شده بود ترسی در من برنمی‌انگیخت.

❊

آن تابستان با اینکه آغاز دوریِ سه ماههٔ من و پروانه بود به این امید که سالی دیگر در پیش است و ما باز در مدرسه با هم خواهیم بود به خوبی گذشت. ما فقط یک هفته به قم می‌رفتیم و پروانه هر هفته به بهانه‌ای همراه با پدرش به تهران می‌آمد و سری به من می‌زد، خیلی اصرار می‌کرد که همراه آنها چند روزی به گلاب‌درّه بروم، من هم خیلی دلم می‌خواست ولی می‌دانستم که محال است برادرهایم اجازه دهند، به همین دلیل حتی مطرح هم نمی‌کردم. پروانه می‌گفت اگر بابام بره پیش آقاجونت حتماً اجازه‌تو می‌گیره، ولی من نمی‌خواستم بیش از این برای آقاجون دردسر درست کنم. می‌دانستم هم جواب رد دادن به آقای احمدی برایش سخت است و هم مقابله با حرف‌ها و جنگ و جدال‌های خانه. از طرفی برای اینکه دل خانم‌جون را هم به دست آورم، رضایت دادم که به کلاس خیاطی بروم تا در خانهٔ شوهر حداقل یک هنری داشته باشم.

❊

کلاس خیاطی اتفاقاً در کوچهٔ کنار داروخانه بود، سعید خیلی زود متوجه برنامهٔ یک روز در میان و ساعت‌های رفت‌وآمد من شد، هر طور شده خودش را سر وقت به جلوی در می‌رساند. از یک خیابان مانده به داروخانه تپش قلبم شدت می‌گرفت. بی‌اختیار تندتر از معمول نفس می‌کشیدم. هر بار سعی می‌کردم به طرف داروخانه نگاه‌نکنم و مواظب بودم صورتم سرخ نشود ولی مگر دست خودم بود، اگر نگاهمان به هم می‌افتاد تا گوشهایم سرخ می‌شد، وای که چه آبروریزی بود این سرخ‌شدن‌های بی‌موقع. او هم با نگاهی آرزومند و حجب بسیار سرش را به علامت سلام پایین می‌آورد، یک بار تا از سر کوچه پیچیدم، ناگهان جلویم سبز شد، آنچنان دست‌پاچه شدم که خط‌کش خیاطی از دستم افتاد، دولا شد خط‌کش را برداشت در حالی‌که سرش پایین بود به آرامی گفت:

ـ ببخشید، ترسوندمتون.

گفتم:

ـ نه!

و با عجله خط‌کش را گرفتم و فرار کردم ولی تا مدت‌ها حال طبیعی نداشتم، هر وقت یاد آن لحظه می‌افتادم صورتم سرخ می‌شد و لرزش دلپذیری در قلبم احساس می‌کردم، نمی‌دانم چرا ولی مطمئن بودم که او هم همین حال را دارد.

با اولین بادهای پاییزی و آمدن اول مهر انتظار طولانی ما پایان یافت، من و پروانه با شوق بسیار بار دیگر راهی مدرسه شدیم، حرف‌هایمان تمامی نداشت، باید تمام چیزهایی که در تابستان اتفاق افتاده‌بود، کارهایی که کرده‌بودیم و حتی فکرهایمان را با هم در میان می‌گذاشتیم و در نهایت تمام حرف‌هایمان به سعید برمی‌گشت. پروانه پرسید:

ـ راستشو بگو در مدتی که من نبودم چند دفعه داروخانه رفتی؟

ـ به خدا اصلاً نرفتم، روم نمی‌شد.

ـ چرا اون که خبر نداره ما چه فکرایی می‌کنیم و چه حرف‌هایی می‌زنیم.

ـ خیال کردی!

ـ نه بابا، مگه چیزی گفته، از کجا فهمیدی؟

ـ نه همین جوری می‌گم.

ـ همین جوری که قبول نیست، ما مثلاً هـیـچ‌چی نـمی‌دونیم، مـی‌تونیم کـار خودمونو بکنیم.

ولی واقعیت این بود که چیزی تغییرکرده‌بود، دیدارهای این مدت رنگ و بوی دیگری داشت و خیلی جدی‌تر از گذشته به‌نظر می‌رسید، در درونم ارتباطی محکم هر چند ناگفته با او احساس می‌کردم که پنهان کردن آن از پروانه به راحتی میسر نبود. هنوز یک هفته از باز شدن مدارس نگذشته بود که پروانه اولین بهانه را برای رفتن به داروخانه پیدا کرد و مرا با زور به آنجا برد. داشتم از خـجالت می‌مردم انگار تمام شهر می‌دانستند که در دل من چـه مـی‌گذرد و بـه تماشایم ایستاده بودند، سعید هم با دیدن ما مات و متحیر برجای‌ماند. پروانه چند بـار گفت که آسپرین می‌خوام ولی او نگاهش به من بود و انگار صدای پـروانـه را نمی‌شنید، بالاخره آقای دکتر عطایی جلو آمد، با پروانه سلام علیک کرد و حال پدرش را پرسید بعد رو کرد به سعید و گفت:

ـ جانم چرا ماتت برده، یه بسته آسپرین بده خانم.

وقتی از داروخانه بیرون آمدیم، همه چیز لو رفته بود، پروانه متفکر و متعجب گفت:

ـ دیدی چطوری نگات می‌کرد؟

جوابی ندادم. به طرف من برگشت، به صورتم خیره شد و گفت:

ـ حالا تو چرا رنگت عین زردچوبه شده و داری پس می‌افتی؟

ـ من؟ نه! من چیزیم نیست.

ولی صدایم می‌لرزید. یکی دو دقیقه‌ای در سکوت راه رفتیم، پروانه کاملاً در فکر بود.

ـ پروانه، چیه حالت خوبه؟

مثل ترقه منفجر شد. با صدایی بلندتر از حد معمول گفت:

ـ تو چقدر بدجنسی. هر چی تو آب‌زیرِکاهی من خرم. چرا تا حالا به مـن

نگفته بودی؟

ـ چی رو؟ چیزی نبوده که بگم.

ـ آره جون خودتون، شماها با هم سروسری دارین آدم باید کور باشه که نفهمه، راستشو بگو تا کجا پیش رفتین؟

ـ این حرفها چیه می‌زنی!

ـ بسه دیگه خودتو به موش‌مردگی نزن، از تو همه چی برمی‌آد، نه به اون روسریت، نه به این عشق و عاشق‌ت. من احمقو بگو، تا حالا خیال می‌کردم واسه خاطر من هر روز جلومون سبز می‌شه، تازه این‌قدر زبلی که تا حالا به من چیزی نگفتی، بیخود نیست می‌گن قمی‌ها بدجنسن حتی به من نگفتی، به من که بهترین دوستت هستم، از سیر تا پیاز همه چیزو برات تعریف می‌کنم، اونم موضوع به این مهمی!

بغض گلویم را می‌فشرد، بازویش را گرفته و با التماس می‌گفتم:

ـ تورو خدا بس‌کن، تو خیابون زشته، یواش‌تر حرف بزن، قربونت برم، یواش، مردم می‌شنون، به جون آقاجون هیچی نیست به خدا، به قرآنِ مجید.

ولی او مثل سیلابی که هر لحظه شدیدتر می‌شد با خشم بیشتر به من حمله می‌کرد:

ـ واقعاً که خیلی خائنی، اونوقت تو دفتر عقاید من می‌نویسه، من به این مسایل فکر نمی‌کنم، برای من فقط درس مهمه، مردا آخن، بدن، این حرفا زشته، گناه داره.

ـ جون مادرت بس‌کن می‌زنم رو قرآن که هیچی نبوده.

نزدیک خانه‌شان رسیده بودیم که دیگر طاقت من تمام شد و شروع به گریه کردم، اشک‌های من او را به خود آورد، و مانند آبی آتش خشمش را فرونشاند. می‌دانستم دل مهربانش طاقت گریهٔ مرا ندارد. با صدایی آرام‌تر گفت:

ـ حالا چرا گریه می‌کنی؟ اونم تو خیابون؟ من فقط از این ناراحتم که تو از من پنهون کردی، من که همه چیزو به تو می‌گم.

برایش قسم خوردم، که همیشه بهترین دوستم بوده و من هیچ چیز را پنهان

نکرده و نخواهم کرد.

✿

من و پروانه تمام مراحل عشق را با هم تجربه کردیم، او هم به اندازهٔ من هیجان نشان می‌داد، مرتب می‌پرسید، حـالا چـه احسـاسی داری؟ تـا مـرا در فکـر می‌دید می‌گفت:

ـ بگو، تعریف کن به چی فکر می‌کنی؟

من هم از رؤیاها، دلهره‌ها، هیجان‌ها، نگرانی برای آینده و وحشت از اینکه مبادا مجبور شوم با کس دیگری جز او پیمان زناشویی ببندم می‌گفتم. او چشمانش را می‌بست و می‌گفت:

ـ وای چه شاعرانه! پس عاشق شدن این جوریه، ولی من مثل تو احساساتی نیستم، از بعضی حرفا و کارای عاشقا که می‌شنوم خنده‌ام مـی‌گیره، سرخ هـم نمی‌شم، پس از کجا بفهمم که عاشق شدم؟

✿

روزهای رنگین و زیبای خزان به همان سرعت بادهای پاییزی گذشت، ما هنوز کلمه‌ای با هم حرف نزده بودیم، فقط به تازگی وقتی از کنارش می‌گذشتیم زیر لب با صدایی آهسته سلام می‌کرد و قلب من مانند میوه‌ای رسیده از جا کنده می‌شد و در سبد سینه می‌افتاد.

پروانه هر روز اطلاعات جدیدی در مورد سعید پیدا مـی‌کرد و خـبرهای دست اول برایم می‌آورد، حالا می‌دانستیم که فامیلش زارعی است، اهل رضاییه است، پدرش چند سال پیش فوت شده، مادر و سه خواهرش در همان جا زندگی می‌کنند، او سال سوم رشته داروسازی است، خانوادهٔ آبرودار و محترمی هستند، خیلی زرنگ و درس‌خوان است، آقای دکتر هم کاملاً به او اطمینان داشته و از او راضیست، تمام خصوصیاتی که از او می‌شنیدم مهر تأییدی بر عشق پاک من بود احساس می‌کردم که از اول عمرم می‌شناختمش و تا آخر عمر تنها با او خواهم بود، بیشتر از همیشه شعرهای عاشقانه را دوست داشتم، و با سرعت آن‌هـا را حفظ می‌شدم.

هفته‌ای یکی دو بار پروانه به بهانه‌های مختلف مرا بـه داروخـانه مـی‌برد و خریدی می‌کرد. نگاه‌های دزدانه ما به یکدیگر باعث لرزش دست‌هـای او، و سرخی بیش از حد گونه‌های من می‌شد. پروانه با دقت تمام حرکات ما را زیر نظر داشت. یک بار گفت:

ـ همیشه فکر می‌کردم نظر بازی یعنی چی؟ حالا خوب فهمیدم، بیخود نبود تو فال حافظ برات در اومد که:

عاشق و رند و نظربازم و می‌گویم فاش

تا بدانی که بـه چـندین هـنر آراسـته‌ام

ـ اِ... پروانه این حرفا چیه می‌زنی؟

ـ چیه مگه دروغ می‌گم؟

صبح‌ها با وسواس خاصی موهایم را شانه می‌کردم، روسری را طوری می‌بستم که چتری‌هایم خراب نشود و دنبالهٔ موهایم از زیر روسری پیدا باشد با هـزار بدبختی سعی می‌کردم موهایم حلقه، حلقه شود ولی نمی‌شد تا اینکه پروانه گفت:

ـ احمق‌جون، موهات خیلی هم قشنگه الآن موی صاف مُده نمی‌بینی بچه‌های مدرسه موهاشونو اطو می‌کنن که صاف بشه.

روپوشم را مرتب می‌شستم و اطو می‌زدم، به خانم‌جون التماس‌کردم بـرایم پارچه روپوشی بخرد و آن را به خیاط بـدهد، خـودش مـثل دهـاتی‌ها لبـاس می‌دوخت، از کلاس خیاطی تنها این را یادگرفته‌بودم که ایرادهای دوزنـدگی خانم‌جون را پیدا کنم. پروین‌خانم روپوش خـوش‌مدلی بـرایم دوخت مـن‌هم یواشکی بهش گفتم کمی دامنش را بیشتر تو بگذارد، ولی باز هم لباس مـن در مدرسه از همه بلندتر بود. پول‌هایم را جمع کردم و با پروانه رفتیم یک روسری به رنگ سبز یشمی خریدیم، پروانه می‌گفت:

ـ با این روسری رنگ چشمات سبزتر می‌شه خیلی بهت می‌آد.

آن سال زمستان سردی بود هنوز برف کوچه‌ها آب نشده بـرف دیگـری

می‌بارید. آفتاب آن‌قدر کم‌رنگ و بی‌رمق بود که توان آب کردن برف‌ها را نداشت صبح‌ها همه جا یخ می‌زد، باید با احتیاط از کوچه‌ها رد می‌شدیم، هر روز یکی از بچه‌ها زمین می‌خورد و آن روز نوبت من بود، هنوز به خانهٔ پروانه نرسیده بودم که پایم روی یک تکه یخ صاف لیز خورد و به سختی به زمین افتادم سعی کردم هر چه زودتر از زمین بلند شوم ولی پایم به شدت درد می‌کرد و تا آن را روی زمین گذاشتم تا کمرم تیر کشید، دوباره وسط کوچه ولو شدم، پروانه در همین موقع از خانه بیرون آمد و علی هم که در راه رفتن به مدرسه بود رسید، کمک کردند تا از زمین بلند شدم و مرا که قدرت راه رفتن نداشتم به خانه برگرداندند. خانم‌جون پایم را بست و تا عصر صبر کرد ولی درد و ورم پایم خیلی بیشتر شده بود عصر که مردها به خانه برگشتند هر کدام نظری دادند، احمد گفت:

ـ ای بابا ... چیزیش نیست، اگه مثل آدم می‌نشست توی خونه و تو این سوز و سرما بیرون نمی‌رفت اینطوری نمی‌شد و بعد رفت دنبال عرق‌خوریش.

آقاجون گفت:

ـ باید ببریمش بیمارستان.

محمود گفت:

ـ آقا اسماعیل شکسته‌بند خوبیه، همین سرپیچ شمرون خونشه می‌آرمش، اگه گفت شکسته، می‌بریمش بیمارستان.

آقا اسماعیل تقریباً هم‌سن‌وسال آقاجون بود، می‌گفتند شکسته‌بند معروفی است. آن روزها هم کارش سکه بود، وقتی پایم را دید گفت نشکسته ولی در رفته، پایم را در آب گرم گذاشت و در حالی‌که حرف می‌زد ماساژ داد، تا من خواستم جواب بدهم ناگهان پایم را چرخاند. از شدت درد فریادی کشیدم و از هوش رفتم، وقتی به خود آمدم داشت پایم را با زرده تخم‌مرغ و زردچوبه و هزار روغن دیگر می‌بست و سفارش می‌کرد که تا دو هفته نباید روی پایم راه بروم. چه مصیبتی، با گریه گفتم:

ـ آخه نمی‌شه مدرسه دارم. امتحانای ثلث دوم شروع می‌شه.

ولی خودم می‌دانستم که تا امتحانات یک ماه و نیم وقت مانده و اشک‌هایم به دلیل دیگری روان است.

چند روزی واقعاً نمی‌توانستم حرکت کنم، تمام مدت زیر کرسی افتاده بودم و به سعید فکر می‌کردم. صبح‌ها که بچه‌ها مدرسه بودند دست‌هایم را زیر سر می‌گذاشتم، صورتم را در آفتابِ بی‌رمقِ زمستان قرار می‌دادم و در رؤیاهای شیرین به شهر آرزوهایم می‌رفتم، به روزهای خوش آینده و زندگی با سعید ... تنها مزاحم این صبح‌های آرام پروین‌خانم بود که به هر بهانه‌ای به دیدن خانم‌جون می‌آمد. هیچ دوستش نداشتم، تا صدایش را می‌شنیدم خودم را به خواب می‌زدم، نمی‌دانم خانم‌جون که آن‌همه دم از دین و ایمان و نجابت می‌زد، چطور با پروین‌خانم که همهٔ محل می‌دانستند پالونش کجه دوست شده بود، و نمی‌فهمید که این خودشیرینی‌های او به خاطر داداش احمده.

عصرها که بچه‌ها از مدرسه برمی‌گشتند دیگر آرامش از خانه رخت بر می‌بست علی می‌توانست محله‌ای را به‌آتش‌بکشد. حرف نشنو و پررو شده بود سعی می‌کرد پایش را درست جای پای داداش احمد بگذارد و تقریباً مثل او با من بد بود، بخصوص حالا که مدرسه نمی‌رفتم، خانم جون همهٔ کارهایم را می‌کرد و آقاجون حالم را می‌پرسید خیلی حسودیش می‌شد، انگار من حق او را خورده بودم، یکسره از روی کرسی می‌پرید، فاطی را اذیت می‌کرد و جیغش را درمی‌آورد، کتاب‌های مرا لگدمی‌کرد، آن‌ها را این طرف و آن طرف می‌انداخت و عمداً یا سهواً لگدی به پای دردناکم می‌زد به‌طوری‌که فریادم به آسمان بلند می‌شد، بالاخره یک روز با گریه و زاری خانم‌جون را مجبور کردم رختخواب مرا به اتاق مهمانخانه ببرد تا هم از دست اذیتهای علی در امان باشم، هم بتوانم درس بخوانم، و هم پایم در شلوغی زیر کرسی مرتب در معرض تهدید قرار نگیرد، خانم‌جون غر می‌زد که:

ـ چطوری می‌خوای از این پله‌ها بالا و پایین بری؟ بالا سرده، بخاری بزرگه هم خرابه.

ـ همین بخاری کوچیکه برای من بسه.

به این ترتیب او بالاخره تسلیم شد و من به طبقهٔ بالا منتقل شدم، در آنجا آرامش داشتم، درس می‌خواندم، فکر می‌کردم، دفتر شعرم را می‌نوشتم، در رؤیاهایم به سفرهای دور و دراز می‌رفتم، با خط اختراعیم اسم سعید را در گوشه و کنار دفاترم می‌نوشتم، ریشهٔ اسمش را در عربی پیدا کرده، به باب‌های مختلف می‌بردم، سعد، سعید، مسعود، سعادت ... برای تمام مثال‌های درسیم از آن استفاده می‌کردم.

یک روز پروانه به دیدنم آمد، جلوی خانم‌جون از مدرسه و امتحانات که قرار بود از پانزدهم اسفند شروع شود صحبت‌کردیم، ولی تا خانم‌جون رفت، بلند شد در را بست و گفت:

ـ اگه گفتی چه اتفاق‌هایی افتاده؟ می‌دانستم از سعید خبرهایی دارد، نیم‌خیز شدم و گفتم:

ـ تورو خدا بگو، سعید چطوره؟ زود باش تا کسی نیامده.

ـ سعید چیه؟ حالا دیگه واقعاً حاج‌عبدل نگرانه، هر روز جلوی داروخانه روی پلّه می‌ایستاد و سرک می‌کشید، وقتی می‌دید من تنهام لب و لوچه‌اش آویزون می‌شد، قیافه ماتم‌زده‌هارو می‌گرفت و می‌رفت داخل. امروز دیگه خیلی شجاعت به‌خرج‌داد وقتی دید باز هم من تنهام آمد جلو، اول هی سرخ و سفید شد، بعد سلام کرد، با تته‌پته، بالاخره گفت چند روزه دوستتون مدرسه نمی‌آن خیلی نگرانم. حالشون خوبه؟ من‌هم از روی بدجنسی خودمو به نفهمی زدم و گفتم کدوم دوستمو می‌گید؟ با تعجب نگاهم کرد و گفت همون خانم که همیشه با شمان، خونَشون توی کوچهٔ گلشنه، معلوم می‌شه خونتونو هم بلده، ببین چقدر کلکه، حتماً تعقیبمون کرده. گفتم آها معصومه صادقی رو می‌گید، اون طفلکی زمین خورده پاش پیچیده تا دو هفته نمی‌تونه مدرسه بیاد. رنگش پرید، گفت وای خیلی بد شد، بعد پشتشو کرد به من و راهشو کشید و رفت، می‌خواستم صداش کنم و بگم خیلی بی‌تربیتی، ولی دو قدم نرفته مثل اینکه فهمید چه کار زشتی کرده برگشت و گفت از قول من بهشون سلام برسونید و مثل بچهٔ آدم

خداحافظی کرد و رفت.

قلبم و صدام هر دو می‌لرزید، گفتم:

ـ وای اسممو هم بهش گفتی؟

ـ خودتو لوس نکن، مگه چی شده؟ تازه خودش می‌دونست، لااقل فامیلتو بلد بود، مطمئن باش تمام تیر و طایفه‌ات رو هم شناسایی کرده، این جوری که اون عاشقه فکر می‌کنم همین روزا بیاد خواستگاریت.

توی دلم قند آب می‌کردند، جوری ذوق‌زده بودم و می‌خندیدم که وقتی خانم‌جون با سینی چای وارد شد، با تعجب نگاهم کرد و گفت:

ـ چه خبره؟ خوش خوشانته.

دست‌پاچه گفتم:

ـ نه چیزیم نیست!

پروانه پرید وسط و گفت:

ـ آخه امروز ورقه‌هارو دادن نمره‌های معصوم از همه بهتر شده، بعد چشمکی به من زد.

ـ چه فایده، ننه؟ دختر که این چیزا به دردش نمی‌خوره، بیخود داره وقتشو تلف می‌کنه، دو روز دیگه باید بره خونه شوهر، کهنه‌های بچّه‌شو بشوره.

ـ نه خانم‌جون، به این زودی‌ها خونه شوهر برو نیستم حالا باید دیپلممو بگیرم.

پروانه با شیطنت گفت:

ـ آره، بعدش هم خانم دکتر می‌شه، من بهش چشم غُرّه رفتم.

ـ چه غلطا! یعنی بعدش باز هم درس بخونه؟ هر چی بیشتر مدرسه می‌ره پرروتر می‌شه، همش تقصیر این آقاشه که این‌قدر لی‌لی به لالاش می‌ذاره، انگار نوبرشو آورده.

و همین‌طور غرغرکنان از اتاق خارج شد. من و پروانه زدیم زیر خنده. من گفتم:

ـ خوبه خانم‌جون نفهمید و گرنه می‌گفت از کی تا حالا با دیپلم ادبی دکتر می‌شن.

پروانه درحالی‌که اشک‌هایش را که از شدت خنده روی صورتش جاری شده بود پاک می‌کرد گفت:

ـ احمق جون من که نگفتم تو دکتر می‌شی گفتم خانم آقای دکتر می‌شی.

در آن روزهای روشن و شاد هیچ دلیل منطق برای خندیدن لازم نبود، چقدر شاد و خوشبخت بودم، درد پایم به کلی فراموش شده بود. بعد از رفتن پروانه با آرامش و لذت روی بالشم افتادم با خود گفتم: برایم نگران است، دلش برایم تنگ شده، چقدر من خوشبختم، آن روز حتی داد و فریادهای احمد که به خاطر آمدن پروانه با خانم‌جون دعوا می‌کرد آزارم نمی‌داد. می‌دانستم این علیِ جاسوس گزارشِ آمدنِ پروانه را داده ولی چه اهمیتی داشت!

صبح‌ها از جایم بلند می‌شدم لِی‌لِی‌کنان اتاق را جمع‌وجور می‌کردم، یک دست به نردهٔ پله‌ها و یک دست به عصای ننه‌جون آرام‌آرام از پله پایین می‌رفتم، دست و رویم را می‌شستم صبحانه می‌خوردم و با زحمت بسیار دوباره برمی‌گشتم، خانم‌جون یک ریز غر می‌زد که در سرمای بالا سینه‌پهلو هم می‌کنی، یا این دفعه با سر از پله‌ها پرت می‌شی، ولی کو گوش شنوا؟ با همان بخاری علاءالدین می‌ساختم و خلوتم را به دنیایی نمی‌فروختم. اصلاً آنچنان از درون گرم بودم که هیچ احساس سرما نمی‌کردم.

دو روز بعد پروانه دوباره آمد، خودم را به پنجره رساندم، خانم‌جون با سردی جواب سلامش را داد، پروانه به روی خودش نیاورد و گفت:

ـ برنامهٔ امتحانی‌رو برای معصوم آوردم.

و با سرعت از پله‌ها بالا دوید، نفس‌نفس‌زنان در اتاق را پشت سرش بست، چند لحظه با چشمان بسته به پشت در تکیه‌داد، صورتش سرخ بود نمی‌دانستم از سرماست یا از هیجان. همان‌طور که به صورتش زل زده بودم به رختخواب برگشتم جرأت سئوال کردن نداشتم، بالاخره شروع به حرف‌زدن کرد.

ـ خوب واسهٔ خودت خوابیدی اینجا و من بدبختو توی دردسر انداختی.

ـ چی شده؟

ـ بذار نفسم جا بیاد، از داروخانه تا اینجا مثل دیوونه‌ها دویدم.

ـ مگه چی شده؟ زود باش حرف بزن.

ـ با مریم داشتم می‌آمدم، جلوی داروخانه که رسیدیم سعید ایستاده بود، اول هی سر و کله‌شو برام تکون داد، مریم که می‌دونی چقدر بلاست، گفت:

ـ آقا خوشگله با تو کار داره، گفتم:

ـ نه! با من چکار داره؟ محل نذاشتم و رد شدم، دوید دنبالمون و گفت ببخشید خانم احمدی یه دقیقه بیایید توی داروخانه کارتون دارم، تو هم با این حاج‌عبدل نگرانت! عین لبو سرخ شده بود، منم حسابی دست‌پاچه شدم نمی‌دونستم با این مریم فضول چکار کنم، گفتم:

ـ آها، ببخشید یادم رفته بود دواهای پدرمو باید بگیرم، حتماً آماده‌شون کردین؟ ولی اون خنگ خدا همین‌طور مات و متحیر نگام می‌کرد، دیگه منتظر جوابش نشدم تا آبروریزی بیشتری بکنه، به مریم گفتم:

ـ مریم‌جون ببخشید من یادم رفته بود باید سفارش بابامو از داروخانه بگیرم، خداحافظ فردا می‌بینمت، ولی مگه این فضول خانم ول کن معامله بود اصلاً نمی‌خواست چنین موقعیتی‌رو از دست بده گفت:

ـ من عجله ندارم باهات می‌آم.

هر چه گفتم لازم نیست انگار بیشتر مشکوک شد و گفت:

ـ من خودم هم توی داروخانه کار دارم، یادم نبود باید خمیردندون بخرم.

و با من آمد توی داروخانه. خوشبختانه دو زاری حاج‌عبدل نگران افتاده بود، یه بسته دارو درست کرد، یک پاکت هم توش گذاشت و گفت:

ـ نسخه‌رو هم گذاشتم، حتماً بدید دست خودشون خیلی هم سلام منو برسونید، منم با عجله گذاشتم توی کیفم، می‌ترسیدم مریم از دستم قاپ بزنه، به خدا بعید نبود، تو که می‌دونی چقدر فضول و خبرچینه مخصوصاً حالا که سعیدخان توی مدرسه هم اسم در کرده، نصف دخترایی که از این طرف رد می‌شن خیال می‌کنن اون به خاطر اونا جلوی مغازه می‌ایسته، حالا ببین از فردا چه حرف‌هایی تو مدرسه برام دربیارن. خلاصه هنوز مریم توی داروخانه بود و داشت خمیردندون می‌خرید که من با سرعت بیرون آمدم و خودمو به اینجا رسوندم.

ـ وای اینکه بدتر شد، حالا بیشتر شک می‌کنه.

ـ ای بابا ... همون موقع هم شک‌کرده‌بود، چون اون سعیدِ خنگِ‌خدا نسخه را توی پاکت مُهر و موم شده گذاشته تا حالاکدوم داروخانه‌چی احمق‌رو دیدی که نسخهٔ مریضو توی پاکت بذاره مریم هم که خر نیست داشت با چشاش پاکت‌رو می‌خورد می‌خواست ببینه روی پاکت چی نوشته منهم برای همین ترسیدم و فرار کردم.

برای چند لحظه مثل مرده افتادم روی بالش. همه چیز در مغزم آشفته بود، با یاد نامه از جا پریدم، در حالی‌که در رختخواب می‌نشستم گفتم:

ـ حالا نامه‌رو بده ببینم، چی نوشته؟ اول پشت درو نگاکن ببین کسی نیست، حالا درو محکم ببند.

وقتی نامه را به دستم داد دست‌هایم می‌لرزید، روی پاکت چیزی نوشته نشده بود، جرأت نمی‌کردم نامه را باز کنم یعنی چه نوشته؟ ما تا آن موقع جز سلام‌های زیرلبی کلمه‌ای با هم حرف نزده بودیم، پروانه هم مثل من هیجان‌زده بود. در همان موقع خانم‌جون وارد اتاق شد، با سرعت پاکت را زیر لحاف پنهان کردم و هر دو صاف نشستیم و ساکت به او نگاه کردیم.

ـ چی شده باز چه خبره؟

من با دست‌پاچگی گفتم:

ـ هیچی.

ولی نگاه خانم‌جون پر از سوءظن بود، مثل همیشه پروانه به رفع و رجوع پرداخت:

ـ چیزی نیست این دختر شما خیلی حساسه، همه چیزو بی‌خودی بزرگ می‌کنه، حالا نمرهٔ انگلیسی‌ات خوب نشده، که نشده به جهنم خانم‌جون توکه مثل مامان من نیست بی‌خودی دعوا بکنه، مگه نه خانم صادقی؟ دعواش می‌کنین؟

خانم‌جون باتعجب به پروانه نگاه‌کرد، چینی به کنار لب‌هایش انداخت وگفت:

ـ والله چی بگم؟ به درک که خوب نشده اصلاً رفوزه هم بشی بهتره، می‌ری کلاس خیاطی که خیلی هم واجب‌تره.

چای را گذاشت جلوی پروانه و رفت، ما چند لحظه در سکوت به هم نگاه

کردیم و پخی زدیم زیر خنده. پروانه گفت:

ـ دختر تو چرا این‌قدر خنگی؟ با این اداها که تو درآوردی هر کسی می‌فهمه که داری یه غلطی می‌کنی مواظب باش وگرنه حسابی لو می‌ریم‌ها!

از شدت هیجان و نگرانی دلم آشوب بود. نامه را با احتیاط باز کردم، انگار به پاکت سفید هم نباید هیچ آسیبی وارد شود صدای قلبم مثل صدای پتک بر سندان در گوشم می‌پیچید.

ـ اَه ...! زود باش خفه‌م کردی.

نامه باز شد. چه خط زیبایی! کلمات در جلوی چشمانم می‌رقصیدند، سرم گیج می‌رفت، اول هر دو با سرعت از اول تا آخر نامه را که چند سطر بیشتر نبود خواندیم بعد به هم نگاه کردیم، هر دو از هم پرسیدیم:

ـ خوندی؟ چی نوشته؟

دوباره با آرامش بیشتر شروع به خواندن کردیم، نامه با این شعر شروع می‌شد:

تنت به ناز طبیبان نیازمند مباد وجود نازکت آزردهٔ گزند مباد

و بعد سلام و احوالپرسی و آرزوی سلامت و بهبودی هر چه سریع‌تر.

چقدر مؤدبانه چقدر زیبا، از خط و انشایش معلوم بود که آدم باسوادی است.

پروانه زود رفت چون به مادرش نگفته بود که به خانهٔ ما می‌آید، ولی من چندان حواسم به او نبود، در دنیای دیگری بودم، جسمم را احساس نمی‌کردم، همه روح بودم در حال پرواز حتی خودم را می‌دیدم که با چشمان باز در رختخواب افتاده‌ام و نامه را بر روی سینه می‌فشردم، لبخند بزرگی بر لب‌هایم نشسته بود. برای اولین بار از اینکه بارها آرزوکرده‌بودم که کاش به جای زری من مرده بودم پشیمان شدم، زندگی چقدر دلپذیر بود، دلم می‌خواست تمام جهان را در آغوش بکشم و ببوسم.

تمام آن روز در حالتی از بی‌خودی و رؤیا گذشت، نفهمیدم کِیْ شب شد، شام چی خوردم؟ کی آمد؟ کی رفت؟ چی گفتیم؟ نیمه‌شب چراغ را روشن کردم نامه را بارها و بارها خواندم بر سینه نهادم و با چه خواب‌های خوشی شب را به صبح رساندم به غریزه می‌دانستم که این تجربه‌ایست که تنها یک بار آن‌هم در شانزده

سالگی ممکنست اتفاق بیفتد.

۞

روز بعد بی‌تابانه منتظر پروانه بودم، از پشت پنجره به حیاط نگـاه می‌کردم خانم‌جون در رفت‌وآمدهایش به آشپزخانه مرا می‌دید، با حـرکت سر و دست پرسید:

ـ چی می‌خوای؟

پنجره را باز کردم و گفتم:

ـ هیچی... حوصله‌ام سر رفته به کوچه نگا می‌کنم.

بعد از چند دقیقه صدای زنگ در بلند شد، خانم‌جون غرغرکنان در را باز کرد، با دیدن پروانه نگاه معنی‌داری به من کرد که یعنی همین‌رو می‌خواستی.

پروانه دوان‌دوان از پله‌ها بالا آمد درحالی‌که سعی می‌کرد کفشش را با کمک پای دیگرش در آورد کیفش را وسط اتاق پرت کرد.

ـ دِ ... بیا تو، چکار می‌کنی؟

ـ امان از دست کفشای بنددار.

بالاخره از دست کفش‌ها خلاص‌شد. نشست و گفت:

ـ بده نامه‌رو بخونم، بعضی جاهاش یادم رفته.

کتابی را که نامه در بین صفحات آن پنهان بود به دستش دادم و گفتم:

ـ از امروز بگو، دیدیش ...؟

خندید و گفت:

ـ اون منو دید، روی پله‌های داروخانه ایستاده بود، همچین سرک می‌کشید که همهٔ شهر فهمیدن منتظر کسیه، وقتی رسیدم سلام کرد، دیگه سرخ هم نشد، پرسید:

ـ حالشون چطور بود؟ نامه‌رو دادین؟ گفتم:

ـ بله خوب بود خیلی هم سلام رسوند.

نفس راحتی کشید و گفت:

ـ نگران بودم، می‌ترسیدم ناراحت بشن.

بعد کمی این پا و اون پا کرد و گفت:

ـ جوابی ندادن؟

ـ منم گفتم خبر ندارم من فقط نامه‌رو دادم و اومدم، همون لحظه که نمی‌تونستن جواب بدن. خوب حالا چکار می‌کنی؟ منتظر جوابه.

ـ یعنی من نامه بنویسم؟ وای نه زشته من نمی‌تونم، حتماً می‌گه چه دختر پررویی.

در همین موقع خانم‌جون وارد شد و در ادامهٔ حرف من گفت واقعاً هم که پررویی، بند دلم پاره شد، نمی‌دانستم چقدر از حرف‌هایمان را شنیده، به پروانه نگاه کردم، او هم وحشت‌زده بود. خانم‌جون ظرف میوه را زمین گذاشت و نشست.

ـ خوبه! بالاخره فهمیدی که پررویی.

مطابق معمول پروانه زودتر به خودش آمد و گفت:

ـ اختیار دارید، این که پررویی نیست.

ـ چی، پررویی نیست؟

ـ آخه می‌دونین، به مادرم گفتم معصوم می‌خواد که من هر روز بهش سر بزنم و درسارو براش بگم، معصوم هم گفت حالا مادرت می‌گه چه دختر پرروییه!

خانم‌جون سرش را تکان داد، ناباورانه نگاهمان کرد و یواش از جایش بلندشد و از اتاق بیرون رفت و در را پشت سرش بست، به پروانه اشاره کردم که حرف نزند می‌دانستم پشت در ایستاده و حرف‌هایمان را گوش می‌دهد. بلندبلند شروع به حرف‌زدن از مدرسه و درس‌ها کردیم و از عقب‌افتادگی من در درس‌ها گفتیم. بعد هم پروانه از روی کتاب عربی شروع به خواندن کرد. خانم‌جون از عربی خیلی خوشش می‌آمد، خیال می‌کرد قرآن می‌خوانیم، بعد از چند دقیقه صدای پایش را که سعی می‌کرد آرام از پله‌ها پایین برود شنیدیم.

ـ خوب رفت، یاالله تصمیم بگیر، چکار می‌کنی؟ می‌نویسی؟

ـ نه! نمی‌دونم. چکار کنم؟

ـ بالاخره چی؟ یا باید بنویسی یا باید باهاش حرف بزنی. نمی‌شه که تا آخر عمر با ایما و اشاره از کنار هم رد بشیم. باید ببینیم اصلاً منظورش چیه. خیال ازدواج داره یا نه. شاید می‌خواد گولمون بزنه.

خیلی جالب بود، من و پروانه دیگر داشتیم در هم ادغام می‌شدیم، در حرف‌هایمان هم از افعال جمع استفاده می‌کردیم.

ـ من نمی‌تونم، نمی‌دونم چی بنویسم، تو بنویس.

ـ من؟! من که بلد نیستم، تو که انشات خیلی از من بهتره، کلی هم شعر بلدی.

ـ هر چی به فکرت می‌رسه بنویس، من هم می‌نویسم بعد با هم می‌شینیم، و یه چیز درست و حسابی ازش درمی‌آوریم.

عصر با صدای داد و فریاد احمد که حیاط را روی سرش گذاشته بود از جا پریدم:

ـ شنیدم این دخترهٔ جلف هر روز می‌آد اینجا، چه معنی داره؟ مگه من نگفتم از این دختره با اون اداهاش خوشم نمی‌آید، چکار داره که دم به ساعت پیداش می‌شه؟

ـ هیچی ننه، تو چرا خون خودتو کثیف می‌کنی؟ می‌آد درسای معصومو می‌ده و زود هم می‌ره.

ـ غلط کرده، بِهِتون گفته باشم، اگه یه دفعه دیگه اینجا ببینمش با اردنگی بیرونش می‌کنم.

دلم می‌خواست دستم به علی می‌رسید، یک فصل کتکش می‌زدم، حالا دیگه این فسقلی برای من سوسه می‌آمد، با خود گفتم: هیچ غلطی نمی‌تونه بکنه. ولی با این‌همه باید به پروانه بگم که مواظب باشه و یه موقعی بیاد که علی نباشه.

تمام آن روز و آن شب نوشتم و خط زدم، من قبلاً هم چیزهایی برایش نوشته بودم ولی همه به خط اختراعی خودمان، و مطالب آن هم بیش از حد خودمانی و احساساتی بود و نمی‌شد در یک نامه رسمی نوشت. این خط هم از ابداعات ناشی از احتیاج بود، چون اولاً در خانهٔ ما هیچ حریم خصوصی وجود نداشت، من حتی یک کشو برای خودم نداشتم، ثانیاً من به نوشتن محتاج بودم، نمی‌توانستم از این کار خودداری کنم باید افکار، خواسته‌ها و آرزوهایم را روی کاغذ می‌آوردم، گویی تنها به این وسیله افکارم مرتب می‌شد و دقیقاً می‌فهمیدم که

چه می‌خواهم.

واقعاً نمی‌دانستم چه باید بنویسم، حتی نمی‌دانستم او را در نامه چه بنامم، آقای محترم؟ نه! خیلی رسمی بود، دوست عزیز؟ نه زشته، به اسم کوچک؟ خیلی خودمانی می‌شد. وقتی ظهر پنجشنبه، پروانه یک‌راست از مدرسه به خانهٔ ما آمد، من هنوز حتی یک کلمه هم ننوشته بودم. پروانه هیجان‌زده‌تر از همیشه بود، وقتی فاطی در را به رویش باز کرد، برخلاف همیشه حتی دستی به سرش نکشید، با عجله از پله‌ها بالا دوید لی‌لی‌کنان خود را جلوی در اتاق رساندم، پروانه کیفش را به داخل اتاق پرت کرد و همان جلوی در روی قالی نشست، همین طور که به زور کفشهایش را از پا درمی‌آورد، تندتند شروع به حرف زدن کرد:

ـ الآن که داشتم برمی‌گشتم صدام کرد، گفت: «خانم احمدی داروهای پدرتون حاضره». بیچاره بابام، معلوم نیست چش هست که این‌قدر براش دارو می‌دن، الحمدلله دیگه مریم فضوله همرام نبود، رفتم تو داروخانه، یه بسته بهم داد که گذاشتم توی کیفم زود باش در کیفو باز کن همون روست.

قلبم مثل سیر و سرکه می‌جوشید روی زمین نشستم و با عجله در کیف را باز کردم. بسته کوچکی بود که با کاغذ سفید بسته‌بندی شده بود کاغذ را با عجله پاره کردم. یک کتاب شعر بود در قطع جیبی و از میان صفحات آن کنارهٔ یک پاکت پیدا بود، تمام تنم خیس عرق شد، نامه در دست به دیوار تکیه کردم گویی یک باره تمام انرژیم را از دست دادم، پروانه که تازه از دست کفش‌هایش خلاص شده بود، چهار دست و پا به کنارم آمد و گفت:

ـ حالا غش نکن، وقت ندارم، اول بخون، بعد.

در همین موقع فاطی وارد اتاق شد، خودش را به من چسباند و گفت:

ـ خانم‌جون می‌گه، پروانه خانم چای می‌خوره بیارم؟

ـ نه! نه ...! خیلی متشکرم، من باید زود برم خونه.

بعد دست فاطی را به طرف خودش کشید، گونه‌اش را بوسید و گفت:

ـ برو حالا برو از خانم‌جون تشکر کن، آفرین دختر خوب.

فاطی دوباره خودش را به من چسباند، نمی‌خواست برود. فهمیدم سفارش

کرده‌اند که ما را تنها نگذارد، پروانه از جیبش یک آب نبات درآورد به فاطی داد و گفت:

ـ برو باریک‌الله. حالا خانم‌جونت از این پله‌ها بالا می‌آد، بَده، پـاش درد می‌گیره، برو بهش بگو من چای نمی‌خوام.

با رفتن فاطی پروانه نامه را از دست من قاپید و درحالی‌که می‌گفت:

ـ زود باش تا کسِ دیگه‌ای نیومده. آن را باز کرد. با هم شروع به خواندن کردیم:

دوشیزۀ محترم،

به هم نگاه کردیم، دوشیزه ...؟! و قاه‌قاه خندیدیم، پروانه گفت:

ـ چقدر بامزه، دوشیزه چیه؟

ـ خوب حتماً نمی‌خواسته در اولین نامه خودمونی بشه، خانم هم که به مـن نمی‌آد، راستش منم همین مشکل‌رو دارم نمی‌دونم چطوری شروع کنم.

ـ ول کن، حالا بقیه‌شو بخون.

«دوشیزۀ محترم،

هنوز به خود اجازه نداده‌ام، که نامتان را بر صفحۀ کاغذ بیاورم، هر چند روزی هزاران بار آن را در قلبم فریادمی‌کنم، هرگز اسمی این چنین برازنده و هماهنگ با چهرۀ صاحب آن نبوده است، معصومیت نگاه و چهرۀ شما اولین خصوصیتی است که چشم را می‌نوازد. من به دیدار روزانۀ شما معتادم، آنچنان‌که وقتی این موهبت از من دریغ می‌شود نمی‌دانم با زندگیم چه باید بکنم؟

سینه‌ام

آینه‌ای‌ست، با غباری از غم،

تو به لبخندی از این آینه

بزدای غبار

این روزهاکه از دیدارتان محروم هستم گم‌گشته‌ای سرگردانم، مرا در این تنهایی با کلامی و پیامی یاد کنید تا دوباره خود را بیابم. با تـمام وجـود آرزوی سـلامتی مجددتان را دارم، به خاطر خدا از خودتان مراقبت کنید.

سعید»

هر دو گیج و مست از کلمات زیبای نامه ساکت و در رؤیا بودیم که علی وارد شد، با سرعت نامه و کتاب را زیر پایم پنهان‌کردم. با نگاهی خصمانه و صدایی دورگه گفت:

ـ خانم‌جون می‌گه این پروانه‌خانم برای ناهار می‌مونه؟

ـ وای نه، خیلی ممنون، من دارم می‌رم.

ـ خیلی خوب. و زیر لب غرغرکنان گفت: پس ما می‌خوایم ناهار بخوریم.

و از اتاق بیرون رفت. بدجوری عصبانی و خجالت‌زده شدم، نمی‌دانستم چه بگویم، پروانه هم که کاملاً متوجه رفتار سرد خانوادهٔ من بود، گفت:

ـ من خیلی اینجا اومدم انگار دیگه حوصلهٔ همه رو سر بردم، تو کی می‌آیی مدرسه؟ امروز ده روزه که خوابیدی، بسه دیگه، مُردم از این آرتیست‌بازی.

ـ منم دیگه دارم دیوونه می‌شم، خیلی خسته شدم، شنبه می‌آم مدرسه.

ـ می‌تونی؟ عیبی نداره؟

ـ نه، خیلی بهترم، تا شنبه هم تمرین می‌کنم.

ـ خوبه راحت می‌شیم، به خدا دیگه روم نمی‌شه به خانم‌جونت نگاه‌کنم، شنبه سر ساعت هفت‌ونیم می‌آم دنبالت.

به سرعت مرا بوسید و بدون بستن بند کفش‌هایش از پله‌ها پایین رفت، صدایش را از حیاط شنیدم که به خانم‌جون گفت:

ـ ببخشیدها، مجبور بودم بیام، آخه شنبه امتحان داریم، باید به معصوم می‌گفتم که درساشو حاضر کنه، الحمدلله مثل اینکه پاش هم بهتره، شنبه می‌آم دنبالش یواش‌یواش می‌برمش مدرسه.

ـ لازم نیست، هنوز پاش خوب نشده.

ـ آخه امتحان داریم!

ـ داشته باشین، همچین هم مهم نیست، تازه علی می‌گه هنوز یه ماه مونده به امتحانا.

پنجره را باز کردم و گفتم:

ـ نه خانم‌جون حتماً باید برم امتحان قوه‌س، نمره‌اش با امتحان اصلی جمع می‌شه.

خانم جون با عصبانیت پشتش را به من کرد و به آشپزخانه رفت، پروانه نگاهی به پنجره انداخت، چشمکی زد و رفت.

از همان لحظه شروع به تمرین راه رفتن کردم. به محض آنکه درد در پایم می‌پیچید دراز می‌کشیدم و آن را روی بالش می‌گذاشتم، به جای یک زرده دو زردهٔ تخم‌مرغ و از بقیهٔ روغن‌ها هم دو برابر به پایم می‌بستم. و در این میان از هر فرصتی برای خواندن نامه که عزیزترین و با ارزش‌ترین شیء زندگیم بود استفاده می‌کردم، با خودم می‌گفتم: چرا او باید سینه‌اش آینه‌ای باشد، با غباری از غم، حتماً مشکلات زیادی در زندگی دارد. معلوم است، مسؤولیت زندگی مادر و سه خواهر و درس خواندن و کار کردن خیلی سنگین است، شاید اگر این‌همه مسؤولیت نداشت و پدرش زنده بود همین حالا به خواستگاریم می‌آمد، آقای دکتر گفته خانوادهٔ آبروداری هستند، من حاضرم با او در یک اتاق نمور هم زندگی کنم، ولی اینکه نوشته اسمم با چهره و شخصیتم هماهنگ است ناراحتم می‌کرد، آیا دریافت همین نامه‌ها دلیل بر عدم معصومیت من نیست؟ آیا اگر واقعاً معصوم بودم عاشق می‌شدم؟ ولی به خدا این دست خودم نبود، خیلی سعی کردم به او فکر نکنم، وقتی می‌بینمش قلبم به تپش نیفتد، صورتم سرخ نشود، ولی جلوی هیچ‌کدامشان را نتوانستم بگیرم.

شنبه زودتر از همیشه بیدار شدم، یعنی در واقع تمام شب بیدار بودم، لباس پوشیدم. رختخوابم را جمع‌کردم تا به همه ثابت شود که دیگر مریض نیستم، عصای ننه‌جون که این روزها بسیار به دادم رسیده بود را کنار گذاشتم، دستم را به نرده کنار پله گرفتم و پایین آمدم. کنار سفرهٔ صبحانه نشستم. آقاجون گفت:

ـ حالا مطمئنی که می‌تونی بری مدرسه؟ می‌خوای بشین پشت موتور محمود که ببردت.

محمود زیر چشم نگاه تندی به آقاجون کرد و گفت:

ـ آقاجون این حرفا چیه؟ دیگه همینش مونده که بی‌حجاب ترک موتور یه

مرد هم سوار بشه.

ـ نه بابا، چارقدش سرشه مگه نه؟

ـ البته، من کی تا حالا بدون روسری مدرسه رفتم؟

ـ تو هم که داداشی، مرد نامحرم که نیستی.

ـ استغفراللّه! آقاجون این تهرون مثل اینکه شما رو هم از راه به در کرده!!

من پریدم وسط حرفشان و گفتم:

ـ نه آقاجون پروانه می‌آد دنبالم، کمکم می‌کنه، با هم می‌ریم.

خانم‌جون زیر لب غرغر کرد ولی معلوم نبود که چه می‌گوید، داداش احمد با عصبانیت همیشگی‌اش و چشم‌های پف‌کرده از عرق‌خوری دیشب گفت:

ـ هه‌هه، چه کسی، پروانه! ما می‌گیم نباید با این دختره راه بری خانم اونو می‌کنه عصای دسش!

ـ چرا مگه چشه؟

ـ چش نیست؟ جلفه، هرّوکر می‌کنه، دامنش کوتاس، با قر راه‌می‌ره.

سرخ شدم و گفتم:

ـ کجا دامنش کوتاس، توی مدرسه از بقیه بلندتره، تازه ورزشکاره اصلاً از این قری‌فری‌ها هم نیست، بعد هم تو چرا این‌قدر به دختر مردم نگاه‌می‌کنی که می‌فهمی قر می‌ده؟

ـ خفه شو، اگر نه همچی می‌زنم توی دهنت که دندونات بریزه، می‌بینی خانم‌جون چقدر پررو شده!

آقاجون با بی‌حوصلگی گفت:

ـ بسه، بس کنید، من آقای احمدی رو می‌شناسم، خیلی مرد شریفیه. کلی هم باسواد و چیز فهمه، عموعبّاس برای دعوایی که با ابوالقاسم صولتی سر مغازهٔ بغلی داشت اونو حَکَم کرد، هیچکی رو حرفش حرف نمی‌زنه، همه قبولش دارن.

احمد که از عصبانیت سرخ شده بود، رو کرد به خانم‌جون و گفت:

ـ بفرمایید، آنوقت می‌گن دختره چرا پررو شده، وقتی همه اینطوری هواشو دارن چرا پررو نشه، برو، برو آبجی اصلاً این دختر مجسمهٔ نجابته، برو رسم

آبروداری ازش یاد بگیر.

در همین موقع خوشبختانه زنگ در به صدا در آمد. به فاطی گفتم:

ـ بگو الآن می‌آد.

و برای ختم غائله با آخرین سرعتی که می‌توانستم روسریم را بستم و با یک خداحافظی سریع لنگ‌لنگان از در بیرون زدم.

هوای سرد خیابان به صورتم خورد، چند لحظه‌ای ایستادم تا این هوای تمیز را احساس کنم و ببلعم، هوا بوی جوانی، عشق و شادمانی می‌داد. به پروانه تکیه کردم، پایم هنوز درد می‌کرد ولی مهم نبود، سعی کردم ذوق‌زدگیم را مهار کنم و آهسته و آرام به طرف مدرسه راه افتادیم، از دور سعید را که بر روی پله دوم داروخانه ایستاده و سرک می‌کشید دیدم. وقتی او هم ما را دید، دو پله را یکی کرد و به استقبالمان آمد، من لب‌هایم را گزیدم و او متوجه شد کار درستی نکرده، برگشت و دوباره بالای پله‌ها ایستاد. نگاه مشتاقش وقتی به پای بسته و راه رفتن لنگانم افتاد رنگی از تأثر و تأسف گرفت، قلبم از درون سینه به سویش پرواز می‌کرد. گویی سال‌ها بود که او را ندیده بودم ولی نسبت به آخرین دیدار احساس نزدیکی بیشتری به او داشتم. حالا به خوبی می‌شناختمش، می‌دانستم او هم چه احساسی نسبت به من دارد و بیش از همیشه دوستش داشتم، جلوی داروخانه که رسیدیم پروانه گفت:

ـ خسته شدی، کمی بایستیم.

دستم را به دیوار تکیه دادم و زیر لب سلامش را جواب گفتم، به آرامی گفت:

ـ پاتون خیلی درد می‌کنه؟ می‌خواین دارویی، مسکنی، چیزی بهتون بدم؟

ـ متشکرم، مهم نیست حالا خیلی بهتر شده.

پروانه با دست‌پاچگی گفت:

ـ مواظب باش، علی‌تون داره می‌آد.

ما به سرعت خداحافظی کردیم و به طرف مدرسه به‌راه‌افتادیم.

آن روز یک زنگ ورزش داشتیم، یک زنگ هم به کلاس نرفتیم، خدا می‌داند
چقدر حرف‌های نگفته در دلمان مانده بود. وقتی خانم ناظم حیاط را می‌گشت
خودمان را داخل دستشویی پنهان کردیم، و بعد پشت ساختمان بوفه در زیر
آفتاب بی‌رمق اسفندماه نشستیم، نامه را دوباره و سه باره مرور کردیم، از خوبی،
مهربانی، ادب، خط، انشا و سوادش تعریف کردیم و لذت بردیم. گفتم:

ـ پروانه فکر می‌کنم مرض قلبی گرفته باشم.

ـ وا! چرا؟

ـ آخه ضربان قلبم طبیعی نیست، مدام دلهره دارم.

ـ وقتی می‌بینی‌اش یا وقتی نمی‌بینی؟

ـ وقتی می‌بینم که همچین سریع می‌زنه که نفسم به شماره می‌افته با خنده گفت:

ـ اینا مال مرض قلبی نیست جونم، مال مرض عاشقیه، تازه منم که هیچکارم
وقتی یکهو جلوم سبز می‌شه، قلبم هُرّی می‌ریزه پایین و تپش قلب می‌گیرم، وای
به حال تو.

ـ فکر می‌کنی وقتی عروسی کنیم بازم من همین‌طوری باشم؟

ـ چقدر تو خنگی، اگه اون موقع هم اینطوری بودی حتماً برو دکتر قلب،
دیگه اون موقع واقعاً مرض قلبی گرفتی.

ـ وای حداقل باید دو سال دیگه صبر کنم تا اون درسش تموم بشه، البتّه بد هم
نیست تا اون موقع منم دیپلممو گرفتم.

ـ ولی دو سال هم سربازی داره، مگه اینکه قبلاً رفته باشه.

ـ نه فکر نمی‌کنم، مگه چند سالشه؟ فکر کنم اصلاً لازم نباشه سربازی بره،
چون تنها پسره، پدرش هم فوت کرده، اونم سرپرستی خانواده‌شو داره.

ـ شایدم، ولی خوب باید کار پیدا کنه، فکر می‌کنی می‌تونه خرج دو تا خونه
رو بده؟ داروسازا چقدر درآمد دارن؟

ـ نمی‌دونم، ولی اگه لازم شد من می‌رم با مادرشو و خواهراش زندگی می‌کنم
که خرجش زیاد نشه.

ـ یعنی حاضری بری شهرستان، با مادرشوهر و خواهرشوهر زندگی کنی؟

اونم سه تا. تازه زبونشون هم ترکی باشه و تو نفهمی چی می‌گن.

ـ آره، معلومه که حاضرم، من با سعید حاضرم توی جهنمم برم، هر جا که اون دوست داشته باشه، تازه رضاییه که خیلی هم شهر خوبیه، می‌گن چقدر قشنگ و تمیزه.

ـ یعنی از تهرون بهتره؟

ـ لااقل آب و هواش که از قم بهتره، من خودم توی قم بزرگ شدم، نکنه یادت رفته؟

چه رؤیاهای شیرینی، مثل تمام دختران رمانتیک پانزده، شانزده ساله حاضر بودم با او به هر کجا بروم و هر کاری که او می‌خواهد بکنم. مدتی از وقتمان به خواندن جواب‌هایی که برای نامه‌ها نوشته‌بودیم گذشت، با هم آن‌ها را مرور می‌کردیم و سعی می‌کردیم از میان آن‌ها یک نامهٔ درست‌وحسابی بنویسیم. ولی نمی‌شد، دست‌هایم یخ زده بود و نوشتن روی کیف خطم را خیلی بد می‌کرد. قرار شد نامه را شب پاکنویس کنم و روز بعد به سعید بدهیم.

آن صبحِ زمستان از گرمترین و شیرین‌ترین روزهای زندگیم بود، احساس می‌کردم دنیا در چنگ منست، همه چیز داشتم، دوست خوب، عشق واقعی، جوانی، زیبایی، آیندهٔ روشن، آن‌قدر خوشبخت بودم که حتی درد پایم را که به دلیل نشستن در سرما لحظه‌به‌لحظه شدیدتر می‌شد دوست می‌داشتم. آخر اگر پایم نمی‌پیچید، این نامه‌های دلنشین را دریافت نمی‌کردم.

عصر هوا دوباره گرفت، برف پراکنده‌ای شروع به باریدن کرد، مچ پایم ذق‌ذق می‌کرد، راه‌رفتن خیلی مشکل شده بود، در راه بازگشت تقریباً تمام سنگینیم را روی پروانه انداخته بودم، هر چند قدم می‌ایستادیم و نفس تازه می‌کردیم، بالاخره به داروخانه رسیدیم، سعید با دیدن وضع من جلو دوید زیر بازویم را گرفت و کمک کرد از پله بالا رفتم و روی مبل داخل داروخانه ولو شدم. داخل داروخانه گرم و روشن بود، خیابان از پشت شیشه‌های بلند و بخار

گرفتهٔ داروخانه تاریک و سرد به‌نظرمی‌رسید، دکتر با مریض‌هایی که جلوی پیشخوان جمع شده بودند مشغول بود. یکی‌یکی صدایشان می‌کرد در مورد داروهایشان توضیح می‌داد، همه حواسشان به او بود و کسی به ما که روی مبل نشسته بودیم نگاه‌نمی‌کرد، سعید روی زمین جلوی من نشست پایم را بلند کرد و روی میز جلوی مبل گذاشت، با احتیاط مچ بسته‌بندی شده‌ام را لمس کرد، تماس دست او حتی از روی آن همه پارچه و باند، مثل تماس با سیم لخت برق تمام بدنم را لرزاند و عجب اینکه این لرزش به بدن او نیز منتقل شد، مهربانانه نگاهی کرد و گفت:

ـ هنوز خیلی ورم داره، نباید راه می‌رفتید، من براتون یک پماد و مقداری مسکن کنار گذاشتم، پماد رو به پاتون بمالید.

پشت پیشخوان رفت. با نگاه دنبالش کردم، با یک لیوان آب و قرص برگشت قرص را خوردم، وقتی لیوان را به دستش دادم نامهٔ دیگری به سویم دراز کرد، نگاهمان در هم گره خورد، همه چیز در چشمانش منعکس بود نیازی به حرف زدن نداشتیم. درد را فراموش کردم، هیچ کس را جز او نمی‌دیدم، تمام اطرافیان در هاله‌ای از مه فرو رفته بودند، صداها گنگ و نامفهوم بود، در دنیای دیگری سیر می‌کردم و چه حال خوشی داشتم، ناگهان با ضربهٔ آرنج پروانه به خود آمدم.

ـ ها! چیه؟ چی شده؟

ـ اونجا رو، اونجا رو!

و با حرکت ابروانش به پشت شیشه داروخانه اشاره کرد. بی‌اختیار صاف نشستم، قلبم به تپش افتاد، علی پشت شیشه ایستاده بود، دست‌هایش را دو طرف صورت گرفته، به داخل نگاه‌می‌کرد. پروانه به طرف من برگشت و گفت:

ـ چته؟ حالا چرا مثل زردچوبه شدی.

بلند شد از داروخانه بیرون رفت و صدا کرد:

ـ علی علی، بیا، بیا کمک کن، پای معصوم دوباره خراب شده خیلی درد می‌کنه، نمی‌تونم تنهایی ببرمش خونه.

علی نگاه خصمانه‌ای به پروانه کرد و پا گذاشت به فرار، پروانه برگشت،

شانه‌هایش را بالا انداخت و گفت:

ـ چه نگاهی بهم کرد، می‌خواست کلّه‌مو بکنه.

❀

وقتی با هزار بدبختی به در خانه رسیدیم غروب شده و هوا تقریباً تاریک بود، هنوز دستم به زنگ در نرسیده، در باز شد و کسی مرا به داخل خانه کشید پروانه نفهمید چه شده خواست دنبال من داخل خانه شود که خانم‌جون به طرفش حمله کرد، هلش داد بیرون و گفت:

ـ دیگه نمی‌خوام این طرفا پیدات بشه، هر چی می‌کشیم از دست تو می‌کشیم! و در را محکم به رویش بست. من از پله‌های جلوی در به وسط حیاط افتادم علی موهایم را دور دستش پیچیده بود و مرا به داخل اتاق می‌کشید، ولی من در فکر پروانه بودم و از خجالت او می‌خواستم آب شوم، فریاد زدم:

ـ ول کن احمق بی‌شعور.

خانم‌جون به اتاق آمد در حالی‌که نفرین می‌کرد و فحش مـی‌داد نیشگون محکمی از بازویم گرفت:

ـ چی شده؟ چتونه چرا همتون دیوونه شدین؟

ـ می‌خواستی چی بشه دخترهٔ هرزه. حالا دیگه جلوی چشم همه بـا مـرد غریبه لاس می‌زنی؟

ـ مرد غریبه کدومه؟ پام درد می‌کرد، دکتر داروخانه به پام نگاه کرد و بهم دوا داد همین. داشتم از درد می‌مردم، تازه دکتر که محرمه.

ـ دکتر...! دکتر! از کی تا حالا هر شاگرد عطاری دکتر شده؟ خیال می‌کنی من خرم نمی‌فهمم تازگی‌ها ریگی به کفشت رفته؟

ـ تو رو خدا خانم‌جون این حرفا چیه می‌زنی؟

علی با صدای دورگه و رگ‌های گردن ورم‌کرده، لگدی به من که روی زمین نشسته بودم زد و گفت:

ـ آره جون خودت، خودم هر روز زاغ سیاتونو چوب می‌زنم، پسرهٔ الدنگ وامیسته در مغازه، هی سرک می‌کشه تا خانما بیان، همهٔ دوستام هـم مـی‌دونن

می‌گن خواهرت و دوستش با این پسرن.

خانم‌جون زد تو سرش:

ـ الهی رو تختهٔ مرده‌شورخونه ببینمت، ببین چه بی‌آبرویی بـرامـون درسـت کردی؟ حالا جواب آقاجون و داداشاتو چی بدم.

و نیشگون دیگری از بازویم گرفت. در همین موقع درِ اتاق چهارطاق باز شد، احمد با چشم‌های قرمز و مشت‌های گره‌کرده نگاهم می‌کرد، معلوم بود حرف‌ها را شنیده، با صدایی خفه گفت:

ـ بالاخره کار خودتو کردی؟ بفرما خـانم‌جون، تحـویل بگیـر، مـن از اوّل می‌دونستم این پاش برسه تهرون و هر روز قرشو دُرُس کنه و با این دختره تو خیابونا راه بیفته آخرش آبروریزی بار می‌آره، بفرما، حالا با چه رویی جلوی درِ و همسایه می‌خوای سر بلند کنی؟

فریاد زدم:

ـ مگه چیکار کردم؟ به جون آقاجون داشتم می‌افتادم وسط خیابون بردنم تو داروخانه بهم یه قرص مسکن دادن.

خانم‌جون نگاهی به پایم کرد. مثل متکا ورم کرده بود، آمد دست بـزند کـه فریادم به هوا رفت.

ـ ولش کن، با این همه آبروریزی که کرده بازم می‌خواهی تر و خشکش کنی؟

ـ باز می‌گه آبروریزی، من آبروریزی کردم یا تو، تو که هر شب مست می‌آیی خونه، با زن شوهردار ریختی رو هم.

احمد پرید وسط اتاق و با پشت دست چنان به دهانم کوفت که مزهٔ شورِ خون تمام دهانم را پر کرد. دیوانه شده بودم، فریاد زدم:

ـ مگه دروغ می‌گم؟ خودم دیدم، شوهرش خونه نبود یـواشکـی رفت تـو خونشون، تازه دفعهٔ اولش هم نیست.

مشت دیگری به زیر چشمم خورد، سرم گیج رفت، ستاره‌هایی جلوی چشم‌هایم درخشیدن گرفت، برای یک لحظه فکر کردم کور شده‌ام، خانم‌جون فریاد زد:

ـ خفه شو دختر، حیا کن.

ـ حالا اگه به شوهرش نگفتم.

خانم‌جون پرید جلو دهانم را گرفت و گفت:

ـ مگه نمی‌گم خفه‌شو!

باز سرم را از دست‌هایش بیرون آوردم و با تمام خشمی که ناتوانیم آن را چندین برابر کرده بود فریادزدم:

ـ مگه شما نمی‌فهمین هر شب مست می‌آد خونه، تا حالا دو دفعه برای چاقوکشی بردنش کلانتری. اینا آبروریزی نیست، آن‌وقت من بیچاره که یه قرص توی داروخانه خوردم آبروریزی کردم.

دو سیلی پیاپی تا داخل گوشم را به درد آورد، ولی دست خودم نبود، نمی‌توانستم آرام بگیرم.

ـ خفه‌شو دختر ایشاالله خنّاق بگیری، اون مَرده، ولی تو دختری!

و زد زیر گریه و دست‌هایش را رو به آسمان گرفت و گفت:

ـ ای خدا، به دادم برس، به کی پناه ببرم، الهی جزّ جیگر بزنی دختر، الهی تیکّه‌تیکّه بشی ...!

***

بی‌حال گوشهٔ اتاق افتاده‌بودم. بدجوری احساس بیچارگی می‌کردم، اشک از چشم‌هایم می‌جوشید، علی با احمد در حیاط پچ‌وپچ می‌کردند. صدای بغض‌آلود خانم‌جون از توی آشپزخانه حرفشان را قطع کرد.

ـ علی بسه دیگه، خفه شو.

ولی ظاهراً علی ول‌کن نبود، نمی‌دانم این همه گزارش را چگونه جمع‌کرده‌بود، بار دیگر خانم‌جون با عصبانیت گفت:

ـ علی بسه، بدو برو سر کوچه نون بگیر.

و بالاخره او را با یک پس گردنی به کوچه فرستاد.

***

صدای یاالله گفتن آقاجون را شنیدم، این عادت او هرگز ترک نمی‌شد با اینکه

معمولاً غیر از خودمان زن دیگری در خانه نبود. باز هم حضور خودش را به این صورت اعلام می‌کرد:

ـ اوا! سلام آقا مصطفی، زود آمدی ...؟

ـ تو این سرما که کسی برای خرید نمی‌آد، گفتم زودتر تـعطیل کـنم، چـته؟ دست پاچه‌ای، این احمده رو لبهٔ حوض نشسته، خـوب پس ایـنم کـه اومـده، محمود چی؟

ـ نه محمود هنوز نرسیده، خوب همینو می‌گم دیگه. همیشه محمود زودتـر از شما می‌اومد.

ـ وضع خیابونا خرابه، موتورشو هم که نبرده، باید با ماشین بیاد، لابد ماشین گیرش نیومده، این برف و یخبندون هم ما رو ول نمی‌کنه، انگار امسال خیال نداره زمستون تموم بشه ... ببینم خانم امشب این مسیو هم تـعطیل کـرده کـه بـعضیا اومدن خونه؟

آقاجون با احمد خیلی کم حرف می‌زد، گوشه و کنایه‌ها را هم به در می‌گفت که دیوار بشنود.

ـ نه خیر، تا تکلیفمو تو این خونه روشن نکنم نمی‌رم.

آقاجون دستش را به چارچوب در گرفت و مشغول درآوردن کـفشهایش شد، نور چراغ راهرو قسمتی از اتاق را روشن می‌کرد، مـن در تـاریکی، کـنار کرسی افتاده بودم و او نمی‌توانست به درستی مرا ببیند. با تمسخر گفت:

ـ عجب به جای اینکه ما تکلیفمونو با آقا روشن کنیم، آقا می‌خواد تکلیفشو با ما روشن کنه.

ـ با شما نه، با اون دختر بدکارت.

آقاجون رنگش مثل گچ سفید شد،

ـ می‌فهمی چی می‌گی؟ آبروی خواهرت آبروی توست، خجالت نمی‌کشی از این حرفا می‌زنی.

ـ برو بابا اینکه دیگه برا ما آبرو نذاشته، سرتـو از زیـر بـرف بیار بیرون آقاجون، کم به من پیله کن، تشت رسواییت از اون بالا افتاده، صداشو همهٔ محل

شنیدن، فقط خودتی که تو گوشات پنبه گذاشتی تا نشنوی.

آقاجون آشکارا می‌لرزید. رگ پیشانیش چنان ورم کرده بود که از دور هم دیده می‌شد. خانم جون با التماس و وحشت گفت:

ـ احمدجون احمد! الهی قربونت برم، الهی درد و بلات تو سرم بخوره این حرفارو نزن آقاجونت پس می‌افته‌ها! حالا که طوری نشده، پاش درد می‌کرده بهش دوا دادن.

آقاجون که تازه به خودش آمده بود گفت:

ـ ولش کن زن ببینم چی می‌گه؟

ـ از او عزیز دردونه‌ات بپرس.

نگاه آقاجون با اشاره دست احمد جست‌وجوگرانه به طرف من که یک وری کنار کرسی افتاده بودم چرخید، ظاهراً درست نمی‌دید، چراغ اتاق را روشن کرد. نمی‌دانم قیافه‌ام به چه شکلی درآمده بود که وحشت زده گفت:

ـ یا قمر بنی‌هاشم! چکارت کردن؟

جلو آمد مرا نشاند دستمالش را از توی جیبش بیرون کشید و خون‌های کنار لبم را پاک کرد دستمالش بوی خنک گلاب می‌داد، دوباره پرسید:

ـ کی این بلارو سرت آورد؟

سرعت ریزش اشک‌هایم بیشتر شد.

ـ نامرد بی‌شرف زورت به دخترا می‌رسه؟

ـ بفرما! بدهکارم شدیم، ما اصلاً ناموس ماموس نداریم به جهنم که دست هر کس و ناکسی بیفته باید ازین به بعد کلاه بی‌غیرتی سرمون بذاریم.

نفهمیدم محمود کی وارد خانه شده بود که هاج‌وواج بین حیاط و اتاق ایستاده، ما را نگاه‌می‌کرد، خانم‌جون میدان را به دست گرفت و درحالی‌که چادرش را دور گردنش می‌بست گفت:

ـ بسه دیگه! بسه دیگه صلوات بفرسین، می‌خوام شام بکشم، برو کنار، تو هم این سفره رو بگیر بنداز اونجا، فاطی، فاطی، جوون‌مرگ‌شده کجایی؟

در تمام این مدت فاطی حضور داشت ولی هیچ‌کس وجود او را احساس نمی‌کرد، از سایهٔ پشت رختخواب‌ها جدا شد، وحشت‌زده به طرف آشپزخانه دوید و بشقاب‌ها را از دست خانم‌جون گرفت، آورد و به آرامی روی کرسی گذاشت، آقاجون که تازه از معاینهٔ زخم کنار لب و چشمهای سیاه شده و بینی خون‌آلودم فارغ شده بود، پرسید:

ـ کی این کارو کرده؟ احمد؟ دستش بشکنه، مرتیکه مگه من مرده‌ام که با زن و بچه‌ام اینطوری می‌کنی شمر هم با زن و بچه‌های مردم اینطوری نکرد.

ـ به‌به!! حالا دیگه خانم شد پاک و مطهر، ما شدیم شمرِذوالجوشن، آقاجون دخترت برات آبرو نذاشته، اگه برا تو مهم نیست، برا من مهمه. ما هنوز تو مردم آبرو داریم، بذار علی بیاد، ازش بپرس چی دیده، خانم با شاگرد دواخونه، جلو چش این‌همه عالم و آدم لاس می‌زنه.

ـ آقاجون! آقاجون به خدا دروغ می‌گه، به جون شما، به قمر بنی‌هاشم، به ارواح خاک ننه‌جون، من پام درد گرفته بود، دوباره شده مثل روز اوّل، داشتم می‌افتادم وسط خیابون، پروانه منو به زور برد توی داروخانه، اونجا پامو بالا گذاشتن، بهم دوا دادن، تازه علی هم بود ولی هر چه پروانه بهش گفت بیا کمک کن ببریمش خونه، نیومد و فرار کرد، اونوقت هنوز نرسیده، اینا افتادن به جونم.

و با صدای بلند زدم زیر گریه. خانم‌جون توی اتاق داشت ظرف‌ها را می‌چید، محمود آرنجش را به طاقچه تکیه داده و بالای سر من ایستاده بود و با آرامش عجیبی به این آشفتگی نگاه‌می‌کرد. احمد وحشیانه خودش را به در اتاق رساند، دو طرف در را گرفت و فریاد زد:

ـ دِ بگو، بگو، کی پای خانمو گذاشته روی میز و می‌مالیده و ور می‌رفته؟ بگو تو هم بهش می‌خندیدی، براش عشوه می‌اومدی، بگو هر روز سرِ رات وامیسته و سلامت می‌کنه خودشو غلامت می‌کنه ...

حالت محمود برگشت، برافروخته زیر لب چیزهایی گفت که من استغفراللّه‌اش را شنیدم. آقاجون با نگاهی پرسش‌گر به من چشم دوخت.

ـ آقاجون آقاجون، به این برکت (علی در همان موقع با نان تازه وارد شد و

بوی نان اتاق را پر کرد) دروغ می‌گه، به این سوی چراغ، داره تهمت مـی‌زنه، چون من فهمیدم یواشکی می‌ره خونهٔ پروین‌خانم، این حرف‌ها رو برام درآورده.

دوباره احمد به طرف من حمله کرد، آقاجون دستش را جلوی من گرفت و گفت:

ـ دستتو بنداز! این حرف‌ها به معصوم نمی‌چسبه، مـدیرشون گـفته، از ایـن نجیب‌تر و خانم‌تر، تو مدرسه نداریم.

ـ اِ... پس لابد مدرسشون نجیب‌خونس.

ـ خفه شو بفهم چی می‌گی.

علی با صدای نسبتاً بلندی گفت:

ـ راس می‌گه آقاجون خودم دیدم، خودم دیدم، پاشو گـذاشت روی مـیز مالش می‌داد.

ـ نه به خدا آقاجون، از کفشم گرفته بود، پام رو هم که این‌قدر بسته بودم و پارچه دورش بود، که دست کسی به پام نمی‌رسید، تازه دکتر که نامحـرم نیست، مگه نه آقاجون، فقط می‌پرسید کجای پات درد می‌کنه؟

ـ آره همین! تو گفتی، ما هم باور کردیم، تورو خدا ببین چطور یه چلغوز بیست کیلویی ما رو روی انگشتش می‌چرخونه، ما خودمون ختم روزگاریم، مگه اینکه آقاجونتو خر کنی.

ـ خفه‌شو احمد! و گرنه همچی می‌زنم تو دهنت.

ـ بیا، بیا پس چرا معطلی؟ فقط بلدی ما رو بزنی، علی چرا خفه‌خون گرفتی، بیا اون چیزا که به من گفتی به اینا هم بگو.

ـ خودم دیدم این شاگرد دواخونه هر روز سر راه اینا وامیسته، تا می‌آن بهشون سلام می‌کنه، اینها هم جواب می‌دن، هی هم با هم پچ پچ می‌کنن و می‌خندن.

ـ دروغ می‌گه من الآن ده روزه مدرسه نرفتم، این حرف‌ها چیه درآوردی، آره اون هر وقت پروانه‌رو ببینه بهش سلام می‌کنه، بابای پروانه رو می‌شناسه، براش دواهاشو جور می‌کنه می‌ده به پروانه.

خانم‌جون در حالی‌که به سینه‌اش مشت می‌زد گفت:

ـ آتیش به گور این پروانه بگیره، پروانه چیه؟ جغده، هر چی هست زیر سر اونه.

ـ پس چرا راش می‌دی تو خونه مگه من نگفته بودم نیاد.

ـ چکار کنم مادر میان با هم کتاباشونو می‌خونن.

علی دست احمد را کشید و یک چیزی توی گوشش گفت.

ـ چرا یواش می‌گی بلند بگو بذار همه بشنفن.

ـ کتاب نیست خانم جون یک چیزای دیگه‌اس، اون روز تا من رفتم تو اتاق کاغذا رو زیر پاهاشون قایم کردن خیال می‌کنن با بچه طرفن.

ـ پاشو پاشو لای کتاباشو بگرد، ببین پیدا می‌کنی؟

ـ هنوز که نیومده بود گشتم، نبود.

ضربان قلبم دوباره بالا رفت، وای اگر کیفم را پیدا می‌کردند، همه چیز از دست می‌رفت، یواشکی با چشم دنبالش گشتم، پشتم افتاده بود، به آرامی آن را زیر لحاف کرسی هل دادم، صدای سرد محمود سکوتی را که برای چند لحظه برقرار شده بود بر هم زد:

ـ هر چی هست تو کیفشه، کردش زیر لحاف کرسی.

❧

انگار یک سطل آب سرد به سرم ریختند، احساس کردم در یک لحظه تمام آب بدنم خشک شد زبانم بند آمد ... علی با یک حمله کیف را از زیر کرسی بیرون کشید، و تمام محتویات آن را روی کرسی برگرداند، هیچ کاری نمی‌توانستم بکنم، سرم گیج می‌رفت، کاملاً فلج شده بودم، نامه‌ها از بین کتاب‌ها که به شدّت تکان می‌داد به زمین افتادند، احمد با یک خیز همه را برداشت، و با عجله یکی از آن‌ها را باز کرد، چقدر خوشحال بود گویی بزرگترین جایزهٔ دنیا نصیبش شده، صدایش از شدّت هیجان می‌لرزید، بفرما، بفرما آقاجون گوش بده کیف کنی، و با لحنی مسخره شروع به خواندن کرد:

ـ دوشیزهٔ محترم، هنوز به خودم اجازه نداده‌ام ...

داشتم از خجالت، وحشت و خشم به خود می‌پیچیدم زمین و زمان دور سرم می‌چرخید، بعضی جاها را نمی‌توانست بخواند، اواسط نامه بود که خانم‌جون پرسید:

ـ یعنی چی ننه؟

ـ یعنی وقتی تو چشای یارو نگاه عاشقونه مـی‌کنه، مـثل اسمش مـعصوم و بی‌گناهه، ارواح ننه‌ش!

ـ وای خدا مرگم بده!

ـ حالا گوش بده، اینجا رو، سینه‌ام نمی‌دونم چی‌چی ایست با غباری از غم تو به لبخندی از این آینه ... آی بی‌شرف، مادر ... یک لبخندی نشونش بدم، خودش حظ کنه. علی گفت:

ـ ببین ببین اینم هست این جوابشه. احمد نامه را از دستش قاپ زد.

ـ به‌به خانم جواب هم می‌نوشته.

محمود با رنگ و روی سرخ شده، و رگِ گردنِ برآمده فریادزد:

ـ نگفتم! نگفتم! دختری که هر روز قرشو درست کنه، بی‌حجاب راه بیفته تو خیابونا تو این مدرسه‌های تهرون خراب‌شده که این همه گرگ خوابـیده سـالم نمی‌مونه، هی گفتم شوهرش بدین، گفتن نه، بره مدرسه، آره بـره مـدرسه نـامۀ عاشقونه نوشتن یاد بگیره.

هیچ دفاعی ممکن نبود به‌طورکامل خلعِ سلاح و تسلیم شده بودم با وحشت و نگرانی به آقاجون نگاه کردم، آنچنان رنگ پریده بود و لب‌هایش می‌لرزید که هر لحظه فکرمی‌کردم الآن نقش بر زمین می‌شود، نگاه تیره و ماتش را به چـشمانم دوخت بر خلاف انتظارم در آنها خشمی نبود بلکه اندوهی عمیق در برقِ اشکی نچکیده موج می‌زد زیرلب گفت:

ـ این بود دستمزدم؟ خوب به قولت عمل کردی، خوب آبرومو حفظ کردی.

این نگاه و این کلمات از تمام کتک‌هایی که خورده بودم دردناک‌تر بود و مانند خنجری قلبم را شکافت، اشک به پهنای صورتم می‌ریخت، با صدایی گـرفته و لرزان گفتم:

ـ ولی به خدا من هیچ کاری نکردم.

پشتش را به من کرد و گفت:

ـ بسه دیگه، خفه شو.

و بدون پالتو از خانه بیرون زد. معنی رفتن او را خوب می‌فهمیدم او تمام حمایتش را از من گرفته و مرا به دست اینها سپرده بود. احمد هنوز داشت نامه‌ها را زیر و رو می‌کرد می‌دانستم نمی‌تواند درست بخواند مخصوصاً که سعید با خط شکسته می‌نوشت، ولی جوری نشان می‌داد که انگار همه چیز را می‌فهمد، سعی می‌کرد شادمانیش را پشت نقابی از خشم پنهان کند. رو به محمود کرد و گفت:

ـ حالا با این ننگ بالا اومده چکار کنیم؟ حرومزاده فکر کرده ما هم از اوناشیم، صبر کن درسی بهش بدم که خودش حظ کنه، تا خونشو نریزم ول نمی‌کنم، بدو علی، برو اون چاقوی منو بیار، خونش حلاله مگه نه محمود، به ناموس ما نظر داشته، اینم سند و مدرک، با دست خط خودش، بدو علی گذاشتمش تو گنجهٔ بالا ...

دوباره داغ شدم وحشت‌زده فریاد زدم:

ـ نه به اون کاری نداشته باش اون که کاری نکرده.

احمد با خنده و آرامشی که مدت‌ها بود در او ندیده‌بودم رو به خانم‌جون کرد و گفت:

ـ می‌بینی، می‌بینی ننه، چطوری از فاسقش دفاع می‌کنه، تازه خون اینم حلاله، نه محمود؟

خانم‌جون با چشمانی اشک‌آلود به سرش کوبید و گفت:

ـ وای خدا، دیدی چه خاکی به سرم شد؟ الهی جزّجیگر بزنی دختر، این چه بی‌آبرویی بود؟ کاش تو جای زری مُرده‌بودی، ببین چه به روزم آوردی.

علی با چاقو پایین دوید، احمد مانند کسی که به دنبال کاری معمولی می‌رود، از روی زمین بلند شد، شلوارش را بالا کشید، چاقو را گرفت و ضامنش را زد، تیغه چاقو زیرِ نورِ چراغ برق زد. آن را جلوی من گرفت و گفت:

ـ کجاشو می‌خوای واست بیارم؟

و خندهٔ کریهی کرد. فریاد زدم:

ـ نه! نه!

خودم را به پایش انداختم، پایش را بغل گرفته بودم و التماس می‌کردم:

ـ تورو خدا، جونِ خانم‌جون، به اون کاری نداشته باش.

همان‌طوری که به پایش آویزان بودم به طرف در می‌رفت.

ـ تورو قرآن مجید، نرو، غلط کردم.

حرف‌های مرا با لذتی غیرانسانی گوش می‌داد وقتی جلوی در رسید، با فحشی رکیک پایش را محکم تکان‌داد و خودش را از دست من رها کرد علی که به دنبالش می‌دوید با لگدی محکم مرا از بالای پله‌های جلوی در به وسط حیاط پرت کرد. احمد فریاد زد:

ـ برات جیگر سفیدشو می‌آرم.

و در را محکم بهم زد. احساس می‌کردم دنده‌هایم خرد شده‌اند، نفسم بند آمده بود، ولی درد اصلی در قلبم بود از فکر اینکه حالا با سعید چگونه روبه‌رو می‌شوند و با او چه می‌کنند می‌خواستم سکته کنم، با صدای بلند گریه‌می‌کردم صدایم گرفته بود. روی برف‌های یخ‌زدهٔ کنارِ حوض نشسته بودم. تمام بدنم می‌لرزید، ولی احساس سرما نمی‌کردم، خانم‌جون محمود را صدا کرد تا برای جلوگیری از آبروریزی بیشتر مرا به اتاق ببرد. ولی محمود حاضر نبود به من دست بزند، حالا دیگر از نظر او من واقعاً نجس بودم. بالاخره با حرص غریبی لباسم را گرفت و با حرکتی تند مرا از شیر آب حوض جدا کرد و از دو پلهٔ حیاط بالا کشید و به وسط اتاق پرت کرد، سرم به لبهٔ در خورد و گرمای خون را روی صورتم احساس کردم. خانم‌جون به محمود گفت:

ـ برو دنبال احمد کاری دس خودش نده!!

ـ نترس، هر کاری بکنه حقشه، تازه اینو هم باید کشت.

با این‌همه از خانه بیرون رفت. در خانه سکوت برقرار شد. خانم‌جون زیر لب با خودش چیزهایی می‌گفت و گریه‌می‌کرد. من جلوی هق‌هقم را نمی‌توانستم بگیرم، فاطی کنجِ اتاق ایستاده بود رنگش زرد بود و درحالی‌که ناخن‌هایش را می‌جوید به من زل زده بود. در سرم منگیِ عجیبی احساس می‌کردم، گذشتِ زمان را نمی‌فهمیدم نمی‌دانم چقدر طول کشید، با صدای در به خود آمدم، وحشت‌زده از جا پریدم، احمد با چشمانی سرخ و خنده‌های زشت در چارچوب

در ایستاد، چاقوی خون آلود را جلوی چشمانم گرفت و گفت:

ـ بیا خوب نگاش کن، خون فاسقته.

اتاق دور سرم چرخید، صورت احمد کج و کوله شد پرده‌ای سیاه به تدریج در برابر چشمانم فرود آمد داشتم در چاهی عمیق سقوط می‌کردم، صداهای اطرافم به همهمه‌ای مبهم و کشدار تبدیل شد پایین و پایین‌تر رفتم، هیچ امیدی بـه توقف نبود.

❧

زری داشت می‌مُرد، چهره‌اش رنگ عجیبی داشت، به سختی نفس می‌کشید، خِسّ‌وخِس می‌کرد، سینه و شکمش تندوتند بالا و پایین می‌رفت، من از پشت رختخواب‌ها نگاهش می‌کردم و ناخن‌هایم را می‌جویدم، صداهای توی حیاط بر وحشتم می‌افزود:

ـ آقا مصطفی، حالش به خدا خیلی بده، برو براش دکتر بیار.

ـ خوبه خوبه، شلوغش نکن، دل پسرمو آب کردی، ننه طوریش نمی‌شه جوشونده‌رو گذاشتم دم بکشه الآن بهش می‌دم تا تو برگردی خوب شده، برو اینجا وانیستا دِ ... برو ننه، خیالت جمع دخترا نمی‌میرن.

❧

زری دستم را گرفته بود، در یک تونل سیاه می‌دویدیم، احمد با چاقو دنبالمان می‌آمد با هر قدم چندین متر به ما نزدیک‌تر می‌شد، گویی پرواز می‌کرد. ما جیغ می‌زدیم ولی صدای خندهٔ احمد و فریاد او در تونل می‌پیچید که می‌گفت:

ـ خون. خون، ببین خون.

❧

ننه‌جون می‌خواست به زور جوشونده را به حـلقِ زری بـریزد، خـانم‌جون سرش را در بغل گرفته، با انگشتانش دو طرف دهانش را فشار مـی‌داد، زری بی‌حال بود هیچ تقلایی نمی‌کرد، ننه جـوشونده را در دهـانش ریخت ولی فـرو نمی‌رفت، خانم‌جون توی صورتش فوت‌کرد، نفس زری بـند آمـد، دست‌هـا و پاهایش را تکان‌داد با صدای عجیبی نفس کشید.

خانم جون با گریه گفت:

ـ عذرا خانم گفته باید ببریمش دکتر نزدیک حرم.

ـ غلط کرده! پاشو برو شامتو درست کن، الآن شوهر و پسرات می‌آن.

نه جون بالای سر زری دعا می‌خواند، رنگِ زری کبود شده بود، صداهای عجیبی از گلویش بیرون می‌آمد، نه دوید توی حیاط فریاد زد:

ـ طیّبه، طیّبه بدو برو دکتر و وردار بیار.

دستِ زری را گرفتم، موهایش را نوازش کردم، رنگش به سیاهی می‌زد، پلک‌هایش را از هم گشود، چقدر چشم‌هایش بزرگ شده بودند، سفیدی چشم‌ها پر از خون بود دست من را فشار داد، از چشم‌هایش که داشتند بیرون می‌پریدند ترسیدم، از بالش جدا شد، بعد سرش روی زمین افتاد. دستم را به زور از دستش بیرون کشیدم دویدم و پشت رختخواب‌ها پنهان شدم، دست و پایش تکان می‌خورد، گوش‌هایم را گرفتم و سرم را در بالش فرو بردم.

نه‌جون آتش‌گردان را وسط حیاط می‌چرخاند، آتش‌گردان هی بزرگ و بزرگ‌تر می‌شد، اندازه تمام حیاط شده بود صدای نه‌جون توی گوشم می‌پیچید: دخترا نمی‌میرن، نمی‌میرن.

زری خوابیده بود، موهایش را نوازش کردم و از روی صورتش کنار زدم، ولی او سعید بود، سرش از روی بالش قل خورد و به زمین افتاد، جیغ زدم، ولی صدایم از گلو بیرون نمی‌آمد.

کابوس‌هایم را پایانی نبود، هرچندگاه از صدای فریاد خودم خیس از عرق بیدار می‌شدم و دوباره به قعر چاه سقوط می‌کردم، نمی‌دانم چه مدت در آن حال بودم، یک روز از سوزشی در پایم بیدار شدم، صبح بود، هیچ‌یک از اعضای بدنم

را احساس نمی‌کردم، بوی الکل در اتاق پیچیده بود. کسی مرا برگرداند و گفت:

ـ بیدار شده، خانم ببینید به خدا بیداره، داره منو نگاه می‌کنه.

صورت‌ها هنوز مات بودند، ولی صداها را به خوبی تشخیص می‌دادم.

ـ یا باب الحوائج! خودت به دادمون برس.

ـ خانم دیگه به هوش اومده، یه سوپ رقیق درست کنین هر طور شده به حلقش بریزین، تقریباً یه هفته‌اس چیزی نخورده، معده‌اش ضعیفه، باید یواش یواش بهش غذا بدین.

چشمانم را بستم نمی‌خواستم هیچ‌کس را ببینم.

ـ الان آب مرغ حاضر می‌شه، خدا رو صدهزار مرتبه شکر، توی این مدت هر چه به حلقش ریختم برگردونده.

ـ از دیروز که تبش پایین اومد، فهمیدم که بیدار می‌شه، طفلک چی کشید، معلوم نیست این‌همه تب و هذیون از کجا به تن این بچه ریخت؟

ـ وای پروین‌خانم می‌بینی چه بدبختی می‌کشم؟ تو این چند روز منم صد دفعه با این بچه مُردم و زنده شدم، از یه طرف جگر گوشه‌ام جلوی چشمم پرپر می‌زنه از طرف دیگه این آبروریزی و سرکوفت برادراش که چه دختری پس‌انداختی آتیشم می‌زنه.

❀

هیچ دردی نداشتم سست و بی‌حال توی رختخواب افتاده بودم، نمی‌توانستم حرکتی کنم، وقتی می‌خواستم دستم را از زیر لحاف بیرون بیاورم انگار کوه می‌کَنْدم، ضعف عجیبی بود، کاش همین‌طور ضعیف و ضعیف‌تر می‌شدم تا می‌مُردم، اصلاً چرا بیدار شدم؟ من در این دنیا هیچ کاری نداشتم.

❀

وقتی دوباره به‌خودآمدم، خانم‌جون سرم را روی زانویش گذاشته بود و می‌خواست سوپ را به زور در دهانم بریزد، مقابل فشار دست‌های او که دو طرف گونه‌هایم را گرفته بود مقاومت می‌کردم و سرم را تکان می‌دادم.

ـ الهی قربونت برم، فقط یه قاشق، ببین به چه روزی افتادی؟ بخور، الهی درد و

بلات تو سرم بخوره.

دفعه اولی بود که این حرفها را از زبان او می‌شنیدم، هیچ یادم نمی‌آمد که قربان صدقهٔ من رفته باشد، همیشه یا مشغول بچه‌های بعدی بود یا مواظب داداشای بزرگ‌تر که از جانش بیشتر دوستشان داشت، من این وسط گم شده بودم، نه اولی بودم نه آخری و نه پسر، اگر زری نمرده بود، حتماً تابه‌حال فراموش شده بودم، مثل فاطی که اغلب در گوشه‌ای پنهان شده و هیچ‌کس او را نمی‌بیند، هرگز فراموش نمی‌کنم وقتی دنیا آمده بود تا به ننه‌جون گفتند بچه دختر است، غش کرد، تازه او مشکل دیگری هم دارد، می‌گویند «سرخور» هم هست چون دو پسر بعد از او سقط شده، نمی‌دانم خانم‌جون از کجا فهمید که بچه‌ها پسر بودند، او در خانهٔ ما مثل یک سایه است. سوپ روی لحاف ریخت، خانم‌جون بلند شد و غرغرکنان از اتاق بیرون رفت.

❀

چشم‌هایم را باز کردم عصر بود، فاطی کنارم نشسته بود موهایم را با دست‌های کوچکش کنار می‌زد، چقدر معصوم و چقدر تنها بود، نگاهش کردم، خودم بودم بالای سر زری، گرمای اشک را روی گونه‌هایم احساس کردم. فاطی گفت:

ـ می‌دونستم بیدار می‌شی، تورو خدا نمیری‌ها ...!

خانم‌جون داشت وارد اتاق می‌شد، چشم‌هایم را بستم.

❀

شب بود صدای همه را می‌شنیدم، خانم جون گفت:

ـ صبح چشاشو واز کرد، به هوش بود ولی هر کاری کردم یک کمی آب مرغ دهنش بریزم نذاشت، این که جون نداره از جاش تکون بخوره نمی‌دونم این همه زور رو از کجا می‌آره؟ صبح پروین‌خانم می‌گفت بیشتر از این نمی‌شه با قرص و دوا نگهش داریم. دیگه اگه غذا نخوره می‌میره.

صدای آقاجون گفت:

ـ از اول می‌دونستم، ننه‌ام حق داشت، به ما دختر نیومده، اگه هم خوب بشه

فرقی با مرده نداره با این بی‌آبرویی.

دیگر چیزی نشنیدم، انگار دست خودم بود هر وقت می‌خواستم می‌دیدم و می‌شنیدم و هر وقت نمی‌خواستم مثل رادیویی که پیچش را خاموش کنند در سکوت فرو می‌رفتم ولی کابوس‌ها دست خودم نبود تصاویر پشتِ چشمانِ بسته‌ام می‌رقصیدند.

احمد با یک دست چاقوی خون‌آلود و با دست دیگر موهای فاطی را که به اندازهٔ یک عروسک کوچک شده بود گرفته به طرف من که بالای پرتگاهی ایستاده بودم می‌دوید فاطی را به طرف من پرت کرد، سعی کردم بگیرمش ولی از دستم رد شد و به ته پرتگاه افتاد. به پایین نگاه کردم زری و سعید در هم شکسته و خون‌آلود آن پایین بودند، از صدای فریاد خودم بیدار شدم. تمام بالشم خیس بود، احساس خشکی بدی در دهانم داشتم.

– چته ننه؟ بازم شروع کردی، اگه گذاشتی یه شب مث آدم بخوابیم؟ آب را به حلقم ریخت قطرات آب را بی‌اختیار می‌بلعیدم.

از همهمه‌های صبحگاهی بیدار شدم. داشتند صبحانه می‌خوردند.

ـ دیشب دوباره تبش بالا رفت هذیون می‌گفت، جیغ کشید صداشو شنیدین؟

محمود گفت:

ـ نخیر...!

احمد ادامه داد:

ـ ول می‌کنی ننه. می‌ذاری این یه لقمه کوفت و زهرماری از گلومون پایین بره یا نه؟

صدای احمد مثل خنجری به قلبم فرو می‌رفت، کاش قدرت داشتم بلند می‌شدم و تکّه‌تکّه‌اش می‌کردم. از همه متنفر بودم، پشتم را به آنها کردم صورتم را در بالش فرو بردم. کاشکی هر چه زودتر می‌مردم و از بودن با این آدم‌های

خودخواه و دل‌سنگ رها می‌شدم.

از سوزش نیش آمپول بی‌اختیار چشمانم باز شدند.

ـ خوب دیگه بیدار شدی بیخودی چشماتو نبند، شنیدم هنوز هیچّی نخوردی، می‌خوای آینه بیارم خودتو ببینی؟ شدی عین اسکلت، ببین رفتم قنادی کاروان برات بیسکویت خریدم با چایی خیلی خوشمزه می‌شه ... خانم‌جون ... خانم صادقی ...! معصوم بیدار شده چایی می‌خواد. تو لیوان براش چای بیارین.

با چشمانی مات نگاهش کردم، هیچوقت نفهمیدم این زن چگونه آدمی‌ست همه پشت‌سرش حرف می‌زدند، می‌گفتند دور از چشم شوهرش با مردها رابطه دارد، به نظرم خیلی کثیف می‌آمد ولی نمی‌دانم چرا وقتی می‌دیدمش آن‌طور که باید نسبت به او احساس تنفر نداشتم و چیزی از این زشتی‌ها را در وجودش نمی‌دیدم، فقط می‌دانستم نمی‌خواهم با او در ارتباط باشم. خانم‌جون با لیوان چای که لب‌پر می‌زد وارد شد.

ـ خدارو شکر، می‌خواد چایی بخوره؟

ـ بله، قراره چایی با بیسکویت بخوره. پاشو خانومم، پاشو.

و در همین حال دستش را گذاشت پشتم و بلندم کرد. خانم‌جون چند بالش پشتم گذاشت و لیوان چای را به دهانم نزدیک کرد رویم را برگرداندم و دهانم را محکم بستم گویی تمام نیرویم برای همین کار ذخیره شده بود.

ـ نمی‌شه ...، نمی‌ذاره، اونقده دهنشو واز نمی‌کنه تا بالاخره همش بریزه.

ـ شما ناراحت نباشین. من بهش می‌دم. تا ظهر همین جا می‌شینم تا نخوره نمی‌رم شما برین به کاراتون برسین، خیالتون راحت باشه.

خانم‌جون درهم و غرولندکنان از اتاق خارج شد.

ـ خوب دختر خوب حالا واسه اینکه منو سنگ رو یخ نکنی دهنتو باز کن یه قاشق بخور. ترو خدا حیف از اون پوست برگ گلت نیست که شده عین زردچوبه این‌قدر لاغر شدی که فکر کنم هم‌وزن فاطی باشی، تو دختر به این خوشگلی، حالاحالاها باید زندگی کنی، اگه غذانخوری می‌میری‌ها ...!

نمی‌دانم در نگاهم چه دید و یا پوزخندی که بی‌اختیار بر لب‌هایم نشسته بود در خود چه داشت که ساکت شد و خیره نگاهم‌کرد و بعد مانند کسی که کشف بزرگی کرده گفت:

ـ آره ... تو همینو می‌خوای ... تو می‌خوای بمیری، تو داری اینجوری خودکشی می‌کنی، وای چقدر من خرم، چرا زودتر نفهمیدم؟ آره تو می‌خوای بمیری، ولی آخه چرا؟ مگه تو عاشق نیستی؟ شاید هم بهش برسی، خدارو چه دیدی؟!! واسهٔ چی می‌خوای خودتو بکشی؟ سعید ناراحت می‌شه‌ها ...

با شنیدن اسم سعید بی‌اختیار تکان خوردم و چشم‌هایم باز شدند.

پروین‌خانم نگاهم کرد و گفت:

ـ تو چته؟ نکنه خیال می‌کنی دوستت نداره؟ نترس شیرینی عشق به همـین چیزاس دیگه.

دستش را جلو آورد تا چای را در دهانم بریزد، با تمام قدرت دستش را گرفتم و نیم‌خیز شدم.

ـ راستشو بگو سعید زنده‌اس!

ـ وا معلومه، چرا فکر می‌کنی اون مرده؟

ـ آخه احمد ...

ـ احمد چی ...؟

ـ احمد با چاقو زدش.

ـ خوب آره، ولی چیزیش نشد ... آها ... تو از وقتی چاقوی خونی‌رو دیدی بیهوش شدی تا حالا ...! این کابوس و جیغای شبانه هم مال همینه، من بدبخت اطاقم دیوار به دیوار همین اطاقه، هر شب صداتو می‌شنیدم، می‌گفتی: نه! نه! جیغ می‌زدی، سعید، سعید می‌کردی مادرت جلوی دهنتو می‌گرفت، لابـد خـیال می‌کردی احمد سعیدو کشته، آره؟ برو بچه‌جون احمد از این عرضه‌ها نداره، اصلاً مگه می‌شه یه نفر بره آدم بکشه بعد هم راست راست بگرده و بیاد خونه، مملکت قانون داره، مگه به همین سادگیه، نه جونم، خیالت راحت اون شب فـقط یـه خراش انداخته به بازوش، یکی هم به صورتش، بعد مغازه‌دارا و آقای دکتر از

هم جداشون کردن، حتی سعید کلانتری هم نرفت شکایت کنه، حالش هم خوبه، خودم فرداش دم داروخانه دیدمش.

انگار بعد از یک هفته راه نفسم باز شد. چشمانم را بستم، از ته قلب گفتم:

ـ خدا را شکر.

و خودم را روی بالش‌ها انداختم، سرم را به درون آن‌ها فرو بردم و با صدای بلند گریستم.

تا عید طول کشید تا من تقریباً به حال عادی برگشتم، پایم کاملاً خوب شده بود ولی هنوز خیلی لاغر بودم. هیچ خبری از مدرسه نداشتم و حتی امکان حرف‌زدن در مورد آن هم نبود. صبح‌ها کمی در خانه می‌پلکیدم حتی برای حمام رفتن هم نمی‌توانستم از خانه بیرون بروم. خانم‌جون آب گرم می‌کرد و حمامم می‌داد. در اطرافم جَوِ سرد و تلخی حاکم بود، من اصلاً دوست نداشتم حرف بزنم. اغلب آن‌قدر غمگین و در فکر بودم که به دوروبرم توجهی نداشتم. خانم‌جون مواظب بود دربارهٔ این وقایع چیزی نگوید. هر چند که نمی‌توانست و گاه چیزهایی را بازگو می‌کرد که قلبم را به درد می‌آورد، آقاجون اصلاً نگاهم نمی‌کرد، گویی وجود نداشتم، با بقیه هم خیلی کم حرف می‌زد همیشه گرفته و عصبی بود، به نظرم پیرتر از همیشه می‌آمد. احمد و محمود سعی می‌کردند حتی‌الامکان با من روبه‌رو نشوند صبح‌ها با عجله صبحانه می‌خوردند و می‌رفتند و شب‌ها احمد دیرتر و خراب‌تر از سابق به خانه می‌آمد و یک‌راست می‌رفت بالا و می‌خوابید. محمود هم تند و تند چیزی می‌خورد و می‌رفت مسجد، یا در اطاقش تا نیمه‌های شب دعا و نماز می‌خواند. از اینکه نمی‌دیدمشان راضی بودم، فقط علی مزاحم دائمی بود. اذیت می‌کرد و گاه حرف‌های زشت می‌زد، من محلش نمی‌گذاشتم ولی خانم‌جون دعواش می‌کرد، تنها دلگرمی و موجود دوست‌داشتنی خانه فاطی بود. وقتی از مدرسه می‌آمد، مرا می‌بوسید و با دلسوزی عجیبی نگاهم می‌کرد. هرچه می‌خورد برای من هم می‌آورد و با اصرار به من می‌داد؛ حتی گاه پول‌هایش را جمع می‌کرد و برای من شکلات می‌خرید،

هنوز نگران مُردن من بود.

❊

می‌دانستم مدرسه رفتن برای من دیگر خیالی محـال است. ولی امیدوار بودم
بعد از عید بگذارند باز به کلاس خیاطی بروم. هر چند که اصلاً از خیاطی خوشم
نمی‌آمد ولی این تنها روزنهٔ امید برای آزادی و قدم گذاشتن به دنیای بیرون از این
چهاردیواری بود. دلم برای پروانه لک‌زده بود، نمی‌دانستم بیشتر دلم می‌خواست او
را ببینم یا سعید را، عجیب بود با تمام سختی‌هایی که پشت سر گذاشته بودم، تمام
تعابیر زشت و کثیفی که از ارتباط من و سعید شده بود، با آن‌همه آبروریزی، باز
هم از آنچه بین من و سعید گذشته بود پشیمان نبودم؛ نه تنها احساس گناه نمی‌کردم
بلکه پاک‌ترین و صادقانه‌ترین احساس درونم، عشق بی‌پایانی بود که در قلبم
برای او داشتم.

❊

کم‌کم پروین‌خانم برایم تعریف‌کرد که ماجرای من تا کجاها کشیده شـده و
چطور دامنِ خانوادهٔ محترم پروانه را هم گرفته است. نمی‌دانم همان شبی که مـن
بیهوش شدم یا شب بعد از آن احمد کاملاً مست به در خانهٔ آنها می‌رود و شروع به
فحاشی می‌کند و به پدر پروانه می‌گوید:

ـ کلاتو بالاتر بذار، وضع دخترت خرابه، داشته دختر ما رو هـم از راه بـه
در می‌کرده.

و هزاران حرف زشت دیگر که از فکرش هم تمام تنم خیس از عرق می‌شود
من دیگر با چه رویی می‌توانم به صورت پروانه و پدر و مادرش نگاه کنم؟ وای
چطور توانسته این حرف‌ها را به آن مرد محترم بگوید.

❊

بی‌خبری داشت دیوانه‌ام می‌کرد، بالاخره به پروین‌خانم التماس کردم که سری
به داروخانه بزند و از سعید خبری بگیرد، پروین‌خانم سرش برای این کـارها
درد می‌کرد هر چند که از احمد حساب می‌برد، هـرگز تـصور نـمی‌کردم روزی
پروین‌خانم محرم اسرارم شود، البته هنوز هم از او خوشم نمی‌آمد ولی چه می‌شد

کرد در آن موقع تنها رابط من با دنیای بیرون او بود و عجیب اینکه هیچ‌کس هم اعتراضی نداشت.

پروین‌خانم فردای آن روز، به دیدنم آمد، خانم‌جون در آشپزخانه مشغول غذا پختن بود، نگران و هیجان‌زده پرسیدم:

ـ پروین‌خانم چه خبر؟ رفتی؟

ـ آره رفتم اینا رو خریدم و از دکتر پرسیدم:

ـ پس سعیدخان کجاست؟ گفت:

ـ رفته ولایتش، اینجا دیگه جاش نبود، پسره بیچاره، براش آبرو نذاشتن، اصلاً تأمین جانی نداشت، بهش گفتم اگه یه وقت نصف شب یک چاقویی از تو تاریکی دراومد و دخلت‌رو آورد چی؟ حیف از جوونی‌ش بود، دختره‌رو هم که بهش نمی‌دادن با اون برادرای دیوونه‌اش، اونم فعلاً ترک تحصیل کرده رفته رضاییه پیش خانواده‌اش.

اشک‌هایم صورتم را می‌شستند.

ـ بسه، دوباره شروع نکنی‌ها! یادت باشه تو فکر می‌کردی مُرده. حالا برو خدا رو شکرکن که زنده‌س، یک کمی صبر کن وقتی آبا از آسیاب افتاد لابد یک کاری می‌کنه ولی به نظر من بهتره فراموشش کنی، فکر نمی‌کنم اینا تو رو به اون بدن، یعنی احمد که به هیچ وجه زیر بار نمی‌ره، مگه اینکه آقاجونتو قانع کنی، به هر حال حالا باید صبر کنیم ببینیم اصلاً ازش خبری می‌شه یا نه.

۞

عید آن سال تنها حسنی که داشت این بود که مرا دو بار از خانه بیرون بردند، یک بار برای رفتن به حمام شب عید که چون صبح خیلی زود وقت گرفته بودند هیچ تنابنده‌ای را در خیابان ندیدم و دیگری برای رفتن به عیددیدنی خانهٔ عموعبّاس. بعد از چند هفته دیدن خیابان‌ها لطف خاصی داشت. هوا هنوز سرد بود، آن سال بهار هم تأخیر داشت ولی بوی عید در فضا می‌چرخید، هوا در بیرون خانه انگار تمیزتر و روشن‌تر بود و نفس‌کشیدن را آسان‌تر می‌کرد، زن عمویم با خانم‌جون رابطهٔ خوبی نداشت و دخترانش با ما نمی‌جوشیدند. ثریا

دختر بزرگ عموجان گفت:

ـ معصوم قد کشیدی، زن عموم پرید وسط حرفش و گفت:

ـ ولی لاغر شده من راستش ترسیدم. نکنه مریضی چیزی داری؟

ـ نه بابا مال درس خوندن زیاده، بابام می‌گه تـو خیلی درس مـی‌خونی و شاگرد اولی.

سرم را پایین انداختم نمی‌دانستم چه بگویم، خانم‌جون به کمک آمد و گفت:

ـ پاش شکسته بود برای همین لاغر شده. شما که حال کسی رو نمی‌پرسین.

ـ چرا، اتفاقاً بابام گفته بود، من هم گفتم بریم احوال پرسی ولی گویا عموجون گفته بودن، حالش خوب نیس نمی‌خواد بیاین. حالا برای چی پات شکست؟

ـ توی برف‌ها زمین خوردم. خانم‌جون برای عوض کردن حرف گفت:

ـ ثریا خانم که دیپلمشو گرفته، چرا شوهرش نمی‌دین؟

ـ وا حالا باید درس بخونه باید دانشگاه بره، هنوز زوده.

ـ زوده؟ چه حرفا، دیرم شده، لابد شوهر گیر نمی‌آد.

ـ اتفاقاً خیلی هم گیر می‌آد، تو سرِ سگ بزنی شوهر درمی‌آد، ولی خـوب دختری مثل ثریا که هر کسی رو نمی‌پسنده، تو خانوادهٔ منم همه تحصیل کردن، چه زن و چه مرد. فرق دارن با این خونواده‌های شهرستونی، ثریا هم می‌خواد مثل دخترخاله‌هاش درس بخونه و دکتر بشه.

محال بود دیدارهای خانوادگی ما بدون زخم زبان و حرص و جوش بگذرد، خانم‌جون با آن حساسیت و زبان تندش همه را پراکنده می‌کرد، بیخود نبود که عمه می‌گفت زبون خانم‌جونت تیغ داره. در صورتی که من خیلی دوست داشتم با آنها ارتباط صمیمانه‌تری برقرار کنم ولی این دشمنی‌های بـا سـابقه کـه مـن از ریشه‌های آن بی‌خبر بودم هرگز چنین اجازه‌ای نمی‌دادند.

۞

تعطیلات عید هم گذشت، و من همچنان در خانه بودم، زمزمه‌های کـلاس خیاطی هم به نتیجه نرسید. احمد و محمود موافقت نمی‌کردند که من به هیچ عنوان از خانه خارج شوم، آقاجون هیچ دخالتی نمی‌کرد، من بـرایش مـرده بـودم،

حوصله‌ام در خانه سر می‌رفت، وقتی کارهای خانه تمام می‌شد به اتاق مهمانخانه می‌رفتم و از پنجره، آن قسمت از کوچه را که دیده می‌شد نگاه مـی‌کردم، تمام ارتباطم با دنیای بیرون همین نصف پنجره بود. آن هم پنهانی، چون اگر برادرها می‌فهمیدند لابد آن را هم گل می‌گرفتند، تمام آرزویم دیدن پروانه یا سعید از این روزنه بود. حالا دیگر خیلی خوب می‌دانستم که تنها راه بیرون رفتن من از این خانه رفتن برای همیشه با مردی به عنوان شوهر است. ظاهراً این تنها راهِ‌حلی بود که برای تمام شدن مشکل من به‌اتفاق‌آرا به‌تصویب‌رسیده‌بود. از تمام زوایای این خانه متنفّر بودم، ولی نمی‌خواستم برای رهایی از آن تن به زندان دیگری بدهم و به سعید عزیزم خیانت کنم، می‌خواستم تا آخر عمر منتظرش بمانم حتی اگر مرا به صلابه بکشند.

اوّلین گروه خواستگارها سه زن و یک مرد بودند. خانم‌جون با جدیت به تمیز کردن خانه و چیدن وسایل مشغول بود. محمود یک دست مبل با روکش قرمز برای اتاق مهمانخانه خرید، احمد میوه و شیرینی آورد، همکاری بی‌سابقهٔ آنها خیلی عجیب بود، معلوم می‌شد که به هیچ قیمتی نمی‌خواهند این خواستگارها را از دست بدهند، مثل غریقی بودند که به هر تخته‌شکسته‌ای چنگ می‌زند، با دیدن آنها فهمیدم که واقعاً تخته شکسته‌ای هم بیشتر نیستند، خواستگار، مرد چاق و چلّه‌ای بود که موهای جلوی سرش ریخته بود، حدود سی سال داشت، در بازار همکار محمود بود. وقتی میوه می‌خورد دهانش صدا می‌داد، خوشبختانه آنها به دنبال زن تُپل‌مُپل بودند و مرا نپسندیدند. آن شب با شادمانی و آرامش خوابیدم. صبح خانم‌جون داستان خواستگاری را با آب و تاب برای پروین‌خانم تعریف کرد از حسرتی که می‌خورد خنده‌ام گرفت.

ـ خیلی حیف شد، این دختر بدبخت شانس نداره، هم پولدار بود، هم خانواده‌اش خوب بودن، هم قبلاً ازدواج نکرده بود، هم جوون بود (خنده‌ام گرفت مردک دو برابر سن مرا داشت ولی از نظر خانم‌جون جوون بود با اون سر کچل و شکم گنده‌اش،) البته پروین‌خانم خودمونیم حق هم داشتن، این دختره

خیلی لاغر و مُردنی شده، مادر پسره گفت: خانم دخترتون تب لازم داره؟ غلط نکنم خود پدر سوخته‌اش هم کارایی کرده بود که بیشتر مریض به نظر بیاد.

ـ وای خانم‌جون همچین می‌گی پسره که انگار جوون بیست ساله بود، خودم تو کوچه دیدمشون، همون بهتر که نپسندیدن، تورو خدا حیف معصوم نبود که می‌خواستی بدی به این کو تولهٔ شکم‌گنده.

ـ چی بگم پروین‌خانم، برا این دختره آرزوها داشتیم، حالا من هیچی آقاش می‌گفت معصوم باید زن یه آدم خیلی حسابی بشه، ولی بعد از اون آبروریزی، دیگه کی می‌آد بگیردش، یا باید زن دوم بشه، یا آدمای پایین‌تر از خودش.

ـ این حرفا چیه خانم‌جون، بذارین آبا از آسیاب بریزه، مردم یادشون می‌ره.

ـ چی چیو یادشون می‌ره، مردم تحقیق می‌کنن، مادر خواهر یه پسرِ درست، حسابی مگه می‌ذارن پسرشون دختر سیاه‌بخت مـنو بگیره کـه همـهٔ محـل از گندکاری‌ش خبر دارن.

ـ شما صبر کنین فراموش می‌شه، حالا چرا این‌قدر عجله دارین؟

ـ برادراش نمی‌ذارن. می‌گن تا این تو خـونه‌اس مـا آرامـش خیال نـداریم، نمی‌تونیم سرمونو تو سر و همسر بلند کنیم، تازه مگه مردم فراموش می‌کنن اگه صد سال دیگه هم از در و همسایه بپرسین این دختره چطوره؟ همهٔ پته‌ها رو آب می‌ریزه، تازه محمود هم می‌خواد زن بگیره، می‌گه تا این دختره تو خـونه‌اس نمی‌شه. بهش اعتباری نیست، ممکنه زن منو هم از راه به در کنه.

ـ چه حرفا! خدا به دور، این طفلک از یه بچه هم معصوم‌تره، اونم اتفاق مهمی نبود، هر دختر خوشگلی بالاخره تو این سن و سال یه عاشق پیدا می‌کنه، نمی‌شه همهٔ دخترا رو آتیش زد که چرا فلان پسره از تو خوشش می‌آد ... تازه تقصیر این هم نبود.

ـ آره ننه، من دخترمو خوب می‌شناسم، نمی‌گم نماز و روزه‌اش خیلی مرتبه ولی قلباً بـاخداس، پریروز مـی‌گفت آرزوی زیارت دارم، بـریم حضرت عبدالعظیم، قم که بودیم هر هفته می‌رفت زیارت حضرت معصومه، نمی‌دونی چه راز و نیازی می‌کرد. همش زیر سر این دختره ورپریده پروانه‌س. وگرنه دختر

منو چه به این کارا!

ـ حالا شما هم دست نگهدارین شاید همون پسره اومد و گرفتش و همه چیز به خیر و خوبی تمام شد، اونم پسر بدی نبود، همه ازش تعریف می‌کنن، چند وقت دیگه هم دکتر می‌شه، همدیگه رو هم می‌خواستن.

ـ چی می‌گی پروین‌خانم، داداشاش می‌گن به عزراییل می‌دیمش به اون نمی‌دیم، تازه اونم که نیومده پاشنهٔ خونمونو از جا در بیاره، خدا هم هر چی بخواد همون می‌شه، نصیب و قسمت هر کسی از روز اول رو پیشونیش نوشته. سهمشو هم کنار گذاشتن.

ـ پس شما هم عجله نکنین بذارین نصیب و قسمت کار خودشو بکنه.

ـ آخه داداشاش می‌گن تا شوهر نکرده داغ ننگش با ماس، وقتی شوهر کرد دیگه مسؤولیتش با ما نیس، فکر می‌کنی تا کی می تونن تو خونه حبسش کنن، از این می ترسن که دوباره آقاشون دلش بسوزه و کوتاه بیاد.

ـ آخه طفلک گناه داره، خیلی خوشگله، بذارین یه آبی زیر پوستش بیاد، حالش کاملاً خوب بشه، ببینین چه کسونی خواهانش بشن.

ـ به خدا هر روز براش پلو مرغ درست می‌کنم، سوپ قلم، حلیم، علی رو می‌فرستم کله‌پاچه برای صبحونه‌اش بگیره، شاید یک کمی چاق‌تر بشه و از این قیافهٔ مریضی دربیاد، خدا هم بخواد یه آدم دُرُسّ و حسابی بپسندتش.

یاد قصّه‌های بچگی‌ام افتادم، که دیوی بچه‌ای را دزدیده بود ولی چون بچه لاغر بود ارزش خوردن نداشت، دیو هم او را زندانی کرده بود و مدام برایش غذاهای خوب و متنوع می‌آورد تا زودتر چاق شود و بتواند از او خوراک خوب و دندان‌گیری درست کند، خانوادهٔ من هم می‌خواستند مرا زودتر چاق کنند و جلوی دیو بیندازند.

آن روزها چوب حراج مرا واقعاً زده بودند، خواستگاری تنها برنامهٔ جدی خانهٔ ما بود، به تمام آدم‌هایی که به نوعی با خانوادهٔ ما ارتباط داشتند سپرده بودند که برای من شوهر پیدا کنند، همه جور آدمی می‌آمد، بعضی‌ها آن‌قدر ناجور بودند

که حتی احمد و محمود هم نمی‌پسندیدند. هر شب سر نماز دعا می‌کردم که سعید پیدایش شود، به پروین‌خانم التماس می‌کردم و حداقل هفته‌ای یک‌بار او را به داروخانه می‌فرستادم تا شاید از سعید خبری بگیرد، ولی هیچ خبری نبود، آقای دکتر گفته بود که فقط یک‌بار از رضاییه نامه‌ای فرستاده، ولی جواب آقای دکتر برگشت خورده گویا آدرس اشتباه بوده‌است. او واقعاً آب شده و در زمین فرورفته بود. گاهی شب‌ها برای نمازخواندن و رازونیاز به اتاق مهمانخانه می‌رفتم و بعد هم مدّتی کنار پنجره سایه‌هایی را که از کوچه می‌گذشتند نگاه‌می‌کردم. چند بار سایه‌ای را دیدم که زیر طاق خانه روبرویی ایستاده بود. با خودم می‌گفتم شاید او سعید باشد، برای دیدن من آنجا ایستاده، ولی وقتی پنجره را باز می‌کردم هیچ‌کس نبود. تنها رؤیای زندگیم که شب‌ها مرا به بستر می‌برد و با آن درد و رنج زندگی کسالت‌بار یک روز دیگر را به فراموشی می‌سپردم، زندگی با سعید در خانه‌ای کوچک و زیبا بود. هر شب شکل خانه، تزیینات اتاق‌ها و وسایل را به نوعی در ذهنم ترسیم می‌کردم. خانه‌ای کوچک که برای من بهشت بود، بچه‌هایمان را تصور می‌کردم که چقدر زیبا و سالم و خوشبخت هستند. در رؤیاهایم در نهایت عشق و سعادت بودم، سعید شوهری نمونه، مردی آرام، خوش‌خلق، مهربان، محجوب، فهمیده و باشعور بود، هرگز با من دعوا نمی‌کرد، مرا تحقیر نمی‌کرد، وای که چقدر دوستش داشتم، آیا هرگز زنی آنچنان که من عاشق سعید بودم مردی را دوست داشته است؟ کاش می‌شد تنها در رؤیا زندگی کرد.

اواسط خرداد به محض تمام شدن امتحانات، خانوادهٔ پروانه اسباب‌کشی کردند و از محلهٔ ما رفتند، می‌دانستم که می‌خواهند خانه‌شان را عوض کنند ولی نه به این زودی، بعدها شنیدم که می‌خواستند زودتر بروند فقط به خاطر مدرسه‌ها تا این موقع صبرکرده‌بودند، پدرش مدت‌ها بود که می‌گفت این محله دیگر خیلی بد شده و قابل زندگی نیست، او حق داشت، آنها برای این محل حیف بودند، این محل به درد کسانی مثل برادران من می‌خورْد.

صبحِ گرمی بود، داشتم اتاق را جارو می‌کردم. هنوز پرده‌های حصیری را نینداخته بودم که صدای پروانه به گوشم خورد به طرف در دویدم. بله پروانه برای خداحافظی آمده بود، فاطی در را باز کرد، خانم‌جون زودتر از من رسید، در را نیمه‌بسته نگاه‌داشت، در حالی که پاکت نامه‌ای را که دست فاطی بود به پروانه پس می‌داد گفت:

ـ زود برو، زود برو، الآن برادراش می‌آن. دوباره آبروریزی راه می‌اندازن، دیگه هم از این چیزا نیار. پروانه با بغض گفت:

ـ ولی خانم توی نامه فقط خداحافظی کردم و آدرس خونهٔ جدیدو نوشتم، خودتون بخونین.

ـ لازم نکرده!!

پشت در را با دو دست چسبیدم، می‌خواستم در را به زور باز کنم، خانم‌جون محکم در را گرفته بود و با پایش مرا کنار می‌زد، فریاد زدم:

ـ پروانه، پروانه.

پروانه با التماس گفت:

ـ تورو خدا این‌قدر اذیتش نکنین، به خدا کار بدی نکرده.

خانم‌جون محکم در را بست، من روی زمین نشستم و زارزار گریه کردم، احساس می‌کردم آخرین پناهم، دوستم و هم‌رازم را هم از دست داده‌ام.

خواستگار آخری دوست احمد بود، گاه فکر می‌کردم اینها چگونه این آدم‌های ریز و درشت را پیدا می‌کنند، مثلاً احمد به دوستش چطور می‌گوید که خواهری آمادهٔ ازدواج دارد؟ آیا برای من تبلیغ می‌کنند؟ قول و قراری می‌گذارند، یا مثل دو نفر معامله‌گر در مورد من بحث می‌کنند؟ ولی این را می‌دانستم که هر چه هست پسندیده نیست.

اصغرآقاقصاب از نظر سن و سال و همچنین رفتار و منش جاهلانه مانند احمد بود سواد درست و حسابی نداشت می‌گفت:

ـ مرد باید از زور بازوش نون بخوره نه اینکه مثل میرزا بنویس‌های لاجون

بشینه یه گوشه و هی کاغذ سیاه کنه.

احمد می‌گفت:

ـ هم پولداره هم می‌تونه این دختره‌رو حسابی جمع‌وجور کنه.

در مورد لاغری من هم گفته بود:

ـ عیب نداره اینقده بهش دنبه و ماهیچه می‌دم که سر یک ماه بشه قد یه خمره عوضش چشاش سگ داره.

مادرش هم پیرزن بدهیبتی بود که از اول مجلس یک‌سره خورد و حرف‌های پسرش را تصدیق‌کرد. این خواستگار مورد پسند همه واقع شد، خانم‌جون از اینکه قبلاً زن نداشته و جوان است خوشحال بود، احمد چون دوستش بود و در دعوای کافه‌جمشید ضمانت او را کرده، نگذاشته بود به زندان برود معتقد بود که خیلی با معرفت است و برایش تبلیغ می‌کرد، آقاجون به خاطر مغازهٔ قصابی که درآمد خوبی دارد رضایت داد محمود می‌گفت:

ـ خوبه، کاسبه، جربزه هم داره می‌تونه از پس این دختر بربیاد و مواظب باشه قدم کج نذاره، هر چه زودتر کارو تموم کنید بهتره.

برای هیچ‌کس مهم نبود که من چه نظری دارم و من هم به هیچ‌یک از آنها نگفتم که چقدر از زندگی‌کردن با چنین داش‌مشتیِ بی‌شعور، کثیف و بی‌سوادی که حتی روز خواستگاری بوی گندِ گوشت و چربی می‌داد متنفر و بیزارم.

صبح پروین‌خانم سراسیمه به خانهٔ ما آمد و گفت:

ـ شنیدم می‌خواین معصومو بدین به اصغرقصاب، تورو خدا این کارو نکنین، این مرتیکه چاقوکشه، عرق خوره، زن‌بازه من می‌شناسمش لااقل در موردش تحقیق کنین.

ـ بیخودی حرف نزن پروین‌خانم! تو بهتر می‌دونی یا احمد، خودش همه چیزو بهمون گفته، به قول احمد مردا قبل از اینکه زن بگیرن هزار کار می‌کنن، ولی وقتی گرفتار زن و بچه شدن همه‌رو می‌ذارن کنار، برا باباش قسم خورده، یه تار سبیلش را هم گذاشته گرو که بعد از عروسی حتی یه قدم خلاف برنداره. تازه از این بهتر برا معصوم پیدا نمی‌شه، جوونه، زن اولشه، پولداره دو دهنه مغازهٔ قصابی

داره باغیرته دیگه چی می‌خوایم؟

بعد از آن پروین‌خانم با آنچنان دل‌سوزی و افسوسی نگاهم می‌کرد که گویی محکوم به مرگی را می‌بیند، روز بعد گفت:

ـ من خیلی به احمد التماس کردم که این کارو نکنه ولی حالیش نیست. (این اولین باری بود که به ارتباط پنهانیش با احمد اعتراف می‌کرد) می‌گه بیشتر از این صلاح نیست تو خونه نگهش داریم، خودت چرا هیچ کاری نمی‌کنی، انگار حالیت نیس چه بلایی داره سرت می‌آد؟ واقعاً حاضری زن این مرتیکه بشی؟

ـ چه فرقی می‌کنه؟ بذار هر کار می‌خوان بکنن، خیال کنن منو شوهر می‌دن، نمی‌دونن هر مردی غیر از سعید فقط می‌تونه به جنازهٔ من دست بزنه.

ـ وا خدا مرگم بده، دیگه از این حرف‌ها نزنی‌ها؟ معصیت داره، باید این جور فکرا رو از سرت بیرون کنی، هیچ مردی برا تو سعید نمی‌شه، ولی همهٔ مردا هم به این بدی نیستن، مهلت بگیر شاید خواستگار بهتری پیدا بشه.

شانه‌هایم را بالا انداختم،

ـ هیچ فرقی نمی‌کنه.

با نگرانی بیرون رفت، دم در آشپزخانه مدتی چیزهایی به خانم‌جون گفت. خانم‌جون زد توی صورتش، بعد از آن مراقبت از من شدت بیشتری گرفت تمام داروها را جمع کردند، نمی‌گذاشتند به تیغ و چاقو دست‌بزنم وقتی می‌رفتم طبقهٔ بالا فوراً یک نفر را دنبالم می‌فرستادند، خنده‌ام می‌گرفت، چقدر ساده بودند خیال می‌کردند من این‌قدر احمقم که از فاصله‌ای به این کمی خودم را پرت کنم، من نقشه‌های بهتری داشتم.

سرعت مذاکرات عقد و عروسی به دلیل نبودن خواهر داماد کندی گرفت، خواهرش ازدواج کرده و در کرمانشاه زندگی می‌کرد، و تا ده روز دیگر نمی‌توانست به تهران بیاید، اصغر آقا گفته بود:

ـ تا آبجی‌م نپسنده و اجازه نده نمی‌شه. حق مادری گردنم داره.

ساعت یازده صبح بود داشتم حیاط را جارو می‌کردم، کسی با عجله و به

شدت در می‌زد، من حق نداشتم در را به روی کسی باز کنم فاطی را صدا زدم، خانم‌جون از تو آشپزخانه فریاد زد:

ـ عیب نداره این دفعه رو باز کن، ببین کیه سرآورده؟ هنوز در را کاملاً باز نکرده بودم که پروین‌خانم پرید وسطِ حیاط.

ـ دختر اقبالت بلنده، نمی‌دونی برات چه خواستگاری پیدا کردم، دستهٔ گل ...

من مات و مبهوت نگاهش کردم، خانم‌جون از آشپزخانه بیرون آمد و گفت:

ـ چه خبره پروین‌خانم؟

ـ خانم‌جون، مژده! یه خواستگار براش پیدا کردم مثل ماه، آقا، خانواده‌دار، تحصیل‌کرده، به خدا یه موش می‌ارزه به صد تا از این لات و لوتا. بگم عصر بیان؟

ـ صبر کن ببینم چی می‌گی؟ یواش‌تر، اینا کی هستن؟ از کجا پیدا کردی؟

ـ آدم حسابین، من ده ساله می‌شناسمشون، کلّی برا مادره و دختراش لباس دوختم، دختر بزرگش خیلی وقته شوهر کرده، با یکی از ملاّکین تبریز، همون جا زندگی می‌کنه، منصوره دختر دومیه دانشگاه می‌رفت، دو سال پیش شوهر کرد، حالا یه پسر خوشگل و تُپل‌مُپل داره، دختر سومیه هنوز مدرسه می‌ره، هم باخُدان، هم امروزی، پدرشون بازنشسته‌اس، یک چیزی هم دارن نمی‌دونم کارخونه، نه اون‌که کتاب از توش درمی‌آد، اسمش چیه؟

ـ خود پسره چی؟

ـ وای نگو از پسره، خیلی پسر خوبیه، دانشگاه رفته، نمی‌دونم چی خونده ولی کار می‌کنه، همون جا که باباش داره، کتاب درست می‌کنن، حدود سی سالشه، قیافه‌شم خوبه. من که رفته بودم پروِ لباس مادره یه نظر دیدمش، ماشاالله قد و هیکلشم خوبه، چشم ابرو مشکی یک کمی سبزه ...

ـ خوب حالا معصومو کجا دیدن؟

ـ ندیدن، من تعریف کردم. گفتم چه دختر خوبیه، خوشگله، خانه‌داره، مادره خیلی دلش می‌خواد پسرش زن بگیره، قبلاً هم به من گفته بود، دختر خوب سراغ نداری؟ حالا بگم عصری بیان؟

ـ نه بابا ... ما با این اصغرآقا قول و قرار گذاشتیم، قراره خواهرش هفتهٔ دیگه

از کرمونشاه بیاد.

ـ ول کن خانم‌جون، هنوز بله‌برون که نکردین، تازه مردم سر عقد هم بهم‌می‌زنن، شما که کاری نکردین.

ـ ولی احمد چی؟ خدا می‌دونه چه الم‌شنگه‌ای را بندازه، حقم داره آبروش می‌ره هر چی باشه احمد باهاش قول و قرارایی گذاشته نمی‌تونه بزنه زیرش.

ـ نگران نباشید احمد با من؟

ـ وا خجالت بکش، چه حرفا می‌زنی؟ لااله‌الاالله.

ـ فکر بد نکنین خانم‌جون، احمد با حاجی خیلی دوسته حرف‌شنوی داره، می‌گم اون پادرمیونی کنه، به این دختر معصوم فکر کنین. من می‌دونم این مرتیکه دستِ بزن داره، وقتی عرق می‌خوره هیچّی حالیش نیست، همین الآنش هم یه «نشونده» داره که جونش بهش بسته‌اس خیال می‌کنین دست ازش بر می‌داره؟ محاله!

ـ چی داره؟ این که گفتی دیگه چیه؟

ـ هیچی بابا، یعنی با یه زن دیگه قول و قرارایی داره.

ـ پس اینو واسه چی می‌خواد؟

ـ خوب می‌خواد این زنش باشه براش بچه بزاد، اون که بچه‌دار نمی‌شه.

ـ تو از کجا می‌دونی؟

ـ خانم من این جور آدمارو می‌شناسم.

ـ از کجا می‌شناسی؟ مگه تو چکاره‌ای؟ این حرفا قباحت داره.

ـ اَه ... شما هم که همش فکرای بد می‌کنین، داداش خودم اینجوری بود من باهاشون بزرگ شدم، شما رو به خدا نذارین این بیچاره از چاله دربیاد تو چاه بیفته، حالا بذارین اینا بیان شما ببینیدشون، ببینید چقدر آدما با هم فرق می‌کنن.

ـ اول من باید با آقاش حرف بزنم، ببینم چی می‌گه، حالا اینا که اینقده خوبن چرا نمی‌رن از طایفهٔ خودشون زن بگیرن؟

ـ والله چه می‌دونم، این‌هم لابد شانس معصومه‌س خدا دوستش داره. متعجب و ناباورانه به خوشحالی و اصرار پروین‌خانم نگاه‌می‌کردم واقعاً کارهای این زن برایم غیرقابل هضم بود، در رفتارش تضاد وجود داشت، معلوم

نبود چرا تا این حد نگران سرنوشت من است؟ با خود گفتم حتماً کاسه‌ای زیر نیم کاسه دارد.

تمام آن روز بعدازظهر خانم‌جون و آقاجون با هم بحث کردند، محمود هم کمی در گفت‌وگوها شرکت کرد و بالاخره گفت جهنم هر کاری می‌خواین بکنین فقط هر چه زودتر ردش کنین و بفرسیدش سر زندگیش تا ما خیالمون راحت بشه. از همه عجیب‌تر احمد بود، آن شب خیلی دیر آمد. صبح روز بعد وقتی خانم‌جون موضوع را باهاش در میان گذاشت هیچ اعتراضی نکرد. شانه‌هایش را بالا انداخت و گفت: چه می‌دونم، خودتون می‌دونین. واقعاً که پروین‌خانم چه نفوذ عجیبی روی او داشت.

فردای آن روز خواستگارهای جدید آمدند، احمد خانه نیامد، محمود هم وقتی فهمید همه زن هستند و حجاب کاملی هم ندارند اصلاً وارد اتاق نشد، خانم‌جون و آقاجون با نگاهی خریدارانه براندازشان کردند، پروین‌خانم همه کاره بود و اون وسط جولون می‌داد، خود پسره نیامده بود، مادر و خواهرهایش بودند، مادر چادر مشکی سرش بود ولی خواهرها حجاب نداشتند، واقعاً تومنی هفت صنّار با خواستگارهایی که تا آن روز آمده بودند فرق داشتند. پروین‌خانم بازار گرمی می‌کرد، وقتی من چای آوردم گفت:

ـ می‌بینید چقد خوشگله حالا ابرواشو که برداره چی می‌شه؟ فقط از سرماخوردگی و تب اون هفته یه‌ذره لاغر شده.

من با تعجب و اخم نگاهش کردم خواهر بزرگتر گفت:

ـ لاغری که مده، الآن همه دارن خودشونو می‌کشن که لاغر بشن داداشم اینقده از زن‌های چاق بدش می‌آد.

برق شادی در چشمان خانم‌جون درخشید، پروین‌خانم لبخند زد و با غرور به خانم‌جون نگاه کرد، انگار از او تعریف کرده بودند؛ من طبق دستور خانم‌جون در اتاق بغلی نشستم. بساط چای را هم آورده بودند بالا که من مجبور نباشم بالا و

پایین برم و یک وقت آبروریزی بار بیاورم. تندوتند حرف می‌زدند و با سرعت جلو می‌رفتند. گفتند:

ـ پسرشون تا سال آخر رشتهٔ حقوق درس‌خونده ولی هنوز مدرکشو نگرفته. خانم‌جون گفت:

ـ وا چرا حقوقشو نگرفته؟

ـ آقاجون چشم‌غُرّه‌ای رفت و گفت:

ـ نه خانم، ایشون درس حقوق می‌خونن.

خانم‌جون فهمید که عوضی حرف زده و ساکت شد.

ـ حالا مشغول کار در بنگاه نشر کتابه، در واقع این بنگاه نصفش مال باباشه، حقوقش هم بد نیس، می‌تونه زندگی زن و بچه‌شو بگردونه، خونه هم داره، البته مال خودش نیس، مال مادر بزرگشه، پایین مادر بزرگش می‌شینه، بالا رو هم درست کردیم برای حمید جون، می‌دونین پسرا دوست دارن زود مستقل بشن، خوب اینم یه دونه پسره، باباش هر چی بخواد براش انجام می‌ده.

آقاجون مِن‌مِن کنان گفت:

خوب حالا کجا تشریف دارن، کِیْ می‌تونیم زیارتشون کنیم؟

ـ والله موضوع همینه، پسرم همه چیزو سپرده دست من و خواهراش گفته شما بپسندین، مثل اینکه من پسندیدم، الآن هم مأموریته، رفته مسافرت.

آقاجون گفت:

خوب ایشاالله کی برمی‌گردن؟

خواهر کوچیکه پرید وسط.

ـ ایشاالله برای عقد و عروسی.

خانم‌جون با تعجب گفت:

ـ وا ...ا؟ یعنی تا عقد ما نباید دامادو ببینیم؟ این دیگه چه جورشه؟ یعنی خودِ داماد نمی‌خواد یه نظر عروسشو ببینه؟ یه نظر که حلاله ...

خواهر بزرگتر در حالی که سعی می‌کرد با آرامش صحبت کند تا خانم‌جون به خوبی همهٔ مسایل را درک کند گفت:

ـ والله موضوع حلال و حرومی نیست، موضوع اینه که الآن حمید نیستش، ما عکسشو آوردیم دختر خانم ببینن، ما هم که دخترخانمو دیدیم، نظر حمید هم عین نظر ماس.

ـ وا ...؟! آخه مگه می‌شه؟ شاید داماد عیب و علتی داشته باشه.

ـ اِ ... خانم زبونتو گاز بگیر، پسرم مثل شاخ شمشاده، خدا نکنه عیبی داشته باشه، مگه نه پروین‌خانم؟ پروین‌خانم دیدتش.

ـ بله! بله! من دیدم، نه ماشاالله هیچ عیب و علتی نداره، خیلی هم خوش تیپه، البته به چشم خواهری.

خواهرش عکسی از کیفش درآورد به دست پروین‌خانم داد، پـروین‌خانم عکس را بالاگرفت جلوی چشم خانم‌جون و گفت:

ـ ببینید ماشاالله چه آقاس.

ـ حالا عکسو نشون دخترخانم بدین. اگه پسندیدن انشاالله موضوعو تا هفتهٔ دیگه تموم کنیم.

آقاجون گفت:

ـ خواهش می‌کنم خانم من هنوز علت این عجله‌رو درست نـفهمیدم، چـرا صبر نکنیم تا خودشون بیان؟

ـ از شما چه پنهون آقای صادقی، ما وقت نداریم، راست و حسینی اینه که من و پدرش هفته دیگه عازم مکه هستیم، می‌خوایم همه کارامونو کرده باشیم، فـقط نگرانیم حمیده، که اصلاً فکر خودش نیست، اگه اونم زن داشته باشه، من با خیال راحت می‌رم، از قدیم گفتن کسانی که می‌رن حج نباید کار نیمه‌تموم داشته باشن، باید تکلیف همه چیزو روشن کنن، وقتی هم حرف دختر شما شد، من استخاره کردم، خوب اومد، تا حالا برا هیچ دختری این‌قدر خوب در نیومده بود، اینه که فهمیدم تا قبل از رفتنم باید کارو یکسره کنم، شاید دیگه برنگشتم.

ـ نه انشاالله برمی‌گردین، به سلامتی و خوشی هم برمی‌گردین.

خانم‌جون بلند شد عکس در دست گفت:

ـ خوشا به سعادت‌تون، کاش قسمت ما هم بشه بریم خونهٔ خدا.

آمد اتاق پهلویی عکس را گرفت جلوی من.

ـ بیا ببین هر چند که وصلهٔ ما نیستن، ولی می‌دونم تو از این‌جور آدما بیشتر خوشت می‌آد، انگار شانست گفته.

با دست عکس را پس زدم.

همه حرف‌ها باسرعت گفته‌شد، ظاهراً آقاجون کاملاً قانع شده‌بود که حضور داماد هیچ ضرورتی ندارد، خیلی عجیب بود، آنها جداً می‌خواستند در عرض یک هفته عروسی را راه بیندازند، تنها نگرانیِ خانم‌جون این بود که در این فرصت کوتاه چگونه همه کارها را به انجام برساند؟ که پروین‌خانم به کمک آمد و همه چیز را به گردن گرفت.

ـ شما اصلاً نگران نباشید، فردا می‌ریم خرید، خودم هم دو روزه لباسشو می‌دوزم، خیاطی‌های دیگه‌تونم با من.

ـ ولی آخه جهازش چی می‌شه؟ البتّه من برا دخترام از روزی که دنیا میان وسیله می‌خرم و کنار می‌ذارم، ولی خوب هنوز خیلی چیزا کم و کسر داره، تازه خیلی چیزاش هم قُمه! باید بریم بیاریم.

ـ خانم شما نگران نباشین، حالا بذارین برن خونشون، پاتختی رو ما وقتی برگشتیم می‌گیریم، تا اون موقع وقت داریم کم و کسری‌هاشونو جبران کنیم، بالاخره حمید هم یه چیزایی داره.

برای فردای آن روز قرار خرید حلقه را گذاشتند و دعوت کردند که هر شبی که ما و برادرهایم وقت داشته باشیم به خانهٔ آنها برویم تا زندگیشان را از نزدیک ببینیم و همه با هم آشنا شویم. قلبم به تپش افتاد. داستان جدی شده بود، باور نمی‌کردم، با این سرعت مگر می‌شود؟ بی‌اختیار گفتم وای سعید به دادم برس، چطور باید در مقابل اینها مقاومت کنم؟ خشمی شدید نسبت به پروین‌خانم احساس کردم، دلم می‌خواست کلّه‌اش را بکنم. با رفتن آنها بحث وگفت‌وگو شروع شد:

ـ منکه فردا برای خریدِ حلقه نمی‌آم، اونم مادرش نمی‌آد. معصوم هم که

نمی‌تونه تنهایی بره، پروین‌خانم تو باهاش برو.

ـ چشم حتماً پارچه لباسشو هم باید بخریم، راستی یادتون باشه شما هم باید برای داماد حلقه بخرین.

ـ هنوز نمی‌تونم بفهمم چرا این داماد خودش نمی‌آد جلو.

ـ به دلتون بد نیارین آقا، به خدا من می‌شناسمشون نمی‌دونین چه آدمای خوبی هستن، حالا هم برا اینکه خیالتون راحت بشه آدرس خونشونو که دادن، برین تحقیق کنین.

ـ آقا مصطفی، جهازشو چه کنیم؟ شما با پسرا باید یک سفر برین قم مس‌ها و ظرف‌های چینی و چند دست رختخواب داره گذاشتم زیرزمین خونهٔ خواهرت، ولی بقیه‌رو چه کنیم؟

ـ خودتونو ناراحت نکنین خودشون گفتن مهم نیست، تقصیر خودشونه کـه این‌همه عجله دارن، تازه بهتر شما هر چی کم و کسری بود بذارین گردن اونا.

آقاجون با ناراحتی گفت:

ـ من که دخترمو لخت و پتی نمی‌فرسم خونهٔ شوهر، یک چیزایی کـه هست یک چیزایی هم تو همین هفته می‌خریم، بقیه‌ش هم سر فرصت.

تنها کسی که در این گفت‌وگوها هیچ نقشی نداشت، نه اظهار نظر می‌کرد، نه سؤالی داشت و نه عقیده‌اش برای کسی مهم بود من بودم. تمام شب بیدار نشستم، دلهره، اضطراب و غم وجودم را می‌لرزاند، از خدا می‌خواستم مرا بکشد و از این ازدواج زورکی نجاتم دهد.

صبح حالم خیلی بد بود، خودم را به‌خواب زدم تا همه از خانه بیرون رفتند، صدای آقاجون را می‌شنیدم که با خانم‌جون صحبت می‌کرد، می‌خواست آن روز برای تحقیقات از تمام نیروهایش استفاده کند و سر کار نمی‌رفت، بعد هم گفت:

ـ خانم پول گذاشتم سر طاقچه برا حلقه ببین بسه.

خانم‌جون پول‌ها را شمرد و گفت:

ـ آره فکر نکنم بیشتر از این بشه.

آقاجون با علی رفتند. خوشبختانه از اول تابستان آقاجون علی را با خودش

به مغازه می‌برد، به همین دلیل ما آرامش داشتیم و گرنه با وجود او خدا می‌داند چه بر سر من می‌آمد. خانم‌جون آمد بالای سرم و گفت:

ـ پاشو، پاشو دیگه، باید حاضر بشی، گذاشتم امروز خوب بخوابی که سرحال باشی.

در جایم نشستم، زانوهایم را در بغل گرفتم و با جدّیت گفتم:

ـ من نمی‌رم! وقتی مردها خانه نبودند من شیر می‌شدم.

ـ پاشو خودتو لوس نکن.

ـ من هیچ جا نمی‌رم.

ـ غلط می‌کنی! حالا که شانست گفته مگه می‌ذارم لگد به بخت خودت بزنی؟

ـ کدوم شانس؟! شما اصلاً می‌دونین اینا کین؟ اصلاً معلومه پسره کیه؟ حتی حاضر نیست خودشو نشون بده.

در همین موقع زنگ در به صدا درآمد، پروین‌خانم بزک‌کرده و سرحال با چادر مشکی وارد شد و گفت:

ـ گفتم زود بیام ببینم کاری ندارین، راسّی یه مدل لباس عروسی خوشگلم پیدا کردم، باید پارچه‌رو مطابق اون بخریم، می‌خواهین مدلشو ببینین؟

ـ پروین‌خانم دستم به دامنت این دختره باز لج کرده، بیا راش بنداز.

پروین‌خانم کفش‌های پاشنه بلندش را درآورد و وارد اتاق شد و با خنده گفت:

ـ سلام عروس‌خانم پاشو، پاشو دست و رو تو بشور، الآن می‌رسن اون‌وقت می‌گن چه عروس تنبلی داریم.

با دیدن پروین‌خانم خشم در وجودم زبانه کشید، فریاد زدم:

ـ به تو چه! اصلاً تو چه کاره‌ای؟ چقدر ازشون گرفتی که دلالی کنی؟

خانم‌جون زد تو صورتش و گفت:

ـ وای، خاک عالم به سرم، خفه شو دختر، این دختره پاک شرمو خورده حیارو قِیْ کرده.

و به طرف من حمله‌ور شد، پروین‌خانم با دست جلوی او را گرفت:

ـ عیب نداره عصبانیه، من خودم باهاش حرف می‌زنم، شما برین بیرون، تا نیم

ساعت دیگه حاضر می‌شیم، شما بفرمایین.

خانم‌جون رفت، پروین در را بست، به پشت در تکیه داد، چادرش لیز خورد و روی زمین ولو شد، به من زل‌زده‌بود ولی کاملاً مشخص بود که مرا نمی‌بیند جایی خیلی دورتر از این اتاق را نگاه‌می‌کرد، دقایق به سکوت گذشت با تعجب و کنجکاوی نگاهش‌می‌کردم، وقتی شروع به حرف‌زدن کرد صدایش برایم ناآشنا بود آن زنگ همیشگی را نداشت، تلخ و گرفته بود.

ـ وقتی پدرم، مادرمو از خونه بیرون کرد، من دوازده سالم بود، کلاس پنجم بودم، یه مرتبه شدم مادر سه خواهر و برادر کوچیک‌تر از خودم، به اندازهٔ یک مادر واقعی ازم توقع داشتن، باید تمام خونه‌رو می‌چرخوندم، غذا می‌پختم، لباس می‌شستم، جارو می‌کردم، به بچه‌ها می‌رسیدم، وقتی هم که پدرم زن گرفت چیزی از وظایف من کم نشد، زن‌پدرم مثل بقیهٔ زنا بود، نمی‌گم مارو شکنجه می‌داد یا گرسنه نگه‌می‌داشت، ولی خوب بچه‌های خودشو بیشتر از ما می‌خواست، شاید هم حق‌داشت. به من از بچگی گفته بودن، نافتو به اسم امیرحسین بریدن، واسهٔ همین عموم از همون اول منو عروس خوشگلم صدا می‌کرد. نمی‌دونم از کی ولی از وقتی یادمه عاشق امیر بودم، بعد از رفتن مادرم همهٔ امید و دل خوشیم او بود، امیرم منو خیلی دوست داشت، به هر بهانه‌ای می‌اومد خونهٔ ما، کنار حوض می‌نشست کار کردن منو تماشا می‌کرد. می‌گفت تو هنوز دستات خیلی کوچیکه چطوری این همه لباسو می‌شوری؟ منم سخت‌ترین کارارو می‌ذاشتم جلو چش اون می‌کردم، از این که با اون همه دلسوزی نگام می‌کرد لذت می‌بردم، اونم برای عمو و زن عموم تعریف‌می‌کرد که من چقدر سختی می‌کشم. هر وقت عموم می‌اومد خونهٔ ما به پدرم می‌گفت:

ـ مرد، این بچه گناه داره، تو داری ظلم می‌کنی، تو و زنت زدین به تیپّ‌و‌تاپ همدیگه. این بدبخت چه تقصیری کرده که باید توونشو بده، از خر شیطون بیا پایین، برو دست زنتو بگیر و بیار خونه.

ـ نه داداش امکان نداره. دیگه اسم اون زنیکه رو پیش من نیارین سه

طلاقش کردم که دیگه راه برگشتی نباشه.

ـ پس یه فکری بکن این بچه داره از دست می‌ره.

زن عموم موقع خداحافظی منو بغل می‌کرد و سرمو میونِ سینه‌هاش می‌گرفت، بوی مادرمو می‌داد، نمی‌دونم چرا بی‌اختیار اشکام سرازیر می‌شد شاید لوس می‌شدم، به هر حال آقام بالاخره فکری کرد و رفت زن‌بابامو گرفت که از شوهر قبلیش دو تا بچه داشت. دیگه خونمون شده بود عین کودکستان، شدیم شیش تا بچهٔ قدونیم‌قد که بزرگش من بودم، نمی‌گم همهٔ کارای خونه‌رو من می‌کردم ولی هر دو از صبح تا شب می‌دویدیم و بازم کار نیمه تموم داشتیم، مخصوصاً که زن‌بابام خیلی هم اهل نجسی و پاکی بود. در ضمن خیلی هم از عمو و زن‌عموم بدش می‌اومد، اونارو طرفدار مادر من می‌دونس. اول از همه پای پسرعمومو از خونهٔ ما برید، به آقام گفت:

ـ معنی نداره پسرهٔ نرّه‌خر دم به دقیقه بیاد اینجا بشینه ما رو دید بزنه دختره هم دیگه گنده شده، باید رو بگیره.

یک سال بعد رسماً با خانوادهٔ عموم قطع‌رابطه کردیم دلم براشون پر می‌زد، تنها راه دیدنشون رفتن به خونهٔ عمه بود، به دختر عمه‌هام التماس می‌کردم منو شب نگه‌دارن، برای اینکه زن‌بابام غر نزنه مجبور بودم خواهر برادرامو هم نگه‌دارم، یک‌سال دیگه هم همین‌جوری گذشت، هر دفعه که امیرحسینو می‌دیدم قد بلندتر شده بود، نمی‌دونی چقدر خوشگل بود مژه‌هاش مثل سایبون رو چشاش سایه می‌انداخت برام شعر می‌نوشت تصنیف‌هایی که دوست‌داشت برام می‌خرید می‌گفت صدات قشنگه اینو یاد بگیر و بخون. راستش من که سواد درست حسابی نداشتم، از وقتی مدرسه نمی‌رفتم چیزایی‌رو که بلد بودم هم فراموش‌کرده‌بودم، می‌گفت خودم بهت درس می‌دم، وای که چه روزهایی بود، کم‌کم عمه‌ام هم از این‌که ما می‌رفتیم اونجا و می‌موندیم خسته شد، شوهرش هم یک ریز غر می‌زد مجبور شدیم کمتر همدیگه رو ببینیم. عید سال بعد التماس کردم که بریم دیدنِ عمو، آقام داشت راضی می‌شد ولی زن‌بابام گفت:

ـ پامو خونهٔ اون عفریته نمی‌ذارم.

نمی‌دونم بین زن‌بابام و زن‌عموم چی گذشته بود که این‌همه از هم بدشون می‌اومد، بیچاره من که این وسط گیرکرده بودم. دفعهٔ آخری که درست دیدمشون عید همان سال منزل عمه‌م بود، عمه برنامه را طوری ترتیب‌داده‌بود که بابام و عموم با هم روبه‌رو بشن، می‌خواست آشتیشون بده، همه در اتاق مهمون‌خونه طبقهٔ بالا نشسته بودن ما رو از اتاق بیرون کردند، من و امیر تو اتاق پایین نشستیم، بچه‌ها تو حیاط بازی‌می‌کردند، دخترعمه‌هام تو آشپزخونه چایی می‌ریختن، ما تنها بودیم امیر دستمو گرفت، تمام تنم داغ شد، دست‌های او هم گرم و مرطوب بود، گفت:

ـ پروین من و بابام حرفامونو زدیم، قرار شده امسال که دیپلم بگیرم بیام خواستگاریت، بابام گفته عقد می‌کنیم بعد من می‌رم سربازی.

دلم می‌خواست خودمو بندازم تو بغلش و از خوشحالی گریه کنم، نفسم بند آمده بود گفتم:

ـ یعنی همین تابستون؟

ـ آره، اگه من تجدیدی نیارم، مدرسه تموم می‌شه.

ـ تورو خدا تجدیدی نیار!

ـ قول می‌دم، به خاطر تو هم که شده امسال حسابی درس بخونم.

دستمو فشار داد، انگار قلبمو توی مشتش گرفته بود و می‌فشرد، گفت:

ـ دیگه طاقت دوریتو ندارم.

ـ آه ...! چی بگم، این‌قدر این حرفا و این صحنه رو برای خودم تکرار کردم که تمام لحظه‌هاش مثل فیلم سینمایی جلوی چشمامه، اونقده در عوالم خودمون غرق بودیم که نفهمیدیم کی دعوا شروع شد، وقتی به راهرو رسیدیم، آقام و زنش داشتن بدوبیراه‌گویان از پلّه‌ها پایین می‌آمدند، زن عموم از لبهٔ نرده پله‌ها دولا شده بود و به فحش‌های زن بابام جواب‌می‌داد. عمه‌م دنبال آقام می‌دوید و التماس می‌کرد که:

ـ این‌طوری نکنید، زشته، شما باید تو این سال نویی کدورتا رو کنار بذارین روی همدیگه‌رو ببوسین آشتی کنین، تورو ارواح خاک مادرمون، تورو به روح

پدرمون دست بردارین، شماها برادرین، باید پشت همدیگه باشین، از قدیم گفتن دو تا برادر اگه گوشت همدیگه رو هم بخورن استخوناشو دور نمی‌اندازن.

آقام داشت نرم می‌شد که زنش گفت:

ـ نمی‌بینین چه چیزا بهمون می‌گن، این چه برادریه؟

ـ شما هم بس کنید اقدس‌خانم خوبیت نداره، چیزی که نگفتن، حالا برادر بزرگتره اگرم یک چیزی از رو دلسوزی گفته شما به دل نگیرین.

ـ بزرگتره که بزرگتره، حالا چون بزرگترن باید هر چی از دهنشون درمی‌آد بگن، اینم برادرشه نوکرش که نیس، اصلاً به اینا چه که توی زندگی ما دخالت می‌کنن؟ اون زنش با اون چشای باباقوریش نمی‌تونه بهتر از خودشو ببینه. مـا فامیل این جوری نخواستیم.

و دست بچه‌ش را کشید و از در بیرون رفت. زن عموم پشتش فریاد کشید:

ـ برو ریخت خودتو نگا کن اگه آدم حسابی بودی که با دو تا بچه بیـرونت نمی‌کردن و طلاقت نمی‌دادن.

رؤیای زیبای من حتی یک ساعت هم دوام نیاورد، مثل یک حباب ترکید و از بین رفت. بعد از اون زن بابام دیگه تصمیم قطعی گرفت که به قول خودش داغ منو به دلشون بذاره، می‌گفت خودش همسنِ من که بوده یه بـچّه هـم داشـته، می‌گفت دیگه حوصلهٔ هوویی مثل منو توی خونه نداره، حاج‌آقا همون موقع‌ها اومد خواستگاری، نسبت دوری با زن بابام داشت، تا اون موقع دو بار ازدواج کرده بود، می‌گفت:

ـ چون بچه‌دار نشدن طلاقشون دادم.

این‌دفعه می‌خواست زن جوون و سالم بگیره، که حتماً بچه‌دار بشه، احمـق! حتی حاضر نبود برای یک لحظه شک کنه که شاید اشکال از خودش باشه. آخه نمی‌شه مردا که عیب و ایراد ندارن اونم مردای پول‌دار. اون موقع چل سالش بود یعنی بیست و پنج سال از من بزرگتر. زن بابام می‌گفت:

ـ یه دنیا مال و منال داره، چند دهنه مغازه تـو بـازار، کـلی زمـین و مـلک طرفای قزوین.

خلاصه حسابی دهن بابام آب افتاد، می‌گفت:

ـ اگه بچه‌دار بشه تو پول غرقش می‌کنم.

وقتی می‌خواستن منو سر سفرهٔ عقد بشونن حالم از حالای تو بدتر بود. بـه نقطه‌ای نامعلوم خیره شده بود دو قطره اشک از سر مژه‌هایش چکید.

ـ چرا همون موقع خودتو نکشتی؟

ـ خیال کردی آسونه، جرأتشو نداشتم. تو هم از این فکرای بیخودی نکن. بالاخره هر کسی سرنوشتی داره، نمی‌تونی باهاش بجنگی، خودکشی هـم گـناه بزرگیه، خدارو چه دیدی شاید خیر و صلاحت همین باشه.

خانم جون با مشت به در زد و گفت:

ـ پروین‌خانم چیکار می‌کنی؟ دیر می‌شه‌ها!! ساعت نه و نیمه.

پروین‌خانم اشک‌هایش را پاک کرد و گفت:

ـ نترسین خانم، به موقع حاضر می‌شیم.

نشست کنار من. اینا رو برات گفتم که فکر نکنی نمی‌دونم چه حالی داری.

ـ پس چرا می‌خوای منو هم بدبخت کنی؟

ـ اینا تو رو به هر حال شوهر می‌دن، نمی‌دونی احمد چه نقشه‌ها برات کشیده، راستی احمد چرا اینقده با تو بده؟

ـ برای اینکه آقاجون منو بیشتر از اون دوست داره.

✿

ناگهان به واقعیتی که پشت این حرف بی‌اختیارم بود پی بردم هیچ‌وقت با این وضوح متوجه این جریان نبودم. بله، آقاجون مرا بیشتر از اون دوست داشت. اولین صحنه‌ای که از محبت او به‌خاطردارم مربوط به روزی بود که زری مـرد، آقاجون از سرکار آمده، در چهارچوب در خشک شده بود، خانم‌جون شیون می‌کرد، ننه، قرآن می‌خواند، دکتر سرش را تکان می‌داد و با نفرت و انزجار از در بیرون می‌رفت که سینه به سینهٔ آقاجون شد. با عصبانیت گفت:

ـ این بچه اقلاً سه روزه داره جون‌می‌کَنه، حالا دکتر خبر می‌کنید؟! اگه به جای این طفل معصوم یکی از پسرات بود هم همین کارو می‌کردی؟

آقاجون رنگش مثل گچ سفید شده بود، داشت می‌افتاد، دویدم جلو با دست‌های کوچکم پاهایش را بغل کردم و ننه جون را صدا زدم. روی زمین نشست مرا محکم در بغل گرفت، سرش را در موهایم فرو برد و بلند گریه کرد، ننه‌جون رسید:

ـ پاشو پسر پاشو تو مردی نباید مثل زَنا شیون‌کنی، خدا خودش داده خودش هم گرفته، آدم که نباید جلوی خواست خدا واسه.

آقاجون فریاد زد:

ـ تو گفتی چیزیش نیست، خوب می‌شه، نذاشتی برم دکتر بیارم.

ـ اون موقع هم فرقی نمی‌کرد، اگه عمرش به دنیا بود می‌موند، حالا هم که نبود اگه جالینوس حکیمو هم می‌آوردی فایده نداشت، اصلاً این قسمت ماس، دختر به ما نیومده.

ـ این حرفا مزخرفه، همش تقصیر توس.

اولین باری بود که می‌دیدم آقاجون سر مادرش دادمی‌زند، راستش خیلی هم خوشم آمد. بعد از آن آقاجون تا مدت‌ها مرا بغل می‌کرد و بی‌صدا اشک می‌ریخت، من از تکان شانه‌هایش می‌فهمیدم. از آن پس سهم محبت و توجهی که از زری دریغ‌شده‌بود به من رسید و احمد هرگز این تبعیض را فراموش‌نکرد و نبخشید. از همان کودکی همیشه نگاه غضب‌آلود احمد به دنبالم بود. به محض اینکه آقاجون از خانه بیرون می‌رفت مرا به باد کتک می‌گرفت، حالا احمد به مراد دلش رسیده است، من از چشم آقاجون افتاده‌ام، به اعتمادش خیانت کرده‌ام او سرخورده و آزرده مرا رها کرده و این بهترین فرصت برای احمد است که انتقام تمام این سال‌ها را از من بگیرد. صدای پروین‌خانم مرا به خود آورد:

ـ خبر نداری قرار بود چه بلایی سرت بیاد، نمی‌دونی اون پدرسوخته چه آدم کثیفیه خیال نکن کسی به دادت می‌رسید، نمی‌دونی چقدر نقش بازی کردم چقدر زبون ریختم تا احمدو راضی کردم که به او مرتیکه جواب رد بده و بذاره این خواستگارا بیان، دلم برات آتیش گرفته بود، تو عین پانزده بیست سال پیشِ خودِ منی. دیدم اینا فقط می‌خوان تورو شوهر بدن از این سعید بی‌عرضه هم که خبری نیست گفتم اقلاً شوهری بکنی که پس فردا زیر کتک سیاه و کبودت نکنه، آدم

باشه، شاید انشاالله بهش علاقمند شدی، اگرم نشد بتونی تو هم راه خودتو بری.

با لحنی گزنده و تلخ گفتم:

ـ مثل تو؟

با سرزنش نگاهم کرد.

ـ نمی‌دونم هر جور دلت خواست. هر کسی یه جور انتقامشو از زندگی می‌گیره و یه جوری اوضاع رو برای خودش قابل تحمل می‌کنه.

❧

در هر حال من آن روز برای خرید حلقه نرفتم، گفتند سرما خورده، پروین‌خانم انگشتر نقره‌ای را که دست من بود در آورد و با خودش برد تا حلقه و پارچه و غیره را بخرد. دو روز بعد هم آقام با محمود و علی رفتند قم و با یک ماشین پر از اسباب و اثاثیه برگشتند، دمِ در، خانم‌جون گفت:

ـ صبر کنین، صبر کنین این‌ها را نیارید تو، یه‌راست ببرید خونهٔ خودش، پروین‌خانم باهاتون می‌آد نشونتون می‌ده، پاشو دختر، پاشو تو هم باهاشون برو خونتو ببین، نگا کن چی کم و کسری داره، چیزاتو چطوری بچینیم، پاشو باریک‌الله.

شانه بالا انداختم و با غیظ گفتم:

ـ لازم نکرده بگو همون پروین‌خانم بره، من که خیال شوهر کردن ندارم، ظاهراً اونه که بیشتر هوله.

فردای آن روز پروین‌خانم لباس را برای پرو آورد هر چه کرد حاضر نشدم بپوشم گفت:

ـ عیب نداره، من که اندازه‌های تورو دارم، از روی لباسای دیگت درستش می‌کنم، حتماً خوب می‌شه.

نمی‌دانستم چه باید بکنم، تمام مدت دلم شور می‌زد، نه می‌توانستم غذا بخورم و نه بخوابم اگر هم چند ساعتی خواب می‌رفتم همه با کابوس و آشفتگی بود و وقتی بیدار می‌شدم خسته‌تر از موقعی بودم که می‌خوابیدم، مانند محکوم به مرگی بودم که هر لحظه به زمان مرگ نزدیکتر می‌شود. بالاخره با اینکه خیلی سخت بود، تصمیم گرفتم با آقاجون صحبت کنم، می‌خواستم به پایش بیفتم و آن‌قدر گریه کنم

تا دلش به رحم بیاید، ولی همه مواظب بودند که من حتی یک لحظه با او تنها نشوم و خودش هم به وضوح از دستم فرار می‌کرد. ناخودآگاه به امید معجزه‌ای بودم، فکر می‌کردم دستی از آسمان در آخرین لحظه مرا خواهد ربود ولی هیچ اتفاقی نیفتاد، همه چیز طبق برنامه پیش رفت و روز موعود فرا رسید، از صبح درِ خانه باز بود، احمد و محمود و علی یک‌سره می‌رفتند و می‌آمدند. دور حیاط صندلی گذاشتند میوه‌ها را شستند، شیرینی‌ها را چیدند، البته تعداد مهمان‌ها خیلی کـم بود، خانم‌جون سفارش کرده بود که به هیچ‌کس در قم نگویند تا مبادا کسی به خانهٔ ما بیاید و متوجه اوضاع بهم ریختهٔ من بشود، به عمه هم گفته بودند عروسی یکی دو هفته دیگر است که خبرتان می‌کنیم، ولی عموعبّاس را نمی‌شد نگوییم، در واقع جز او کس دیگری از فامیل ما نبود بقیه چند خانواده از فامیل‌های داماد بودند و چند نفر از در و همسایه‌ها. هر چه کردند حاضر نشدم به آرایشگاه بروم، پروین‌خانم این کار را هم تقبل کرد خودش صورتم را بند انداخت، زیر ابروهایم را برداشت، به موهایم بیگودی بست، در تمام مدتی که صورتم را درست می‌کرد اشک از چشمانم سرازیر بود زن‌عمویم که از صبح برای کمک آمده بود، یا به قول خانم‌جون برای فضولی گفت:

ـ وا چه نازک نارنجی، توکه صورتت مو نداره که این‌طور اشکات سرازیر شده.

ـ بچه‌م بس که ضعیف شده طاقت نداره.

پروین‌خانم هم اشک در چشم داشت و گاه‌گاه به بهانهٔ عـوض کـردن نخ اشک‌هایش را پاک می‌کرد. قرار بود ساعت پنج که کمی هوا خنک‌تر می‌شد عقد کنند. ساعت چهار خانوادهٔ داماد آمدند و با اینکه هوا خیلی گرم بود مردها توی همان حیاط آب‌پاشی شده زیر سایهٔ درخت بلند توت نشستند و خانم‌ها به طبقهٔ بالا رفتند، سفره را در همان اتاق بزرگ پایین انداخته بودند و من در اتاق پشتی بودم. خانم‌جون سراسیمه به اتاق دوید و گفت:

ـ هنوز لباس نپوشیدی؟! زود باش تا یه ساعت دیگه آقا می‌آد!

تمام تنم می‌لرزید خودم را روی پاهایش انداختم، التماس‌کردم که این کار را نکنند و گفتم:

ـ من نمی‌خوام شوهر کنم من اصلاً نمی‌دونم این مردیکه کیه؟ تورو به خدا نذارید، به قرآن خودمو می‌کشم‌ها ... برید بهمش بزنید، بذار برم با آقاجونم صحبت کنم، من که بله بگو نیستم، حالا ببینید! یا خودتون بهم بزنید یا من جلوی همه می‌گم که راضی نیستم.

ـ وای خدا مرگم بده، ساکت شو این حرفا چیه، باز شروع کردی، این دفعه می‌خوای جلوی اینهمه آدم آبروریزی کنی؟ داداشات دیگه قیمه‌قیمه‌ات می‌کنن، از صبح تا حالا احمد چاقو رو تو جیبش گذاشته، گفته اگه یه کلمه حرف بی‌ربط زد همین جا خلاصش می‌کنم، یه ذره به فکر آبروی آقاجون بدبختت باش، همین جا سکته می‌کنه می‌میره‌ها ...!

ـ نمی‌خوام، مگه زوره؟

ـ خفه شو! صداتو بلند نکن می‌شنون.

به طرفم آمد، فرار کردم زیر تخت چوبی در دورترین نقطه مچاله شدم، بیگودی‌ها باز شده و در اتاق پراکنده بودند.

ـ بیا بیرون جوون مرگ شده، الهی‌رو تخت مرده‌شور خونه ببینمت الهی جزِّ جیگر بزنی، بیا بیرون تو بالاخره منو می‌کشی.

کسی در اتاق را می‌زد آقاجون بود از پشت در گفت:

ـ خانم چکار می‌کنی الآن آقا می‌آد!

ـ هیچی هیچی، داره لباس می‌پوشه، فقط بگو پروین‌خانم زود خودشو برسونه اینجا.

و با صدای آهسته به من گفت:

ـ د بیا بیرون ذلیل مرده، بیا تا نکشتمت، اینقده بی‌آبرویی نکن.

ـ نمی‌خوام، من عروسی نمی‌کنم، تورو به جون داداش محمود، به جون احمد که این‌قدر دوسش داری عروسی رو بهم بزنین، بگید منصرف شدیم.

خانم‌جون نمی‌توانست زیر تخت بیاید، دستش را دراز کرد موهایم را در چنگ گرفت و با کمک همان موها مرا از زیر تخت بیرون کشید، در همان موقع پروین‌خانم وارد شد.

ـ خاک به سرم چکار می‌کنی؟ مو به سرش نذاشتی.

خانم‌جون که نفس، نفس می‌زد گفت:

ـ ببین چیکار می‌کنه؟ دم آخری می‌خواد آبرومونو ببره.

همان‌طور که مچاله شده بودم با نفرت نگاهش کردم، در دستش یک مشت از موی من مانده بود، از همه‌شان متنفر بودم.

❁

هرگز به خاطر نمی‌آورم که در مراسم عقد «بله» گفته باشم، خانم‌جون بازویم را با شدت می‌فشرد و هی می‌گفت:

ـ بله، بگو بله.

بالاخره یک نفر بله‌ای گفت و همه دست زدند. داداش محمود و چند نفر از آقاها که در اتاق پشتی نشسته بودند صلوات فرستادند. چیزهایی هم رد و بدل شد ولی من هیچ نفهمیدم. جلوی چشم‌هایم پرده‌ای بود. همه چیز را در غبار و مه شناور می‌دیدیم، صداها شبیه همهمه بود و مفهومی نداشت. مثل مسخ‌شده‌ها به یک نقطه خیره بودم. اصلاً برایم مهم نبود مردی که پهلویم نشسته و حالا همسر منست، کیست! چه قیافه‌ای دارد؟ همه چیز تمام شد و سعید نیامد. خواب و خیال‌هایم به پایان تلخی رسیده بود، آه سعید با من چه کردی؟

❁

وقتی به خود آمدم در خانهٔ آن مرد در اتاق خواب بودم. او پشت به من روی تخت نشسته بود و داشت کرواتش را که معلوم بود هیچ به آن عادت ندارد و خیلی آزارش داده باز می‌کرد. خودم را به سه کنج اتاق چسباندم، چادر سفیدی که برای آمدن به این خانه روی سرم انداخته بودند به سینه فشردم. مثل برگ‌های لرزان در باد پاییزی می‌لرزیدم. قلبم بی‌تابی می‌کرد، سعی می‌کردم هیچ صدایی ایجاد نکنم تا او متوجه حضورم در اتاق نشود. در سکوت مطلق اشک‌ها بر روی سینه‌ام می‌چکید. خدایا این چه رسمی است؟ یک روز به خاطر رد و بدل کردن چند کلمه حرف با مردی که دو سال می‌شناختمش خیلی چیزها در موردش می‌دانستم، دوستش داشتم و حاضر بودم با او تا آخر دنیا بروم،

می‌خواستند مرا بکشند و امروز از من می‌خواهند با غریبه‌ای که هیچ درباره‌اش نمی‌دانم و هیچ احساسی جز ترس در کنار او ندارم به رختخواب بروم. از فکر اینکه دستش به من بخورد چندشم می‌شد، احساس‌می‌کردم در معرض تجاوز قرار گرفته‌ام و هیچ کس نیست که به دادم برسد. اتاق نیمه تاریک بود. گویی نگاه خیرهٔ من پشت گردنش را سوزاند. به طرف من چرخید. کمی مبهوت نگاهم‌کرد. بعد با صدایی گرفته و با تعجب پرسید:

ـ چته؟ از چی می ترسی ...؟ از من؟، لبخند تمسخرآمیزی زد و ادامه داد: لطفاً اینطوری نگام نکن، آدمو یاد برّه‌ای می‌اندازی که به سلاخش چشم دوخته ...

خواستم چیزی بگویم ولی زبانم بند آمده بود.

ـ آروم باش، نترس الان سکته می‌کنی، خیالت راحت باشه من باهات کاری ندارم، من که حیوون نیستم!

عضلات منقبض شده‌ام کمی باز شدند. نفسم که نمی‌دانم چه مدت بود در سینه حبس‌کرده‌بودم آزاد شد. ولی او از جایش بلند شد. دوباره من خودم را جمع کردم و به گوشهٔ دیوار فشردم.

ـ ببین دختر جون، من اصلاً امشب کار دارم، باید برم پیش دوستام. الان هم دارم می‌رم. بیا یه لباس راحت بپوش و بگیر بخواب بهت قول می‌دم اگرم برگشتم سراغت نیام. قول شرف می‌دم. کفش‌هایش را برداشت در حالی که دست‌هایش را به حالت تسلیم بالا برده بود گفت: ببین من رفتم.

وقتی صدای بسته شدن در آمد مثل فنر تا شدم و روی زمین نشستم. آن‌قدر خسته بودم که پاهایم نمی‌توانستند وزن بدنم را تحمل‌کنند. گویی کوهی را حمل کرده بودم. مدتی به همان وضع بودم تا تنفسم ریتم طبیعی خودش را بازیافت، تصویرم در آینه بلند میز توالت کج و کوله می‌شد، آیا این واقعاً من بودم؟ روی موهای آشفته و نامرتبم تور مضحکی یک‌وری شده بود، با وجود بقایای یک آرایش تند و زننده، رنگ پریدگیم کاملاً محسوس بود، با عصبانیت تور را از سرم کندم، نمی‌توانستم دگمهٔ پشت لباسم را باز کنم، یقهٔ لباس راکشیدم تا دگمه‌ها پاره

شدند با عجله می‌خواستم لباس را درآورم و از هر چیزی که نشانی از آن ازدواج مسخره داشت خلاص شوم، به دنبال لباس راحت می‌گشتم، روی تخت لباس خواب قرمز تندی با خروارها تور و چین گذاشته بودند، با خود گفتم اینهم خرید پروین‌خانمه، به دور و برم نگاه‌کردم چمدانم را در گوشهٔ اتاق شناختم، بزرگ و سنگین بود، به سختی حرکتش دادم و درش را باز کردم، یکی از لباس‌های خانه‌ام را پوشیدم، از اتاق بیرون آمدم، نمی‌دانستم دستشویی کجاست تمام کلیدهای برق را روشن کردم و تمام درها را گشودم تا به دستشویی رسیدم، سرم را زیر شیر آب گرفتم و صورتم را چندین بار با صابون شستم، کنار دستشویی وسایل ریش تراشی غریبه بود، نگاهم به تیغ خیره ماند، بله تنها راه نجات همین بود، باید خودم را خلاص می‌کردم در خیالم دیدم که جسد بی‌جانم را روی زمین دستشویی پیدا می‌کنند، حتماً غریبه اولین نفر است که با جسد روبرو می‌شود او خواهد ترسید ولی مطمئناً غمگین نخواهد شد. ولی خانم‌جون، اوه او وقتی بفهمد که من مرده‌ام شیون می‌کند، یادش می‌آید چطور موهای مرا گرفت و از زیر تخت بیرون کشید، یاد التماس‌هایم می‌افتد، چقدر احساس ناراحتی وجدان خواهد کرد. در قلبم شادی و خنکی خاصی احساس کردم، به تصوراتم ادامه دادم:

آقاجون چه‌خواهدکرد؟ دستش را به دیوار می‌گیرد، سرش را روی آن می‌گذارد و گریه می‌کند یادش می‌آید که چقدر آرزوی درس خواندن داشتم، چقدر دوستتش داشتم، نمی‌خواستم شوهر کنم، از ظلمی که در حق من کرده رنج‌خواهدکشید شاید هم مریض شود، در آینه لبخند می‌زدم، چه انتقام دلپذیری.

خوب بقیه چه خواهند کرد؟

سعید، آه سعید، او شوکه خواهد شد فریاد می‌زند اشک می‌ریزد، به خودش لعنت می‌فرستد که چرا به موقع به خواستگاری من نیامده؟ چرا مرا ندزدیده و در یک شب تاریک فراری نداده است، تا آخر عمر با افسوس و غم زندگی خواهد کرد، دلم نمی‌خواست این‌همه غصه‌دار باشد ولی خوب تقصیر خودش بود چرا گم شد؟ چرا دیگر به سراغم نیامد؟

احمد ...! احمد غمگین نخواهدشد ولی احساس گناه خواهدکرد وقتی خبر را

می‌شنود مدتی مبهوت می‌ماند، خجالت‌زده می‌شود، بعد به طرف خانهٔ پروین‌خانم می‌دود، تا یک هفته صبح و شب عرق می‌خورد. بعد از آن تمام شب‌های بدمستی‌اش را باید زیر نگاه شماتت‌بار من بگذراند، شبح من هرگز او را راحت نخواهد گذاشت.

داداش محمود سرش را تکان می‌دهد و می‌گوید، ای بدبخت گناه پشت گناه، حالا تو چه آتیشی داره می‌سوزه، ولی حتی ذره‌ای خودش را مقصر نمی‌داند با این‌همه چند سورهٔ قرآن برایم خواهدخواند، چند شب جمعه هم نماز می‌خواند، و به خود و مسلمانیش می‌بالد که چه برادر باگذشت و مهربانیست، که با این که من دختر بدی بودم، باز هم برای من از خدا طلب بخشش کرده و با این نمازها از بار سنگین عذابم کاسته است.

علی چه ...؟ او چه می‌کند؟ لابد اول ناراحت می‌شود و کمی در خودش فرو می‌رود، ولی به محض اینکه بچه‌های کوچه به دنبالش بیایند مشغول بازی شده، همه چیز را فراموش خواهدکرد.

ولی طفلک فاطی کوچولو او تنها کسی است که بدون هیچ احساس گناه فقط و فقط به خاطر من اشک خواهد ریخت، او حال مرا خواهد داشت وقتی زری مرده بود، و در آینده نیز سرنوشتی مانند من گریبانش را خواهد گرفت. حیف که در آن موقع من نیستم که کمکش کنم او هم تنها می‌ماند بدون هیچ یار و یاور.

پروین‌خانم به من آفرین خواهد گفت که مرگ را بر زندگی ننگین ترجیح دادم و حسرت خواهد خورد که چرا خودش در همان زمان جرأت چنین کاری را نداشته و به عشق بزرگش خیانت کرده است.

پروانه از مردن من خیلی دیر خبر می‌شود، گریه‌کنان یادگارهایی را که از من دارد دورش جمع می‌کند و برای همیشه غصه‌دار خواهد ماند. آه! پروانه چقدر دلم برایت تنگ شده چقدر بهت احتیاج دارم و شروع به گریه کردم.

رؤیاهای انتقامم فروکش کردند تیغ را برداشتم و روی مچ دستم گذاشتم، خیلی تیز نبود، باید فشار می‌دادم، دلم نمی‌آمد می‌ترسیدم، سعی کردم خشم و

غضب و ناامیدیم را به خاطر آورم، یاد زخم‌هایی که احمد بر سعید وارد کرده بود کردم و گفتم یک، دو، سه و تیغ را فشار دادم، سوزش شدیدی باعث شد که تیغ از دستم بیفتد، خون سرازیر شد، با رضایت گفتم خوب این یکی حالا چطوری رگ دست دیگرم را بزنم، این دستم آن‌قدر می‌سوخت که نمی‌توانستم با آن تیغ را نگه‌دارم گفتم عیبی ندارد مدت بیشتری طول می‌کشد ولی بالاخره تمام خون بدنم از همین دست خارج خواهدشد دوباره در رؤیاهای خودم فرورفتم درد دستم کم شد، به آن نگاه کردم خون بندآمده‌بود، زخم را فشار دادم آه از نهادم برخاست چند قطره خون در دستشویی چکید ولی دوباره قطع‌شد، فایده نداشت زخم به اندازهٔ کافی عمیق نبود حتماً رگ را نزده بودم، تیغ را دوباره برداشتم زخم دردناک بود چطور می‌توانستم دوباره همان‌جا را ببرم؟ کاشکی راه دیگری بود که این‌قدر درد و خونریزی نداشت. ذهنم بر اساس غریزه شروع به دفاع کرد، به یاد حرف‌های خانم جلسه‌ای که در ختم انعام صحبت می‌کرد افتادم، از زشتی و گناه خودکشی می‌گفت از اینکه خدا هرگز کسی را که چنین کار زشتی کند نمی‌بخشد و او باید تا ابد در آتش جهنم در کنار مارهایی که نیش‌های آتشین دارند و مأمورهای عذابی که شلاق بر تن سوختهٔ آدم‌ها می‌زنند بماند از آب متعفن و کثیفی که تنها نوشیدنی جهنم است بنوشد و سیخ‌های داغی را که بر بدن‌ها فرو می‌کنند تحمل نماید یادم می‌آید بعد از شنیدن این حرف‌ها تا یک هفته کابوس می‌دیدم و شب‌ها در خواب جیغ می‌زدم. نه، من نمی‌توانستم جهنم را تاب بیاورم، پس انتقامم از اطرافیان چه می‌شد، چطور دلشان را بسوزانم، چطور بهشان بفهمانم که به من ظلم کرده‌اند، نه من اگر این کار را نکنم دیوانه خواهم شد، باید آن‌ها را عذاب بدهم همان‌طور که مرا عذاب دادند، باید تا آخر عمر غصه‌دار و سیاه‌پوششان کنم، ولی آیا آن‌ها به راستی تا آخر عمرشان به خاطر من گریان خواهند بود؟ مگر برای زری چقدر گریه کردند؟ تازه او گناهی هم نکرده بود، حالا سال تا سال هم یادش نمی‌کنند، هنوز یک هفته نشده همه جمع شدند گفتند خواست خدا بوده، نباید در مقابل خواست او چون و چرا کرد، راضی به رضای او باشید، مشیت الهی است، ناشکری نکنید، خدا دارد شما را امتحان می‌کند، بندهٔ

خوب از این امتحان سربلند بیرون می‌آید، خودش داده، خودش هم گرفته، شما فقط وسیله بوده‌اید طلبکار که نیستید، بالاخره همه قانع شدند که خـواست او بوده و آنها هیچ گناه و نقشی در ماجرا نداشته‌اند. برای من هم همین خواهد شد، بعد از چند هفته آرام می‌گیرند، و حداکثر بعد از دو سال فراموش می‌کنند، ولی من در عذاب ابدی خواهم بود، نیستم تا به آنها یادآوری کنم که با من چه کردند، در این میان تنها آنها که واقعاً مرا دوست داشتند و نیازمند پشتیبانی و همراهیم بودند تنها و محروم می‌مانند.

❉

تیغ را پرت کردم، این کار از من بر نمی‌آمد من هم مثل پروین‌خانم باید بـه سرنوشتم تن دردهم، خون دستم بند آمده بود دستمالی روی آن گذاشتم به اتاق خواب برگشتم رفتم زیر ملافه و با صدای بلند گریه کردم من باید این واقعیت را می‌پذیرفتم که سعید را از دست داده‌ام، یا به عبارتی او مرا نخواست، مثل کسی که عزیزی را به خاک می‌سپرد سعید را در عمیق‌ترین زوایای قلبم به خاک سپردم، ساعت‌ها بر مزارش گریستم و حالا باید ترکش می‌کردم و می‌گذاشتم تا گذشت زمان با خود سردی و فراموشی بیاورد. و او را از خاطرم بزداید، آیا هرگز چنین روزی خواهد آمد؟

فصلِ دوم

بلندی آفتاب حاکی از آن بود که ساعت‌ها از روز گذشته است، از خوابی بدون رؤیا و سنگین بیدار شدم، گیج و سرگشته به اطراف نگریستم، همه چیز ناآشنا بود، من کجا بودم؟ چند لحظه گذشت تا تمام آنچه را که بر سرم رفته بود به خاطر آوردم، من در خانهٔ آن غریبه بودم، از جا جستم به اطراف نگاه کردم در اتاق باز بود ولی سکوت عمیق خانه نشان می‌داد که کسی جـز مـن در خـانـه نـیست، آرام‌گرفتم احساس عجیبی داشتم یک نوع بی‌تفاوتی و سردی در تمام وجودم گسترده شده بود، خشم و عصیانی که در چند ماه گذشته مدام با من بود خاموش و فسرده به‌نظر می‌رسید، هیچ‌گونه تأسف یا دلتنگی برای خانه یا خانواده‌ام که از آنها جدا شده بودم نداشتم، هیچ‌گونه تعلق خاطری نیز به این خانه وجودنداشت، حتی احساس تنفر هم نمی‌کردم، قلبم مثل یک تکه یخ منظم و به کندی می‌تپید، فکر کردم آیا هیچ چیزی در دنیا می‌تواند بار دیگر مرا خوشحال کند؟

از جایم برخاستم اتاق بزرگ‌تر از آن بود که دیشب به نظر می‌رسید تختخواب و میز توالت کاملاً نو بودند حتی هنوز بوی لاک الکل می‌دادند حتماً همان‌هایی هستند که پریروز آقاجون مـی‌گفت کـه خـریـده، چمدان لباس‌هایم بـاز و درهم‌ریخته بود، یک صندوق هم گوشهٔ اتاق دیده‌می‌شد درش را بـاز کردم مقداری ملافه، روبالشی دستگیره، دمکُنی، چند حوله و مـقداری خـرت‌وپرت دیگر در آن بـود فرصت‌نکرده‌بودند آن‌هـا را بـچینند از اتـاق وارد فـضایی چهارگوش شدم روبه‌رویم اتاق دیگری بود که ظاهراً نـقش انـباری را داشت، دست چپ در شیشه‌ای بزرگی با پنجره‌های مشبک و روبه‌روی آن آشپزخانه و دستشویی قرار داشت، کف هال با قالی قرمز رنگی پوشیده شده بود، در دو طرف مخدّه‌هایی از جنس فرش گذاشته‌بودند چند قفسه به دیوار چسبیده بود که پر از

کتاب بودند، یک طرف در شیشه‌ای هم طبقاتی داشت که یک گلدان قدیمی، یک مجسمه کلهٔ آدم که من نمی‌شناختم و باز چند کتاب پراکنده روی آن بود، کلّه کشیدم و به داخل آشپزخانه نگاه کردم فضای نسبتاً کوچکی بود با سکویی که با آجر ساخته بودند. یک طرف سکو چراغ سه فتیله سرمه‌ای رنگی قرار داشت و طرف دیگر یک اجاق گاز دو شعلهٔ نو بود، کپسول گاز را زیر سکو گذاشته بودند، روی یک میز چوبی کوچک، ظرف‌های چینی گل سرخی را روی هم چیده بودند که خوب می‌شناختمشان، وقتی بچه بودم در یک سفر که به تهران آمده بودیم آنها را برای جهاز من و زری خریدند، یک کارتن بزرگ هم وسط آشپزخانه بود که داخل آن دیگ‌های مسی در اندازه‌های مختلف با کفگیر و تشت بزرگ و سنگینی قرار داشت که همه سفیدشده‌بودند، معلوم بود که نتوانسته‌اند جای مناسبی برای آنها پیدا کنند، کاملاً مشخص بود که هر چه نوست مربوط به من است و بقیه به غریبه تعلق دارد، من وسط جهازی که از بدو تولد برایم تدارک دیده بودند ایستادم. وسایل آشپزخانه و اتاق خواب، تمام هدف زندگی من در این وسایل دیده می‌شد، همین وسایل نشان می‌دادند که تنها انتظاری که در زندگی از من دارند کار در آشپزخانه و خدمت در اتاق خواب است. چه وظایف شاقی! آیا خواهم توانست کارهای خسته‌کنندهٔ پخت‌وپز را در آشپزخانه‌ای چنین درهم‌ریخته و وظیفهٔ ناخوشایند اتاق خواب را با یک غریبه تحمل کنم ...؟

حالم از همه چیز به هم می‌خورد ولی حتی توان حرص‌وجوش خوردن هم نداشتم.

به دنبال برنامهٔ اکتشافی در شیشه‌ای را باز کردم. یکی از فرش‌های ما آنجا افتاده بود؛ روی طاقچهٔ اتاق دو عدد لاله با آویزهای قرمز و یک آینه با حاشیه‌ای بی‌رنگ قرار داشت. لابد آینه شمعدان‌های من بودند، هیچ یادم نمی‌آمد سر سفرهٔ عقد آنها را دیده باشم. یک میز مستطیل هم گوشهٔ اتاق بود که روی آن رومیزی رنگ‌ورورفته‌ای انداخته بودند و رویش یک رادیوی بزرگ قهوه‌ای رنگ با پیچ‌های استخوانی قرار داشت که مثل دو چشم گنده به من نگاه می‌کردند، درکنارش یک جعبهٔ مربع شکل بود که به نظرم عجیب آمد، جلو رفتم،

روی میز تعدادی پاکت‌هـای بـزرگ و کـوچک دیـده مـی‌شد کـه رویشـان عکس‌هایی از گروه‌های موسیقی بود، جعبه را شناختم، این گرام بود از همان‌ها که پروانه اینها هم داشتند، درش را باز کردم به خطوط گرد و سیاه که یکدیگر را در برگرفته بودند دست کشیدم، حیف که بلد نبودم چطور باید آن را به کار بیندازم. به پاکت صفحه‌ها نگاه کردم. عجب این غریبه آهنگ‌های خارجی هم گـوش می‌دهد، اگر داداش محمود بفهمد ... در این خانه تنها همین گرام و کتاب‌ها برایم جالب بودند. با خود گفتم، کاش مرا برای همیشه با این‌ها تنها می‌گذاشتند. خوب این بالا دیگر چیزی نداشت، در آپارتمان را باز کردم. ایوان کوچکی در مقابلم بود که یک طرف آن را راه‌پله گرفته‌بود، یک سری پله به طرف حیـاط و یک سری به طرف پشت بام. پایین رفتم، وسط حیاط آجرفرش حوض گـردی بـا رنگ آبی کهنه که تازه آبش را عوض کرده بودند قرار داشت. دو باغچه دراز و باریک در دو طرف حوض بودند، در یکی درخت گیلاس نسبتاً بلندی ایستاده بود و در دیگری درختی بود که پاییز فهمیدم خرمالوست، در کنار دیوار درخت موی پیر و خسته‌ای به داربستی کهنه و چوبی تکیه داده بود چند بوته گل محمدی که برگ‌هایشان خاک‌آلود و تشنه به نظر می‌رسیدند در دو طرف درخت‌ها نشسته بودند. نمای ساختمان و دیوار حیاط از آجرِ بهمنی قرمز بـود، پنجره‌های اتـاق خواب و اتاق مهمانخانه از حیاط دیده می‌شدند. ته حیاط یک توالت قدیمی بود، از آن‌ها که در قم هم داشتیم و من همیشه از آن می‌ترسیدم. این حیاط با چند پله از ایوان سراسری طبقه پایین که پنجره‌های بلند در آن باز می‌شد جدا می‌گردید. سعی کردم اتاق‌های طبقهٔ پایین را از پشت پنجره‌ها ببینم، همه پردهٔ حـصیری داشتند که در بالای پنجره‌ها جمع شده بودند، پرده یکی از اتـاق‌ها بـاز بـود، دست‌هایم را کنار صورتم گرفتم و به داخل نگاه کردم، یک قالی لاکی رنگ، چند مخدّه در اطراف اتاق، یک دست رختخواب جمع شده، وسـایل اصـلی اتـاق را تشکیل می‌دادند. سماور و بساط چای در کنار یکی از مخدّه‌ها بـود، روی در ورودی که به نظر کهنه تر از در بالا می‌رسید قفل بزرگی زده بودند، لابد اینجا هم منزل مادر بزرگ غریبه بود. حالا حتماً به مهمانی رفته، شبح پیرزنی که کمی قوز

داشت و چادر نماز سفید با گل‌های ریز سیاه سرش بود را در مراسم عقد به خاطر آوردم، که چیزی در دستم گذاشت، گویا سکه بود، حتماً او را با خودشان برده‌اند تا عروس و داماد چند روزی تنها باشند، عروس و داماد ...؟! پوزخندی زدم و از پله‌ها پایین آمدم به پله‌های زیرزمین و در بستهٔ آن نگاهی انداختم، پنجره‌های باریک زیر ایوان نورگیرهای زیرزمین بودند از میان آن نگاه کردم خیلی تاریک، آشفته و خاک‌آلوده به نظر می‌رسید، معلوم بود مدت‌هاست که کسی به آنجا وارد نشده، خواستم برگردم، نگاهم به گل‌های خاک‌گرفتهٔ محمدی افتاد، دلم سوخت، آب‌پاش را از آب حوض پر کردم و به آن‌ها آب دادم.

❊

ساعت حدود یک بعدازظهر بود. احساس گرسنگی می‌کردم، به آشپزخانه رفتم، یک جعبه از شیرینی‌های عروسی آنجا بود. یکی را به دهان گذاشتم خیلی خشک بود، دلم یک چیز خنک می‌خواست. یخچال قدیمی، کوتاه و چاق به رنگ سفید کنار آشپزخانه بود درش را باز کردم، مقداری پنیر، کره، قدری میوه و برخی چیزهای دیگر در یخچال گذاشته بودند. یک شیشه آب و یک هلو برداشتم، روی لبهٔ پنجرهٔ آشپزخانه نشستم و همین‌طور که آن را گاز می‌زدم به دوروبرم نگاه کردم، چه آشپزخانهٔ آشفته و نامرتبی، بلند شدم یک کتاب برداشتم و رفتم روی تخت بهم ریخته‌ام دراز کشیدم ولی فکرم همراهی نمی‌کرد. چندین سطر از کتاب را می‌خواندم ولی هیچ نمی‌فهمیدم، کتاب هم جذابیت نداشت. آن را به کناری انداختم. سعی کردم بخوابم ولی نمی‌شد. این فکر مدام در ذهنم می‌رقصید که: حالا باید چکار کنم؟ یعنی واقعاً بقیهٔ زندگیم با این غریبه خواهد گذشت؟ راستی نصف شب کجا رفت؟ حتماً به خانهٔ پدر و مادرش رفته شاید هم از من شکایت کرده باشد، اگر مادرش بیاید و با من دعوا کند که چرا پسرم را از خانه بیرون کرده‌ای چه بگویم؟ مدّتی با خیال‌های مختلف از این پهلو به آن پهلو چرخیدم تا یاد سعید بقیهٔ مطالب را از ذهنم زدود، سعی کردم آن را کنار بزنم. به خودم نهیب زدم و گفتم دیگر نباید در مورد او فکر کنم، حالا که نتوانستم خودم را بکشم باید مواظب رفتارم باشم، پروین‌خانم هم از همین‌جا شروع کرده که

حالا به این راحتی به شوهرش خیانت می‌کند. اگر می‌خواهم مثل او نشوم باید به سعید فکر نکنم. ولی یاد او رهایم نمی‌کرد، بالاخره تنها راه‌حلی که به ذهنم رسید این بود که به تدریج شروع به جمع‌آوری قرص کنم تا اگر دیدم این زندگی برایم قابل تحمل نیست و دارم به راه‌های بدی کشیده می‌شوم وسیله‌ای آسان و بدون درد برای خودکشی در اختیار داشته باشم. حتماً خدا هم متوجه خواهدبود که برای رهایی از گناه چنین کرده‌ام و آن عذاب وحشتناک را برایم در نظر نخواهد گرفت. به نظرم آمد که ساعت‌ها در رختخواب بودم، حتی چرتی هم زدم ولی وقتی به هال آمدم و به ساعت بزرگ و گرد روی دیوار نگاه‌کردم دیدم تازه ساعت سه و نیم است. چکار باید می‌کردم. حوصله‌ام خیلی سر رفته بود. با خود گفتم: یعنی این غریبه کجا رفته؟ راستی می‌خواهد با من چه کند؟

کاش می‌شد بدون آنکه با من کاری داشته باشد در این خانه زندگی کنم. در این خانه کتاب بود، موسیقی بود، رادیو بود و از آن‌ها مهم‌تر آرامش، تنهایی و استقلال داشتم، به اندازهٔ سر سوزنی نمی‌خواستم خانواده‌ام را ببینم، من و غریبه در این خانه می‌توانستیم هر کدام برای خود زندگی مستقلی داشته باشیم. آه اگر قبول کند. من همهٔ کارهای خانه را می‌کنم و هر کدام به راه خود خواهیم رفت. به یاد پروین‌خانم افتادم، او هم گفته بود شاید بهش علاقمند شدی، وگرنه تو هم بتوانی راه خودت را بروی، پشتم لرزید، منظور از این جمله را خیلی خوب می‌فهمیدم. واقعاً چه ساده می‌توان در راه خطر قدم گذاشت. ولی آیا او واقعاً گناهکار است یا من اگر چنین کنم خائن هستم، خائن نسبت به کی؟ به چی؟ واقعاً کدام خیانت است؟ همخوابه شدن با غریبه‌ای که نمی‌شناسمش، دوستش ندارم و نمی‌خواهم که به من دست بزند و به صرف چند کلامی که دیگران خوانده و من با زور بله گفته‌ام، یا دیگری از طرف من گفته، یا عشق ورزیدن به مردی که دوستش دارم، برایم همه چیز است. آرزوی زندگی با او را دارم. ولی کسی آن چند کلمه را برایمان نخوانده است.

سرم باد کرده بود، چه فکرهای عجیبی در آن می‌چرخید. باید کاری کنم، باید خودم را مشغول کنم، وگرنه دیوانه خواهم شد. رفتم رادیو را با صدای بلند

روشن کردم. احتیاج داشتم صداهای دیگری جز صدای خودم را بشنوم. به اتاق خواب رفتم با سرعت تخت را مرتب‌کردم، لباس خواب سرخ رنگ را مچاله کرده، ته صندوقی که آنجا بود گذاشتم، لباس‌ها در کمد، بهم ریخته و نامرتب اغلب از چوب‌رختی به پایین افتاده بودند، همه را بیرون ریختم، لباس‌های خودم را هم از چمدان درآوردم و کمد را به دو قسمت تقسیم کردم، لباس‌های خودم را در یک طرف و لباس‌های غریبه را در طرف دیگر گذاشتم، خرت‌وپرت‌ها را در کمدهای میز توالت جای دادم و روی آن را مرتب کردم. صندوق سنگین را به گوشه اتاق روبرو که فقط چند کارتن کتاب در آن بود کشیدم و چیزهای اضافی را داخل آن گذاشتم. آنجا را هم مرتب کردم. هوا تاریک شده‌بود که این دو اتاق کاملاً مرتب شدند، حالا می‌دانستم هر چیزی کجاست. دوباره احساس گرسنگی کردم؛ دست‌هایم را شستم و به آشپزخانه رفتم. وای که آنجا چقدر بهم ریخته و نامرتب بود. ولی دیگر حوصله نداشتم، آب را جوش آوردم و چای مختصری درست کردم. نان هم در خانه نبود، روی شیرینی‌های خشک کمی پنیر و کره گذاشتم با چای خوردم. آمدم سر کتاب‌ها، بعضی اسامی عجیبی داشتند که خوب نمی‌فهمیدم، بعضی کتاب‌های حقوقی بودند که معلوم بود کتاب‌های درسی غریبه‌اند، چند کتاب داستان و شعر هم بود، شعرهای اخوان ثالث، فروغ فرخزاد و چند مجموعه شعری که خیلی از آنها خوشم آمد. یاد کتاب شعرم که سعید داده بود افتادم. کتاب کوچکم که رویش عکس گلدانی با گل نیلوفر به رنگ سیاه نقاشی شده بود. یادم باشد آن را حتماً باید بیاورم. کتاب اسیر فروغ را باز کردم، وای که چه جرأتی دارد این زن! تمام احساساتش را بی‌پروا بیان کرده، بعضی از آنها را با تمام وجود احساس می‌کردم، گویی خودم آن‌ها را گفته بودم چند شعر را علامت گذاشتم تا در دفترم بنویسم، و با صدای بلند خواندم:

در این فکرم که در یک لحظه غفلت — از این زندان خامش پر بگیرم
به چشم مرد زندانبان بخندم — کنارت زندگی از سر بگیرم

دوباره به خود نهیب زدم که خجالت بکش، ساعت از ده گذشته بود که یک کتاب داستان برداشتم و به تختم رفتم خیلی خسته بودم. نام کتاب خرمگس بود.

چه اتفاق‌های بد و وحشتناکی را توصیف می‌کرد، نمی‌توانستم آن را زمین بگذارم، و کمک کرد تا به تنهایی خودم در این خانهٔ غریبه فکر نکنم و نترسم، نفهمیدم چه موقع به خواب رفتم، کتاب از دستم افتاد، و چراغ روشن ماند.

❀

نزدیکی‌های ظهر بود که بیدار شدم، خانه همچنان در سکوت عمیق تنهایی خود غوطه‌ور بود. با خود گفتم چه سعادتی است بدون مزاحم زندگی‌کردن، می‌توانم تا هر ساعت که بخواهم بخوابم. دست و رویم را شستم، چای درست کردم و باز از همان شیرینی‌های کذایی خوردم، با خود اندیشیدم که امروز شنبه است، همهٔ مغازه‌ها باز هستند، اگر این غریبه برنگردد خودم باید بروم و قدری خرید کنم، ولی با کدام پول؟ راستی اگر او نیاید من باید چه کنم؟ حتماً امروز سر کار رفته انشاالله عصری بر می‌گردد، خنده‌ام گرفت، گفته بودم انشاالله یعنی من دوست دارم او برگردد؟ آیا او واقعاً برای من ارزش خاصی پیدا کرده؟ به یاد یکی از داستان‌های زن روز افتادم که در آن دختری را مثل من به زور شوهر می‌دهند، او شب عروسی به شوهرش می‌گوید که دیگری را دوست‌دارد و نمی‌تواند با او همبستر شود. شوهر هم قسم می‌خورد که به او دست نزند، پس از گذشت چند ماه زن کم‌کم به محاسن مرد پی برده، عشق گذشته را فراموش می‌کند و به همسرش دل می‌بندد ولی شوهر حاضر نبود قسمش را فراموش کند، و هرگز به آن زن دست نزد. یعنی ممکنست او هم چنین قسمی خورده باشد؟ چه بهتر! در درون من هیچ احساسی برای غریبه وجود نداشت، فقط می‌خواستم برگردد تا اولاً از این بلاتکلیفی خلاص شوم ثانیاً، احتیاج به پول برای ادامهٔ زندگی داشتم، ثالثاً به هیچ وجه مایل به بازگشت به خانهٔ پدری نبودم. واقعیت این بود که از پناهگاه جدیدی که یافته بودم و از این زندگی بدون سرخر خوشم آمده بود.

رادیو را با صدای بلند روشن کردم و مشغول کار شدم، بیشتر ساعات طولانی آن روز در آشپزخانه گذشت. چند کمد کوچک را که درهای آهنی داشتند تمیز کردم، روی طبقات روزنامه پهن‌کردم و بشقاب‌ها و خرت و پرت‌های دیگر را که پراکنده بودند در آن چیدم، دیگ‌های بزرگ مسی را

زیر سکویی که روی آن چراغ سه فتیله‌ای و گاز قرار داشت گذاشتم، از صندوقی که دستگیره‌ها را در آن دیده بودم مقداری پارچه ندوخته پیدا کردم، رومیزی‌هایی در اندازه‌های مختلف درست کردم و چون چرخ خیاطی نداشتم پایین آنها را کوک زدم، یکی را روی سکو و بقیه را روی میزها و قفسه‌ها انداختم. سماور نویی را که حتماً از جهاز من بود با سایر وسایل چای روی یکی از قفسه‌ها چیدم، چراغ سه فتیله‌ای و یخچال را که خیلی کثیف بودند شستم و کف آشپزخانه را مدتی ساییدم تا تمیز شد. چند رومیزی گلدوزی شده در وسایلم بود آن‌ها را روی طاقچهٔ اتاق مهمانخانه زیر رادیو و گرام‌دستی و کتاب‌ها پهن‌کردم، صفحه‌ها و کتاب‌ها را هم مرتب و به ترتیب قد چیدم، کمی با گرام ور رفتم ولی روشن نشد، به گوشه و کنار نگاه‌کردم، خانه شکل دیگری گرفته بود، از آن خوشم آمد، صدایی از حیاط مرا به طرف پنجره کشاند ولی خبری نبود باغچه‌ها خیلی خشک و تشنه به نظر می‌رسیدند، رفتم پایین و آنها را آب‌دادم، حیاط و پله‌ها را شستم، هوا تاریک شده بود که خسته و عرق‌کرده از کار فارغ شدم، یادم آمد که در خانه حمام داریم، هرچند که آب سرد بود و من بلد نبودم آب گرمکن نفتی درازی را که گوشه حمام بود روشن کنم ولی باز هم غنیمت بود، بعد از شستن حمام و دستشویی با همان آب سرد دوش گرفتم. سرم را به سرعت شستم و به تنم صابون زدم و بیرون آمدم، لباس خانه گلداری را که پروین‌خانم تازه برایم دوخته بود پوشیدم، موهایم را پشت سرم بستم، در آینه به خود نگاه‌کردم، به نظرم آمد که خیلی عوض شده‌ام دیگر بچه نبودم، انگار در چند روز گذشته به اندازهٔ چند سال بزرگ شده بودم.

با صدای در حیاط قلبم فرو ریخت، به کنار پنجره رفتم، مادر، پدر و خواهرِ کوچک غریبه با مادربزرگ وارد شدند، خواهرش زیر بازوی مادربزرگ را گرفته کمک می‌کرد که از چند پلهٔ حیاط بالا بیاید، پدرش رفت تا قفل درها را باز کند ولی صدای پای مادرِ غریبه و هن‌هنش در پله نشان می‌داد که می‌خواهد هر چه زودتر خود را به خانهٔ ما برساند، ضربان قلبم شدیدتر شده بود دست و

پایم می‌لرزید، در را باز کردم و پس از نفس بلندی سلام گفتم،

ـ به به! سلام عروس‌خانم، حالت چطوره، شادوماد کجاس؟ و قبل از اینکه من جواب بدهم وارد خانه شد و صدا کرد: حمید، حمید مادر کجایی؟

نفس راحتی کشیدم پس آنها نمی‌دانند که حمید از همان شب رفته و هنوز برنگشته است، به آرامی گفتم:

ـ منزل نیست.

ـ اِ...! کجا رفته؟

ـ گفت یه سری می‌رم پیش دوستام.

سرش را تکان داد مشغول وارسی خانه شد، به همه جا سرک کشید نمی‌فهمیدم معنی سر تکان دادنش چیست. انگار معلم سخت‌گیری ورقه‌ام را بررسی می‌کند دلم شور می‌زد و منتظر نظر نهاییش بودم. دستی به لبهٔ پارچه‌های گلدوزی شده که روی طاقچه انداخته بودم کشید و گفت:

ـ خودت دوختی؟

ـ نه.

به اتاق خواب رفت درِ کمد لباس‌ها را باز کرد، خودم از مرتب بودن آن‌ها خوشم آمد، باز سرش را تکان‌داد، در آشپزخانه به ظرف‌های داخل قفسه نگاه کرد یکی از آن‌ها را برگرداند و گفت:

ـ مسعوده؟

ـ بله!

بالاخره کنکاش به پایان رسید، به هال برگشت و نشست، به پشتی تکیه‌داد، من رفتم چای دم کنم و مقداری شیرینی در ظرفی گذاشته و برگشتم.

ـ بیا دخترم، بیا بشین، آفرین حظ کردم، همون‌طور که پروین‌خانم می‌گفت خوشگل و تمیزو باسلیقه، خوب در عرض دو روز اینجارو روبه‌راه کردی، مادرت می‌گفت بعد از یکی دو روز باید بریم کمکش تا خونه‌شو تمیز کنیم، ولی انگار دیگه لازم نیست، معلومه خیلی خونه‌داری، خیالم راحت شد. خوب ننه گفتی حمید کجا رفته؟

ـ پیش دوستاش.

ـ ببین دخترم زن باید زنیت داشته باشه، باید بتونه شوهرشو توی چنگش بگیره، خوب ضبط و ربطش کنه، حواستو جمع کن، این حمیدِ گل من خارم داره، خارهاش همین دوستاش هستن، باید کاری کنی از اونا ببُره، تو هم باید بدونی، دوستاش همچین آدمای سربه راهی نیستن. همه گفتند اگه دستشو بند کنیم، گرفتار زن و بچه بشه از این هواها می‌افته. حالا این دیگه وظیفهٔ توست باید همچین به خودت مشغولش کنی که نفهمه وقتش چطور می‌گذره. نُه ماه دیگه هم بچهٔ اوّلو تو بغلش می‌ذاری، نُه ماه بعد هم بچهٔ دوم، خلاصه باید اونقدر دور و برشو شلوغ کنی که از این فکر و خیالا در بیاد، من زورِ خودمو زدم، به هر بدبختی بود با غَش و گریه و رو به قبله شدن بالاخره زنش دادم حالا دیگه بعد از این نوبت توست.

گویی ناگهان پرده‌ای از چلوی چشمم کنار رفت. آه...، طفلک غریبه، پس او را هم مثل من به زور سرِ سفرهٔ عقد نشانده بودند. او هم مطلقاً خواهان من یا این زندگی نیست. شاید او هم کس دیگری را دوست دارد. ولی خوب اگر دوست داشته چرا برایش نگرفته‌اند؟! اینها که خیلی به پسرشان و خواسته‌هایش اهمیت می‌دهند. او که مثل من نبود که منتظر باشد تا به خواستگاریش بیایند. خودش می‌توانست هر کس را که می‌خواهد انتخاب کند. پدر و مادرش هم که آن‌قدر آرزوی ازدواج او را داشتند حتماً روی حرفش حرفی نمی‌زدند. شاید او اصلاً مخالف ازدواج بوده نمی‌خواسته زیر این بار برود. ولی چرا؟ او که سن و سالی ازش گذشته، یعنی فقط به خاطر دوستانش؟! صدای مادرش مرا از افکارم بیرون کشید:

ـ امروز قرمه‌سبزی درست کردم، حمید عاشقشه، دلم نیومد اون نخوره، یه قابلمه براتون آوردم می‌دونم تو حالا حالاها وقت سبزی پاک کردن نداری... راستی برنج که دارین؟

با تعجب شانه‌هایم را بالا انداختم...

ـ تو زیرزمینه، همین جلو، باباش هر سال که برای خودمون برنج می‌خره چند گونی هم برای بی‌بی و حمید می‌گیره؛ برای شب یک کته درست کن: حمید از برنج دون بدش می‌آد. کته رو بیشتر دوست داره، ما هم چون دیگه فردا شب می‌ریم، بی‌بی رو آوردیم، وگرنه می‌خواستم چند روز دیگه نگهش دارم، زن بی‌آزاریه، گاهی بهش سر بزن، معمولاً خودش کارا و پخت و پزشو می‌کنه ولی اگه تو هم گاهی بهش برسی و براش غذا بدی بد نیست، ثواب داره.

در همین موقع منیژه و پدرش هم وارد شدند، من بلند شدم و سلام کردم، پدرش با نگاهی گرم، خندهٔ مهربانانه‌ای کرد:

ـ سلام دخترم، حالت چطوره، راست می‌گفتی از شب عروسیش خوشگل‌تره.

ـ ببین یه روزه چه خونه زندگیی درست کرده، چطور همه جا رو تمیز و مرتب کرده، حالا باید دید این پسره دیگه چه بهونه‌ای داره!

منیژه هم همه جا سرک کشید و گفت:

ـ ببینم مگه تو چقدر وقت داشتی؟ دیروز که لابد همش خوابیده بودید، تازه مادرزن‌سلام هم باید می‌رفتید.

ـ کجا باید می‌رفتیم؟

ـ مادرزن‌سلام، مگه نه مامان، مگه روز بعد از عروسی نباید برن مادرزن‌سلام؟

ـ آره خوب باید می‌رفتند، راستی نرفتید؟

ـ نه ما نمی‌دونستیم!

همه خندیدند.

ـ خوب معلومه، حمید که از این رسم و رسوما خبر نداره، این طفلکی هم از کجا بدونه؟ ولی حالا که می‌دونید باید برید، منتظرتونند.

ـ آره بهتون کادو هم می‌دن، یادته مامان، برا مادرزن سلام منصوره چه الله قشنگی به بهمن خان دادی؟

ـ آره، یادمه... راستی چی می‌خوای برات از مکه بیارم؟ تعارف نکن بگو.

ـ هیچی.

ـ پاتختی هم که قرار شد بعد از اومدن ما باشه، حالا بازم فکراتو بکن تا فردا

اگه چیزی خواستی بگو.

ـ خانم پاشو فکر نکنم این حمید پیداش بشه، خیلی خسته‌ام، انشاالله حمید فردا بهمون سر می‌زنه، شاید هم بیاد فرودگاه، خوب دخترم خداحافظی باشه برای فردا. مادرش مرا بغل کرد و بوسید و در حالی که بغض کرده بود گفت:

ـ جون تو و جون حمیدم، ترو خدا مواظبش باش، نذاری بلایی سرش بیاد. به منیژه هم سر بزنید هر چند که منصوره هم مواظبشه.

❊

با رفتن آنها نفس راحتی کشیدم، استکان‌ها و پیش‌دستی‌ها را جمع کردم، رفتم پایین تا برنج را پیدا کنم دلم ضعف می‌رفت، بی بی صدایم کرد، سلام کردم، او هم خوب سرا پایم را برانداز کرد و گفت:

ـ سلام به روی ماهت، ایشاالله سفیدبخت بشی مادر این پسره رو هم جمع و جورش کنی .

ـ ببخشید، کلید زیرزمین پیش شماس؟

ـ نه مادر همون بالای دره.

ـ الان شام درست می‌کنم.

ـ باریک‌الله درست کن درست کن.

ـ برای شما هم می‌آرم، نمی‌خواد چیزی درست کنین.

ـ نه ننه من شام نمی‌خورم، فقط اگه فردا نون گرفتید برای من هم بگیرید.

ـ چشم!

و با خود گفتم اگه غریبه نیاد، من چطوری نون بگیرم؟ بوی کته و قرمه سبزی اشتهایم را به شدت تحریک کرده بود، یادم نمی‌آمد آخرین باری که یک غذای درست و حسابی خورده بودم کی بود. حدود ساعت ده غذا حاضر شد، ولی از غریبه خبری نبود، نه می‌توانستم و نه می‌خواستم که منتظرش بمانم، شامم را با ولع خوردم ظرف‌ها را شستم و بقیه غذا را که برای چهار وعدهٔ دیگرمان هم بس بود در یخچال گذاشتم، کتابم را برداشتم و به تخت خواب رفتم، بر خلاف شب گذشته خیلی زود خوابم برد.

❊

ساعت هشت صبح بود که از خواب بیدار شدم، کم‌کم برنامهٔ خواب و بیداریم داشت تنظیم می‌شد، دیگر اتاق برایم غریبه نبود. آرامشی که در این مدت کوتاه در این خانه به دست آورده بودم هرگز در خانه شلوغ و ناامن خودمان نداشتم. مدتی در رختخواب غلت زدم، بدون عجله بلند شدم تختم را مرتب کردم و بیرون آمدم، یک مرتبه خشکم زد، غریبه در هال روی یکی از پتوهای کنار مخدّه خوابیده بود، کمی ایستادم معلوم بود که در خواب عمیق است. اصلاً دیشب متوجه آمدنش نشده بودم، کمی جلوتر رفتم، هیکلش به نظرم به آن تنومندی که تصور کرده بودم نبود، بازویش را روی پیشانی و چشم‌هایش گذاشته بود، سبیل بلند و پرپشتی داشت که نه تنها لب بالا بلکه قسمتی از لب پایین را هم پوشانده بود، موهایش حلقه‌های درشتی بودند که آشفته و نامرتب بر روی بالش ریخته بود، نسبتاً سبزه و قدبلند به نظر می‌رسید، با خود گفتم این مرد شوهر منست ولی اگر او را در خیابان می‌دیدم، نمی‌شناختم، واقعاً که خیلی مسخره است. بی سر و صدا دست و رویم را شستم، سماور را روشن کردم، ولی نان را چه کنم؟ بالاخره فکری به خاطرم رسید، چادر نماز را سرم انداختم و به آرامی از در بیرون آمدم، بی‌بی داشت آبپاش را از آب حوض پر می‌کرد، سلام کردم.

ـ سلام عروس خانم، حمید تنبل هنوز بیدار نشده؟

ـ نه می‌خوام برم نون بخرم، شما که هنوز صبحانه نخوردین؟

ـ نه مادر، عجله‌ای ندارم.

ـ نونوایی کجاس؟

ـ از در که رفتی بیرون برو دست راست، سر کوچه که رسیدی می‌پیچی دست چپ، صد قدم بری جلو نونواییه. کمی این پا آن پا کردم و گفتم:

ـ ببخشیدها پول خرد دارین؟ نمی‌خوام حمیدو بیدار کنم. می‌ترسم نونوایی پول خرد نداشته باشه.

ـ آره ننه دارم، برو سر طاقچه بردار.

وقتی برگشتم حمید هنوز خواب بود، چای را دم کردم، برگشتم تا از یخچال پنیر را در بیاورم که با هیکل غریبه که در چارچوب در آشپزخانه ایستاده بود

روبه‌رو شدم به‌شدت تکان‌خوردم و بی‌اختیار گفتم:

ـ وای ...! او به سرعت خودش را کنار کشید، دوباره دست‌هایش را به حالت تسلیم بالا برد و گفت:

ـ نه! نه! ترو خدا نترس، مگه من لولوخورخوره‌ام؟ از خودم ناامید شدم، یعنی من این‌قدر ترسناکم؟

خنده‌ام گرفت، با دیدن خندهٔ من آرامش یافت دست‌هایش را به بالای در گرفت و گفت:

ـ انگار امروز حالت بهتره.

ـ بله متشکرم، تا چند دقیقه دیگه صبحونه حاضر می‌شه.

ـ به به! صبحانه! اینجاها را هم که تمیز کردی، بیخود نبود مامان می‌گفت وقتی زن تو خونه باشه همه چیز مرتب می‌شه، فقط خدا کنه من بتونم، وسایلمو پیدا کنم، من به این‌همه مرتب بودن عادت ندارم.

و به طرف دستشویی رفت، بعد از چند دقیقه صدایش را شنیدم که گفت:

ـ ببین ... حولهٔ حمام اینجا بود، کجا گذاشتیش؟

رفتم حوله را که تا کرده بودم آوردم، سرش را از لای در بیرون آورد و گفت:

ـ راستی اسم تو چی بود؟

جا خوردم حتی اسم مرا هم نمی‌داند، بالاخره سرِ عقد چند بار اسمم را خوانده بودند، چقدر برایش بی‌تفاوت بود و یا تا چه میزان در فکرهای خودش غـرق بوده که به این راحتی فراموش کرده است، با سردی گفتم:

ـ معصوم!

ـ آها معصومه! حالا معصومه یا معصوم؟

ـ فرقی نمی‌کنه، همه بهم می‌گن معصوم.

ـ نگاهی دقیق‌تر به صورتم کرد و گفت:

ـ آها ... خوبه ... بهت می‌آد.

قلبم فشرده شد، او هم همین را گفته بود، ولی عشق و محبت او کجا و بی‌تفاوتی این کجا؟ او به قول خودش روزی هزار بار اسم مرا تکرار می‌کرد، چشمانم پر از

اشک شد، به آشپزخانه برگشتم، وسایل صبحانه را به هال بردم و سفره را پهن کردم.

غریبه با موهای حلقه‌حلقه و خیس درحالی‌که حوله را پشت گردنش انداخته بود یک‌راست به طرف سفره آمد، چشم‌های سیاه، مهربان و خندانی داشت، احساس ترسی که داشتم به کلی برطرف شد.

ـ به به! عجب صبحونه‌ای نون تازه هم که داریم، اینم از مواهب زن داشتنه.

احساس کردم این را برای خوشایند من می‌گوید، می‌خواست از اینکه نام مرا به خاطر نداشته به نوعی عذرخواهی کند. چای را جلویش گذاشتم، چهارزانو نشست و درحالی‌که پنیر را روی نان می‌گذاشت گفت:

ـ خوب، تعریف‌کن، چرا از من اونقدر ترسیدی؟ من ترسناکم یا هرکس دیگه هم اون شب به اسم شوهر به اتاق خوابت می‌اومد وحشت می‌کردی؟

ـ فرقی نمی‌کرد، از هر کسی که بود می‌ترسیدم.

و در دل ادامه دادم جز سعید که اگر او بود با تمام وجود به آغوشش می‌پریدم.

ـ پس چرا عروسی کردی؟

ـ مجبور بودم.

ـ چرا؟

ـ خانوادم معتقد بودن که وقت ازدواجمه.

ـ ولی تو هنوز خیلی جوونی به نظر خودت هم وقتش بود؟

ـ نه! من می‌خواستم درس بخونم.

ـ خوب چرا نخوندی؟

ـ می‌گفتن برای دختر تصدیق ششم ابتدایی کافیه، تازه من این سال‌ها رو هم بسکه التماس کردم اضافه خوندم.

ـ پس تورو مجبور کردند که سرِ سفرهٔ عقد بشینی و نذاشتند به مدرسه که خواست مشروعت بود بری؟

ـ آره.

ـ چرا مقاومت نکردی؟ چرا جلوشون نایستادی؟ چرا عصیان نکردی؟ رنگش کمی برافروخته شده بود. تو باید حقتو به زور هم که شده می‌گرفتی، اگه

کسی زیر بار زور نمی‌رفت این‌همه زورگو توی دنیا پیدا نمی‌شد، همین مظلومیت‌ها بنیان ظلم و این‌قدر محکم می‌کنه.

متحیر نگاهش کردم مثل اینکه خیلی از واقعیت پرت بود. خنده‌ام گرفت، با همان لبخند که گویا تمسخرآمیز هم بود گفتم:

ـ پس شما چرا زیر بار زور رفتید؟

خشکش زد، ساکت شد، با تعجب نگاهم‌کرد وگفت:

ـ کی؟ منو می‌گی؟

ـ بله، شمارو هم به زور سرِ سفرهٔ عقد نشوندن، مگه غیر از اینه؟

ـ کی همچین حرفی زده؟

ـ خوب مشخصه، نمی‌تونین بگین که در آرزوی ازدواج لحظه‌شماری می‌کردین، بیچاره مادرتون چقدر زحمت کشیده، غش‌وضعف کرده تا شما حاضر شدین زن بگیرین.

ـ اینا رو مامانم گفته، نه...؟ خوب البته راست گفته، می‌دونی حق با توست، منم مجبور شدم، زور همیشه کتک و دعوا و شکنجه نیست، گاهی با کمک عشق و محبت زور می‌گن و دست و پای آدمو می‌بندن، ولی وقتی من به خاطر دلخوشی مامان قبول کردم که زن بگیرم فکر نمی‌کردم هیچ دختری با این شرایط زن من بشه.

مدتی در سکوت به صبحانه خوردن ادامه دادیم، بعد فنجان چای را در دست گرفت به مخدّه تکیه داد و گفت:

ـ اما تو هم خوب زبلی هستی‌ها...، خوشم اومد، سر بزنگاه آدمو خیط می‌کنی. و شروع به خنده کرد من هم خندیدم.

ـ می‌دونی چرا نمی‌خواستم زن بگیرم؟

ـ نه! چرا؟

ـ چون آدمِ متأهل زندگیش مال خودش نیست، دست و پاش بسته می‌شه، گرفتار می‌شه نمی‌تونه به ایده‌آل‌هاش فکر کنه و دنبال اونا بره یک نفره می‌گه مرد وقتی زن می‌گیره متوقف می‌شه وقتی بچهٔ اول دنیا می‌آد به زانو می‌افته با بچهٔ دوم به سجود می‌ره با بچهٔ سوم دیگه فنا می‌شه، یا یک چیزی شبیه به این. البته

منم بدم نمی‌آد صبحونه‌ام حاضر باشه خونه‌م تمیز باشه، کسی باشه بهـم بـرسه، کارامو بکنه لباسامو بشوره، ولی این ناشی از خودخواهی انسانه و به تربیت غلط مردسالاری ما برمی‌گرده. من معتقدم که نباید در مورد زن اینجوری فکر کرد به نظر من زن‌ها از ستمدیده‌ترین اقشار تاریخند، اولین گروه انسانی که بـه‌وسیلۀ گروه دیگر استثمار شد زن‌ها بودند، همیشه به عنوان وسیله مورد استفاده قـرار گرفته‌اند و هنوز هم می‌گیرند.

با اینکه حرف‌هایش کمی کتابی بودند و معنی بعضی کلمه‌ها مثل استثمار را خوب نمی‌دانستم ولی خیلی خوشم آمد، این جمله که زن‌ها ستمدیده‌ترین قشر تاریخند در ذهنم حک شد.

ـ برای همین نمی‌خواستید زن بگیرید؟

ـ بله نمی‌خواستم گرفتار بشم، چون این خاصیت تفکیک‌ناپذیر ازدواج‌های سنّتی است، حالا اگر دوست و هم‌مرام و هم‌عقیده بودیم، چیز دیگری بود.

ـ خوب چرا با کسی که هم‌مرام بودید ازدواج نکردید؟

ـ دخترای گروه ما به راحتی تن به ازدواج نمی‌دن، اونا هم خودشون رو وقف هدف کردن، مادرم هم از تمام بچه‌های ما متنفره، می‌گفت اگر یکی از اونـا رو بگیری، خودمو می‌کشم.

ـ شما دوستشون داشتید؟

ـ چی رو دوست داشتم...؟ اوه نه! اشتباه نکن، منظورم این نیست که مثلاً من عاشق کسی بودم و مادرم مخالفت کرد، یا از این حرف‌های احمقانه، نه! توی ماها اصلاً از این حرفا نیست، چون اونا اصرار داشتند من زن بگیرم، منم می‌خواستم با یک ازدواج درون‌گروهی که مانع فعالیت‌هام نشه، غائله رو ختم‌کنم ولی خوب مامان دستمو خوند.

ـ درون‌گروهی؟ منظورتون چه گروهیه؟

ـ گروه خاصی نیست همین‌ها که جمع می‌شن تا یک فعالیت‌های باارزش انجام بدن فعالیت‌هایی که به نفع مردم محروم باشه، بالاخره هرکسی در زندگی ایده‌ها و اهدافی داره و در آن جهت حرکت می‌کنه، تو هدفت چیه؟ می‌خواهی در چـه

جهتی حرکت کنی؟

ـ قبلاً هدفم درس خوندن بود، ولی حالا... نمی‌دونم.

ـ نکنه تا آخر عمرت می‌خوای این خونه را بسابی؟

ـ نه...!

ـ پس چی؟ اگه هدفت درس خوندنه خوب بخون، چرا جا می‌زنی؟

ـ آخه کسی رو که ازدواج کرده باشه مدرسه راه نمی‌دن.

ـ یعنی تو نمی‌دونی راه‌های دیگه‌ای هم برای درس خوندن هست؟

ـ مثلاً چه راهی؟

ـ خوب برو کلاس شبانه، متفرقه امتحان بده، آدم که حتماً نباید مدرسه بره.

ـ اونو می‌دونم ولی آخه مگه از نظر شما اشکال نداره؟

ـ نه چه اشکالی داره؟ خیلی هم خوبه، من ترجیح می‌دم با آدم تحصیل‌کرده و باشعور سروکار داشته باشم، اصلاً این حق توست، من چکاره‌ام که مانع تو بشم، من که زندانبان تو نیستم.

هاج‌وواج مانده بودم اصلاً حرف‌هایی را که می‌شنیدم باور نمی‌کردم، این دیگه چه‌جور آدمیست؟ چقدر با مردهایی که تابه‌حال شناخته‌ام فرق دارد، احساس کردم چراغی به بزرگی یک خورشید در زندگیم روشن شده زبانم از خوشحالی بند آمد، بی اختیار گفتم:

ـ راست می‌گید؟ آخ اگه بذارید درس بخونم...

از حالت من خنده‌اش گرفته بود، با بزرگواری گفت:

ـ معلومه که راست می‌گم این حق توست لازم نیست از کسی تشکر کنی، هر آدمی باید بتونه هر کاری رو که دوست داره و فکر می‌کنه که درسته انجام بده، معنی همسر این نیست که مانع فعالیت‌های طرف مقابل بشی، بلکه باید از او پشتیبانی کنی، این‌طور نیست؟

با تمام وجود سر تکان دادم و حرف‌هایش را تصدیق کردم، منظورش را هم خوب فهمیده بودم من هم نباید مانع کارهای او باشم.

این تفاهم پس از آن قانون نانوشتهٔ زندگی ما شد، قانونی که هرچند بر اساس

آن من از برخی حقوق انسانیم بهره‌مند شدم ولی در نهایت به سود من نبود.

❀

آن روز او سر کار نرفت و من البته نپرسیدم چرا. برای ناهار به منزل پدر و مادرش رفتیم، که شب عازم سفر بودند. برای پوشیدن لباس مدتی در اتاق معطل شدم نمی‌دانستم چه باید بپوشم، با خود گفتم مثل همیشه روسریم را سر می‌کنم اگر گفت چرا، چادر می‌پوشم، وقتی از اتاق بیرون آمدم نگاهی به روسریم انداخت و گفت:

ـ این چیه؟... باید باشه؟

ـ خوب از وقتی پدرم اجازه داد مـن همیشه روسری زدم، حـالا اگـه شما ناراحتین چادر سر می‌کنم.

ـ اوه نه! نه! همین هم زیادیه، البته میل خودته، هرجوری کـه دوست داری لباس بپوش، این هم از حقوق انسانیه.

❀

آن روز بعد از مدت‌ها احساس سرخوشی کردم، احساس داشتن پشتوانه‌ای مطمئن، احساس دسترسی بـه رؤیـاهـایی کـه تـا هـمین چـند ساعت پیش امکان‌ناپذیر به نظر می‌رسیدند، با آرامش در کنارش قدم می‌زدم. با هم حرف می‌زدیم. او بیشتر صحبت می‌کرد. گاه حرف‌هایش خیلی ادبی و کتابی می‌شد و مثل معلمی که برای شاگرد کودنی درس می‌گوید سخن می‌گفت. ولی برای من اصلاً ناخوشایند نبود. او واقعاً باسواد بود. از نظر تجربه و تحصیل من حتی شاگرد او هم محسوب نمی‌شدم. مبهوت گفتارش بودم و از این رابطه لذت می‌بردم.

در منزلِ آنها همه دورمان را گرفتند. خواهر بزرگش منیر خانم هـم بـا دو پسرش از تبریز آمده بود، پسرها یک جور حالت غریبگی داشتند زیاد با بقیه نمی‌جوشیدند، بیشتر با خودشان ترکی حرف می‌زدند، خود منیر خانم هـم بـا خواهرانش خیلی فرق داشت، از آنها خیلی بزرگ‌تر می‌نمود، به نظرم بیشتر شبیه خاله‌شان بود تا خواهرشان، از اینکه می‌دیدند من وحمید با هم خوب هستیم و حرف می‌زنیم خوشحال بودند. حمید یک‌سره با مادر و خواهرها شوخی می‌کرد،

به آنها متلک می‌گفت؛ و از همه عجیب‌تر آن که آنها را می‌بوسید من خیلی خنده‌ام می‌گرفت و تعجب می‌کردم. در خانهٔ ما مردها زیاد با زن‌ها صحبت نمی‌کردند، چه رسد به شوخی و خنده، ازمحیط و فضای خانه‌شان خوشم آمد. اردشیر پسر منصوره چهار دست و پا راه می‌رفت، خیلی شیرین و دوست داشتنی بود و بدون غریبی خودش را در بغل من انداخت، احساس خوبی داشتم، از تهِ دل می‌خندیدم. مادرش گفت:

ـ خوب الحمدلله، عروسمون خندیدن هم بلده، ما تابه‌حال خنده‌شو ندیده بودیم. منصوره دنبالهٔ حرف را گرفت:

ـ اتفاقاً وقتی می‌خنده چقدر هم خوشگل‌تر می‌شه، با اون چال‌های رو گونه‌هاش، به خدا اگه من جات بودم همیشه می‌خندیدم. سرخ شدم و سرم را پایین انداختم. منصوره ادامه داد: داداش خوشت اومد. دیدی چه دختر خوشگلی برات پیدا کردیم، بگو دستت درد نکنه.

حمید با خنده گفت:

ـ دست شما درد نکنه.

منیژه اخم‌هایش را در هم کشید و گفت:

ـ حالا چتونه، چرا مثل آدم ندیده‌ها رفتار می‌کنین؟

و از اتاق بیرون رفت. مادرش گفت:

ـ ولش کنید، بالاخره اون همیشه عزیزدردونهٔ داداشش بوده. من که خیلی خوشحالم، حالا که با هم می‌بینمتون خیالم راحت شد، خدا رو صد هزار مرتبه شکر، حالا دیگه می‌تونم تو خونهٔ خدا نذرمو ادا کنم.

در این موقع پدرش وارد شد. ما ایستادیم و سلام کردیم، پدرش پیشانی هردومان را بوسید، من سرخ شدم. با مهربانی گفت:

ـ خوب عروس خانم، حالت چطوره؟ پسرم که اذیتت نکرده؟!

سرم را پایین انداختم و گفتم: نه خیر!

ـ اگه یه وقت اذیتت کرد بیا به خودم بگو، همچین گوشش‌رو می‌کشم که دیگه جرأت نکنه ناراحتت کنه.

و به شوخی گوش حمید را کشید. حمید خندید و گفت:

ـ نکش باباجون، این‌قدر که تو گوش ما رو کشیدی دیگه درازگوش شدیم.

موقع خداحافظی مادرش بار دیگر مرا به گوشه‌ای کشید و گفت:

ـ ببین دخترم از قدیم گفتن، گربه رو دم حجله می‌کشن، از همین حالا محکم جلوش وایسا، نه اینکه باهاش دعواکنی‌ها، با خوش اخلاقی، خودت راهشو پیدا می‌کنی بالاخره تو زنی، عشوه‌ای، نازی، قهری، خواهشی، خلاصه نذار شب‌ها دیر بیاد خونه، صبح سرِ ساعت بفرسّش سرِکار، باید پای دوستاشو از زندگیت ببُری، انشاالله زود هم بچه‌دار شو، پشتِ سر هم، اَمونش نده دو سه تا بچه که دورِوبرشو گرفت دیگه این مسخره بازی‌ها از سرش می‌افته، بـبینم چـقدر جربزه داری.

موقع بازگشت حمید پرسید، خوب مامانم چی می‌گفت؟

ـ هیچی می‌گفت مواظب شما باشم.

ـ آره می‌دونم مواظب من باشی که با دوستام رفت‌وآمد نداشته باشم، آره؟

ـ ای...

ـ تو چی گفتی؟

ـ هیچی چی بگم؟

ـ باید می‌گفتی من که، مأمور جهنم نیستم، که زندگی‌رو براش زهرمار کنم.

ـ من چطوری روز اول می‌تونم همچین حرف‌هایی به مادرشوهرم بزنم.

ـ امان از دست این زنای قدیمی، اصلاً مفهوم ازدواجو درک نمی‌کنن، زنو یک زنجیری می‌دونن برای بستن دست و پای مردِ بیچاره، درصورتی‌که مفهوم ازدواج همراهی، تفاهم، پذیرش خواست‌های طرفین و حقوق مساویه، به نظر تو غیر از اینه؟

ـ نه، کاملاً حق با شماس، و در دل این‌همه بزرگواری و شعورش را ستودم.

ـ این‌قدر از زنای بی‌شعوری که مدام از شوهرشون می‌پرسن کجا بودی؟ با کی بودی؟ چرا دیر اومدی؟ چرا نیومدی؟ بدم می‌آد، تو ماها زن و مرد حقوق مشخص و مساوی دارن، هیچ‌کدوم هم حق‌ندارن دیگری رو به‌بندبکشند، به

کارهایی که دوست نداره وادارش کن، یا استنطاق کنند.

ـ چه خوب...!

پیام را کاملاً روشن و مشخص دریافت کردم، هرگز نباید سؤال کنم چرا، کی و کجا... واقعیت این بود که در آن موقع برایم اهمیتی هم نداشت زیرا اولاً او به مراتب از من بزرگ‌تر، درس‌خوانده‌تر و باتجربه‌تر بود، مسلماً بهتر از من می‌دانست چطور باید زندگی کند ثانیاً، اصلاً به‌من‌چه که او چه می‌کرد؟ همین‌که برای زن‌ها این همه حق و حقوق قائل بود و اجازه می‌داد درس بخوانم و کارهایی را که دوست دارم انجام دهم نه‌تنها کافی بلکه از سرم هم زیاد بود.

دیروقت به خانه رسیدیم، او بدون اینکه حرفی بزند بالش و ملافه‌ای برداشت و مشغول آماده کردن محل خوابش شد، معذب بودم نمی‌دانستم باید چه کنم خجالت‌آور بود که من روی تخت بخوابم و او را که این‌همه مهربان و بامحبت بود وادار کنم که در این جای ناراحت بخوابد، قدری این پا و آن پا کردم و بالاخره گفتم:

ـ این‌طوری خیلی بده، شما ناراحت می‌خوابید، شما بیایید روی تخت من پایین می‌خوابم.

ـ نه مهم نیست من همه جا می‌تونم بخوابم

ـ آخه... من عادت دارم روی زمین بخوابم.

ـ منم همین‌طور.

به اتاق خواب رفتم، با خود فکر کردم تا کی می‌توانم این‌طوری زندگی کنم؟ از نظر احساسی آشفته بودم، هیچ‌گونه کشش عاشقانه یا خواست غریزی وجود نداشت، ولی من خود را بدهکار می‌دانستم، او مرا از آن خانه نجات داده و می‌خواست با اجازهٔ ادامهٔ تحصیل بزرگ‌ترین لطف را به من بکند، از طرفی آن احساس انزجاری که روز اول از تصور تماس دست‌های او با بدنم می‌کردم از میان رفته بود. به هال رفتم، بالای سرش ایستادم و گفتم:

ـ لطفاً بیا و سرجات بخواب.

نگاه نافذ، پرسشگر و کنجکاو خود را برای چند لحظه به چهره‌ام دوخت، با

لبخندی نامحسوس دستش را به طرفم دراز کرد، با کمک من از جایش برخاست و بدین ترتیب در جایگاه همسریش قرار گرفت.

آن شب پس از اینکه او به خواب عمیق فرورفت، من ساعت‌ها گریه کردم و در خانه قدم زدم، نمی‌دانستم چه مرگم شده. هیچ فکر روشنی نداشتم. فقط دلتنگ بودم.

چند روز بعد پروین‌خانم به دیدنم آمد هیجان‌زده بود گفت:

ـ هرچه منتظر شدم خودت بیای که نیومدی دیدم بیش از این نمی‌تونم تحمل کنم گفتم بیام ببینم در چه حالی؟

ـ خوبم! بد نیستم.

ـ برام تعریف کن چطوره؟ اذیتت که نکرده؟ بگو ببینم شب اول چی به سرت اومد با اون حالی که تو داشتی گفتم سنکوب می‌کنی.

ـ آره، حالم خیلی بد بود ولی اون فهمید، وقتی وضع منو دید از خونه رفت بیرون تا من راحت بخوابم.

ـ وای...! چه آدم نازنینی؟! خدا رو شکر! نمی‌دونی چقدر دلم شور می‌زد، دیدی چقدر مرد باشعوریه، حالا اگه زن اون اصغر قصاب شده بودی خدا می‌دونه چه بلایی سرت می‌آورد حالا بگو ببینم در کل ازش راضی هستی؟

ـ آره خیلی پسر خوبیه، خانواده‌اش هم خوبن.

ـ الحمدلله! می‌بینی چقدر با اون خواستگارای دیگه‌ت فرق دارن.

ـ آره اینو مدیون توام، حالا کم‌کم متوجه می‌شم تو چه لطف بزرگی در حق من کردی.

ـ نه بابا... من که کاری نکردم، خودت خوب بودی که اینا پسندیدنت حالا خدا رو شکر که تو راحتی، شانس خودت بود، من بدبخت از این شانسا نداشتم.

ـ تو که با حاج‌آقا مشکلی نداری، بیچاره کاری به کارت نداره.

ـ به...! تو حالاشو می‌بینی، حالا که پیر شده و مریض و پشم پیله‌اش ریخته، نمی‌دونی اون وقتا چه گرگی بود، شب اول چطوری به من حمله کرد، من که می‌لرزیدم و گریه می‌کردم چه کتکی ازش خوردم. اون روزا پولدار بود هنوز

فکر می‌کرد که عیب از زناس که بچه‌دار نمی‌شه، کلی بیا و برو داشت، خدا رو بنده نبود. بلاهایی سرم آورد که گفتنی نیست، وقتی صدای در می‌اومد و می‌فهمیدم اومده خونه چهارستون بدنم می‌لرزید. آخه نه اینکه منم بچه بودم خیلی ازش می‌ترسیدم ولی وقتی الحمدلله ورشکست شد و همه مال و منالشو از دست داد، بعد هم دکترا بهش گفتن که عیب از خودشه و هیچ‌وقت نمی‌تونه بچه‌دار بشه انگار یه سوزن به بادکنک زدند باد و فیسش خوابید یه دفعه به اندازهٔ بیست سال پیر شد، همه هم ولش کردن و رفتن، منم بزرگ‌تر و قوی‌تر شده بودم زبونم دراز شده بود، می‌تونستم جلوش وایسم یا ولش کنم و برم، حالا می‌ترسه که منو هم از دست بده، اینه که کاری به کارم نداره، حالا دیگه نوبت تاخت‌وتاز منه، ولی جوونی و سلامتیم رو که ازم گرفت چی؟ اونا رو که نمی‌تونم برگردونم... کمی سکوت برقرار شد، سرش را طوری تکان داد که گویی می‌خواهد افکار گذشته را دور کند و ادامه داد، راستی چرا دیدن خانم جون و آقاجونت نمی‌آی؟

ـ برای چی بیام؟ چه گلی به سرم زدن.

ـ وا مگه می‌شه بالاخره پدر مادرتن.

ـ اونا از خونه بیرونم کردن، من دیگه اونجا نمی‌آم.

ـ این حرفو نزن گناه دارن، خیلی منتظرتن.

ـ نه پروین‌خانم، نمی‌تونم بیام، دیگه هم حرفشو نزن.

❧

بیش از سه هفته از زندگی مشترک ما می‌گذشت که یک روز صبح زنگ خانه به صدا در آمد، تعجب کردم، من کسی را نداشتم که به دیدنم بیاید دویدم و در را باز کردم، خانم جون با پروین‌خانم پشت در ایستاده بودند، جا خوردم با سردی سلام کردم.

ـ سلام خانم، انگار خیلی خوش می‌گذره که این‌همه وقته رفتی و پشت گوشت رو هم نگاه نمی‌کنی، خانم جونت دیگه داشت از غصه دق می‌کرد، گفتم بیا بریم ببین که ماشاالله حالش خوبه.

ـ کجایی دختر داشتم از دلشوره می‌مردم، سه هفته‌اس چشممون به

در خشک شد، هیچ خبری ازت نیومد نمی‌گی ننه‌ای داشتی بابایی داشتی؟ رسمی هست رسومی هست؟

ـ عجب! کدوم رسم و رسوم؟ پروین‌خانم با سراشاره کرد که حرف نزنم و گفت:

ـ وا! حالا یه بفرما بگو اقلاً، این بیچاره تو این گرما کلی راه اومده، نکنه تو خونه هم نمی‌خوای رامون بدی؟

ـ خیلی خوب بفرمایید. خانم جون همان‌طور که غرغرکنان از پله‌ها بالا می‌آمد گفت:

ـ روز بعد از عروسی تا بوقِ سگ نشستیم تا خیرِ سرمون دامادمون بیاد دیدنی، که خبری نشد، گفتیم شاید روز بعد بیان، گفتیم لابد جمعهٔ این هفته می‌آن، جمعهٔ اون هفته، جمعهٔ هفتهٔ بعد، دیگه گفتم حتماً دختره مرده، بلایی سرش اومده، مگه می‌شه کسی اینطوری از خونهٔ باباش بره و پشت سرشو نگاه نکنه، انگار نه انگار ننه‌ای، بابایی داشته که به گردنش حق دارن.

وسط هال رسیده بودم که دیگر طاقتم طاق شد، فریاد زدم:

ـ حق دارین؟ کدوم حق؟ چه حق گردن من دارین؟ غیر از این‌که درستم کردین؟ مگه من می‌خواستم درستم کنین؟ که منّت‌شو گردن من می‌ذارین، واسهٔ کیف خودتون بوده، وقتی هم فهمیدین دختره کلی هم غصه خوردین و پشیمون شدین غیر از این چه حق دیگه‌ای دارین؟ برام چکار کردین؟ این‌همه التماستون کردم بذارین درس بخونم، گذاشتین؟ این‌همه التماستون کردم شوهرم ندین، بذارین یکی دو سال دیگه تو اون خونهٔ خراب شده بمونم؟ گذاشتین؟ چقدر کتکم زدین؟ چند دفعه تا پای مرگ رفتم، چند ماه زندانی بودم؟ خانم جون زار زارگریه می‌کرد، پروین‌خانم با وحشت نگاهم می‌کرد و با دستش علامت می‌داد که ساکت باشم ولی عقدهٔ دلم تازه سر باز کرده بود، نمی‌توانستم جلویش را بگیرم.

ـ خودتون از وقتی یادمه می‌گفتین دختر مالِ مردمه، بعد هم به‌زور دادینم دست مردم، همچین می‌خواستین از سرِ خودتون بازم کنید که حتی براتون مهم نبود منو به کی می‌دین، مگه شما نبودین که اون طوری از زیر تخت بیرونم کشیدین، که زودتر بیرونم کنین؟ مگه شما نبودین که می‌گفتین تو باید از این خونه

بری که محمود بتونه زن بگیره؟ خوب منم رفتم یعنی شماها بیرونم کردین، شدم
مالِ مردم، حالا منتظرین که بیام دست بوستون؟ بابا ایوالله! واقعاً که...!

ـ بسه معصوم خجالت بکش، این حرفا چیه می‌زنی، ببین چه به روز این زن
بدبخت آوردی؟ هرچی باشه پدر مادرتن، زحمتتو کشیدن تا بزرگ شدی، خیال
می‌کنی همین‌طوری به این قد و قواره رسیدی؟ کم آقاجونت دوستت داره؟ همه
چیو واسه تو می‌خواس؟ کم غصهٔ تو رو خوردن؟ من شاهد بودم اون مدت که
مریض بودی این زن چه کشید، شب‌ها تا صبح بالای سرت می‌نشست و اشک
می‌ریخت. چقدر برات نذر و نیاز کرد؟ تو که دخترِ بی چشم و رویی نبودی، همهٔ
پدر مادرا به گردن بچه‌هاشون حق دارن، حتی بدترینشون، تازه اینا که این‌همه
هم خاطرت رو میخوان، به خدا وقتی من شوهر کردم و رفتم اگه صد سال هم
نمی‌رفتم خونهٔ بابام هیچ‌کس سراغمو نمی‌گرفت، چه بخوای چه نخوای حقِ
فرزندی به گردنته، باید به جا بیاری وگرنه خدا بدش می‌آد و بهت غضب می‌کنه!

آرام گرفته بودم، احساس می‌کردم سبک شده‌ام، کینه و نفرتی که مثل یک
دُمل چرکین در تمام این مدت عذابم می‌داد سر باز کرده بود. اشک‌های خانم‌جون
هم مانند مرهمی بر زخم از دردم می‌کاست.

ـ وظیفهٔ فرزندی؟ اهه... باشه. من وظیفهٔ فرزندیمو به جا می‌آرم اگه کاری
داشتین براتون می‌کنم، نمی‌خوام آخرِ سر من گناهکار باشم و بدهکار، ولی از من
نخواین که اونچه رو که با من کردین فراموش کنم.

گریهٔ خانم جون شدیدتر شد و گفت:

ـ برو اون چاقو رو بیار و این دست منو که موهاتو کشید قطع کن، به خدا این
جوری راحت‌ترم و کمتر درد می‌کشم، روزی صد دفعه به خودم می‌گم الهی
دستت بشکنه زن، چطور دلت اومد این طفل معصومو این‌طوری بزنی. ولی مادر
اگه این کارو نمی‌کردم، می‌دونی اون روز چه آبروریزی می‌شد. داداشات قیمه
قیمه‌ات می‌کردن از صبح احمد توی گوشم می‌خوند که اگه این دختره بخواد بازی
در بیاره و آبروریزی کنه آتیشش می‌زنم، از طرفی آقاجونت تمام اون هفته قلبش
درد می‌کرد، اون روز با قرص و دوا رو پا واساده بود، رنگ به رو نداشت، همش

می‌ترسیدم سکته کنه. این وسط من بدبخت چکار باید می‌کردم، به خدا دلم کباب بود ولی نمی‌دونستم چکار باید بکنم.

ـ یعنی شما خودتون دلتون نمی‌خواست منو شوهر بدین؟

ـ چرا ننه، چرا روزی هزاربار از خدا می خواستم یه آدم خوبی پیدا بشه دستتو بگیره از اون خونه نجاتت بده خیال می‌کنی من نمی‌فهمیدم تو چقدر غصه می‌خوری، تو اون زندون روزبه‌روز لاغرتر و زردتر می‌شدی، به خدا نگات که می‌کردم دلم کباب می‌شد، این‌قدر نذر و نیاز کردم که تو یه شوهر خوب پیدا کنی و خلاص بشی، غصهٔ تو داشت منو می‌کشت.

با گرمای محبتی که از این حرف‌ها برمی‌خاست یخ لجبازی و قهرم آب می‌شد، گفتم:

ـ حالا گریه نکنین.

و بلند شدم و رفتم شربت آوردم. پروین‌خانم برای اینکه فضا را عوض کند گفت:

ـ به‌به! چه خونه زندگی مرتبی، راستی از تخت و کمدت خوشت اومد؟ من انتخاب کرده بودم‌ها...

ـ آره پروین‌خانم هم تو اون مدت خیلی زحمت کشید ما همه ممنونشیم.

ـ من هم همین‌طور.

ـ وای تورو خدا نگید خجالت می‌کشم، چه زحمتی خانم جون؟ این‌قدر خوشم می‌اومد. هرچی که می‌پسندیدم، آقا نه نمی‌گفت، تا حالا این جوری خرید نکرده بودم، اگه می‌گفتم باید سرویس شاه رو هم براش بخری می‌خرید. معلومه آقاجونت خیلی خاطرتو می‌خواد، احمد مرتب دعوا می‌کرد که چرا این‌همه خرج رو دست آقام می‌ذاری، ولی اون خودش دلش می‌خواست، همش می‌گفت می‌خوام آبرومند باشه، تو فامیل شوهر سربلند بشه، دو روز دیگه نزنند تو سرش که جهاز نداشته. خانم جون با هق‌هق خفیفی گفت:

ـ حالا هم مبل‌ها که برات سفارش‌داده حاضره. منتظره ببینه تو کی وقت داری بفرستدشون.

آهی کشیدم.

ـ خوب حالا حالش چطوره؟

ـ چی بگم مادر؟ خوب که نیست. با دستک‌های روسری چـشم‌هـایش را پاک‌کرد و ادامه‌داد: همینو می‌خواستم بهت بگم حالا اگه منو نمی‌خوای ببینی عیب نداره، ولی آقات داره از غصه دق‌می‌کنه، دیگه تو خونه با کسی حرف نمی‌زنه، دوباره شروع کرده به سیگار کشیدن اونم پشت سر هم. یک‌ریز هـم سرفـه می‌کنه، می‌ترسم دور از جونش بلا ملایی سرش بیاد، به خاطر اون هم که شده یه سری به خونه بزن، می‌ترسم نبینیش پشیمون بشی‌ها...

ـ وا! خدا نکنه، نفوس‌بد نزنین، می‌آم تو همین هفته می‌آم، ببینم کی حمید وقت داره، اگه هم اون وقت نداشت خودم تنها می‌آم.

ـ نه مادر این جوری که نمی‌شه باید تابع شوهرت بـاشی، نمی‌خواهـم اونم ناراحت شه.

ـ نه بابا ناراحت نمی‌شه، خیالتون جمع خودم دُرسش می‌کنم.

※

حمید بار دیگر برایم روشن کرد که نه وقت و نه حوصلهٔ همراهی با مرا در دید و بازدیدهای خانوادگی دارد و با تشویق و اصرار ازم خـواست کـه زنـدگی اجتماعی مستقلی برای خودم فراهم کنم، شماره‌های خطوط اتوبوس و مسیرهای آن‌ها را هم برایم کشید و بهترین مسیر برای گرفتن تاکسی را یادم داد. من هـم چند روز بعد در یک عصر اواخر مرداد ماه که می‌دانستم حمید شب بـه خانـه نمی‌آید، لباس پوشیدم و به خانهٔ آن‌ها رفتم، عجیب بود این خانه به همین زودی شده بود خانهٔ آن‌ها و دیگر خانهٔ من نبود، آیا بقیهٔ دخترها هم با همین سرعت نسبت به خانهٔ پدری غریبه می‌شوند؟ اولین باری بود که به تنهایی از خانه بیرون می‌آمدم و راه نسبتاً درازی را با اتوبوس طی‌می‌کردم هرچند که کمی نگران بودم ولی از این استقلال خوشم می‌آمد احساس بزرگی و شخصیت می‌کردم. وقتی به محله خودمان رسیدم احساس‌های متفاوتی در درونم بهم آمیخت، یاد سعید قلبم را فشرد، و با گذر از جلوی خانهٔ پروانه دلتنگیم برای او چند برابر شد، از ترس

آنکه مبادا همان وسط خیابان اشک‌هایم سرازیر شوند بر سرعتم افزودم ولی با نزدیک شدن به خانه پای رفتنم سست می‌شد، دلم هم نمی‌خواست با اهالی آن محل روبه‌رو شوم، از همه خجالت می‌کشیدم.

استقبال گرم فاطی که به آغوشم پرید و زار زار گریست اشک به چشمانم آورد، با التماس می‌گفت که به خانه برگردم یا او را هم با خود ببرم. علی از جایش تکان نخورد فقط سر فاطی داد زد که:

ـ این‌قدر عر نزن، مگه نگفتم برو جورابای منو بیار.

احمد دم غروب آمد ولی از همان موقع مست بود گیج و منگ نگاهم کرد، انگارنه انگار که حدود یک ماهست که مرا ندیده، چیزی را که جا گذاشته بود برداشت و رفت. محمود زیر لب جواب سلام مرا داد و با اخم از پله‌ها بالا رفت.

ـ دیدی خانم جون من نباید اینجا بیام اگه سالی یه دفعه هم بیام اینا ناراحت می‌شن.

ـ نه ننه، تو به خودت نگیر از جای دیگه ناراحته. الان یه هفته‌اس با هیشکی حرف نمی‌زنه.

ـ چرا مگه چش شده؟

ـ خبر نداری؟ اون هفته شال و کلاه کردیم، شیرینی و میوه و پارچه خریدیم، رفتیم قم خونهٔ عمه‌ت برای محبوبه صحبت کنیم.

ـ خوب؟

ـ هیچی مادر معلوم شد قسمت نیست، هفته پیشش بله برون محبوبه بوده، ما رو هم از لج اینکه چرا برای عروسی تو دعوتشون نکرده بودیم خبر نکردن، البته بهتر، من که از اول هم راضی به این عروسی نبودم، با اون ننه عفریته‌ش خودش هی محبوبه محبوبه می‌کرد.

احساس شادمانی خاصی تمام وجودم را پر کرد. با تمام سلول‌های بدنم معنی جملهٔ «دلم خنک شد» را فهمیدم، به خود گفتم چقدر تو بدجنسی! ولی کسی در درونم می‌گفت: حقشه! بذار اونم بکشه.

ـ اگه بدونی عمه‌ت چقدر پز دامادشو بهمون داد، گفت: آیت‌الله زاده‌س. ولی

دانشگاه هم رفته و امروزیه، چقدر مال و ثروت داره. طفلک محمود، بچه‌مو اگه کارد می‌زدی خونش در نمی‌اومد. همچین قرمز شده بود که ترسیدم سکته کنه، بعد هم چند تا متلک بارمون کردن که ایشاالله برای عروسی محبوبه هفت شبانه و هفت روز جشن می‌گیریم. چراغونی می‌کنیم، آدم باید دخترشو با افتخار شوهر بده نه یواشکی و هول‌هولکی، اگه عمه برای عروسی برادرزاده‌اش نباشه پس کی باید باشه، و خلاصه کلی از این گله‌ها کرد.

وقتی آقاجون آمد در اتاق بودم، کنار دیوار ایستادم که مرا نبیند. اتاق هم نسبت به بیرون تاریک بود. آقاجون یک دستش را به در تکیه داد، یک پایش را روی زانوی پای دیگرش گذاشت و مشغول باز کردن بند کفش‌هایش شد. با صدایی آرام گفتم:

ـ سلام. پایش افتاد و در اتاق نیمه‌تاریک به دنبال صدا گشت، جلو آمدم، برای چند لحظه با لبخندی پر از مهر نگاهم کرد، بعد به خودش آمد، دوباره پایش را روی زانو گذاشت و مشغول شد و با صدایی بلندتر گفت:

ـ چه عجب! یاد ما کردی؟

ـ اختیار دارید! من همیشه یاد شما هستم.

سرش را تکان داد، دمپایی‌هایش را پوشید. حوله‌اش را مثل همان وقت‌ها به دستش دادم. با چشمانی پر از سرزنش نگاهم کرد و گفت:

ـ فکر نمی‌کردم این‌قدر بی‌وفا باشی.

بغض گلویم را گرفت، این پرمهرترین حرفی بود که او می‌توانست بگوید.

سر شام همه چیز را جلوی من می‌گذاشت. تند تند حرف می‌زد، هیچ‌وقت به این پرحرفی ندیده بودمش، محمود برای شام سر سفره نیامد. آقاجون با خنده گفت:

ـ خوب تعریف کن، حالا شام و ناهار چی به شوهرت می‌دی؟ بلدی غذا درس کنی؟ یا نه! شنیدم می‌خواد از دستت شکایت کنه!

ـ کی، حمید؟ اون بیچاره هیچ‌وقت از غذا شکایت نمی‌کنه، هرچی جلوش بذارم می‌خوره، تازه می‌گه نمی‌خواد وقتتو صرف غذا درست کردن بکنی!

ـ وا! پس چیکار کنی؟

ـ می‌گه باید دَرسِت رو ادامه بدهی.

سکوت برقرار شد، همه با چشم‌های گرد نگاهم کردند، برقی در چشمان آقاجون درخشید. خانم جون ادامه داد:

ـ پس خونه زندگیت چی؟

ـ کاری نداره. به همه می‌شه رسید. تازه حمید می‌گه ناهار و شام و خونه‌داری و این‌ها برای من اصلاً مهم نیست. تو باید کارایی رو که دوست داری بکنی، مخصوصاً درستو بخونی که خیلی هم واجبه!

علی گفت:

ـ برو بابا! تورو دیگه مدرسه راه نمی‌دن!

ـ چرا رفتم صحبت کردم، قراره برم کلاس شبانه. امتحان‌ها را هم متفرقه می‌دم شاید هم تا آخر شهریور بتونم با تجدیدی‌های امسال امتحان بدم. راستی یادم باشه کتابامو ببرم.

آقاجون با خوشحالی گفت:

ـ خدا را شکر.

خانم جون با تعجب نگاهش کرد.

ـ حالا کتابام کجاس؟

ـ همه رو جمع کردم گذاشتم توی ساک آبیه. تو زیرزمین، علی، پاشو ننه، برو بیارشون.

ـ به من چه؟!! مگه خودش دست و پا نداره؟!

آقاجون با عصبانیت و جدیتی بی‌سابقه به طرفش چرخید، درحالی‌که دستش را به نشانه تودهنی زدن بالا برده بود گفت:

ـ ساکت! نبینم دیگه با آبجی‌خانمت اینطوری حرف بزنی ها... اگه دفعه دیگه از این غلطا بکنی می‌زنم دندوناتو خُرد می‌کنم.

همه مات و مبهوت به آقاجون خیره شده بودیم. علی مرعوب و دلخور بلند شد و رفت طرف در. فاطی خودش را به من فشرد و زیر لب خندهٔ مستانه‌ای کرد،

خنک شدن دل او را هم احساس می‌کردم. موقع خداحافظی آقاجون، بدرقه‌ام کرد و دم در آهسته که کس دیگری نشنود پرسید:

ـ دفعه دیگه کی می‌آی؟

❧

برای رفتن به کلاس و شرکت در امتحانات متفرقه دیر شده‌بود، در نتیجه برای کلاس‌های پاییز ثبت نام کردم، و بی‌صبرانه منتظر شروع آن‌ها ماندم، در ایـن مدت از وقت بسیار زیادم برای خواندن کتاب‌های موجود در خانه که کم هـم نبودند استفاده می‌کردم. از کتاب‌های داستان شروع کردم، بعد کتاب‌های شعر را به دقت خواندم، نوبت به کتاب‌های فلسفی که خیلی سخت و خسته کننده بودند رسید بالاخره از بیکاری مجبور شدم حتی کتاب‌های درسی حمید را هم بخوانم. این کتاب خواندن‌های مداوم هرچند که لذت بخش بود و مشغولم مـی‌کرد ولی برای پر کردن زندگیم کافی نبود، حمید تقریباً هیچ شبی زود به خانه نمی‌آمد، و گاه چند روزی اصلاً پیدایش نمی‌شد اوایل شام درست می‌کردم سفره را می‌چیدم و منتظرش می‌نشستم، بارها کنار سفره خوابم برد ولی باز هم این کار را می‌کردم، از تنها غذا خوردن متنفر بودم. یک بار او که نیمه‌های شب به خانه آمد خوابیدن مرا در کنار سفره دید با ناراحتی صدایم کرد و با عصبانیت گفت تو کار بهتری از غذا درست کردن و وقت تلف کردن نداری؟ وحشت زده از پریدن بی‌موقع از خواب و دلخور از رفتار او به سر جایم برگشتم و با گریه‌ای بی‌صدا دوباره به خـواب رفتم. صبح مانند سخنرانی که برای یک مشت آدم ابله حرف می‌زند نطق مفصلی در مورد نقش زن در جامعه ایراد کرد و با عصبانیتی کنترل شده گفت:

ـ سعی نکن با این اداهای زن‌های سنتی و بی‌سواد یا استثمار شده زنجیری از عشق و محبت احمقانه برای به دام انداختن من درست کنی.

خشمگین و آزرده با صدایی بغض‌آلود گفتم:

ـ من هیچ منظوری نداشتم، فقط عصرا از تنهایی خسته می‌شم، دوست هم ندارم تنها غذا بخورم، بعد هم فکر کردم تو ناهار که نیستی و معلوم نیست چی می‌خوری، اقلاً شب یه غذای درست و حسابی بخوری.

ـ شاید خودآگاه این منظور رو نداشته باشی، ولی ناخودآگاه هدفت همینه، این از شگردهای قدیم زناس که از طریق شکم می‌خوان مردا رو گرفتار کنن.

ـ برو بابا! کی می‌خواد تو رو گرفتار کنه؟ من فکر کردم بالاخره هر چی باشه ما زن و شوهریم، درسته که حالا عاشق همدیگه نیستیم، ولی خوب دشمنم که نیستیم، دوست داشتم باهات حرف بزنم، ازت چیز یاد بگیرم، یه صدای دیگه غیر از صدای خودمو تو خونه بشنوم، تو هم اقلاً یه وعده غذای خونگی بخوری، تازه این‌هم به اصرار مامانت بود که خیلی دلش شور خورد و خوراک تورو می‌زنه.

ـ آها...! دیدی گفتم. می‌دونستم که جای پای مامانو باید توی این قضیه پیدا کنم. می‌دونم اینا تقصیر تو نیست تعلیمات مامان خانومه، وگرنه تو از روز اول با عقل و منطق پذیرفتی که هرگز مانع زندگی، وظایف و ایده‌آل‌های من نشی. پس از قول من به مامان بگو اصلاً نگران غذای من نباشه ما هر شب که جلسه داریم چند نفر از رفقا مسؤول غذا می‌شن، خیلی هم غذاهای خوبی درسُت می‌کنند.

پس از آن دیگر هیچ شبی منتظرش نشدم، او زندگیش با دوستانی نامریی و در فضایی که من هیچ تصوری از آن نداشتم می‌گذشت. دوستانی که نمی‌دانستم کی هستند، چگونه می‌اندیشند، کجایند و ایده‌آل‌هایشان که این‌قدر به آن‌ها می‌بالند و از آن می‌گویند چیست؟ فقط می‌فهمیدم که نفوذ آنها بر روی حمید صدها بار بیشتر از من یا خانواده‌اش است.

با شروع کلاس‌های درس برنامه‌ای منظم در زندگیم پیدا شد، بیشتر وقتم به درس خواندن می‌گذشت، ولی تنهایی و خالی بودن زندگیم خصوصاً در تاریکی زود هنگام شب‌های دراز پاییزی که سکوت و سرما هم به آن اضافه می‌شد آزارم می‌داد. زندگی ما بر اساس احترام متقابل، بدون دعوا، آزار و جنگ در نهایت سکون و بدون هیجان سپری می‌شد. تنها گردش من جمعه‌ها بود که حمید خودش را هرطور شده برای رفتن به منزل مادرش می‌رساند، من به همین

فرصت‌های کوتاه با او بودن هم راضی بودم. کم‌کم فهمیدم که از روسری مـن خوشش نمی‌آید و دوست ندارد من با روسری او را همراهی کنم، آن را هم کنار گذاشتم تا شاید بیشتر مرا با خودش به خیابان ببرد، ولی دوستانش هیچ وقتی برای او باقی نمی‌گذاشتند و با حساسیت غریبی که او داشت مـن حتـی جـرأت اشاره‌ای به آنها را نمی‌کردم. تنها مونس من بی‌بی بود، که غذایش را می‌دادم و تر و خشکش می‌کردم، زن بسیار مهربان و آرامی بـود ولی گـوش‌هایش خیلی سنگین‌تر از آن بود که اوایل تصور می‌کردم، وقتی می‌خواستم چیـزی بـرایش تعریف کنم آن‌قدر فریاد می‌زدم که خسته شده و از خیر آن می‌گذشتم. او هر روز صبح می‌پرسید، ننه دیشب حمید زود آمد و من می‌گفتم بله، و در کمال تعجب او هم می‌پذیرفت، و هیچ‌وقت سؤال نمی‌کرد پس چرا من او را نمی‌بینم؟ گوش‌هایش که نمی‌شنید جوری رفتار می‌کرد که گویی چشم‌هایش هم نمی‌بینند، در مـورد آنچه اطرافش اتفاق می‌افتاد سؤال می‌کرد و تا من با هزار مشکل ماوقع را بـه گوش ناشنوایش نمی‌رساندم جریانات را نمی‌فهمید. در عوض گاهی که سرحال بود برای من از گذشته می‌گفت، از شوهرش حاج آقا که مرد خوب و باخدایی بوده و بعد از رفتن او حتی تابستان‌ها توی دلش سرد است، از بچه‌هایش کـه خیلی کم به او سر می‌زنند و همه گرفتار زندگی خود هستند، گاه از دوران کودکی و شیطنت‌های پدر حمید که بزرگ‌ترین و محبوب‌ترین فرزندش بود می‌گفت و گاه از کسانی که من نمی‌شناختم و اغلب مرده بودند، ظاهراً در دوران خـودش زن خوشبختی بوده ولی حالا مثل اینکه هیچ کاری نداشت جز انتظارکشیدن برای مرگ، در صورتی که آن‌قدرها هم پیر نبود، و عجیب اینکه دیگران هـم همین انتظار را از او داشتند، نه اینکه حرفی بزنند یا بی‌توجهی و بی‌حوصلگی از خود نشان دهند، ولی در رفتارشان چیزی بود که این انتظار را نشان می‌داد.

❀

تنهایی باعث شد که عادت دیرینۀ حرف‌زدن با آینه را از سر گیرم. ساعت‌ها جلوی آینه می‌نشستم و با تصویر خودم حرف می‌زدم. در بچگی عاشق این کار بودم و چقدر برادرهایم به خاطر آن مرا مورد تمسخر قرار دادند و دیوانه خطابم

کردند، چقدر با این عادت مبارزه کردم تا آن را کنار گذاشتم ولی واقعیت این بود که این عادت هرگز دست از سرم برنداشت بلکه درونی و پنهانی شد و امروز که هم‌صحبتی نداشتم و هیچ دلیلی برای پنهان‌کاری نبود دوباره ظاهرشده‌بود. گفت‌وگو با او یا با خودم هرچه که اسمش را بگذاریم ذهنم را مرتب می‌کرد گاه با هم خاطرات گذشته را مرور می‌کردیم و با هم اشک می‌ریختیم. به او می‌گفتم که چقدر دلم برای پروانه تنگ‌شده‌است. اگر می‌توانستم پیدایش کنم، چقدر حرف‌ها داشتیم که به هم بگوییم. یک روز تصمیم گرفتم ردپایی از آنها پیدا کنم، ولی چگونه؟ باز هم باید از پروین‌خانم کمک می‌گرفتم، یک روز که به خانه خانم‌جون رفته بودم، سری هم به پروین‌خانم زدم، ازش خواهش‌کردم که در کوچه پرس‌وجو کند و ببیند کسی آدرس خانوادهٔ احمدی را دارد، خودم خجالت می‌کشیدم با مردم آن محله صحبت کنم. فکر می‌کردم همه مرا به چشم خاصی نگاه‌می‌کنند. پروین‌خانم این کار را کرد ولی هیچ‌کس خبری نداشت و یا حاضر نشدند آدرس آنها را به پروین‌خانم که همه می‌دانستند با احمدسروسری دارد بدهند. حتی یکی از آنها گفته‌بود که چی شده باز می‌خوان براشون چاقوکش بفرسن؟ یک روز سری به مدرسه زدم، ولی پروندهٔ پروانه را گرفته بودند و از آن مدرسه رفته بود. معلم ادبیاتمان از دیدن من خوشحال شد. وقتی بهش گفتم که تحصیلاتم را ادامه می‌دهم خیلی تشویقم کرد.

یکی از بعدازظهرهای سرد و تاریک و بلند اوایل زمستان که هیچ کاری برای انجام دادن نداشتم و حوصله‌ام سر رفته‌بود، خدا می‌داند به چه دلیل حمید خیلی زود به خانه آمد و افتخار شام خوردن در منزل را به من داد نمی‌دانستم از خوشحالی چه کنم، خوشبختانه همان روز صبح خانم‌جون به دیدنم آمده، برایم ماهی سفیدآورده بود، و گفته بود: آقاجونت ماهی خریده ولی از گلوش پایین نمی‌رفت منم سهم تو رو آوردم تا اون خیالش راحت بشه.

ماهی را در یخچال گذاشتم ولی حوصله درست کردن آن‌را برای خودم تنها نداشتم وقتی دیدم حمید برای شام منزل است دست‌به‌کارشدم با سبزی خشک که

در خانه داشتم سبزی پلو درست کردم با اینکه دفعهٔ اولم بود بد نشد، در واقع تمام
سعی و هنرم را به کار گرفتم. بوی ماهی سرخ شده حمید را به اشتها آورد در
آشپزخانه دور من می پلکید و ناخنک می زد من هم درحالی که از ته دل
می خندیدم دعوایش می کردم. اول شام بی بی را دادم تا حمید ببرد، بعد سفره را
پهن کردم، هرچه در خانه داشتم در سفره چیدم گویی ضیافتی هم در خانه و هم
در قلبم داشتم، وای که چقدر خوشبخت کردن من ساده بود و چطور آن را از من
دریغ می داشتند. حمید با سرعت دست هایش را شست و در حالی که می گفت:

ـ سبزی پلوماهی رو باید با دست خورد بعد نگی شوهرم بی تربیته، مشغول
در آوردن تیغ های ماهی هم برای من و هم برای خودش شد. بی اختیار گفتم:

ـ وای که چه شب خوبیه، اگه نبودی دیگه امشب با این تنهایی و تاریکی و
سرما دیوونه می شدم... بعد از قدری سکوت گفت:

ـ سخت نگیر! از وقتت استفاده کن، درسم که داری، تازه این همه کتاب
اینجاس بردار بخون من آرزو داشتم وقت می کردم می نشستم کتاب می خوندم.

ـ کتابی نمونده که بخونم همه رو خوندم بعضیا رو چند بار.

ـ جدی می گی؟! کدوما رو خوندی؟

ـ همه رو همه حتی کتابای درسی ت.

ـ شوخی می کنی، چیزی هم ازشون فهمیدی؟

ـ خوب بعضیا رو نه خیلی خوب، اتفاقاً سؤال هایی هم برام مطرح شده بود که
دلم می خواست ازت بپرسم، حالا یک موقعی که وقت داشتی می پرسم.

ـ عجیبه...! باشه، کتابای داستان چی؟

ـ وای اونا که خیلی ماهن، هر بار که می خونم گریه می کنم، چقدر غمگینند،
چقدر درد و رنج و مصیبتای عجیب و غریب براشون اتفاق می افته.

ـ این ها گوشه ای از واقعیت های زندگیه، همیشه سیستم های حکومتی برای
کسب هرچه بیشتر قدرت و سرمایه از گردهٔ مردم بیچاره و تودهٔ بی پناه کار
کشیدن و دسترنج اونا رو به جیبای گشادشون سرازیر کردن، نتیجهٔ یک چنین
سیستم هایی، بی عدالتی، رنج، بدبختی و فقر برای مردمه.

ـ خیلی دردناکه، کی این بدبختیا تموم می‌شه؟ چه‌کار باید کرد؟

ـ مبارزه...! کسی که می‌فهمه، موظفه که جلوی ظلم بایسته، هر انسان آزاده‌ای اگر با بی‌عدالتی مبارزه کنه، سیستم سرنگون می‌شه این جبر تاریخه، و بالاخره ستمدیدگان جهان با هم متحدخواهندشد و تمام این بی‌عدالتی‌ها و خیانت‌ها رو از میان برخواهندداشت، ما باید کاری کنیم که زمینهٔ این اتحاد و قیام هرچه زودتر فراهم بشه.

مبهوت گفتارش بودم چقدر قشنگ حرف می‌زد، هرچندکه خیلی کتابی بود و مثل این بود که از روی نوشته‌ای می‌خواند ولی برای من بسیار جذاب بود بی‌اختیار گفتم:

ـ تو اگر برخیزی من اگر برخیزم.
همه برمی‌خیزند.
تو اگر بنشینی من اگر بنشینم
چه کسی برخیزد
چه کسی با دشمن بستیزد.

ـ اوه اوه، اوه! باریک‌الله، آفرین، تو هم انگار یه چیزایی حالیته، گاهی حرف‌هایی می‌زنی که اصلاً با سن و سال و سوادت جور نیست انگار تو رو هم می‌شه تو راه آورد.

نمی‌دانستم حرف‌های او را تعریفی از خود تلقی کنم یا توهین، به هر حال چون دلم نمی‌خواست هیچ سایهٔ تیره‌ای شب گرم ما را بر هم زند به روی خودم نیاوردم. بعد از شام به پشتی تکیه‌داد و گفت:

ـ واقعاً خوش‌مزه بود، چقدر زیاد خوردم، مدت‌ها بود غذای به این خوبی نخورده بودم، بیچاره بچه‌ها معلوم نیست امشب چی گیرشون اومده حتماً باز نون و پنیر همیشگی.

با سوءاستفاده از این اشاره و خوش‌خلقی او گفتم:

ـ چرا یه شب دوستاتو برای شام دعوت نمی‌کنی اینجا؟

متفکرانه نگاهم کرد، داشت در ذهنش مسایلی را زیرورو می‌کرد ولی در

چهره‌اش اخم نبود، قوت قلبی پیدا کردم و ادامه دادم:

ـ مگه نه اینکه هرشب کسی مسؤول غذاس، خوب یه شبم من مسؤول غذا باشم چی می‌شه؟ بذار اون بیچاره‌ها هم یه شب غذای درست و حسابی بخورن.

ـ اتفاقاً شهرزاد هم چند وقت پیش می‌گفت دوست داره تو رو ببینه.

ـ شهرزاد؟

ـ آره یکی از رفقای خیلی خوبه، باسواد، باشهامت، معتقد، خیلی از مسایلو بهتر از ما تجزیه‌و‌تحلیل می‌کنه.

ـ دختره؟

ـ یعنی چه؟ می‌گم شهرزاد، مگه شهرزاد پسرم داریم؟

ـ نه منظورم اینه که ازدواج کرده یا مجرده.

ـ آها... شماها هم با اون حرف زدن‌تون. آره ازدواج کرده، یعنی مجبور بود چون باید یه جوری از تسلط خانواده‌اش رها می‌شد، تا می‌تونست تمام‌وقت و انرژیشو وقف آرمان کنه. متأسفانه هنوز در این مملکت زن‌ها در هر مقامی هم که باشن نمی‌تونن از قید و بند آداب و رسوم اجتماعی رها بشن.

ـ خوب حالا شوهرش ناراحت نمی‌شه که اون با شماس؟

ـ کی مهدی؟ نه بابا خودش هم از ماس. ازدواج اونا یک ازدواج سازمانی بود خودمون تصمیم گرفتیم، چون از خیلی جهات به نفع آرمان و گروه بود.

از روی غریزه می‌دانستم کوچک‌ترین عکس‌العمل شدید و احمقانه‌ای از سوی من می‌تواند دوباره او را ساکت کند، باید شنونده‌ای خوب باشم و حتی در مقابل موضوعی تا این حد غریب هم آرام بمانم، این اولین بار بود که او دربارهٔ دوستان و گروهشان برایم حرف می‌زد.

ـ منم دلم می‌خواد این شهرزادو ببینم، باید آدم جالبی باشه، تو رو خدا یک بار دعوتشون کن.

ـ حالا باید در موردش فکر کنم، با بچه‌ها مشورت کنم تا ببینم چی می‌شه.

۞

بالاخره این سعادت دوهفته بعد به من رو کرد و قرار شد یک روز شنبه که

تعطیل رسمی بود، همهٔ دوستان حمید برای ناهار به منزل ما بیایند. تمام هفته مشغول بودم؛ درها و پرده‌ها و شیشه‌ها را شستم، بارها مبل‌ها را جابه‌جا کردم، میز ناهارخوری نداشتیم، حمید گفت:

ـ ای بابا اینا میز می‌خوان چکار؟ رو زمین سفره پهن کن بهتره همه جا می‌شن راحت‌تر هم هستن.

فقط دوستان نزدیکش را که دوازده نفر بودند دعوت کرده بود، نمی‌دانستم چه غذایی درست کنم، خیلی هیجان داشتم چندین بار از حمید پرسیدم، گفت:

ـ هرچی دلت خواست، اصلاً مهم نیست.

ـ چرا مهمه دلم می‌خواد چیزایی درست کنم که دوست داشته باشن تو بگو کی چی دوست داره؟

ـ من چه می‌دونم؟ خوب هرکسی یه چیزی دوست داره، تو که نباید همه رو درست کنی.

ـ حالا همه نه ولی مثلاً شهرزاد چی دوست داره؟

ـ قرمه سبزی، ولی مهدی عاشق قیمه‌اس، اکبر هنوز به اون سبزی پلو ماهی که براش تعریف کردم فکر می‌کنه و حسرت می‌خوره، عصرا که سرده همه هوس آش رشته می‌کنن، خلاصه همه چی دیگه... تو نمی‌خواد سخت بگیری، هرچی برات راحت‌تره درست کن.

از روز سه‌شنبه شروع به خرید کردم، هوا سرد شده‌بود و برف ملایمی می‌بارید، مواظب بودم که مبادا دوباره زمین بخورم و میهمانیم بهم بخورد، آن‌قدر خرید کردم و بسته‌های سنگین را از پله‌ها بالا و پایین بردم که صدای بی بی هم در آمد و گفت:

ـ ننه آدم برای مهمونی هفت دولتم این‌همه تهیه و تدارک نمی‌بینه.

روز پنجشنبه مقداری از آشپزی‌های اولیه را انجام دادم، روز جمعه زودتر از خانهٔ پدر و مادر حمید برگشتیم و دوباره مشغول پخت‌وپز شدم. آن‌قدر غذا پخته بودم که فقط گرم کردنشان یک صبح تا ظهر طول می‌کشید، برای فردا صبح فقط

دم کردن برنج‌ها مانده بود، خوشبختانه هوا هم سرد بود و من با خیال راحت همهٔ غذاها را در ایوان چیدم حمید عصر رفت و گفت:

ـ اگر کارم طول کشید می‌مونم و فردا نزدیکی‌های ظهر با بچه‌ها می‌آم.

صبح زود از خواب بیدار شدم، دوباره همه‌جا را گردگیری کردم، بـرنج‌ها را آبکش کردم، وقتی کارها تمام شد به سرعت یک دوش گرفتم ولی موهایم را که شب قبل شسته و پیچیده بودم خیس نکردم، لباس زرد رنگی کـه بـهتـرین لباسم بود را پوشیدم، توالت کردم به لب‌هایم رژ زدم، مـوهایم را بـازکردم و برس کشیدم و آن‌ها را که چین و شکن زیبایی یافته بود پشت سرم رها کردم. می‌خواستم هیچ نقصی نداشته‌باشم تا باعث سرافکندگی حمید نشوم، می‌خواستم آن‌قدر کامل باشم که دیگر مرا مثل یک بچهٔ عقب‌افتادهٔ نامشروع در خانه پنهان نکند، جوری باشم که دوستانش مرا لایق پذیرفتن در گروه خودشان بـدانـند. حدود ساعت دوازده با صدای زنگ قلبم فرو ریخت، این زنگ برای خبر کردن من بود وگرنه حمید کلید داشت، با عجله پیش‌بندم را باز کردم و به استقبالشان جلوی پله‌ها دویدم سوز سردی می‌آمد ولی من اهمیتی نمی‌دادم همان بالای پله حمید همه را به من معرفی کرد چهار نفرشان زن بودند و بقیه مرد، تقریباً همه در یک حدود سنی قرار داشتند. در خانه پالتوهایشان را گرفتم با کنجکاوی به زن‌ها نگاه کردم فرق چندانی با مردها نداشتند. همه شلوار پوشیده بودند با پلوورهای گشاد و اغلب کهنه که هیچ تناسبی با رنگ بقیهٔ لباس‌هایشان نداشت. موهایشان گویی چیزی زاید بود یا آن‌قدر کوتاه شده بود که از پشت بـا مـردها اشـتـباه می‌شدند و یا باکش پشت سرشان بسته شده بود، هیچ نوع آرایشی نداشتند. جز شهرزاد هیچ‌کس به من توجهی جدی نشان نداد، هر چـند کـه هـمـه مـؤدب و متواضع به نظر می‌رسیدند. شهرزاد تنها کسی بود که مـرا بـوسید، نگـاهی بـه سراپایم انداخت و گفت:

ـ به‌به! چه زن خـوشگلی داری حـمـید، نگـفته بـودی زنت ایـن‌همه نـاز و شیک‌پوشه. همه برگشتند و این بار با دقت بیشتری مرا برانداز کـردند، خـندهٔ ناپیدا، و تمسخرآمیزی را روی لب‌های چند نفرشان احساس کردم، با اینکه هیچ

حرف بدی نزدند ولی نمی‌دانم در رفتارشان چه بود که نه تنها من خجالت کشیدم و سرخ شدم بلکه حمید هم شرمزده به نظر می‌رسید. سعی کرد حرف را عوض کند گفت: بسه دیگه برید تو اتاق تا چای بیارم. چند نفری روی مبل و چند نفری روی زمین نشستند، تقریباً نصفشان سیگار می‌کشیدند. حمید با عجله گفت:

ـ زیرسیگاری، تا می‌تونی زیرسیگاری بده، به آشپزخونه رفتم زیرسیگاری‌ها را به حمید دادم و با دستپاچگی مشغول ریختن چای شدم. حمید دوباره به آشپزخانه برگشت و با عصبانیت گفت:

ـ این چه قیافه‌ایه برای خودت دُرُس کردی؟

ـ مگه چکار کردم؟

ـ این لباس چیه پوشیدی؟ عین عروسک فرنگی شدی، برو لباس ساده بپوش، یک بلوز شلواری، دامنی، چیزی، صورتت رو هم بشور، موهاتو هم جمع کن.

ـ ولی منکه آرایش ندارم فقط کمی رژ زدم اون هم که کم‌رنگه.

ـ من چه می‌دونم، چیکار کردی؟ فقط یک کاری بکن این‌قدر قیافه‌ات به نظر نیاد.

ـ ذغال بمالم به صورتم؟

ـ بمال!

اشک در چشمانم پر شد هرگز نمی‌فهمیدم از نظر او چه چیزی خوب و چه چیزی بد است، یک مرتبه به شدت احساس خستگی کردم گویی تمام خستگی‌های این یک هفته در همان لحظه به من هجوم آوردند. سرما خوردگی که چند روز بود شروع شده بود و من محلش نمی‌گذاشتم ناگهان شدت گرفت سرم گیج رفت. صدای یکی از آنها گفت:

ـ پس این چای چی شد؟

به خود آمدم روی استکان‌های نصفه آب جوش ریختم، حمید آن‌ها را به اتاق برد و من به اتاق خواب رفتم، لباسم را درآوردم مدتی روی تخت نشستم، فکر خاصی در مغزم نبود فقط غمگین بودم، دامن چین‌دار و بلندی را که معمولاً توی خانه می‌پوشیدم به تن کردم، اولین بلوزی را که به دستم رسید پوشیدم موهایم را

با گیره‌ای پشت سرم جمع کردم، با یک تکه پنبه بقایای رُژی راکه دیگر چیزی از
آن نمانده بود پاک‌کردم، سعی می‌کردم بغضم را فرو دهم، می‌ترسیدم اگر نگاهم
در آینه به چشمانم بیفتد اشک‌هایم سرازیر شوند، سعی‌کردم فکرم را منحرف کنم،
یادم آمد آب روغن برنج‌ها را نداده‌ام، از اتاق بیرون آمدم و با یکی از دخترها که
او هم از آن اتاق بیرون آمده بود روبه‌رو شدم، تا مرا دید گفت:

ـ اِ... چرا دکور عوض کردی؟

همه از داخل اتاق سرک کشیدند و نگاهم کردند، تا گوش‌هایم سرخ شـد،
حمید هم که از آشپزخانه سرش را بیرون آورده بود گفت:

ـ این طوری راحت‌تره.

✿

تمام مدت در آشپزخانه بودم، هیچ‌کس کاری به من نداشت. ساعت دو بود که
بالاخره سفره پهن شد و تمام غذاها آماده گردید. با این‌که در اتاق مهمان‌خانه را
بسته بودم تا بهتر بتوانم سفره را در هال بچینم، صدای حرف زدن‌های بلندشان را
می‌شنیدم. نصف حرف‌هایشان اصلاً برای من مفهوم نبود. گویی به زبان دیگـری
سخن می‌گفتند، مدتی از چیزی به نام دیالکتیک حرف زدند کلمات خلق و توده
را مدام به کار می‌بردند. نمی‌دانم چرا نمی‌گفتند مردم. بالاخره ناهار حاضر شـد.
کمرم به شدت درد گرفته‌بود، در گلویم احساس سوزش می‌کردم. حمید پس از
وارسی سفره، میهمانان را برای صرف غذا صدا کرد. همه از تنوع، رنگ و بویشان
تعجب کردند و بااشتها مشغول خـوردن شـدنـد. مـدام از دسـت‌پـختم تـعریف
می‌کردند، به یکدیگر سفارش می‌کردند که از کدام غذا بخورند. شهرزاد از اینکه
این‌همه زحمت کشیده بودم اظهار ناراحتی کرد و گفت:

ـ خسته نباشی، واقعاً که خیلی زحمت کشیدی، ما راضی نبودیم، ما با نـان و
پنیر هم سیر می‌شدیم لازم نبود این‌همه کار کنی.

یکی از مردها گفت:

ـ ای بابا، اونو که هر روز می‌خوریم، حالا یه بار اومدیم خونهٔ این بـورژوا
زاده، بذار ببینیم اینا چه غذاهایی می‌خورن.

همه خندیدند، ولی به نظرم حمید از این حرف خوشش نیامد. بعد از ناهار همه به اتاق مهمانخانه برگشتند، حمید یک دسته از بشقاب‌ها را به آشپزخانه آورد و با غیظ گفت:

ـ مجبور بودی این همه غذا دُرُس کنی؟

ـ چرا؟ بد بودن؟

ـ نخیر فقط حالا تا آخر دنیا باید جواب متلک‌ها رو بدم.

یکی دو بار حمید چای برد، من سفره را جمع کردم، ظرف‌ها را شستم، غذاها را جابه‌جا کردم و آشپزخانه را سر و صورتی دادم، ساعت از ۴/۵ گذشته بود. کمرم به شدت درد می‌کرد احساس می‌کردم تب دارم، هیچ‌کس سراغی از من نمی‌گرفت، فراموش شده بودم، خوب می‌فهمیدم که در جمع آنها وصلهٔ ناجوری هستم. احساس شاگرد مدرسه‌ای را داشتم که به میهمانی معلم‌هایش رفته. نه هم‌سن و سالشان بودم، نه سواد و تجربهٔ آنها را داشتم، نه می‌توانستم مثل آنها بحث کنم. نه حتی رویم می‌شد حرفشان را قطع کنم و بپرسم چه می‌خواهید؟ یک سری چای ریختم و با شیرینی خامه‌ای به اتاق بردم همه باز هم تشکر کردند، شهرزاد گفت:

ـ خسته شدی، ببخشید ما هم کمک نکردیم، راستش ما خیلی از این کارا بلد نیستیم.

ـ خیلی ممنون کاری نکردم.

ـ چطور کاری نکردی؟ ما عرضهٔ انجام دادن یک دونه‌شو هم نداریم، دیگه بیا بشین، بیا پیش من.

ـ چشم الان می‌آم، فقط تا وقتش نگذشته اجازه بدید نمازم رو هم بخونم بعد با خیال راحت بیام بشینم.

همه دوباره جور عجیبی نگاهم کردند، اخم‌های حمید در هم رفت. نمی‌دانستم باز چه گفته‌ام که این همه عجیب و غیرعادی بوده است، اکبر که قبلاً هم حمید را بورژوا صدا کرده بود و احساس می‌کردم رقابت یا مشکلی بین خودشان دارند گفت:

ـ به به! هنوز آدم نمازخون هم پیدا می‌شه، خیلی خوشحالم، خانم شما که هنوز

اعتقادات اجدادتونو حفظ کردین می‌تونین بگین برای چی نماز می‌خونید؟

دستپاچه و دلخور گفتم:

- برای چی؟ برای اینکه مسلمونم و هر مسلمونی باید نماز بخونه، این دستور الهیه.

- چطوری این دستورو به شما داد؟

- به من که نه برای همه گفته، از طریق فرستاده‌ش و قرآن که بهش نازل شده.

- یعنی یکی اون بالا نشسته و دستوراشو می‌نویسه و می‌اندازه تو بغل پیغمبر.

لحظه‌به‌لحظه گیج‌تر و عصبی‌تر می‌شدم با نگاه از حمید درخواست کمک کردم، ولی در نگاه او فقط خشم بود و هیچ رنگی از محبت و همدردی نداشت. یکی از دخترها گفت:

- خوب حالا اگه نخونی چی می‌شه؟

- خوب گناه می‌کنم.

- کسی که گناه می‌کنه چی می‌شه؟ مثلاً ما که نماز نمی‌خونیم و به قول تو گناه می‌کنیم چی به سرمون می‌آد؟

دندان‌هایم را روی هم فشار دادم و گفتم:

- بعد از مرگ گرفتار عذاب می‌شید، به جهنم می‌رید.

- آها... جهنم، بگو ببینم جهنم چه جور جاییه؟

تمام تنم می‌لرزید، آنها تمام اعتقادات مرا به مسخره گرفته بودند.

- با لکنت گفتم، جهنم از آتیش درست شده.

- لابد مار و عقرب هم داره؟

- بله!

همه خندیدند، با التماس به حمید نگاه کردم، احتیاج به پشتیبانی داشتم ولی او سرش را پایین انداخته بود، هرچند مثل بقیه نمی‌خندید ولی حرفی هم نمی‌زد. اکبر رو به حمید کرد و گفت:

- تو هنوز نتونستی زنتو آگاه کنی، چطور می‌خوای خلق رو از خرافات نجات بدی؟

با عصبانیت گفتم: من خرافاتی نیستم.

ـ چرا جانم هستی. تقصیر خودتم نیست، همچین اینا رو تو مغزت کردن که باورشون داری، خرافات همین چیزاس که می‌گی و وقتتو براشون تلف می‌کنی، کارهایی که ارزشی برای خلق نداره، کارهایی که ترا به کسی غیر از خودت متکی می‌کنه، اینا رو برای ترسوندن تو ساختن که به هرچی داری قانع باشی و برای آنچه نداری قیام نکنی، به این امید که در دنیای دیگر همه رو به تو خواهند داد، تو به چیزایی اعتقاد داری که برای استثمار تو ساخته شده، خرافات همین چیزاس.

احساس می‌کردم حالم بهم می‌خورد سرم گیج می‌رفت با عصبانیت گفتم:

ـ کفر نگید.

ـ می‌بینید بچه‌ها چطور مغز آدما رو شستشو می‌دن؟ تقصیر خودشون نیست این باورها را از بچگی توی ذهنشون می‌کارن، ببینید ما برای مقابله با این «تریاک توده‌ها» چه راه مشکلی در پیش داریم، اینکه من می‌گم مبارزه با مذهب رو هم باید در دستور کارمون بذاریم برای اینه.

دیگر حرف‌هایشان را نمی‌شنیدم. تمام اتاق دور سرم می‌چرخید فکر کردم اگر یک دقیقه دیگر بایستم، همانجا بالا می‌آورم با عجله به طرف دستشویی دویدم حالم بهم می‌خورد و هم‌زمان فشار شدیدی در درونم داشتم. درد عجیبی در کمر و زیر دلم می‌دوید احساس کردم پاهایم خیس شد با تعجب به زیر پایم نگاه کردم تمام توالت پر از خون بود.

چقدر گرم بود داشتم می‌سوختم، به پایین نگاه کردم، شعله‌های آتش مرا به طرف خودشان می‌کشیدند، سعی می‌کردم فرار کنم ولی پاهایم حرکتی نداشتند. عفریته‌های زشت و مهیب چنگال‌های درازی را در شکمم فرو می‌کردند و مرا به طرف آتش می‌کشاندند در اطرافم مارهایی با کله‌های انسانی به من می‌خندیدند و موجودی کریه می‌خواست آب کثیفی را به حلقم بریزد.

با بچه‌ای در بغل حبس شده بودم، اتاق در آتش می‌سوخت به طرف درهای متعدد اتاق می‌دویدم ولی هر دری را که باز می‌کردم با شعله‌های آتش روبه‌رو می‌شدم، به کودکم نگریستم غرق در خون بود.

در اطاقی سفید و غریبه چشم باز کردم، سرمای تیزی در بدنم دوید، چشمانم را بستم. خودم را جمع‌کردم و لرزیدم، کسی پتویی را برویم کشید و دست‌های گرمی پیشانیم را لمس‌کرد، کسی گفت:

ـ خطر رفع شده، تب پایین اومده، خون‌ریزی هم تقریباً قطع‌شده ولی اصولاً دختر ضعیفیه باید تقویت بشه.

صدای خانم‌جون گفت:

ـ می‌بینید حمید خان، اجازه بدین اقلاً یه هفته بیاد خونهٔ ما تا کمی سرحال بیاد.

پنج روز هم در خانهٔ خانم‌جون بستری بودم، فاطی مثل پروانه دورم می‌چرخید، آقاجون یکسره در حال خرید چیزهای عجیب و غریب و به قول خودش مقوی بود، هر وقت چشم باز می‌کردم خانم جون چیزی بخوردم می‌داد، پروین‌خانم از صبح کنارم می‌نشست و برام حرف می‌زد، ولی من اصلاً حوصله نداشتم، حمید هر روز عصر به دیدنم می‌آمد چهره‌اش افسرده و شرمنده می‌نمود، دلم نمی‌خواست نگاهش کنم، باز هم حرف زدن با اطرافیان برایم مشکل شده بود. اندوه عمیق درونم را می‌فشرد، خانم‌جون می‌گفت:

ـ ننه تو که حامله بودی چرا به من نگفتی؟ چرا این‌قدر زحمت کشیدی و کار کردی، چرا نذاشتی بیام کمکت، چرا گذاشتی اون‌طوری سرما بخوری؟ آخه ماه‌های اول باید یه چیزایی رو مراعات کنی، حالا هم طوری نشده، آدم برای بچهٔ دنیا نیومده این‌قدر غصه نمی‌خوره، می‌دونی من چند تا بچه سقط کردم؟ این‌هم حکمت خداس، می‌گن بچه‌ای که می‌افته یه اشکالی داره، وگرنه بچه سالم به این آسونی سقط نمی‌شه، برو خدا رو شکر کن، انشاالله بچه‌های بعدی سالمند.

موقع بازگشت حمید با ماشین منصوره به دنبالم آمد، آقاجون یک «وان یکاد» طلا گردنم انداخت، او راه دیگری برای ابراز محبتش بلد نبود، خیلی خوب درکش می‌کردم ولی حوصله حرف‌زدن و تشکر نداشتم، فقط اشک‌هایم را پاک می‌کردم. حمید دو روز در خانه ماند و از من پذیرایی کرد می‌دانستم چه فداکاری بزرگی از نظر خودش کرده ولی هیچ احساس قدرشناسی نسبت به او نداشتم، مادر و خواهرهایش به دیدنم آمدند، مادرش گفت:

ـ بچهٔ دوم منم بعد از منیره خانم سقط شد ولی بعدش سه تا بچه خوب و سالم زاییدم، غصه بیخودی نخور وقت زیاده و شماها جوون.

❀

واقعیت این بود که من نمی‌دانستم این افسردگی عمیقم از کجا ناشی می‌شود مسلماً تنها به‌خاطر بچه نبود، چون با اینکه در چند هفته اخیر تغییراتی در درونم حس کرده بودم و گوشه‌ای از ذهنم می‌دانست که چه اتفاقی افتاده ولی حتی به خودم اعتراف نکرده‌بودم که در حال مادر شدن هستم، هنوز تصویر روشنی از بچه داشتن و کودکی را فرزند خطاب کردن نداشتم، هنوز خود را دختر مدرسه‌ای می‌پنداشتم که اولین وظیفه‌اش درس‌خواندن است. آزردگی من با احساس گناهی دردآلود توأم بود، پایه‌های اعتقاداتم لرزیده بودند، از آنها که این تکان‌ها را به ستون باورهایم وارد کردند بیزار و رنجیده بودم، از تردیدی که به جانم ریخته بود وحشت می‌کردم و خود را مستوجب کیفر می‌دانستم، من برای همین تردید مجازات شده و بچه‌ام را از دست داده بودم.

حمید گفت:

ـ تو چرا به من نگفته بودی که حامله‌ای؟

ـ خودمم درست نمی‌دونستم، فکر هم نمی‌کردم تو از شنیدن این خبر خوشحال بشی.

ـ حالا برای تو بچه داشتن این‌قدر مهمه؟

ـ نمی‌دونم...!

ـ من می‌دونم مشکل تو فقط بچه نیست. چیزای دیگه هم اذیتت کرده از

هذیون‌هات پیدا بود. من و شهرزاد و مهدی خیلی در این مورد صحبت‌کردیم، تو اون روز از همه نظر تحت‌فشار قرار گرفتی، هم از نظر جسمی خسته شدی، هم به شدت سرما خورده بودی، حرف‌های بچه‌ها هم ضربه آخرو بهت زد.

اشک در چشم‌هایم پر شد،

ـ تو هم از من هیچ دفاعی نکردی، مرا مسخره کردند، به من خندیدند، مثل یک احمق با من رفتار کردند و تو هم با اونا بودی.

ـ نه...! باور کن هیچ‌کس منظور خاصی نداشت، نمی‌دونی بعد از اون روز شهرزاد چقدر با بچه‌ها مخصوصاً اکبر دعوا کرد، همین باعث شد که کار روی روش‌های صحیح تبلیغ و روشنگری در دستور کارمون قرار بگیره. شهرزاد به بچه‌ها گفت شماها با این طرز صحبت کردنتون مردمو بیزار و متنفر می‌کنید، اونا رو فراری می‌دید. اون روز هم تمام مدت با من تو بیمارستان و بالای سر تو بود. می‌گفت ما باعث شدیم این دختر معصوم به این روز بیفته، همه برات نگرانن اکبر می‌خواد بیاد ازت عذرخواهی کنه.

فردای آن روز شهرزاد و مهدی با یک جعبه شیرینی به دیدنم آمدند، شهرزاد کنار تخت نشست وگفت:

ـ خیلی خوشحالم که حالت خوب شده، مارو خیلی ترسوندی.

ـ ببخشید دست خودم نبود.

ـ نه این حرفو نزن، تو باید مارو ببخشی، همش تقصیر ما بود. ما این‌قدر با تندی و خشونت بحث‌می‌کنیم و در افکارمون غرقیم که دیگه متوجه نیستیم که دیگران به این طرز برخورد عادت ندارن و ناراحت می‌شن. این اکبر هم همیشه خرکی بحث می‌کنه، ولی اونم هیچ منظوری نداشت بعدش خیلی ناراحت شد، حالا هم می‌خواس بیاد، من گفتم لازم نکرده ریخت تو رو ببینه دوباره حالش بهم می‌خوره.

ـ نه تقصیر اون نیست، تقصیر خودمه که این‌قدر ضعیفم که با چند کلمه حرف ایمان و اعتقاداتم بهم می‌ریزه و نمی‌تونم درست جواب بدم.

ـ خوب تو هنوز خیلی جوونی، من هم‌سن تو که بودم با پدرم هم روم نمی‌شد

بحث کنم به تدریج بزرگ‌تر و باتجربه‌تر می‌شی، اعتقاداتت پایه‌های محکم‌تری پیدا می‌کنه پایه‌هایی که ناشی از فهم و مطالعه و علم خودته، نه گفته‌های طوطی وار دیگران. ولی بذار یک چیزیو برات اعتراف کنم، به این حرفای روشنفکری خیلی اهمیت نده، اونا رو جدی نگیر، اونا هم ته قلبشون باورهایی دارن و در لحظات سخت به طور ناخودآگاه به خدا متوسل می‌شن و به او پناه می‌برن.

حمید که با سینی چای جلوی در ایستاده بود خندید، شهرزاد برگشت نگاهش کرد و گفت:

ـ غیر از اینه حمید؟ خودمونیم تو واقعاً تونستی اعتقادات مذهبیتو به‌طور کامل فراموش کنی؟ خدا رو از باورهات خارج کنی؟ و در هیچ شرایطی نام او رو نبری؟

ـ نه اصلاً لزومی هم نمی‌بینم، این همون موضوع بحث روز قبل از خونهٔ ما بود که اکبر اون طوری دنباله‌شو گرفت. نمی‌فهمم چرا بچه‌ها این‌همه روی این موضوع پافشاری می‌کنن، به نظر من کسانی که اعتقادات مذهبی دارن آروم‌تر و امیدوارترند، کمتر خودشونو رها شده و تنها احساس می‌کنند.

ـ یعنی تو اعتقادات و نماز خوندن منو مسخره نمی‌کنی و خرافات نمی‌دونی؟

ـ نه...! حتی بعضی وقت‌ها که می‌بینم تو با اون آرامش و اطمینان قلبی نماز می‌خونی بهت حسودیم می‌شه.

شهرزاد با لبخندی تأییدکننده گفت:

ـ فقط یادت باشه موقع نماز ما رو هم دعا کنی. بی‌اختیار بغلش کردم و بوسیدمش.

پس از آن، دیدارهای من با دوستان حمید بسیار محدود شد، همین ارتباطات ناچیز هم در چهارچوب مشخصی شکل گرفت، آنها به من احترام می‌گذاشتند ولی مرا جزیی از خودشان نمی‌دانستند، سعی می‌کردند در مقابل من از دین و خدا صحبت نکنند، در حضور من راحت نبودند، من هم دیگر اصراری به بودن با آنها نداشتم، تنها شهرزاد و مهدی گاه‌گاه به عنوان دوست به ما سر می‌زدند. ولی من همچنان از آنها رودربایستی داشتم، احساساتم نسبت به شهرزاد آمیخته‌ای از

احترام، محبت و حسرت بود، زن کاملی که همه، حتی مردها به او احترام می‌گذاشتند. باسواد، فهمیده و خوش بیان بود، از هیچ‌کس واهمه نداشت نه‌تنها نیازمند تکیه‌گاهی نبود بلکه خود به‌تنهایی تکیه‌گاهی برای تمام گروهشان محسوب می‌شد و جالب این بود که در کنار این مشخصات قوی، احساساتی رقیق و لطیف داشت و در مقابل برخی مصائب انسانی به راحتی چشمان درشت و سیاهش پر از اشک می‌شد، روابط او با مهدی هم برای من معمایی بود، هرچند حمید گفته بود آنها به دلیل مصالح تشکیلاتی ازدواج کرده‌اند ولی بین آنها چیزی بسیار بیشتر و انسانی‌تر وجود داشت، مهدی مردی بسیار باهوش و کم‌حرف بود، کمتر در بحث‌ها متکلم می‌شد و اطلاعات و تواناییش را به معرض نمایش می‌گذاشت، مانند معلمی که به درس پس دادن بچه‌ها گوش می‌دهد گفتار و کردار همه را زیرنظر می‌گرفت و خود ساکت بود. خیلی زود فهمیدم شهرزاد نقش سخنگوی او را بازی می‌کند، در تمام گفت‌وگوها نیم‌نگاهی پنهانی به او داشت، تکان سری از جانب مهدی مهر تأییدی بود بر ادامهٔ گفتارش و گاه حرکت ابرویی او را در میان بحث متفکر باقی می‌گذاشت. نه... ممکن نبود، تفاهمی این‌گونه بدون عشق میسر شود. می‌دانستم زن ایده‌آل حمید هم زنی مثل او بوده، نه من، در احساساتم نسبت به او حسادتی نبود چون او را آن‌قدر فراتر از خود جای داده بودم که حتی خود را لایق حسادت هم نمی‌دیدم، فقط حسرت مثل او بودن را داشتم.

اواخر بهار و هم‌زمان با امتحانات کلاس دهم از احساس ضعف، خواب‌آلودگی و حالت‌های تهوع فهمیدم که حامله هستم هرطور بود امتحانات را به خوبی گذراندم و این بار با آگاهی و اشتیاق منتظر تولد کودکم نشستم، کودکی که حداقل چیزی که می‌توانست به من بدهد رهایی از تنهایی تمام ناشدنیم بود، خانوادهٔ حمید از خبر حاملگی من خیلی خوشحال شدند، این را نشانه‌ای از سر به راه شدن حمید می‌دانستند. من‌هم گذاشتم تا آنچه را که دوست دارند باور کنند، چون می‌دانستم اگرلب باز کنم و شکایتی از غیبت‌های طولانی

حمید برزبان آورم هم به حمید خیانت کرده‌ام و او را برای همیشه ازدست خواهم داد و هم خودم به عنوان مقصر اصلی در مقابل خانوادهٔ حمید قرار خواهم گرفت زیرا مادرش معتقد بود و به هر بهانه‌ای به من یادآوری می‌کرد که زن باعرضه می‌تواند شوهرش را پای‌بند خانه و زندگی کند، و به عنوان شاهد مثال از خودش می‌گفت که در جوانی چطور شوهرش را از دام توده‌ای‌ها بیرون کشیده است.

تابستان آن سال محمود با احترام‌سادات دخترخاله‌ام ازدواج کرد، من خود را شایق برای انجام هیچ کاری نمی‌دیدم، و خوشبختانه حاملگی من عذری موجه بود که باعث می‌شد هیچ‌کس از من توقع همکاری نداشته باشد، واقعیت این بود که من از هیچ‌کدامشان خوشم نمی‌آمد، در عوض خانم‌جون تا بخواهید خوشحال بود و مدام برتری‌های عروسش را نسبت به محبوبه برمی‌شمرد و همراه با خاله‌ام که نمی‌دانست حجاب خیلی سفت و سختش را نگه‌دارد یا کار کند، به رتق و فتق امور مشغول بود. محمود با آن چهرهٔ عبوس و اخمو انگار به مجلس ختم دعوت شده، سرش را زیر انداخته و با هیچ‌کس خوش‌وبش نمی‌کرد. جشن در خانهٔ آقاجون و پروین‌خانم برگزار شد، مردها خانهٔ ما بودند و زن‌ها در خانهٔ پروین‌خانم، بر خلاف آنچه گفته بودند محمود حتی یک روز در خانهٔ آقاجون نماند. خانه‌ای نزدیک بازار اجاره کرد و شب عروس را به آن خانه بردند. چندین رشته چراغ رنگی به در و دیوار و بین درخت‌ها آویزان کردند، چند چراغ توری پایه‌بلند دم درها بود و در یک طرف حیاط خانهٔ پروین‌خانم که بزرگ‌تر بود غذا می‌پختند. ولی از ساز و آواز هیچ خبری نبود محمود و پدر احترام‌سادات شرط کرده بودند که هیچ‌کس حق‌ندارد از این کارهای خلاف شرع انجام دهد، من در کنار سایر زن‌ها در حیاط خانهٔ پروین‌خانم نشسته بودم و خودم را باد می‌زدم، زن‌ها مدام حرف‌می‌زدند و میوه و شیرینی می‌خوردند، متعجب بودم که مردها چه می‌کنند؟ هیچ صدایی از آن حیاط نمی‌آمد فقط گاه‌گاهی به امر کسی صلوات می‌فرستادند. ظاهراً همه منتظر شام بودند، تا وظیفه را انجام داده و از این بلاتکلیفی نجات یابند. پروین‌خانم مدام غر می‌زد که:

ـ این دیگه چه جور عروسیه؟ این‌که عین شب سال آقام می‌مونه.
ولی پشت چشم نازک‌کردن‌های خاله و استغفرالله گفتن‌های او ساکتش می‌کرد. از نظر خاله تمام مردم دنیا جز او گناه‌کار بودند، و نماز و روزه هیچ‌کس درست نبود، ولی از پروین‌خانم جور دیگری بدش می‌آمد و به خانم جون غر می‌زد که:
ـ این زنیکه اینجا چه می‌کنه!
مطمئناً اگر منزل خود پروین‌خانم نبود تا حالا بیرونش کرده بود، احمد آن‌شب اصلاً پیدایش نشد خانم‌جون یک‌ریز علی را از در کوچه صدا می‌کرد و می‌پرسید:
ـ داداش احمدت اومد؟ و بعد یک دست را به پشت دست دیگر می‌کوبید و می‌گفت می‌بینی انگار نه انگار عروسی برادرشه، بیچاره آقات دست‌تنها مونده، غیر از دوستای نابابش به هیچ‌کس دیگه فکر نمی‌کنه، اگه یه شب با اینا نره انگار آسمون به زمین می‌آد. پروین‌خانم هم سر درد دلش باز شد و زیر گوش من گفت:
ـ خانم جونت حق داره، احمد از روزی که تو رفتی بدتر شده، افتاده با یه سری آدمای عجیب و غریب، خدا آخر عاقبتشو به خیر کنه.
ـ حقشه، آدمی که اینقدر احمقه هر بلایی سرش بیاد حقشه.
ـ وای نگو معصوم، دلت می‌آد، شاید اگه شماها یک کمی بهش می‌رسیدین این‌طوری نمی‌شد.
ـ مثلاً چکارش می‌کردیم؟
ـ نمی‌دونم، ولی این جورم که ولش کردین درس نیست، آقات حتی حاضر نیست بهش نیگا کنه.
آن شب عمه‌جان به تنهایی به عروسی آمد. خانم جون که تا آن موقع هرچند دقیقه یک بار می‌گفت می‌بینی چه عمهٔ بی‌غیرتی داریـن، عـروسی بـرادرزادهٔ بزرگشم نیومد، با دیدن عمه لب‌هاش را به نشانهٔ نفرت جمع‌کرد و گفت، تشریف آوردن، و خودش رو مشغول کاری کرد که یعنی متوجه آمدن او نشده است. عمه کنار من نشست و گفت:
ـ وای مُردم تو این راه، ماشین خراب شد دو ساعت معطّل شدیم، کـاشکی عروسیو قم می‌گرفتین که همهٔ فامیل بودن این‌قدرم عذاب رفت‌وآمد نمی‌کشیدیم.

ـ وای عمه‌جون به خدا راضی به این همه زحمت نبودیم.

ـ چی، چیو زحمت؟ مگه چند دفعه برادرزادهٔ بزرگ آدم زن می‌گیره که دو قدم راه رو هم نمی‌خوان بیان.

ـ سلام خانم، می‌بینی که بالاخره اومدیم، اینم عوض خوش آمد ته؟

ـ آخه این موقع اومدنه، مثل غریبه‌ها...؟

برای عوض کردن صحبت گفتم:

ـ عمه‌جون راستی محبوبه چطوره، دلم خیلی براش تنگ شده، کاشکی می‌اومد، خانم جون به من چشم غُرّه رفت.

ـ راستش عمه‌جون محبوبه نیستش، کلی هم معذرت خواس، دیروز با شوهرش رفتن سوریه و بیروت، نمی‌دونی ماشاالله چه شوهری داره، می‌میره برا محبوبه.

ـ چه جالب حالا چرا سوریه و بیروت؟

ـ خوب کجا برن؟... می‌گن خیلی قشنگه، عروس خاورمیانه‌است.

خانم جون با حرص گفت:

ـ آخه همه که نمی‌تونن مثل داییت برن فرنگستون.

ـ اتفاقاً، خوب هم می‌تونستن ولی محبوبه می‌خواس یه جای زیارتی باشه، آخه می‌دونی اینا واجب‌الحج هستن ولی چون محبوبه اون موقع پا به ماهه نمی‌تونه بره، شوهرش هم گفت فعلاً یه زیارت حضرت زینب بریم تا بعد انشاالله حج تمتع.

ـ والله ما تا اونجا که شنیدیم آدم باید همهٔ کاراشو بکنه زندگیشو سروسامون بده، بعد بره حج تمتع.

ـ نه طیبه خانم این بهانه‌ها مال کسانیه که نمی‌تونن برن، وگرنه پدر شوهر محبوبه که ماشاالله خودش عالم و مجتهده صد تا طلبه رو خرج می‌ده گفته هر وقت کسی وضع مالیش اجازه داد باید بره.

خانم جون مثل اسپند روی آتیش جلز و ولز می‌کرد، این حالتش را خوب می‌شناختم هروقت نمی‌توانست جواب مناسب پیدا کند این‌طور می‌شد، بالاخره پیدا کرد و گفت:

ـ نه خیر برادر شوهر خواهرم یعنی عموی عروسمون که خیلی هم اعلم تره

می‌گه مکه رفتن کلی شرط و شروط داره به همین سادگیا نیس، فامیل که سهله هفت تا همسایه این طرف و هفت تا اون طرف نباید محتاج باشن چه برسه به شما که پسرتم بی‌کاره.

ـ چی چیو بی‌کاره؟ هزار نفر منتّشو دارن. باباش میخواس براش دکون باز کنه ولی خودش نمی‌خواد می‌گه از کاسبی و بازار بدم می‌آد می‌خوام درس بخونم، دکتر بشم، شوهر محبوبه هم که خودش تحصیلات داره می‌گه این بچه خیلی بااستعداده از ما قول گرفته کاری به کارش نداشته باشیم تا کنکور بده.

خانم جون دهنشو باز کرد چیزی بگه که من پریدم وسط تا حرفو عوض کنم می‌ترسیدم اگر این بگومگوها ادامه پیدا کند عروسی تبدیل به میدان جنگ شود گفتم:

ـ راستی عمه جون محبوبه چند ماهشه؟ ویار نداشت؟

ـ نه عمه، خیلی کم، همان دو ماه اول دیگه ماشاالله خوب خوبه هیچ ناراحتی نداره. حتی دکتر بهش اجازه مسافرت داد.

ـ ولی دکتر به من گفته نباید زیاد راه برم خیلی هم نمی‌تونم دولا، راست بشم.

ـ خوب نشو عمه، ماه‌های اول باید خیلی مواظب باشی، تو ضعیفی، الهی برات بمیرم لابد اون‌طور هم که باید بهت نمی‌رسن، من اوایل نمی‌ذاشتم آب تو شکم محبوبه تکون بخوره. هر روز یه جور ویارونه درست می‌کردم، می‌فرستادم در خونَشون، این‌ها وظیفهٔ مادره. ببینم آشِ شله قلمکار برات پختن؟

وای که عمه‌جان حاضر نبود آتش‌بس بدهد، با عجله گفتم:

ـ بله عمه‌جون مرتب برام چیز می‌دن، ولی من میل ندارم، اصلاً هیچی از گلوم پایین نمی‌ره.

ـ نه جونم حتماً بد می‌پزن، خودم برات یه ویارونه بپزم که پنجه‌هاتو هم بخوری.

خانم جون از عصبانیت رنگ لبو شده بود می‌خواست جواب بدهد که پروین‌خانم صدایش کرد و گفت باید شام مردانه را بکشند. با رفتن خانم‌جون نفس راحتی کشیدم و عمه هم مانند آتش‌فشانی که ناگهان از فوران باز ایستد

آرام شد، مدتی به اطراف نگاه کرد و با تکان سر با بعضی از مهمانان سلام و علیک کرد، دوباره متوجه من شد و گفت:

ـ ماشاءالله عمه خوشگل شدی، بچه‌ات پسره، حالا بگو ببینم از شوهرت راضی هستی؟ ما که این شازده رو ندیدیم، همچین تو رو هول هولکی شوهر دادن که انگار آش داغ بود می‌ترسیدن از دهن بیفته، حالا واقعاً آش دهن‌سوزی هس؟

ـ والله چی بگم عمه جون، بد نیس، پدر و مادرش عازم مکه بودند وقت نداشتن، می‌خواستن همه کاراشونو بکنن با خیال راحت برن، این بود که عجله‌ای شد.

ـ آخه بدون هیچ تحقیق و تفحصی؟ شنیدم تا سر سفرهٔ عقد دومادو ندیده بودی، راسته؟

ـ آره ولی عکسشو دیده بودم.

ـ اوا عمه! آدم زن عکس که نمی‌شه، یعنی با همون عکس بهش علاقمند شدی و تشخیص دادی که مرد زندگیته؟ والله دیگه تو قم هم این‌طوری دختر شوهر نمی‌دن همین محبوبه، پدر شوهرش آخونده اما نه از این آخوند الکیا، روحانی خیلی محترمیه، از همهٔ قم هم حلال و حرومش بیشتره، وقتی اومد خواستگاری گفت: دختر و پسر می‌تونن با هم حرف بزنن، تا وقتی مطمئن بشن که همدیگه رو می‌خوان، اون‌وقت جواب بدن محبوبه اقلاً پنج دفعه با محسن خان تنها صحبت کرد چند دفعه ما رو شام دعوت کردن، چند دفعه ما دعوت کردیم، تازه با اینکه تمام قم می‌شناختنشون و احتیاجی به تحقیق نبود ما تحقیقم کردیم، آدم دخترشو که از سر راه نیاورده همین‌طوری بده دست یه آدم غریبه.

ـ نمی‌دونم عمه جون، راستش داداشام خیلی عجله داشتن، من راضی نبودم.

ـ غلط کردن مگه جای اونا رو تنگ‌کرده‌بودی؟ اصلاً از اول این مادرت پسراشو زیادی لوس کرد، این محمود که هی جانماز آب می‌کشه، اون احمد هم که معلوم نیست کجاست.

ـ ولی عمه جون حالا دیگه ناراضی نیستم. قسمتم این بود، حمید مرد خوبیه خانوادشم خوبن خیلی به من می‌رسن.

ـ وضع مالیش چطوره؟

ـ بد نیست برای من کم و کسری نمی‌ذارن.

ـ اصلاً چکاره‌س؟

ـ یک بنگاه چاپ کتاب دارن نصفش مال باباشه، اونم اونجا کار می‌کنه.

ـ دوستت داره؟ با هم خوشید؟ می‌فهمی که چی می‌گم؟

به فکر فرو رفتم، هیچ‌وقت از خود نپرسیده بودم که دوستش دارم یا دوستم دارد، البته نسبت به او بی‌علاقه نبودم، اصولاً او آدم دوست داشتنی و دلنشینی بود، حتی آقاجون هم با اینکه خیلی کم او را دیده بود دوستش داشت ولی عشق آن‌گونه که من سعید را دوست‌داشتم هرگز بین ما وجود نداشت، حتی روابط زناشویی ما بیشتر انجام وظیفه و رفع یک نیاز غریزی بود تا تظاهرات یک عشق واقعی.

ـ خوب عمه‌جون، چیه تو فکر رفتی. بالاخره دوستش داری یا نه؟

ـ می‌دونی آخه عمه‌جون مرد خوبیه، به من می‌گه درس بخون، می‌گه هر کاری دوست داری می‌تونی بکنی، می‌تونم سینما برم، مهمونی، گردش، طفلکی هیچی نمی‌گه.

ـ اگه تو بخوای همش تو خیابونا ولو باشی کی به شام و ناهار درست کردنت می‌رسی؟

ـ اوه... عمه. تا دلتون بخواد وقت هست، تازه حمید می‌گه شام و ناهار اصلاً مهم نیست اگه یه هفته هم نون‌وپنیر جلوش بذارم صداش در نمی‌آد، خیلی مرد بی آزاریه.

ـ به حق چیزای نشنیده، مرد بی‌آزار...؟ چه چیزا می‌گه. آدم نگران می‌شه.

ـ اوا، چرا عمه؟

ـ ببین دخترجون مرد بی‌آزار خدا نیافریده، این مرد یا ریگی به کفشش داره، می‌خواد تو رو مشغول نگه داره که مزاحم برنامه‌هاش نشی یا اینقده عاشقته که نمی‌تونه بهت بگه نه، که اینم خیلی بعیده، تازه اگر هم باشه مدتش کوتاهه چند وقت دیگه بذار ببین چه دُمی درمی‌آره.

ـ والله چه می‌دونم؟

ـ عمه‌جون من این مردا رو می‌شناسم، شوهر محبوب خودمون، هم باخداس هم تحصیل‌کرده و امروزی، عاشق محبوبه‌اس، چشم ازش بـرنمی‌داره، از وقتـی فهمیده حامله‌اس مثل، بچه‌تروخشکش‌می‌کنه ولی خوب چهار چشمـی هـم می‌پادش، مواظبه کجا می‌ره کجا می‌آد. بین خودمون باشه بعضی وقت‌ها هـم بفهمی نفهمی حسودی می‌کنه، بالاخره عشقه دیگه باید یه حسودی هم داشته باشه حتماً شوهر تو هم یه حسودی‌هایی داره، نه؟

حمید و حسودی؟! آن‌هم به من!، مطمئن بودم که مطلقاً در وجودش نیست، اگر همین الان به او بگویم که می‌خواهم ترکش کنم خیلی هم خوشحال می‌شود، چون زندگی زناشویی برای او گرفتاری است، زنجیری است بـر دست و پـا، هرچند که او در آزادی مطلق زندگی‌می‌کند هروقت بخواهد می‌آید و هـروقت بخواهد می‌رود و من هرگز جرأت نکردم از تنهایی‌های شبانه‌روزیم شکایتی بکنم ولی او باز هم از قید و بندهای خانوادگی می‌نالد شاید ما گوشه‌ای از ذهنش را مشغول کرده‌ایم که اگر نباشیم آن هم آزاد شده در اختیار اهدافش قرار می‌گیرد، نه حمید هرگز به من حسودی نمی‌کند. در حالی‌که این افکار مثل بـرق از سرم می‌گذشت چشمم به فاطی افتاد، صدا زدم:

ـ فاطی‌جون بیا این ظرفا رو از روی میز جمع کـن، خـانم‌جون داره شـام می‌کشه؟ بگو الان می‌آم سس سالادا رو می‌دم و به این بهانه عـمه‌جان را کـه آینه‌ای بی‌رحم در برابر زندگیم گرفته بود ترک کردم، ولی دلم عجیب گرفته بود.

❧

با شروع پاییز حالم خیلی بهتر شد کم‌کم شکمم جلو می‌آمد، بـرای کـلاس یازدهم در کلاس شبانه اسم نوشتم، عصرها قدم زنان به کلاس می‌رفتم، صبح‌ها پرده‌ها را کنار می‌زدم و در آفتابی که تا وسط اتاق گسترده می‌شد می‌نشستم، پاهایم را دراز می‌کردم در حال خوردن لواشک‌های عمه‌جان درس می‌خواندم، می‌دانستم که بعدها فرصت زیادی برای درس خواندن نخواهم داشت.

❧

یک روز حمید ساعت ده صبح به خـانه آمـد، داشتـم از تـعجب شـاخ در

می‌آوردم دو شب بود که به خانه نیامده بود، فکر کردم شاید مریض است، یعنی ممکن است نگران من شده باشد؟

ـ چی شده این وقت صبح اومدی خونه؟

با خنده گفت:

ـ اگه دوست نداری برگردم.

ـ نه... فقط نگران شدم حالت که خوبه؟

ـ آره بابا خوبم، امروز خبر دادن که برای وصل‌کردن تلفن می‌آن، من‌هم دسترسی به تو نداشتم، می‌دونستم پول هم توی خونه نداری، مجبور شدم بیام.

ـ تلفن! راست می‌گی؟ می‌خوان برامون تلفن بذارن، وای چقدر خوب.

ـ مگه نمی‌دونستی؟ من خیلی وقت پیش پول داده‌بودم.

ـ من چی می‌دونم؟ تو که با من حرفی نمی‌زنی. ولی خیلی خوب می‌شه حالا می‌تونم با همه صحبت کنم، کمتر احساس تنهایی می‌کنم.

ـ نه خیر، نشد معصوم خانم، تلفن مال کارای ضروریه، مال وراجی‌های صدتا یه‌غاز زنونه نیس، من برای بعضی تماس‌های ضروری باید تلفن داشته باشم، تلفن هم باید آزاد باشه، به ما بیشتر از بیرون تلفن می‌شه. یادت باشه شماره رو هم به کسی نمی‌دی.

ـ یعنی چه؟ یعنی خانم جون و آقاجونم هم نباید تلفن مارو داشته باشن؟ منو بگو خیال کردم آقا نگران من بوده که تلفن خریده، می‌خواد با این وضعی که دارم اگه خودش نیست لااقل با تلفن از حالم باخبر بشه، یا اگه یه‌دفعه دردم گرفت بتونم کسی رو خبر کنم.

ـ خوب حالا ناراحت نشو، معلومه که در مواقع ضروری می‌تونی تلفن کنی. منظورم این بود که بیست‌وچهار ساعته پای تلفن نباشی و خط رو اشغال نکنی.

ـ اصلاً من کی رو دارم که بهش زنگ بزنم؟ دوست که ندارم، خانم‌جون اینا هم که تلفن ندارن، باید از خونهٔ پروین‌خانم زنگ بزنن، فقط می‌مونه مادر خواهرای خودت.

ـ نه نه...! مبادا به اونا تلفن بدی؟ اون‌وقت می‌خوان بیست‌وچهار ساعته منو

حاضر، غایب کنن.

به هر حال تلفن وصل شد و ارتباط من با دنیای خارج که به دلیل سنگینی خودم و سرمای زمستان محدود شده بود دوباره برقرار گردید، هـر روز بـا پروین‌خانم حرف می‌زدم، اغلب خانم‌جون را هم صدا می‌کرد، اگر دستش بند نبود می‌آمد پای تلفن وگرنه فاطی اگر خانه بود با من صحبت می‌کرد. مادر حمید هم بالاخره از ماجرای تلفن باخبر شد و باکلی دلخوری و گله شماره را گرفت، خیال می‌کرد من نمی‌خواسته‌ام شماره را به او بدهم من هم نمی‌توانستم بگویم که دستور پسرش بوده. پس از آن حداقل روزی دو بار زنگ مـی‌زد، کـم کـم ساعت‌های تلفنش برایم مشخص شد، وقتی مطمئن بودم که او پشت خط است گوشی را برنمی‌داشتم، از بس که به دروغ گفته بودم حمید خوابست، یا رفته سر کوچه چیزی بخرد و یا حمام و دستشویی است خجالت می‌کشیدم.

❧

در یکی از نیمه‌شب‌های سرد زمستان، اولین شوک درد زایمان به سراغم آمد، وحشت و نگرانی تمام وجودم را گرفت، حمید را چگونه خبر کنم؟ همه چیز در ذهنم بهم ریخته بود، باید خودم را کنترل می‌کردم، سعی کردم حرف‌های دکتر را به‌خاطر آورم، خودم را جمع‌وجور کردم، باید فاصلۀ دردها را بنویسم، و بعد حمید را پیدا کنم، تنها تلفنی که از او داشتم تلفن محل کارش بود، با اینکه می‌دانستم در آن موقع شب کسی آنجا نیست تلفن کردم. طبیعی بود که کسی جواب نداد. هیچ شماره‌ای از دوستانش نداشتم، او با اصرار غریبی مواظب بود که یادداشت، شماره یا آدرس در جایی ننویسد و سعی می‌کرد همه را بـه خـاطر بسپرد، مـی‌گفت این‌طوری امنیت بیشتری دارم. چاره‌ای نبود باید به مـنزل پـروین‌خانم زنگ می‌زدم، اول خجالت می‌کشیدم آنها را این موقع شب از خواب بیدار کـنم ولی فشار درد تمام محذورات را از میان بـرداشت. شماره را گـرفتم صـدای زنگ در گوشی می‌پیچید ولی کسی آن را برنمی‌داشت. می‌دانستم کـه هـم گـوش‌های شوهرش و هم خواب خودش سنگینند، دستم خسته‌شد گـوشی را گـذاشتم، ساعت دو صبح بود به دقیقه‌شمار ساعت زل‌زده بودم فاصلۀ دردها نسبتاً مرتب

بود ولی نه آنچنان که تصور می‌کردم، هرلحظه وحشت‌زده‌تر می‌شدم به فکرم رسید که به مادر حمید تلفن کنم، ولی چه بگویم؟ چگونه بگویم حمید خانه نیست، سر شب گفته بودم آمده و رفته به بی‌بی سر بزند بعد هم حمید نمی‌دانم از کجا زنگ زد من‌هم گفتم به مادرش تلفن‌کند و بگوید پیش بی‌بی بوده، اگر حالا زنگ می‌زدم و می‌گفتم که رفته و نیامده مادرش دیوانه می‌شد، هم با من دعوا می‌کرد و هم از نگرانی در خیابان‌ها راه می‌افتاد و به بیمارستان‌ها سر می‌زد، دلشورهٔ بیمارگونهٔ او برای حمید تابع هیچ منطق و دلیلی نبود. افکار احمقانه تمام ذهنم را پرکرده بودند، دست‌هایم را زیر شکمم گرفته بودم و طول و عرض اتاق را طی می‌کردم، چنان مضطرب بودم که حالم داشت بهم می‌خورد، وقتی که درد شروع می‌شد هرجا که بودم خشک می‌شدم، اول مواظب بودم سر و صدا نکنم ولی بعد به خاطر آوردم که اگر فریاد هم بزنم کسی نخواهد شنید، بی‌بی در ناشنوایی خود خوابی آرام داشت اگر هم بیدارش می‌کردم نمی‌توانست برای من کاری بکند، یاد عمه‌جان افتادم که می‌گفت شوهر محبوبه وقتی فهمید دردهای زایمان زنش شروع شده چطور دست‌پاچه شد، دور زنش می‌چرخید و قربان صدقه‌اش می‌رفت، احساس بیزاری و نفرت وجودم را فرا گرفت، مرگ و زندگی من و این بچه برای حمید پشیزی ارزش نداشت، به ساعت نگاه‌کردم سه ونیم بود، بار دیگر به منزل پروین‌خانم زنگ زدم مدت‌ها گوشی را نگهداشتم ولی فایده‌ای نداشت. فکر کردم لباس بپوشم و خودم را به خیابان اصلی برسانم بالاخره ماشینی پیدا می‌شد که مرا به بیمارستان ببرد. چمدان خودم و بچه را که از ده روز پیش آماده کرده بودم بیرون آوردم، محتویات آن را بیرون ریختم به دنبال فهرستی که دکتر و منصوره برایم نوشته بودند گشتم، دوباره وسایل را تا کردم و درِ چمدان را بستم، چند بار درد به سراغم آمد ولی فاصله‌ها به نظرم متفاوت می‌رسید، روی تخت دراز کشیدم، فکر کردم که دارم اشتباه‌می‌کنم باید حواسم را جمع‌می‌کردم به ساعت چشم دوختم، چهاروبیست دقیقه بود، دفعه بعد که با فشار درد از جا پریدم ساعت شش‌ونیم صبح بود. ظاهراً دردها مدتی آرام گرفته و به خواب رفته بودم، دوباره دلشوره شروع‌شد با عجله به طرف تلفن رفتم و به منزل

پروین‌خانم زنگ زدم، تصمیم داشتم آن‌قدر گوشی را نگه دارم تا کسی جواب دهد، شاید دوازده بار زنگ زده بود که صدای خواب‌آلود پروین‌خانم از آن سر سیم گفت بله، با شنیدن صدای یک آدم دیگر بغضم ترکید و با گریه گفتم:

ـ پروین‌خانم به دادم برس بچه داره دنیا می‌آد!

ـ وای خدا مرگم بده، برو بیمارستان برو ما هم اومدیم.

ـ چطوری برم با این بار و بندیل؟

ـ مگه حمید نیست؟

ـ نه بابا نیست. دیشب خونه نیومده، دیشب تا حالا صد دفعه بهت تلفن کردم خدایی بود که بچه تا حالا دنیا نیومده.

ـ تو حاضرشو ما الان می‌آییم، می‌رم دنبال خانم جونت با هم می‌آییم تـو لباس بپوش.

بعد از حرف زدن با پروین‌خانم هرچند دردهـا شـدیدتر مـی‌شد ولـی مـن آرامش بیشتری داشتم. در بیمارستان با اینکه درد می‌کشیدم ولی دکتر می‌گفت زود است. خانم جون دست‌هایم را گرفت و گفت:

ـ زن زائو موقع درد کشیدن هر دعائی بکنه برآورده می‌شه، دعا کن خدا از گناهات بگذره.

گناهانم؟ مگر من چه گناهی کرده بودم؟ تنها گناه من این بود که روزی کسی را دوست داشتم، ولی این بهترین خاطرهٔ زندگیم بود، نمی‌خواستم کسی آنرا پاک کند.

ساعت از ظهر هم گذشت ولی از تولد بچه خبری نبود آمپول‌ها و داروهایی تزریق می‌شد ولی بی‌فـایده بـودند، پـروین‌خانم هـر وقت بـه اتـاق مـی‌آمد وحشت‌زده نگاهم‌می‌کرد و برای اینکه حـرفی زده‌بـاشد بـرای چـندمین بـار می‌پرسید:

ـ آخه پس این حمیدآقا کجاس؟ بذار به خونهٔ مادرش زنگ بزنم شاید اونا بدونن، با ناله و بریده بریده می‌گفتم:

ـ نه، این کارو نکنی‌ها وقتی خودش اومد زنگ می‌زنه. خانم جـون کـه از عصبانیت خون خونش را می‌خورد گفت:

ـ یعنی چه؟ بالاخره نباید ننه‌ش بیاد ببینه چه به سر عروس و نوه‌ش اومده؟ اینا چرا هیچ کدوم عین خیالشون نیست؟

و با غرزدنهای مداومش بیشتر مرا عصبی می‌کرد. ساعت چهار بعدازظهر دیگر نگرانی در صورت خانم‌جون مـوج‌می‌زد، صـدای آقـاجون از پشت در می‌آمد که می‌گفت:

ـ پس این دکتر کجاس یعنی چه که تلفنی در جریان وضع مریضه، خودش باید بالا سرش باشه. خانم جون می‌گفت:

ـ قربون همون ماماهای خودمون، از صبح تا حالا بچه‌ام داره درد مـی‌کشه یک کاری بکنید.

گاهی از درد بی‌حال می‌شدم. کم‌کم رمق ناله‌کردن هم نداشتم، پروین‌خانم عرق‌های صورتم را پاک می‌کرد و می‌گفت:

ـ گریه نکنید خانم بالاخره زایمان درد داره.

ـ نه تو نمی‌دونی، من خودم سر زاییدن صد تا از فک و فامیلا بودم، خواهر خدا بیامرزم همین‌طوری بود که سر زا مُرد، اصلاً معصومو که می‌بینم انگار مرضیه اونجا خوابیده و درد می‌کشه.

خیلی عجیب بود با تمام دردی که داشتم حواسم همه جا کار می‌کرد، صداها را به خوبی می‌شنیدم، با خودم گفتم: من هم رفتنی هستم، خانم‌جون یک‌ریـز از شباهت من و مرضیه صحبت می‌کرد و من هر لحظه نـاامیدتر و نـاتوان‌تـر می‌شدم. ساعت از پنج گذشته بود که حمید آمد با دیدن او گویی پشت و پناهی پیدا کردم و بر انـرژیم افـزوده شـد، واقعاً کـه عـجیب است نـزدیک‌ترین و بهترین تکیه‌گاه زن در لحظات سختی همسر اوست حتی اگر نـامهربان بـاشد، نفهمیدم مادر و خواهرهایش کی آمدند بیمارستان شلوغ شد، مادرش با پرستار دعوا می‌کرد که:

ـ پس این دکتر کجاس، بچه داره از دست می‌ره می‌دانستم نگرانی او برای نوه‌اش است نه من. پرستار در حالی‌که مرا معاینه می‌کرد می‌گفت:

ـ واه واه، چه کولی‌بازی راه انداختن، خانم دکتر گفته وقتش که شد می‌آم.

ساعت یازده شب بود، دیگر توان نفس‌کشیدن هم نداشتم، مرا به اتاق دیگری بردند، از حرف‌ها فهمیده بودم که تنفس بچه اشکال پیدا کرده، دکتر با عجله دستکش‌هایش را می‌پوشید و سر پرستار که نمی‌توانست رگ را پیدا کند داد می‌کشید که دیگر من هیچ چیز نفهمیدم.

وقتی بیدار شدم اتاق تمیز و روشن بود خانم‌جون بالای سرم نشسته‌بود و چرت می‌زد، درد نداشتم ولی خستگی و ضعف شدیدی را در تمام بدنم احساس می‌کردم. گفتم:

ـ بچه مُرد؟

ـ وا... زبونتو گاز بگیر ننه، خدا نکنه، بچه‌ت یه پسره مثل دستهٔ گل، نمی‌دونی وقتی فهمیدم پسره چه ذوقی کردم، چقدر جلوی مادرشوهرت سربلند شدم.

ـ ناقص نیست؟

ـ نه خدا نکنه.

وقتی دوباره چشم باز کردم، حمید در اتاق بود، خندید و گفت:

ـ مبارکه، خیلی سخت بود، نه؟

ـ بی‌اختیار اشک‌هایم سرازیر شدند و گفتم:

ـ تنهاییش سخت‌تر بود.

سرم را در آغوش گرفت و موهایم را نوازش کرد، تمام دلخوری‌ها و تنهایی‌ها فراموش شدند.

ـ بچه سالمه؟

ـ آره فقط خیلی کوچیکه.

ـ مگه چند کیلو بود؟

ـ دو کیلو و هفتصد گرم.

ـ انگشتاشو شمردی درستن؟

با خنده بلندی گفت:

ـ البته که درستند.

ـ پس چرا نمی‌آرن من ببینمش؟

ـ چون تو دستگاهه، به دلیل زایمان سخت و طولانی بچه‌رو توی دستگاه گذاشتن تا تنفسش منظم بشه، ولی معلومه خیلی شیطونه تو همون دستگاه یکسره دست‌وپاشو تکون می‌ده و ونگ‌ونگ می‌کنه.

فردای آن روز حالم خیلی بهتر بود، بچه را آوردند، طفلک تمام صورتش جای خراش و زخم بود گفتند جای فورسپس است، خدا را خیلی شکر کردم که آسیبی ندیده، ولی مدام گریه می‌کرد اصلاً حاضر نبود سینهٔ مرا بگیرد داشتم از خستگی ضعف می‌کردم. عصر اطاقم غلغله بود، هرکس بچه را یک شکلی می‌دید، مادر حمید می‌گفت عیناً حمید است ولی خانم‌جون معتقد بود که به دایی‌هایش رفته. خانم‌جون از حمید پرسید:

ـ راستی برای اسمش چه فکری کردین؟ اسم بچه‌رو چی می‌ذارین؟

ـ خوب معلومه، سیامک...

و با حالتی خاص به پدرش نگاه کرد. پدرش خندید و سری تکان داد، من جا خوردم. ما هرگز در مورد اسم بچه صحبت نکرده بودیم و این تنها اسمی بود که هرگز به فکرم خطورنکرده‌بود و در فهرست بلند بالایم دیده نمی‌شد.

ـ چی گفتی سیامک؟ من خیلی اسمای خوشگل پیدا کردم، حالا چرا سیامک؟

خانم‌جون هم ادامه داد:

ـ سیامک چیه؟ آدم اسم ائمهٔ اطهارو باید روی بچه‌ش بذاره که عاقبت به‌خیر بشه. آقاجون اشاره کرد که ساکت باش و دخالت نکن.

حمید جدی و مصمم گفت:

ـ نه سیامک خوبه.

ـ آخه تو مدرسه صداش می‌کنن سیاه، بچه‌ام به این سفیدی.

نگاه عاقل‌اندر سفیهی به من کرد و گفت:

ـ آدم باید اسم بزرگانو رو بچه‌ش بگذاره.

خانم‌جون نگاه پرسشگرانه‌ای به من کرد، من‌هم شانه‌هایم را بالا انداختم که یعنی نمی‌دانم. بعدها فهمیدم در دارودستهٔ آنها اغلب بچه‌ها اسم‌هایی از این قبیل

دارند، به قول خودشان اسامی کمونیست‌های واقعی.

بعد از بیمارستان به خانهٔ خانم‌جون رفتم، ده روز هم آنجا بودم تا کم‌کم راه افتادم و کارهای بچه را یاد گرفتم. و به خانه برگشتم. پسرم سالم بود ولی مدام گریه‌می‌کرد، شب‌ها تا صبح راهش می‌بردم. صبح‌ها او به صورت مقطع می‌خوابید ولی من هزار کار داشتم که باید انجام می‌دادم، پروین‌خانم تقریباً هر روز به من سر می‌زد و گاه هم با خانم‌جون می‌آمد، خیلی کمک می‌کرد تقریباً تمام خریدهایم را انجام می‌داد چون من مطلقاً نمی‌توانستم از خانه خارج‌شوم و حمید هم هیچ‌گونه احساس مسؤولیتی نداشت، تنها تغییری که در برنامه‌هایش ایجاد شده بود این بود که شب‌هایی که به خانه می‌آمد پتو و بالشش را برمی‌داشت و در اتاق مهمانخانه می‌خوابید، بعد هم گله می‌کرد که بدخواب شده و در این خانه آرامش ندارد. چند بار بچه را با پروین‌خانم پیش دکتر بردم. دکتر می‌گفت بچه‌هایی که با فورسپس و زایمان‌های سخت به‌دنیامی‌آیند معمولاً عصبی و بداخلاقند ولی مشکل خاصی ندارند و بچهٔ من‌هم کاملاً سالم است. دکتر دیگری گفت که شاید گرسنه است و شیرِ من تکافوی نیاز او را نمی‌کند و شیر کمکی داد. خستگی، ضعف، کم‌خوابی، گریهٔ مداوم این بچه و از همه مهم‌تر تنهایی روزبه‌روز افسرده‌ترم می‌کرد. برای هیچ‌کس هم نمی‌توانستم درددل کنم باور کرده بودم تقصیر منست که حمید رغبتی به خانه ندارد، تمام اعتماد به نفسم را از دست داده بودم، از همه بدم می‌آمد، غم‌ها و شکست‌های کهنه با شدت بیشتری خودنمایی می‌کردند، احساس می‌کردم دنیا برایم خاتمه یافته، هرگز از بار مسؤولیت و زحمتی به این سنگینی خلاص‌نخواهم‌شد. اغلب با گریهٔ بچه اشک‌های خودم هم سرازیر می‌شد. حمید مطلقاً متوجه من و بچه نبود، برنامه‌های شبانه‌روزی خودش را دنبال می‌کرد، چهار ماه بود که جز برای بردن بچه به دکتر از خانه بیرون نرفته بودم، خانم‌جون می‌گفت:

ـ همه بچه‌دار می‌شن، ولی هیچ‌کس این‌طور که تو خودتو گرفتار کردی

خونه‌نشین نمی‌شه.

❀

با گرم‌تر شدن هوا و بزرگ‌تر شدن بچه حال من هم کمی بهتر شد، دیگر از
خودم و این بی‌حالی و افسردگی مدام حالم بهم می‌خورد و بالاخره در یک روز
زیبای اردیبهشت ماه توان تصمیم‌گیری را بازیافتم به خود گفتم: باید بلند شوم،
من مادرم، در مقابل بچه‌ام مسؤولیت دارم، باید قوی باشم، روی پای خودم
بایستم و بچه‌ام را، که دیگر مرا می‌شناخت، در محیطی شاد و سالم بزرگ کنم، با
این تصمیم همه‌چیز تغییر کرد نشاط زندگی در درونم جریان یافت، گویی بچه
هم متوجه این تصمیم شده بود، کمتر گریه می‌کرد حتی گاه با دیدن من می‌خندید
و دست‌هایش را بـه طـرفم دراز می‌کرد، در ایـن مـواقع تـمام غـم‌ها را
فراموش می‌کردم، هنوز هم خیلی از شب‌ها نمی‌گذاشت تـا صبح بخوابم ولی
عادت‌کرده و شرایط را پذیرفته‌بودم. گاه می‌نشستم و مدت‌ها نگاهش می‌کردم،
هر حرکتش برایم معنی خاصی داشت، گویی دنیایی بود که تازه کشف می‌کردم.
روزبه‌روز قوی‌تر می‌شدم و روزبه‌روز بیشتر دوستش می‌داشتم، گویی عشـق
مادری به تدریج در تمام سلول‌های بدنم نفوذمی‌کرد. با خودم می‌گفتم: امروز
چقدر بیشتر از دیروز دوستش دارم، عشق بیش از این امکان ندارد، ولی بـاز
فردا حس می‌کردم که بیش از دیروز برایم عزیز است. دیگر نیازی نبود با خودم
حرف بزنم، برایش می‌گفتم و می‌خواندم و او با چشم‌های درشت و باهوشش به
من می‌فهماند که کدام شعر را بیشتر دوست دارد، بـا شعرهای آهنگینم دست
می‌زد، هر روز عصر بـا کـالسکه در کـوچه‌پس‌کوچه‌های اطـراف خـانه کـه
درخت‌های قدیمی داشت قدم‌می‌زدیم او عاشق این گردش‌ها بود. فاطی به هر
بهانه‌ای خودش را به خانهٔ ما می‌رساند و سیامک را در آغوش مـی‌گرفت، بـا
تعطیل شدن مدارس بعضی از شب‌ها هم پیش من می‌خوابید. بـودن او واقـعاً
کمک بزرگی بود. دوباره برنامهٔ ناهار جمعه‌ها در منزل پدر و مادر حمید برقرار
شد. هرچند که سیامک بچه خوش‌خلق نبود و به راحتی بـه آغـوش دیـگران
نمی‌رفت ولی خانوادهٔ حمید واقعاً عاشق او بودند و هیچ بهانه‌ای را برای برهم زدن

برنامهٔ روزهای جمعه نمی‌پذیرفتند. از همه زیباتر و بی‌سروصداتر رابطهٔ آقاجون با سیامک بود، او که در یکی دو سال گذشته کمتر از سه بار به خانهٔ ما آمده بود حالا یکی دوبار در هفته بعد از تعطیل‌کردن مغازه بـه مـن سـر مـی‌زد، اوایـل بهانه‌ای برای این آمدن‌ها می‌تراشید، مثلاً برایم شیر یا غذای بچه می‌آورد، ولی بعدها دیگر بهانه هم نمی‌خواست، می‌آمد کمی با سیامک بازی می‌کرد و می‌رفت، بله سیامک رنگ و بویی تازه به زندگیم داده بود، با بودن او، نبودن حمید را کمتر احساس می‌کردم، تمام روزم به غذا دادن، حمام کردن، آواز خـوانـدن بـرای او می‌گذشت و او هم هشیارانه اجازه نمی‌داد که حتی لحظه‌ای را بدون توجه به او بگذرانم. این کوچولوی شیطان و بازیگوش تمام هوش و حواس و عشق مـرا طلبکارانه می‌خواست، امتحانات و درس را به کلی کنار گذاشتم. وسیلهٔ جالبی که در این زمان بیشتر ما را سرگرم کرد تلویزیونی بود که پدر حمید به عنوان کادو برای سیامک خرید.

❧

اواخر تابستان برای یک هفته با پدر و مادر حمید به مسافرت رفتیم، چه معجزه‌ای! و چه هفتهٔ دلپذیری، حمید در مقابل مادرش واقعاً خـلـع‌سلاح بـود. هزاران بهانه برای نرفتن جور کرد ولی هیچ‌کدام مؤثر نیفتاد. اولین باری بود که به شمال می‌رفتم، مثل بچه‌ها ذوق‌زده و شادمان بودم. با دیدن آن‌همـه زیبـایی و سرسبزی و بالاخره امواج خروشان دریا متحیر و مات بر جا ماندم، می‌توانستم ساعت‌ها در کنار دریای بیکران بنشینم و از آن‌همه زیبایی لذت ببرم. سیامک هم ظاهراً عاشق این فضا و جمع خانوادگی ما بود، خودش را یکسره در آغوش حمید می‌انداخت، و از بغل او حتی به بغل من هم نمی‌آمد. مگر وقتی خیلی گرسنه بود و شیر می‌خواست، که در ایـن مـواقـع هـم دست حمید را در دست‌هـای کوچکش نگاه‌می‌داشت. پدر و مادرش از این حرکات نوه‌شان واقعاً به وجـد می‌آمدند. یک بار مادرش با شادمانی و شیطنت در گوش من گفت:

ـ می‌بینی؟ مگه دیگه حمید می‌تونه از این بچه دست برداره و بره دنبال اون کاراش؟ تا زودتره دومی رو هم بذار تو بغلش؛ خدارو شکر.

حمید یک کلاه حصیری گرفته‌بود که سعی می‌کردیم سیامک را زیر آن نگهداریم تا پوست لطیفش در معرض آفتاب نباشد. ولی من مثل مس گداخته شده بودم. یک بار متوجه شدم که مادر حمید چیزهایی در گوشش می‌گوید، و حمید هم مرتب برمی‌گردد و به من نگاه‌می‌کند. خودم را جمع‌وجور کردم. مدت‌ها بود که روسری و چادر فراموش شده‌بودند البته کاملاً رعایت لباس پوشیدن را می‌کردم، ولی لباس آن روز آستین کوتاه، تقریباً نازک و یقه‌باز بود، هرچند که در مقابل مایوهایی که خانم‌ها پوشیده بودند لباسی نجیبانه به نظر می‌رسید ولی باز هم برای من زیاد بود. با خود گفتم حق‌دارند چقدر پررو شدم. وقتی حمید به کنارم آمد، با نگرانی پرسیدم:

ـ مامانت چی می‌گفت؟

ـ هیچی!

ـ چطور هیچی، من فهمیدم چیزایی در مورد من می‌گفت، بگو که من هم بفهمم از چه کارِ من ناراحته!

ـ ای بابا...! واقعاً که این افسانهٔ عروس و مادرشوهر رو در عمق ذهن شماها کاشتن! اصلاً ناراحت نبود، تو چرا بی‌خودی بدبین هستی؟!

ـ پس بگو چی می‌گفت.

ـ هیچی، می‌گفت زنت حالا که سوخته خیلی خوشگل‌تر شده، و از این حرفا.

ـ راستی؟! خوب، تو چی گفتی؟

ـ من؟! خوب چی بگم؟!

ـ منظورم اینه که تو نظرت در مورد من چیه؟

نگاهی خندان، نافذ و تحسین‌آمیز به سراپایم انداخت و گفت:

ـ راست می‌گن تو خیلی خوشگلی، روزبه‌روز هم خوشگل‌تر می‌شی.

احساس شادمانی خاصی در قلبم کردم، بی‌اختیار لبخند زدم. خیلی از این تعریف خوشم آمده بود، این اولین باری بود که مستقیماً از من تعریف می‌کرد. با شکسته‌نفسی گفتم:

ـ نه بابا! به خاطر آفتابه. وگرنه من خیلی رنگ پریده‌م. یادت نیست پارسال

می‌گفتی مثل مریضا می‌مونی؟!

ـ مریض‌ها که نه، بیشتر شکل بچه‌ها بودی ولی حالا بزرگ‌تر و کمی چاق‌تر شدی، توی این آفتاب خیلی خوشرنگ‌تر به نظر می‌رسی موها و چشمات درخشان‌تر و روشن‌تر شده. خلاصه داری به یک زن کامل و زیبا تبدیل می‌شی...

آن هفته از بهترین ایام زندگیم بود. خاطرات آن روزهای گرم و آفتابی و زیبا بسیاری از شب‌های سرد و سیاه زندگیم را قابل تحمل کرد.

سیامک من بچه‌ای باهوش، بسیار شیطان، بی‌قرار و زیبا بود، یا در چشم من زیبا می‌آمد حمید می‌خندید و می‌گفت:

ـ یک ضرب‌المثل خارجی می‌گه تنها یک بچهٔ زیبا در دنیا وجود داره و اون رو هم هر مادری داره!

خیلی زود راه‌افتاد، و با کلمات بریده و اصوات خاص مقصودش را بیان می‌کرد. از وقتی راه افتاده بود به جرأت می‌توانم بگویم که حتی لحظه‌ای نشسته و آرام نبود، هرچه را می‌خواست به زور می‌گرفت و اگر موفق نمی‌شد جیغ می‌کشید. عصبی می‌شد و تا موقعی که به منظورش نمی‌رسید گریه می‌کرد. تمام وقت در اختیارش بودم و سعی می‌کردم تمام خواسته‌هایش را برآورده کنم. برخلاف پیش‌بینی مادر حمید، عشق و نیاز این بچه هم نتوانست حمید را به زندگی خانوادگی پای‌بند کند، بعد از یک‌سال دوباره یاد درس‌خواندن افتادم ولی مگر بچه می‌گذاشت، سیامک دو ساله بود که من بالاخره توانستم کلاس یازدهم را هم امتحان بدهم، حالا فقط یک‌سال دیگر تا گرفتن دیپلم و رسیدن به آرزوی همیشگیم باقی مانده بود. ولی چند ماه بعد با وحشت متوجه شدم که دوباره حامله هستم، می‌دانستم حمید اصلاً از شنیدن این خبر خوشحال نخواهد شد ولی انتظار چنان عکس‌العملی را با آن‌همه خشم و بیزاری نداشتم. دعوای مفصلی راه انداخت که چرا قرص‌هایم را مرتب نخورده‌ام، هرچه می‌گفتم قرص‌ها به من نمی‌سازد و ناراحتم می‌کند بیشتر عصبانی می‌شد و فریاد می‌زد که:

ـ نه‌خیر این مربوط به طرز فکر احمقانهٔ توس، همه قرص می‌خورن چطور

فقط به تو نمی‌سازه؟ بگو خوشم می‌آد ماشین جوجه‌کشی باشم، جون به جونتون کنند همین وظیفه‌رو برای خودتون انتخاب می‌کنید، خیال کردی با هر سال بچه‌دار شدن می‌تونی منو اونقدر گرفتار کنی که از مبارزاتم دست بردارم.

ـ نه اینکه حالا برای این بچه خیلی زحمت کشیدی و وقت صرف کردی؟ می‌ترسی بچه دوم بیاد مجبور بشی وقت بیشتری صرف کنی، تو کی نگران خونه و زن و بچه‌ات بودی که با اومدن دومی به نگرانیات اضافه بشه؟

ـ همین وجودتون دست و پا گیره، خفه‌ام کردید، دیگه حوصلهٔ زاغ و زوغ دومی رو ندارم تا زوده باید بری یک فکر اساسی بکنی.

ـ یعنی چه فکری؟

ـ برو کورتاژ کن، من یک دکتر آشنا دارم.

ـ یعنی بچه‌مو بکشم، بچه‌ای مثل سیامکو؟

ـ بسه این مزخرفاتِ تو حال منو بهم می‌زنه، بچه چیه؟ حالا تنها چندتا سلوله، یک نطفه‌اس، همچین می‌گه بچه‌م که انگار چهار دست و پا نشسته جلوش و وجود داره؟

ـ پس چی که وجود داره، یک انسانه با روح انسانی.

ـ این چرندیاتو دیگه کی یادت داده؟ خاله خان باجی‌های قم؟

با گریه و خشم گفتم:

ـ من بچه‌مو نمی‌کشم تازه اون بچهٔ تو هم هست، چطور دلت می‌آد؟

ـ راست می‌گی تقصیر منه، من از اول نباید به تو دست می‌زدم، اگه سالی یک بار هم بیام طرفت حتماً حامله می‌شی، دیگه این اشتباهو تکرار نمی‌کنم، قول می‌دم. تو هم هر غلطی دلت خواست بکن ولی از حالا بهت گفته باشم که رو من حساب نکن، هیچ توقعی نباید از من داشته باشی.

ـ الآن هم ازت توقعی ندارم، تو برای من چه کردی؟ کدوم مسؤولیتتو انجام دادی؟ که منتظر بعدیش باشم؟

ـ در هر صورت خیال‌کن من وجود ندارم.

این بار تکلیفم روشن بود، همه چیز را از قبل تدارک دیدم، پروین‌خانم یک سیم تلفن به منزل خانم‌جون داده بود که من راحت‌تر تماس بگیرم و مانند دفعهٔ گذشته وحشت‌زده نشوم، خوشبختانه زایمان اواخر تابستان انجام می‌شد که فصل تعطیل مدارس بود. قرار بود یکی دو هفتهٔ آخر فاطی تمام مدت منزل ما باشد تا اگر مجبور شدم ناگهان به بیمارستان بروم سیامک تنها نماند، وسایل بچه را هم آماده کرده بودم هرچند چیز زیادی نمی‌خواست چون هنوز وسایل سیامک قابل استفاده بود، خانم‌جون مرتب می‌پرسید:

ـ مگه حمیدآقا نیست؟ تو چرا این‌قدر نگرانی؟

ـ آخه برنامهٔ حمید معلوم نیست، بعضی شبا باید تو چاپخونه بمونه، خیلی وقتا هم مأموریت‌های ناگهانی براش پیش می‌آد و باید بره سفر.

برخلاف دفعهٔ قبل همه‌چیز به خوبی و طبق‌برنامه پیش رفت وقتی مطمئن شدم باید فقط به خودم متکی باشم همه چیز را دقیق و مرتب تنظیم‌کردم، دیگر دلهره و اضطراب نداشتم همان‌گونه که انتظار داشتم حمید موقع شروع درد نبود و تا دو روز بعد از زایمان هم از قضیه مطلّع نشد، خانم‌جون خیلی حرص می‌خورد می‌گفت:

ـ یعنی چه؟ ما هم رسم نداشتیم آقامون موقع زایمان بغل دَسّمون باشه ولی بعد از زایمان سری بهمون می‌زد، دستی سر و گوش زن و بچه‌ش می‌کشید، چشم‌روشنی می‌داد، ولی این شوهر تو انگارنه‌انگار، دیگه نوبرشو آورده.

ـ ول کن خانم‌جون حوصله‌داری؟ همون بهتر که نیست، اونم هزار جور کار و گرفتاری داره.

چقدر نسبت به دفعهٔ گذشته قوی‌تر و با تجربه‌تر بودم، زایمان طبیعی گذشت، هرچند دردها خیلی شدید و باز هم طولانی بود، ولی هنگام تولد بچه به هوش بودم. با شنیدن صدای گریه‌اش احساس عجیبی پیدا کردم، دکتر گفت:

ـ مبارکه، اینم یک پسر تپل‌مپل!

این بار هیچ نیازی به زمان نداشتم تا احساس مادری را بشناسم، این عشق

در تمام ذرات وجودم حضور داشت. برخلاف دفعهٔ قبل هیچ‌چیز بچه در نظرم عجیب و غیرعادی نبود. از گریه‌هایش دست‌پاچه نمی‌شدم، از سرفه یا عطسه‌اش وحشت نمی‌کردم، از بی‌خوابی‌های شبانه شاکی نبودم و البته او هم به مراتب آرام‌تر و صبورتر از سیامک بود. خلق و خوی بچه‌هایم دقیقاً نشان‌دهنده وضع روحی خودم در هنگام تولد و نوزادیشان بود، این بار بعد از مرخصی از بیمارستان یکراست به خانهٔ خودمان رفتم، این‌طوری برای بچه‌ها راحت‌تر بود، و از همان ابتدا تمام کارهای منزل را برعهده گرفتم، کارِ خانه، تمیز کردن، نگهداری دو بچه با نیازهای مختلف و هر دو زبان نفهم. می‌دانستم که نباید هیچ امیدی به حمید داشته باشم، او بهانه‌ای را که چندین سال به دنبالش می‌گشت یافته بود با گناهکار خواندن من، خود را آسوده کرد و ته‌ماندهٔ مسؤولیت‌هایش را هم به گردن من گذاشت. تازه رفتارش به گونه‌ای بود که گویی چیزی هم طلبکار است. شب‌ها کمتر به خانه می‌آمد. اتاق خوابش را جدا کرده بود و هیچ کاری به ما نداشت. من‌هم غرورم اجازه نمی‌داد چیزی از او بخواهم، شاید هم می‌دانستم بی‌فایده است. در این مدت تنها مشکل بزرگ من سیامک بود، او بچه‌ای نبود که به این سادگی مرا به خاطر آوردن یک رقیب ببخشد. وقتی بچه‌به‌بغل از بیمارستان وارد خانه شدم، گویی بزرگ‌ترین خیانت را در حقش مرتکب شده‌ام نه‌تنها به دامنم نیاویخت و نزدیکم نیآمد بلکه فرار کرد و پشت تخت پنهان‌شد، بچه را به فاطی دادم و به دنبالش رفتم، با قربان صدقه و وعده و وعید در آغوشش گرفتم بوسیدمش و گفتم که چقدر دوستش دارم، ماشینی را که از قبل برایش خریده و پنهان‌کرده‌بودم به دستش دادم و گفتم آن را برادر کوچکش برایش آورده. با ناباوری نگاهش کرد و با بی‌میلی حاضر شد بیاید و بچه را ببیند، ولی تمهیدات من مؤثر واقع نمی‌شد و او روزبه‌روز بدخلق‌تر و عصبی‌تر رفتار می‌کرد، دیگر حرف نمی‌زد، کلمات را غلط و جابه‌جا به کار می‌برد، درصورتی‌که از دو سالگی حرف زدنش تقریباً کامل شده بود و به خوبی می‌توانست خواسته‌هایش را بگوید، حتی گاه خودش را خیس می‌کرد و من که نزدیک به یک سال بود دیگر او را با کهنه نمی‌بستم مجبور شدم این کار را سر گیرم، آنچنان غمگین و آزرده بود که

نیم‌نگاهی به او دلم را به درد می‌آورد. شانه‌های کوچک این بچهٔ سه ساله زیر بار این غصه نحیف‌تر به نظر می‌رسید، نمی‌دانستم چه کنم، دکتر گفته بود سعی‌کنید جلوی او بچه را در آغوش نگیرید، او را در کارهای بچه شریک کنید، ولی مگر می‌شد؟ نه من کسی را داشتم که موقع شیر دادن و در آغوش گرفتن بچه او را دور از من نگاه‌دارد و نه او راضی می‌شد جز برای ضرب و جرح به بچه نزدیک شود چه رسد به همکاری در کارهایش. به چشم خود لاغر شدن روزانه‌اش را می‌دیدم، نمی‌توانستم به تنهایی خلأ زندگیش را پر کنم، وای که او در این موقعیت چقدر به پدرش نیاز داشت.

یک ماه گذشته بود و ما هنوز اسمی برای بچه در نظر نگرفته بودیم، یک بار که خانم‌جون با پروین‌خانم به منزل ما آمده بود گفت:

ـ این بابای بی‌غیرتش نمی‌خواد برای بچه‌ش اسم بذاره؟ چرا یک فکری نمی‌کنید؟ گناه داره‌ها...! مردم برای اسم گذارون بچه‌شون جشن می‌گیرن هزار جور استخاره و صلاح مصلحت می‌کنن، شماها انگار نه انگار.

ـ حالا دیر نشده.

ـ چطور دیر نشده؟ الان نزدیک چهل روزشه بالاخره باید یک چیزی صداش کنید، تاکی می‌خوای بگی نی‌نی؟

ـ نه بابا من بهش نی‌نی نمی‌گم.

ـ پس حالا بهش چی می‌گی؟

ـ بی‌اختیار گفتم: سعید...!

پروین‌خانم با نگاهی نافذ به من چشم دوخت، نگرانی و هالهٔ اشکی در چشمانش درخشید. خانم‌جون بی‌خبر از همه جا گفت:

ـ بد هم نیست اسم قشنگیه به سیامک هم میاد.

ساعتی بعد که در اتاق خواب مشغول شیردادن به بچه بودم پروین‌خانم کنارم نشست و گفت:

ـ این کارو نکن.

ـ کدوم کار؟

ـ اسم بچه‌اتو سعید نذار.

ـ چرا به نظرت اسم قشنگی نیست؟

ـ خودتو به اون راه نزن خوب می‌دونی من چی می‌گم، چرا می‌خوای این کارو بکنی و دوباره خاطرات ناراحت‌کننده‌ای رو برای خودت زنده کنی؟

ـ نمی‌دونم، شاید می‌خوام توی این خونهٔ یخ‌زده اسم آشنایی رو صدا کنم، نمی‌دونی چقدر تنهام و احتیاج به محبت دارم. آخ که اگه فقط یک سرِ سوزن عشق تو این خونه بود من حتی اسمش رو هم فراموش کرده بودم.

ـ ولی با این کار با هر صدا زدن، یادش می‌افتی و زندگیت از این که هست سخت‌تر می‌شه.

ـ می‌دونم.

ـ پس اسم دیگه‌ای بذار.

چند روز بعد از یک فرصت استثنایی استفاده کردم و به حمید گفتم:

ـ خیال نداری برای این بچه شناسنامه بگیری؟ بالاخره باید براش اسمی بذاریم؟ هیچ در این مورد فکر کردی؟

ـ خوب معلومه اسمش روزبهه.

دیگه این یکی را می‌شناختم، به هیچ عنوان مایل نبودم باز هم نامی تحمیلی بر روی بچه‌ام بگذارم نام یک قهرمان یا یک خائن هیچ فرقی نمی‌کرد، بچه‌ام باید نام خودش را داشته باشد و با شخصیت خودش به آن معنا دهد.

ـ ابداً...! این دفعه دیگه نمی‌ذارم اسم بت‌های خودتو روی بچه‌ام بذاری، دلم می‌خواد بچه‌م اسمی داشته باشه که از صدا کردنش لذت‌ببرم نه اینکه هر کس اسمشو بشنوه یاد یک مرده، یا یک مرگ دردناک بیفته.

ـ مرده؟ اون یک قهرمان ایثار و مقاومت بود.

ـ خوش به حالش من نمی‌خوام بچه‌ام قهرمان ایثار و مقاومت باشه می‌خوام یه زندگی معمولی و سعادتمند داشته باشه.

ـ واقعاً که عامی هستی، هیچ درکی از ارزش‌های انقلاب و قهرمانان واقعی راه آزادی نداری. فقط به فکر خودتی.

ـ تو رو خدا بس‌کن، دیگه حوصلهٔ انشاهای تورو ندارم، آره من عـامی و خودخواهم. فقط به فکر خودم و بچه‌هام هستم چون هیچ‌کس دیگه‌ای به فکر ما نیست، تازه تو هم که هیچ مسؤولیتی در مورد این بچه نمی‌پذیری چطور شد موقع اسم‌گذاری یادت افتاد که پدری؟ نه خیر این دفعه من اسم بچه‌مو انتخاب می‌کنم اسمش مسعوده.

❧

سیامک سه سال و چهار ماه داشت و مسعود هشت ماهه بود که حمید گم‌شد. البته در ابتدا چنین تعبیری از رفتنش نداشتم، او به من گفت:

ـ برای یکی دو هفته با بچه‌ها به رضاییه می‌رویم.

ـ رضاییه؟ چطور اونجا؟ حتماً تبریز هم می‌ری و به منیر خانم هم سرمی‌زنی؟ نه؟!

ـ نه بابا چی می‌گی؟ اصلاً نمی‌خوام اونا بفهمن من کجام.

ـ بالاخره پدرت از طریق چاپخونه می‌فهمه تو نیستی.

ـ آره مشکل همین‌جاس، مجبور شدم بگم دارم می‌رم با یک نفر که کـتابای قدیمی داره، بعضی رو می‌فروشه بعضی رو می‌خواد مجدداً چاپ کنه مذاکره کنم، فعلاً ده روز مرخصی گرفتم تا ببینم بعد چی می‌شه.

ـ یعنی مدت مسافرتت معلوم نیست؟

ـ نه، تو هم شلوغش نکن، اگه موفقیت‌آمیز بود بیشتر می‌مونیم، وگرنه شاید هم زودتر از یک هفته برگشتیم.

ـ مگه اونجا چه خبره؟ با کی می‌ری؟

ـ چقدر تو فضولی!؟ آدمو سؤال پیچ می‌کنی.

ـ ببخشید، اصلاً لازم نیست بگی کجا می‌ری. ما چکاره هستیم که از برنامهٔ شما خبر داشته باشیم.

ـ خوب دیگه لازم نیست بهت بـربخوره، فـقط یـادت بـاشه شلوغ‌بازی درنیارید، هرکس پرسید بگو رفته مأموریت، کارِ اداری داشته مخصوصاً بـا مامانم باید یک جوری برخـورد کـنی کـه خـیالش راحت بـاشه و بـی‌خودی

دلشوره نگیره.

۞

دو سه هفتهٔ اول به آرامی گذشت، ما که به نبودن حمید عادت داشتیم بدون او هم دچار مشکل نمی‌شدیم به اندازهٔ خرج یک ماه برایم پول گذاشته بود قدری هم خودم داشتم. بعد از یک ماه مادر و پدرش شروع به نگران‌شدن کردند ولی من هربار آرامشان می‌کردم و می‌گفتم ازش خبر دارم، تازه تلفن کرده. حالش خوبه گفته قدری کارش طول می‌کشه و از این دروغ‌ها.

۞

اوایل ماه خرداد هوا ناگهان گرم شد. اپیدمی خاصی بین بچه‌ها شایع شده بود، می‌گفتند شبه‌وبا است و من با تمام دقتی که می‌کردم نتوانستم بچه‌هایم را از این مصیبت مصون بدارم و هر دو ناگهان به شدت مریض‌شدند، به محض آنکه متوجه تب مختصر و ناراحتی معده مسعود شدم منتظر کسی ننشستم، نمی‌توانستم برای هر کاری مزاحم پروین‌خانم شوم. با سختی بسیار هر دو را پیش دکتر بردم داروها را گرفتم و برگشتم، از اواخر شب حالشان رو به وخامت گذاشت، هر دارویی که می‌دادم برمی‌گرداندند. تب لحظه‌به‌لحظه بالاتر می‌رفت، مسعود وضع بدتری داشت. مثل گنجشک نفس‌نفس می‌زد شکم و سینهٔ کوچکش بالا و پایین می‌رفت، سیامک با لُپ‌های قرمز مرتب می‌خواست که به دستشویی ببرمش، دور خودم می‌چرخیدم، پاشویه‌شان می‌کردم، دستمال خیس بر پیشانیشان می‌گذاشتم ولی هیچ اثری نداشت لب‌های مسعود سفید و خشک شده بود، به یاد آخرین حرف دکتر افتادم که گفت: «زودتر از آنچه که فکر می‌کنید آب بدن بچه‌ها تمام می‌شود و منجر به مرگ می‌گردد»، کسی در درونم گفت که اگر یک لحظه بیشتر صبر کنم بچه‌هایم را از دست خواهم داد، برای چند دقیقه مغزم از کار افتاد، به ساعت نگاه کردم نزدیک به دو و نیم شب بود، نمی‌فهمیدم چه باید بکنم وحشت‌زده ناخن‌هایم را در دهانم کرده بودم، اشک‌هایم روی دست‌ها می‌چکید، بچه‌هام، بچه‌های عزیزم تنها چیزهایی که در دنیا دارم، باید به دادشون برسم باید کاری کنم. باید قوی باشم به کی تلفن کنم؟ ولی آنها تا بخواهند

خودشان را برسانند وقت ازدست‌می‌رود، وقتی بـرای مـنتظر مـاندن نـیست،
می‌دانستم یک بیمارستان کودکان در خیابان تخت‌جمشید هست، باید عجله کنم
حتی وقت لباس پوشیدن هم نداشتم به هر کدام یک شلوار لاستیکی پوشاندم،
هر چه پول در خانه داشتم در کیفم گذاشتم، مسعود را بغل کردم دست سیامک را
گرفتم از خانه بیرون آمدم. پرنده در خیابان پر نمی‌زد، طفلکم سیامک فـقط
سه‌سال‌ونیم داشت با آن تب و ضعف نمی توانست راه برود، سعی می‌کردم هر دو
را بغل کنم ولی با آن کیف سنگین خیلی مشکل بود مجبور بودم هر چـند قـدم
سیامک را زمین بگذارم، بچه‌های بی‌گناهم حتی نای گریه کردن نـداشتند. راه
خانه تا سرِ خیابان کش‌می‌آمد هر چـه مـی‌رفتم نمی‌رسیدم، سیامک داشت
ازحال‌می‌رفت دستش را می‌کشیدم، پاهایش روی زمین کشیده‌می‌شد احساس
می‌کردم مغزم ورم کرده، اگر بلایی سر بچه‌هایم بیاید خودم را خواهم کشت، این
تنها چیزی بود که هشیارانه در ذهنم می‌چرخید. یک ماشین شخصی جلوی پایم
ایستاد، بدون هیچ حرفی در را باز کردم و بچه‌ها را در ماشین جا دادم و گفتم:

ـ بیمارستان کودکان تخت‌جمشید، تورو خدا عجله کنید.

راننده مرد موقری بود از توی آینه نگاهم کرد و گفت:

ـ چی شده؟

ـ عصر کمی حالشون بهم می‌خورد و اسهال داشتند ولی حالا خیلی شدید
شده تبشون هم بالا رفته تورو به خدا عجله کنید.

قلبم به‌شدت می‌زد، از شدت اضطراب به نفس‌نفس افتاده بودم، ماشین بـا
سرعت در خیابان‌های خالی نیمه‌شب می‌رفت، مرد گفت:

ـ چرا تنها هستید؟ پس پدرشون کجاس؟ شما که نمی‌تونید به تنهایی بچه‌ها رو
بستری کنید.

ـ چرا می‌تونم، من عادت دارم یعنی باید بتونم وگرنه بچه‌هامو از دست می‌دم.

ـ یعنی اینا پدر ندارن؟

ـ نه، ندارن.

و با غیظ رویم را برگرداندم.

جلوی بیمارستان مرد از ماشین پایین پرید، سیامک را بغل کرد من هم با مسعود
وارد بیمارستان شدم. دکتر اورژانس با دیدن بچه‌ها اخم‌ها را در هم کشید و گفت:

ـ چرا این‌قدر دیر آمدید؟

و مسعود را که دیگر کاملاً بی‌هوش بود از بغلم گرفت. التماس‌کنان گفتم:

ـ دستم به دامنت دکتر یک کاری کنید، بچه‌هامو نجات بدید.

ـ ما هر کاری از دستمون بر بیاد می‌کنیم، شما برید پذیرش، کاراتونو انجام بدید
بقیه‌ش با خداست.

مرد با تأسف و دلسوزی نگاهم می‌کرد، دیگر نمی‌توانستم جلوی اشک‌هایم را
بگیرم، روی نیمکت نشستم، سرم را در دست‌هایم گرفتم، در میان گریه چشمم
به پاهایم افتاد وای دم‌پایی به پا داشتم، بی‌خود نبود که در کوچه صدبار نزدیک
بود زمین بخورم.

برای بستری کردن بچه‌ها پول لازم بود، آن مرد گفت که من پول دارم ولی من
قبول نکردم، هر چه در کیفم بود دادم و گفتم بقیه را فردا اول وقت می‌دهم،
مسؤول خواب‌آلودِ پذیرش اول کمی نق زد ولی بالاخره پذیرفت، از آن مرد
خواهش کردم که برود و با عجله به اورژانس برگشتم بچه‌هایم روی تخت
بیمارستان کوچک‌تر و نحیف‌تر به نظر می‌رسیدند. به سیامک سِرُم وصل‌شده‌بود
ولی رگ مسعود را پیدا نمی‌کردند، به تمام بدنش سوزن فرو می‌رفت ولی از بچه
بی‌هوشم صدایی بلند نمی‌شد. با هر سوزن انگار که به قلب من دشنه‌ای فرو
می‌کنند، دست‌هایم را جلوی دهانم گرفته‌بودم تا صدای گریه‌ام آرامش دکتر و
پرستارها را بر هم نزند از پشت پردهٔ اشک شاهد مرگ تدریجی جگرگوشه‌ام
بودم، نمی‌دانم چه کردم که دکتر متوجه من شد و با سر به پرستار فهماند که مرا از
اتاق بیرون کند، پرستار دست بر شانه‌ام گذاشت تقریباً با زور ولی مهربانانه مرا
از اتاق بیرون برد.

ـ خانم چی شده؟ پسرم از دستم رفت؟

ـ نه خانم خودتونو ناراحت نکنید، دعا کنید انشاالله خوب می‌شه.

ـ تورو خدا راستشو به من بگو وضعش خیلی بده؟

ـ البته وضعش خوب نیست، ولی اگه زودتر رگو پیدا کنیم و سرم وصل بشه جای امیدواری هست.

ـ یعنی این‌همه پرستار و دکتر نمی‌تونن رگ این بچه رو پیدا کنن؟

ـ آخر خانم رگ‌های بچه خیلی ظریفه، وقتی هم تب داشته باشه و این‌همه آب از بدنش رفته باشه سخت‌تر می‌شه.

ـ خدایا من چکار کنم؟

ـ هیچی جانم، بشین همین‌جا و دعا کن.

من در تمام این مدت با هر ضربان قلبم گفته بودم خدایا! ولی تا آن لحظه نتوانسته بودم جمله‌ای را کامل بیان‌کنم و دعای مشخصی را برزبان‌آورم. احتیاج به هوای آزاد و دیدن آسمان داشتم، نمی‌توانستم بدون نگاه‌کردن به آسمان با خدا حرف‌بزنم گویی تنها در این صورت با او رودررو می‌شدم، از دری خارج شدم نسیم خنک صبحگاهی به صورتم خورد، به آسمان نگاه‌کردم هنوز تاریکی بیش از روشنایی بود، بعضی از ستارگان دیده می‌شدند، به دیوار تکیه دادم، پاهایم زیر بار وزن بدنم می‌لرزیدند، نگاهم در افق خیره‌ماند گفتم: خدایا نمی‌دانم مرا برای چه به این دنیا فرستاده‌ای؟ همیشه سعی‌کردم راضی به رضای تو باشم ولی اگر بچه‌هایم را از من بگیری دیگر هیچ چیز برایم باقی نمی‌ماند که به خاطرش ترا شکر کنم، نمی‌خواهم کفر بگویم ولی این عین بی‌عدالتی است خواهش‌می‌کنم آنها را از من نگیر، آنها را به من ببخش، نمی‌فهمیدم چه می‌گویم ولی مطمئن بودم که او می‌فهمد و مرا درک می‌کند. دوباره به سالن برگشتم در اتاق را باز کردم سِرُم به پای مسعود وصل بود و پایش را با گچ سفیدی پوشانده بودند.

ـ وای، چی شده پاش هم شکسته؟

دکتر خندید و گفت:

ـ نه جانم گچ گرفتیم که تکون نخوره.

ـ حالا چطوره بهتر می‌شه؟

ـ فعلاً باید دید.

از کنار این تخت به کنار آن تخت می‌رفتم، صدای نالهٔ آرام سیامک و حرکت

سر مسعود امیدوارم می‌کرد، ساعت هشت‌ونیم صبح بچه‌ها را به بخش بـردنـد، دکتر گفت: بحمدالله تقریباً از خطر جسته‌اند ولی باید خیلی مواظب باشیم که سِرُم از دست سیامک و پای مسعود بیرون نیاید. نگهداری سرم سیامک به مراتب مشکل‌تر بود.

خانم‌جون، پروین‌خانم و فاطی سراسیمه وارد اتاق شـدنـد، خـانـم‌جون بـا دیدن بچه‌ها زد زیر گریه، سیامک نق می‌زد و یک نفر بـایـد مـدام دسـتش را نگاه می‌داشت، ولی مسعود هنوز بی‌حال بود، ساعتی بعد آقاجون رسید با چنان دردی به سیامک نگاه‌می‌کرد که قلبم فشرده شد، سیامک بـا دیـدن آقـاجون دست‌هایش را به طرف او دراز کرد و گریه را سر داد، ولی بـعد از دقـایـق بـا نوازش‌های آقاجون آرام گرفت و به‌خواب‌رفت، پدر و مادر حمید با منصوره و منیژه وارد شدند. خانم‌جون با نگاه‌هایی خصمانه و گوشه و کنایه‌های متعدد از آنها استقبال کرد، مجبور بودم با نگاه‌های تند و هشداردهنده مـانعش شـوم. آنها خودشان به انـدازهٔ کـافـی نـاراحت و شرمـنده بـودنـد. منصوره، فاطی، پروین‌خانم و منیژه داوطلب شدند که پیش من بمانند ولی مـن پـرویـن‌خانم را ترجیح می‌دادم، فاطی خودش بچه بود، منصوره بچه داشت، منیژه چندان روابط خوبی با من نداشت.

تمام شب من و پروین بیدار بودیم. پروین دست سیامک را در دست داشت و من روی تخت مسعود چمباتمه زده بودم و جوری در آغوشش می‌گرفتم که سِرُم از پایش جدا نشود. او هم از بعدازظهر شروع به بی‌قراری کرده بود.

❧

بعد از سه روز سخت و طاقت‌فرسا به خانه برگشتم هر سه مقدار زیادی از وزنمان را از دست داده بودیم، چهار شب بود که نخوابیده بودم، وقتی در آیـنه نگاه‌کردم دور چشم‌هایم یک حلقهٔ سیاه افتاده و گونه‌هایم فرو رفته بودند، به قول پروین‌خانم شکل تریاکی‌ها شده بودم، فاطی و پروین‌خانم پیشم ماندند. بچه‌ها را حمام کردم و خودم مدتی زیر دوش ایستادم، می‌خواستم رنجی را که در این چند روز کشیده بودم از وجودم بزدایم ولی می‌دانستم که این خاطره تا ابد در خاطرم

می‌ماند و هرگز حمید را به خاطر نبودنش در این زمان حساس نخواهم بخشید.

❀

بعد از دو هفته تقریباً همه‌چیز بـه حـال عـادی بـرگشت، سیامک هـمان شیطنت‌ها، لجبازی‌ها و بدخلقی‌هایش را ازسرگرفت. مدتی بود که وجود مسعود را پذیرفته بود، به آغوش من می‌آمد ولی نمی‌دانم چرا احساس می‌کردم که قلباً از من دلگیر است. مسعود خوش‌اخلاق و خنده‌رو خـودش را بـه آغـوش هـمه می‌انداخت، با هیچ‌کس غریبی نمی‌کرد، روزبه‌روز شیرین‌تر و دوست داشتنی‌تر می‌شد، دست‌هایش را دور گردنم حلقه‌می‌کرد و گونه‌ام را می‌بوسید و با چـند دندان کوچکش صورتم را گاز می‌گرفت گویی از شدت علاقه می‌خواهـد مـرا ببلعد، اظهار محبت‌های او برای من بسیار دل‌انگیز بود به خاطر نمـی‌آوردم کـه سیامک هرگز آنچنان به من عشق ورزیده باشد، حتی وقتی خیلی کوچک بود، گویی همیشه برای اظهار محبت محذوری داشت. چطور دو بچه در یک خانواده می‌توانند تا این حد با هم متفاوت باشند.

❀

دو ماه از رفتن حمید می‌گذشت و ما هیچ خـبری از او نـداشتیم، البته بـا هشدارهایی که داده‌بود من نگران نبودم ولی پدر و مادرش دوبـاره شروع بـه بی‌تابی کردند. مجبور شدم بگویم که تلفن‌کرده، حالش خوب‌ست و گفته مـعلوم نیست کارم چقدر طول می‌کشد، مادرش با عصبانیت گفت:

ـ آخه این چه کاریه، آقا برو یکسر چاپخونه ببین اونو کجا فرستادن؟ چرا این‌قدر طول کشیده؟

دو هفته دیگر هم گذشت، یک روز آقایی به منزل ما زنگ زد و گفت:

ـ ببخشید مزاحم می‌شم می‌خواستم ببینم شما از شهرزاد و مهدی خبری دارید؟

ـ شهرزاد؟ نه شما کی هستین؟

ـ من برادرش هستم، خیلی نگرانیم. برای یک سفر دو هـفته‌ای رفته‌بودن مشهد، دوماه و نیمه ازشون خبری نداریم، مادرم خیلی نگرانه شب و روز نداره.

ـ مشهد؟

ـ بله مگه جای دیگه هم می‌رفتند؟

ـ نمی‌دونم من فکرکردم رفتن رضاییه.

ـ رضاییه؟ چه ارتباطی با مشهد داره؟

از حرفی که زده‌بودم پشیمان شدم با دست‌پاچگی گفتم:

ـ نه، شاید من اشتباه می‌کنم. اصلاً شما تلفن ما رو از کجا آوردین؟

ـ نترسید، شهرزاد خودش این تلفنو به من داد و گفت در مواقع خیلی ضروری تنها تلفنیه که ممکنه جواب بده، مگه اونجا منزل حمید سلطانی نیست؟

ـ چرا ولی منم هیچی نمی‌دونم.

ـ پس خواهش می‌کنم اگر خبری به دستتون رسید لطفاً به این شماره تلفن کنید، مادرم از نگرانی بیمار شده، اگر مجبور نبودم مزاحم شما نمی‌شدم.

کم‌کم داشتم نگران می‌شدم، یعنی اینها کجا رفته‌اند؟ کجا هستند که حتی یک تلفن هم نمی‌توانند بزنند و خانواده‌هایشان را از نگرانی نجات دهند. شاید برای حمید نگران شدن ما اهمیتی نداشته باشد ولی به نظر نمی‌رسد که شهرزاد این‌قدر بی‌فکر و بی‌توجه باشد، نکند بلایی بر سرشان آمده، مدتی بود که هیچ پولی در خانه نداشتم، نه تنها پولی که حمید داده بود بلکه تمام پس‌اندازم را با مقداری قرض از آقاجون برای بیمارستان بچه‌ها داده بودم. نمی‌خواستم به پدر حمید حرفی بزنم که باعث نگرانی بیشترشان شود، یک بار هم از پروین‌خانم قرض گرفتم ولی از آن هم چیزی باقی نمانده بود، یعنی حمید به فکرش نمی‌رسید که ما چطوری باید زندگی کنیم؟ و یا واقعاً اتفاقی برایش افتاده؟

سه ماه گذشت. دیگر نمی‌توانستیم مادرش را آرام کنیم، من‌هم نمی‌توانستم دروغ جدیدی بسازم چون خودم هم روزبه‌روز نگران‌تر می‌شدم. مادرش مدام گریه می‌کرد و می‌گفت:

ـ می‌دونم بلایی به سر بچه‌م اومده وگرنه یه تلفن به من می‌کرد، یا دو خط نامه برام می‌نوشت.

سعی می‌کرد حرفی نزند که باعث دلخوری من شود ولی می‌دانستم که من را به

نوعی مقصر می‌داند، هیچ‌کدام جرأت نداشتیم که بگوییم شاید دستگیر شده‌اند، منیژه گفت:

ـ به کلانتری خبر بدیم، من و پدرش با وحشت گفتیم نه نه! بدتر می‌شه و به هم نگاه کردیم، مادرش یکسره به دوستان ناباب فحش می‌داد و نفرین می‌کرد، پدرش گفت:

ـ معصوم‌جان، تو از دوستاش آدرسی، تلفنی نداری که پرس‌وجو کنیم؟

ـ نه مثل اینکه همه با هم رفتن، چند وقت پیش هم یک نفر تلفن کرد و گفت برادر شهرزاده. اونم نگران بود خبر می‌خواست، ولی حرف عجیبی زد، گفت شهرزاد و مهدی رفتن مشهد درصورتی‌که حمید به من گفت می‌رن رضاییه.

ـ عجب شاید همه با هم نیستن. مأموریت‌های مختلف دارن.

ـ مأموریت؟

ـ چه می‌دونم چیزی مثل این.

بعد پدرش به بهانه‌ای مرا کنار کشید و گفت:

ـ مبادا در مورد نبودن حمید با کسی صحبت کنی.

ـ ولی همه می‌دونن که رفته مسافرت.

ـ بله ولی در مورد گم شدنش هیچ حرفی نزن، بگو هنوز رضاییه‌س کارش طول کشیده و مرتب با تو در تماسه، مبادا بگی ازش بی‌خبری و سوءظن کسی رو جلب کنی، من خودم می‌رم رضاییه سر و گوشی آب می‌دم ببینم چی شده، راستی تو پول داری، حمید خرجی به اندازهٔ کافی گذاشته؟ سرم را پایین انداختم و گفتم:

ـ نه، بیمارستان بچه‌ها هر چه راکه داشتم تمام کرد.

ـ پس چرا حرفی نزدی؟

ـ نمی‌خواستم ناراحت بشید. از پدر و مادرم گرفتم.

ـ وای چه کار بدی کردی. باید به من می‌گفتی.

مقداری پول درآورد و به من داد و گفت: زود برو قرضاتو بده بگو حمید فرستاده.

بعد از یک هفته پدرش خسته و متفکر از سفر بی‌نتیجهٔ خود بازگشت. با شوهر منیره خانم تمام آذربایجان را تا دم مرزها گشته بودند ولی هیچ ردی به

دست نیامده بود، دیگر واقعاً نگران شدم، هیچ‌وقت فکر نمی‌کردم برای حمید دلشوره و نگرانی پیدا کنم، او در همان اوایل این عادت را از سرم انداخته بود. ولی این بار فرق می‌کرد، زمان خیلی طولانی شده و شرایط مشکوک و نگران کننده بود.

❧

در یک نیمه‌شب اواسط شهریور ماه با صدایی نامشخص از خواب پریدم، هنوز هوا گرم و پنجره‌ها همگی باز بودند. با دقت گوش دادم صداهای مبهمی از حیاط خودمان بود، با وحشت اندیشیدم، دزد آمده هرگز بی‌بی این موقع شب به حیاط نمی‌آید به ساعت نگاه کردم ده دقیقه از سه می‌گذشت، چند نفس عمیق کشیدم، به خودم جرأت دادم و آرام و بی‌صدا به کنار پنجره رفتم. سایهٔ یک ماشین و سه مرد در حیاط منزل، زیر نور پریده رنگ مهتاب قابل تشخیص بود. داشتند با سرعت چیزهایی را جابه‌جا می‌کردند. خواستم فریاد بزنم ولی زبانم بند آمده بود خیره نگاه می‌کردم، به تدریج متوجه شدم که آن‌ها چیزی از خانه ما بیرون نمی‌برند بلکه بر عکس چیزهایی را از ماشین به زیرزمین منتقل می‌کنند. نه، آن‌ها دزد نبودند، فهمیدم که باید در حفظ سکوت و آرامش حداکثر کوششم را بکنم. ده دقیقه بعد کارشان تمام شد، مرد چهارمی هم از زیرزمین بیرون آمد و به آن‌ها پیوست، حتی در آن تاریکی خوب می‌شناختمش. او حمید بود در سکوت ماشین را هل دادند و از حیاط بیرون بردند، حمید در خانه را بست و از پله‌ها بالا آمد، احساسات متضاد و عجیبی داشتم، خشم و عصبانیت با خوشحالی ناشی از بازآمدنش در هم آمیخته بود، حال مادری را داشتم که بعد از پیدا کردن کودک گم‌شده‌اش اوّل سیلی محکمی به گوش او می‌زند و بعد گریه‌کنان در آغوشش می‌کشد، سعی کرد درِ خانه را بدون صدا باز کند و آرام وارد خانه شود، دلم می‌خواست اذیتش کنم، تا قدم به درون گذاشت چراغ روشن کردم به شدت یکه خورد و وحشت‌زده به من خیره ماند، پس از چند لحظه با تعجب گفت:

ـ تو بیداری؟

ـ بله! چه عجب، از این طرفا راه گم کردین؟

ـ به به! چه استقبال گرمی؟!

ـ منتظر استقبال هم هستی؟ بابا ایوالله عجب رویی داری؟ کجا بودی این همه مدت، حتی به خودت زحمت یک تلفن‌زدن هم ندادی. می‌مُردی اگر پیغامی، نامهٔ کوتاهی چیزی می‌فرستادی؟ فکر نکردی ما از دلشوره و نگرانی می‌میریم؟

ـ آره پیداس خیلی دلت شور منو می‌زده و نگران بودی.

ـ آره متأسفانه منِ احمق نگران بودم، حالا من هیچی، فکر پدر مادر بدبختت که نصفه‌عمر شدند نبودی؟

ـ من که بهت گفته بودم شلوغش نکن شاید کارمون طول بکشه.

ـ بله ولی پانزده روز ممکن بود بشه یک ماه نه چهارماه، بیچاره پیرمرد همه جا سر زد. می‌ترسیدم بلایی سرش بیاد.

ـ سر زد؟ کجا سر زد؟

ـ همه جا، بیمارستان‌ها، پزشک قانونی، کلانتری‌ها!

وحشت‌زده از جا پرید:

ـ کلانتری‌ها؟!!

شیطنت در درونم جوشید دلم می‌خواست من‌هم آزارش بدهم گفتم:

ـ آره با برادر شهرزاد و فامیلای بقیه دوستات تمام عکساتونو هم دادن به روزنامه.

رنگش مثل گچ سفید شد و گفت:

ـ عجب دیوانه‌هایی هستید، نتونستی این کار کوچیک رو هم انجام بدی و اینجا رو اداره کنی؟ بیچاره شدیم و با عجله شروع به پوشیدن مجدد کفش‌های خاک‌آلودش کرد.

ـ حالا کجا؟ خودم به کلانتری خبر می‌دم که اومدید اونم با دست پُر. با چنان نگرانی و وحشتی نگاهم می‌کرد که خنده‌ام گرفت.

ـ این حرفا چیه می‌زنی؟ می‌خوای همه‌مونو به کشتن بدی؟ اینجا دیگه امن نیست، باید به بچه‌ها خبر بدم، باید ببینم چه خاکی به سرمون بریزیم؟

در را برای رفتن باز کرده بود که گفتم:

ـ لازم نیست، دروغ گفتم به کلانتری خبر ندادیم. فقط بابات رفت تا رضاییه و برگشت هیچ ردی هم پیدا نکرد.

نفس راحتی کشید و گفت:

ـ مگه مرض داری؟ داشتم سکته می‌کردم.

ـ حقته...! چرا ما فقط باید نصفه عمر بشیم؟

رختخوابش را در اتاق مهمانخانه انداختم. گفت:

ـ همان اتاق خودم اتاق عقبی می‌خوابم.

ـ اونجا رو کردم اتاق بچه‌ها.

هنوز حرفم تمام نشده و او سرش به بالش نرسیده بود کـه بـا همـان لبـاس خاک‌آلود به خواب عمیق فرو رفت.

فصلِ سوم

ماه‌ها به‌سرعت می‌گذشت و بچه‌ها روزبه‌روز بزرگ‌تر می‌شدند و شخصیت‌های متفاوتشان مشخص‌تر می‌گردید. سیامک پسری مغرور و جنگجو، شیطان و زودخشم بود که شرمی خاص در ارائه احساسات محبت‌آمیز خود داشت ولی به اندک ناملایمی برمی‌آشفت و می‌خواست که هر سدی را در چنگال قوی خود خُردکند، به‌عکس مسعود آرام، مهربان، خوش‌خلق و صبور بود که به اطرافیان خود حتی به اشیا و طبیعت عشق‌می‌ورزید، نوازش‌های او تمام عقده‌های کمبود محبت مرا مرهم می‌گذاشت، این دو بچه در ارتباط با یکدیگر به نحو غریبی مکمل هم می‌شدند، سیامک فرمان می‌راند و مسعود اجرا می‌کرد. سیامک خیال‌بافی و داستان‌سرایی می‌کرد و مسعود باورشان می‌داشت، سیامک مسخره‌می‌کرد و مسعود می‌خندید، سیامک می‌زد و مسعود می‌خورد، اغلب دلم می‌سوخت و می‌ترسیدم شخصیت آرام و پرمهر مسعود در چنگال پرخاشگر و قدرتمند سیامک خُرد شود ولی هرگز نمی‌توانستم مستقیماً به حمایت از مسعود برخیزم، چون حتی اشاره‌ای کافی بود تا خشم و حسادت سیامک را منفجرکند و به زدوخوردهای بیشتری منتهی شود، تنها راه جلوگیری از این گونه برخوردها منحرف کردن ذهن او به چیزی دیگر و مشغول کردنش به جریانی جذاب‌تر بود، در عین حال سیامک در مقابل دیگران سپری نفوذناپذیر برای مسعود محسوب می‌گردید، اگر کسی کوچک‌ترین مزاحمت یا مشکلی برای مسعود فراهم می‌کرد، سیامک دیوانه می‌شد و چنان حمله‌می‌کرد که خود مسعود با خواهش و تمنا دشمنش را از دست برادر بیرون می‌کشید، و دشمن اصلی همیشه غلامعلی پسر محمود بود که از نظر سنی دقیقاً بین سیامک و مسعود قرار داشت، نمی‌دانم چرا این بچه‌ها به هم نرسیده شروع به جنگ و جدال می‌کردند، حمید معتقد بود که این

نوعی بازی کردن پسرهاست و در بسیاری از مواقع پسرها این‌طور با هم ارتباط برقرار می‌کنند ولی من این را نمی‌فهمیدم.

۞

محمود با اینکه یک سال بعد از من ازدواج کرده بود سه بچهٔ قد و نیم قد داشت، بچهٔ اولش همین غلامعلی بود، بچه دومش «زهرا» یک‌سال از مسعود کوچک‌تر بود و پسر آخر غلامحسین یک سال بیشتر نداشت. محمود مثل همیشه بداخلاق و منزوی بود و وسواس دوران جوانیش روزبه‌روز بیشتر می‌شد، احترام‌سادات مدام از دستش شکایت می‌کرد و پیش خانم‌جون غُر می‌زد که:

ـ تازگی‌ها گیج‌تر و منگ‌تر شده نمازشو چند دفعه تکرار مـی‌کنه ولی بـاز مطمئن نیست که درست خونده باشه.

ولی به نظر من او هیچ مشکل جدیدی نداشت و حواسش هم کاملاً جمع بود خصوصاً در کار و مسایل مالی کاملاً هشیارانه عمل می‌کرد و موفق بود، بـرای خودش در بازار حجره‌ای گرفته و مستقل شده بود. مـی‌گفتند یک کـارشناس فرش تمام عیار است، هرگز در کارهای تجاریش دچار تردید و وسواس نمی‌شد و تنها نقش مذهب در زندگی مالیش این بود که در پایان هر ماه کل درآمدش را به قم نزد عموی احترام می‌برد، او هم با برداشتن مبلغی از پول‌ها بقیه را برمی‌گرداند و با این «دست‌گردان» به قول خودشان تمام پول‌های محمود حلال می‌شد و دیگر هیچ جای نگرانی برای او باقی نمی‌ماند.

۞

احمد مدت‌ها بود که از عضویت خانواده خارج شده بـود، هیچ‌کس مـثل پروین‌خانم نگران او نبود، مرتب می‌گفت:

ـ باید براش کاری کنید، اگه به همین ترتیب ادامه بده از بین می‌ره.

مشکل او دیگر تنها مشروب‌خوری‌های شبانه و عربده‌کشی در خیابان‌ها نبود. پروین‌خانم می‌گفت که او چیزهای دیگری هـم مـصرف مـی‌کند ولی خانم‌جون حاضر به باور کردن نبود و سعی می‌کرد با دعا و جادو و جنبل او را از دست شیاطین و دوستان بد نجات دهد، آقاجون هم به کلی از او قطع امید

کرده بود.

٭

علی بزرگ شده بود ولی مثل بقیه برادرها نتوانست دیپلم بگیرد، مدتی در کارگاه چوب‌بری کنار احمد کار می‌کرد که آقاجون دیگر درنگ را جایز ندید و با استفاده از تمام توانش او را از احمد دور کرد. می‌گفت:

ـ اگه ولش کنم و الآن جلوشو نگیرم مثل اون یکی از دست می‌ره و دیگه هم زورم بهش نمی‌رسه.

خود علی هم کم‌کم از حالت‌های اخیر احمد سرخورده شده‌بود، او که از احمد برای خود بتی توانا و قدرتمند ساخته بود از دیدن بی‌حالی و بی‌ارادگی‌های روزافزون او رنج می‌برد، ظاهراً این بت وقتی کاملاً شکست که یکی از گردن کلفت‌های کافه‌جمشید او را که مست و منگ بود با کتک فراوان به کنار خیابان انداخت و احمد برای دفاع از خود حتی نتوانست انگشتش را تکان دهد، در کارگاه هم همکاران که در گذشته‌ای نه چندان دور افتخار نوچهٔ احمد بودن را از یکدیگر می‌ربودند امروز او را به باد تمسخر گرفته سر به سرش می‌گذاشتند، به هر حال همهٔ این‌ها دست به دست هم داد و باعث شد که علی با رضایت قلبی ولی به ظاهر با فشار آقاجون از احمد جدا شد و به حجره محمود رفت تا او هم در آینده تاجری خداشناس و پولساز از آب در آید.

٭

فاطی به دختری متین، حساس، کمرو و نازک‌طبع تبدیل شد، تا کلاس سوم دبیرستان درس خواند و بعد همان‌گونه که برای یک دختر نجیب خوبست به کلاس خیاطی رفت، خودش هم اصراری برای ادامه تحصیل نداشت.

٭

سیامک را یک سال زودتر از وقت قانونی به هر ترتیبی که بود به مدرسه گذاشتم، می‌دانستم که از نظر ذهنی توانایی درس خواندن را دارد، می‌خواستم زودتر وارد مدرسه شود تا شاید نظم و انضباط بر رفتارش حاکم گردد، انرژی بی‌نهایتش را با همسالانش صرف کند و کمتر در خانه آزار برساند ولی مدرسه

رفتنش هم مثل بقیه کارهایش سخت بود، اوایل مجبور بودم با او به سر کلاس بروم، وقتی کمی عادت کرد و اجازه‌داد از کلاس خارج‌شوم باید ساعت‌ها در حیاط می‌ایستادم به‌طوری‌که او بتواند مرا از پنجره ببیند، می‌دانستم که می‌ترسد ولی ترسش را با پرخاشگری نشان می‌داد. روز اول که ناظم دستش را گرفت تا او را به کلاس ببرد دست ناظم را گاز گرفت، تنها راه آرام‌کردن او وقتی به اوج خشم می‌رسید این بود که خود را در مقابل امواج خروشان قهرش قرار دهم، در آغوشش می‌گرفتم ضربات لگد و مشت‌های کوچکش را تحمل می‌کردم، تا آرام می‌گرفت و به گریه‌می‌افتاد این لحظات تنها زمان‌هایی بود که می‌توانستم او را به خود بفشرم، ببوسم و نوازش کنم، در سایر مواقع او اجازه چنین کارهایی به من نمی‌داد و سعی می‌کرد خود را بی‌نیاز از محبت نشان دهد ولی من می‌فهمیدم که چگونه تشنهٔ محبت و توجه است دلم خیلی برایش می‌سوخت می‌دانستم این جثهٔ کوچک رنجی بزرگ را تحمل‌می‌کند ولی نمی‌فهمیدم چرا؟ می‌دانستم او عاشق پدرش است و نبودن‌های او آزارش می‌دهد ولی چرا به این وضع عادت نمی‌کرد؟ آیا کمبود پدر می‌توانست این‌همه تأثیرگذار باشد. مدام کتاب‌های روانشناسی می‌خواندم و به رفتارهایش دقت می‌کردم. وقتی حمید بود رفتار سیامک تغییرمی‌کرد، تنها از او حرف‌شنوی داشت، او که به‌طورمعمول یک دم آرام نمی‌گرفت می‌توانست مدت‌ها در آغوش حمید بنشیند و به حرف‌های او گوش دهد. خیلی دیر فهمیدم نخوابیدن‌های او به خاطر انتظاریست که برای آمدن پدرش می‌کشد، وقتی حمید در خانه بود و موقع خواب دستی بر سرش می‌کشید سرمست و آرام به خوابی عمیق فرو می‌رفت به همین دلیل من به حمید لقب قرص خواب هم داده بودم. خوشبختانه حضور آقاجون و محبت بسیاری که بین آن دو برقرار بود تا حدودی کمبود حمید را جبران می‌کرد، با اینکه دوست نداشت خودش را به کسی بچسباند وقتی آقاجون می‌آمد دور و برش می‌پلکید و در یک فرصت مناسب در بغلش می‌نشست. آقاجون با او آرام و با احترام مثل یک مرد بزرگ رفتار می‌کرد و سیامک حرف‌های او را بدون چون‌وچرا می‌پذیرفت، ولی محبت کردن این دو نفر را به مسعود برنمی‌تافت. او پذیرفته بود که دیگران حتی من

محبتمان را بین او و برادرش قسمت کنیم و یا حتی به مسعود بیش از او علاقه نشان دهیم ولی علاقه و عشق پدر و پدربزرگش را فقط برای خود می‌خواست و هیچ رقیبی را در این میان نمی‌توانست تحمل کند، در مورد حمید مشکلی نبود او هیچ‌گاه نسبت به مسعود توجه خاصی نشان نمی‌داد ولی آقاجون با درک صحیحی که از این بچه داشت کوشش می‌کرد در مقابل سیامک ابراز محبت خاصی نسبت به مسعود نکند، همین رفتار او گویی سیامک را بیش‌ازپیش سپاس‌گزار می‌کرد و بر محبتش می‌افزود.

بالاخره سیامک مدرسه رفتن را پذیرفت و به آن عادت کرد ولی ماهی نبود که مرا به خاطر دعواهای او با بچه‌های دیگر به مدرسه نخواهند. با منظم شدن برنامهٔ سیامک من‌هم دوباره به یاد درس‌هایم افتادم، از اینکه هنوز نتوانسته بودم دیپلم بگیرم و کاری چنین مهم را ناتمام گذاشته بودم ناراضی بودم. با پیدا شدن اولین فرصت دوباره شروع کردم؛ صبح‌های زود بیدار می‌شدم کارهایم را می‌کردم، با رفتن سیامک، مسعود مشغول بازی‌های خودش می‌شد با او هیچ مشکلی نداشتم ساعتُ‌ها با مدادهای رنگیش نقاشی می‌کرد، اگر هوا خوب بود در حیاط مشغول سه‌چرخه سواری می‌شد و من می‌توانستم در آرامش به درس‌هایم برسم، نیاز چندانی به کلاس نداشتم... بعدازظهرها با آمدن سیامک گویی زلزله‌ای در خانهٔ ما به وقوع می‌پیوست، حالا دیگر مشق نوشتن هم بر مسایل دیگرش اضافه شده بود. جان من را می‌گرفت تا بالاخره مشق‌هایش تمام می‌شدند. به تدریج فهمیدم که هر چه بیشتر حساسیت نشان می‌دهم او بیشتر لجبازی می‌کند. در نتیجه دندان روی جگر می‌گذاشتم و سعی می‌کردم کاری به کارش نداشته باشم، آن‌وقت آخر شب یا فردا صبح با عجله شروع به نوشتن می‌کرد.

یک روز صبح که با مسعود خانه بودم، پروین به دیدنم آمد. به نظرم رسید که کمی هیجان‌زده است. فهمیدم که خبری دارد، او دوست داشت خبرهای دست اول را خودش به من بدهد، اخبار معمولی‌تر با تلفن گفته می‌شد ولی اخبار خاص را حضوری و با آب و تاب تعریف می‌کرد و منتظر می‌شد تا عکس‌العمل مرا به

چشم ببیند. گفتم:

ـ خوب بگو، چه خبر شده؟!

ـ خبر؟ کی گفته خبریه؟

ـ حالتت، رفتارت، قیافه‌ات همه داد می‌زنن که یک خبر دست اول داری!

ذوق زده نشست و گفت:

ـ آره! نمی‌دونی خیلی جالبه، اول برو برام یه چایی بیار گلوم خشک شده.

این هم از عادت‌هایش بود آدم را زجرکش می‌کرد تا می‌گفت که چه شده، هر چه خبر داغتر بود لفت‌ولعابش هم بیشتر. دویدم رفتم کتری را روی چراغ گذاشتم و برگشتم.

ـ خوب بگو! حالا تا چایی درست بشه خیلی طول می‌کشه.

ـ ای بابا من دارم از تشنگی خفه می‌شم، اصلاً نمی‌تونم حرف بزنم. با عصبانیت به آشپزخانه رفتم، لیوان آبی برایش آوردم و گفتم:

ـ خوب! بگو!

ـ حالا بذار چایمونو بخوریم.

ـ اَه...! اصلاً لازم نکرده بگی، نمی‌خوام خبرو بشنوم.

و به حالت قهر به آشپزخانه رفتم. دنبالم آمد و گفت:

ـ حالا قهر نکن، اگر گفتی امروز صبح کی رو دیدم؟

قلبم هُرّی ریخت پایین و چشم‌هایم گرد شد، گفتم:

ـ سعید؟

ـ برو بابا! تو هنوز دست برنداشتی، خیال می‌کردم با دو تا بچه دیگه اسم این پسره رو هم فراموش کردی.

شرمنده شدم. خودم هم همین فکر را می‌کردم، بی‌اختیار نام او از دهانم پریده بود، یعنی هنوز پس ذهنم در اشغال اوست؟ گفتم:

ـ نه بابا، همین‌طوری گفتم، خوب کی‌رو دیدی؟

ـ مادر پروانه!

ـ تورو خدا راست می‌گی؟ کجا بود؟ باهاش حرف زدی؟

ـ یکی،یکی، چایی رو دم کن آب جوش اومده، کارتو بکن، منم مفصل تعریف می‌کنم. امروز رفته بودم پشت باغ سپهسالار کفش ببینم یه‌مرتبه از پشت شیشهٔ مغازه یه خانمی رو دیدم عین خانم احمدی اول شک‌کردم، راستش خیلی شکسته شده بود. راستی چند ساله ندیدیمشون؟

ـ حدود هفت سال.

ـ رفتم تو مغازه، نگاش کردم، خودش بود، اول منو نشناخت، ولی دیدم به خاطر تو هم که شده باید باهاش حرف بزنم. سلام کردم. تازه به جا آورد، کلی حال و احوال کردیم از همهٔ همسایه‌ها پرسید.

ـ از منم پرسید؟

ـ راستش نه، ولی من خودم صحبتو به تو کشوندم و گفتم که تورو مرتب می‌بینم، شوهر و بچه‌داری. بالاخره گفت:

ـ تو اون خونه فقط اون دختر قابل معاشرت بود. البته احمدی می‌گه پدرشون هم مرد شریف و خوبیه ولی اون بلایی که برادرش سرمون آورد، هیچ‌وقت فراموش‌نمی‌کنم، تو کوچه برامون آبرو نذاشت. هیچ‌کس تا اون موقع با احمدی اون‌طور حرف‌نزده‌بود، نمی‌دونی چه تهمت‌هایی به پروانهٔ بیچاره زد، احمدی نزدیک بود پس بیفته، دیگه تو اون کوچه نمی‌تونستیم سر بلند کنیم، برای همین با اون عجله اسباب‌کشی کردیم، ولی پروانه برای این دختر جونشو می‌داد، نمی‌دونی چقدر براش اشک ریخت، مرتب می‌گفت اینا معصومو می‌کشن، چند بار در خونَشون رفت ولی مادرش نذاشت معصومه رو ببینه طفلکی بچه‌ام چه ضربه‌ای خورد.

ـ یک دفعه خودم بودم که اومد درِ خونه، خانم‌جون نذاشت ببینمش ولی از بقیهٔ دفعه‌ها خبر ندارم.

ـ آره مثل اینکه برای عروسیش هم اومده تو رو دعوت کنه برات کارت آورده بوده.

ـ راست می‌گی...؟!! به من ندادن، خدایا از دست اینا چکار کنم، چرا به من نگفتند؟

ـ حتماً خانم‌جونت می‌ترسیده دوباره هوایی بشی.

ـ هوایی بشم؟ با دو تا بچه؟ صبر کن خدمتشون می‌رسم، هنوز با من مثل بچه‌ها رفتار می‌کنن.

ـ اوه...! اون موقع تو مسعودو نداشتی این داستان مال خیلی پیشه شاید چهار سال پیش.

ـ یعنی چهار ساله پروانه عروسی کرده؟

ـ خوب معلومه وگرنه مجبور می‌شدن ترشیش بندازن.

ـ وا چه حرف‌ها. مگه چند سالشه؟

ـ خوب همسن‌وسال تو، تو هفت ساله شوهر داری.

ـ منِ بدبختو مجبور کردند، به اون زودی تو چاهم انداختن، بقیه که مجبور نیستن، حالا با کی عروسی کرده؟

ـ با نوهٔ عمهٔ پدرش، مادرش می‌گفت بعد از دیپلم کلی خواستگار داشته، بالاخره با این پسره که دکتره و تو آلمان زندگی می‌کنه عروسی کرده و رفته.

ـ یعنی رفته آلمان زندگی می‌کنه؟

ـ آره بعد از عروسی رفته، بیشتر تابسونا برای دیدن می‌آد.

ـ بچه هم داره؟

ـ آره می‌گفت یه دختر سه ساله داره. من‌هم گفتم که تو چقدر دنبالش گشتی، چقدر دلت براش تنگ شده برادرت هم پشم‌وپیلش ریخته و دیگه برای کسی خطری نداره مگه برای خودش، بالاخره تلفن منزلشو با اینکه راه‌دستش نبود گرفتم.

❧

به هفت سال پیش برگشتم، همراهی، هم‌زبانی و دوستی عمیق که بین من و پروانه بود هرگز با دیگری ایجاد نشد، می‌دانستم تا آخر عمرم هم دوستی مانند او نخواهم داشت، خجالت می‌کشیدم به مادرش تلفن‌کنم، نمی‌دانستم چه باید بگویم، ولی بالاخره این کار را کردم، با شنیدن صدای مادر پروانه بغض گلویم را گرفت، خودم را معرفی کردم و گفتم نمی‌دانم با چه رویی باید با شما صحبت کنم، گفتم که

پروانه تنها و عزیزترین دوستم بوده و هست، گفتم که شرمنده‌ام، من و خانواده‌ام را ببخشید، گفتم که آرزوی دیدار مجدد پروانه را دارم، گفتم که هنوز ساعت‌ها با او حرف می‌زنم و روزی نیست که یادش نکنم و تلفنم را دادم که هر وقت آمد با من تماس بگیرد.

درس خواندن برای امتحان نهایی با حضور دو بچه پرسروصدا و هزاران کار و گرفتاری ساده نبود. مجبور بودم شب‌ها پس از خوابیدن بچه‌ها درس بخوانم و از وقت استراحت و خوابم استفاده کنم. نزدیک‌های صبح که حمید می‌آمد و مرا بیدار و در حال درس خواندن می‌دید تعجب می‌کرد و می‌گفت عجب پشتکاری داری؟ بالاخره بعد از امتحانات سیامک، من‌هم در امتحانات نهایی شرکت کردم و به آرزویی که این‌همه سال داشتم رسیدم، آرزوی ساده و برحقی که دختران همسن من سال‌ها پیش بدون آنکه این‌همه مجذوب آن باشند و به آن فکر کنند به طور طبیعی بدان دست یافته بودند.

فعالیت‌های حمید روزبه‌روز جدی‌تر و خطرناک‌تر می‌شد، من با اینکه از برنامه‌های آنها اطلاع نداشتم، به طور غریزی این خطر مداوم را در اطرافم احساس می‌کردم، بعد از آن سفر کذایی، سازمانشان منسجم‌تر، اهدافشان مشخص‌تر و کارهایشان منظم‌تر شده بود، اتفاقاتی هم در سطح جامعه می‌افتاد که احساس می‌کردم به نوعی با آنها مرتبط است، ولی در واقع از هیچ چیز خبر نداشتم و نمی‌خواستم هم بدانم. این بی‌خبری زندگیم را قابل‌تحمل و وحشتم را خصوصاً برای بچه‌ها کمتر می‌کرد. حمید در خانه یک سیستم ایمنی درست‌کرده‌بود و راه‌هایی برای فرارهای ناگهانی تدارک دیده بود..

زنگ خطر در یک روز تابستان ساعت شش صبح به صدا درآمد، حمید قبل از من خودش را به تلفن رساند، حتی دو کلمه هم ردوبدل نشد، رنگ حمید به شدت پرید و با وحشت گوشی را زمین گذاشت، حدود یک دقیقه طول کشید تا

تقریباً به حال عادی برگشت، وحشت‌زده نگاهش می‌کردم، جرأت سؤال کردن نداشتم، حمید با سرعت وسایل ضروری و هر چه پول در خانه بود را جمع‌کرد و در یک ساک ریخت، سعی می‌کردم آرام و منطق باشم و بر اضطرابش نیفزایم، به آهستگی پرسیدم:

ـ حمید لو رفتین؟

ـ فکر می‌کنم...، معلوم نیست چه اتفاقی افتاده، یکی از بچه‌ها رو گرفتن، همه دارن جابه‌جا می‌شن.

ـ کدومشونو گرفتن؟

ـ تو نمی‌شناسی تازه به گروه اومده.

ـ اون تورو می‌شناسه؟

ـ نه به اسم واقعی.

ـ خونه رو بلده؟

ـ نه خوشبختانه، چون ما که اینجا هیچ‌وقت جلسه‌ای نداشتیم ولی ممکنه بقیه رو هم گرفته باشن، یا بگیرن. تو از هیچی خبر نداری خودتو نباز. اگـه فکـر می‌کنی راحت‌تری برو خونهٔ آقاجون.

سیامک از سروصدای ما بیدار شده بود، نگران و وحشت‌زده مثل سایه دنبال حمید راه می‌رفت، تمام اضطراب ما به او هم منتقل‌شده‌بود.

ـ حالا تو کجا می‌ری؟

ـ نمی‌دونم، فعلاً باید برم، جام معلوم نیست، تا یک هفته هم هیچ تماسی نمی‌گیرم.

سیامک به پاهای حـمید چسـبید و التمـاس‌کنان گـفت مـنم مـی‌آم. حـمید درحالی‌که او را از خودش جدا می‌کرد ادامه داد:

ـ اگه اینجا اومدن، هر چیزی توی خونه پیدا کردن بگـو مـال مـا نـیست، خوشبختانه تو چیز زیادی نمی‌دونی که باعث خطر بشه.

دوباره سیامک به او چسبید و گفت:

ـ منم می‌آم.

با عصبانیت او را از پاهایش کند و گفت:

ـ بچه‌ها تو جمع کن، مواظب خودتون باشین، اگه پول خواستی از بابام بگیر، به هیچ‌کس هم در این مورد حرفی نزن.

تا مدتی بعد از رفتن او مبهوت بر جا ماندم، دلم شور می‌زد. به سرنوشتی که در انتظارمان بود فکر می‌کردم، سیامک در اوج خشم و عصبیت خودش را به در و دیوار می‌کوبید، داشت به طرف مسعود که تازه بیدار شده بود می‌رفت که به طرفش دویدم و در آغوشش گرفتم، با مشت و لگد سعی کرد خودش را از چنگ من خلاص کند، تظاهر به اینکه هیچ اتفاقی نیفتاده و همه چیز در امن و امان است بی‌فایده بود. این بچهٔ باهوش و حساس از هر نفس من نگرانی را احساس می‌کرد در گوشش گفتم:

ـ گوش بده سیامک، ما باید آروم باشیم و این رازو به هیچ‌کس نگیم وگرنه برای باباحمید خیلی بد می‌شه.

ناگهان ساکت شد و گفت چی رو نگیم؟

ـ اینکه باباحمید امروز مجبورشد این طوری بره، به هیچ‌کس نگو، مواظب باش مسعودم نفهمه.

با تعجب و وحشت نگاهم‌کرد.

ـ ما نباید بترسیم باید شجاع و قوی باشیم، باباحمید هم خیلی قویه خوب بلده چکار کنه، هیچ‌کس نمی‌تونه پیداش کنه خیالت جمع باشه ما هم سربازای اونیم باید آروم و رازنگهدار باشیم، اون به کمک ما احتیاج داره، قبول می‌کنی؟

ـ آره.

ـ پس بیا قول بدیم که نه با کسی حرفی بزنیم نه شلوغ‌بازی راه بندازیم، باشه؟

ـ باشه.

می‌دانستم از حرف‌های من سردرنیاورده ولی مهم نبود او با ذهن خلاق و کودکانه‌اش هر کمبودی را می‌ساخت و جنبه‌های قهرمانی این داستان را با سلیقهٔ خود گسترش می‌داد. ما دیگر در این مورد صحبت نمی‌کردیم، گاه که من در فکر بودم، ساکت می‌شد، به طرفم می‌آمد، دست‌هایم را می‌گرفت و بدون کلامی حرف نگاهم‌می‌کرد، در این مواقع سعی می‌کردم نگرانی را از خود دور کنم لبخند

مطمئنی می‌زدم و در گوشش می‌گفتم خیالت راحت باشه، جاش امنه... آنگاه او با سر و صدای همیشگی دنبالهٔ بازی را از همان جایی که قطع شده بود می‌گرفت، مثل باد پشت مبل می‌پرید و تفنگ آبیش را با صداهای عجیب و غریبی که از دهانش درمی‌آورد به اطراف شلیک می‌کرد، واقعاً که این‌همه تغییر حال در یک لحظه فقط از او بر می‌آمد.

❧

آن روزهای پر از دلهره بیش از حد طولانی به نظر می‌رسیدند، سعی می‌کردم کار غیرعاقلانه‌ای انجام ندهم، به هیچ‌کس نگفتم چه اتفاقی افتاده، کمی پول ته کیفم داشتم که سعی می‌کردم با آن امور روزمره را بگـذرانم، مـدام از خـود می‌پرسیدم اگر او را بگیرند چه بر سرش خواهند آورد؟ آیا آنها اقداماتی هـم کرده‌اند، مبادا آنچه از خرابکاری در روزنامه‌ها می‌نویسند کار آنهاست، هیـچ وقت خطر را این‌همه جدی و نزدیک احساس نکرده‌بودم، جلساتشان در ابتدا به نظرم یک بازی روشنفکرانه بـرای وقت‌گـذرانی و خـودقهرمان‌بینی بـچه‌گـانه می‌آمد، ولی حالا همه چیز فرق‌کرده‌بود، یاد آن نیمه‌شب تابستان و چیزهایی که در خانهٔ ما پنهان‌کرده‌بودند بر وحشتم می‌افزود، بعد از آن شب قفل بزرگی به در اتاق عقبی زیرزمین نصب شد و پس از آن من هرگز درون آن را ندیدم بارها به حمید اعتراض کردم، ولی او هر بار می‌گفت:

ـ تو چقدر غُر می‌زنی اینا به تو چکار دارن؟ تو سال تا سـال هـم بـه اون زیرزمین سر نمی‌زدی. جای تورو که تنگ نکرده.

ـ ولی من می‌ترسم، اینا چی هستن نکنه خطری برای ما ایجاد کنن؟

ولی او اطمینان می‌داد که نگران نباشم و آن‌ها چیزهای خطرناکی نیستند. حمید موقع رفتن گفته بود که اگر چیزی پیدا کردند بگو مال ما نیست، خبر نداری، پس حتماً چیزهایی هست که نباید پیدا شود.

❧

بعد از یک هفته، نیمه‌شب با صدای در خانه از خواب سبک و بیمناکم پریدم، خود را به هال رساندم و بی‌اختیار چراغ را روشن کردم، حمید بـا صـدایـی

گرفته گفت:

ـ خاموش کن، خاموش کن!

او تنها نبود، دو خانم چادری که هیبت عجیبی داشتند با روی پوشیده پشت سرش ایستاده بودند، بی‌اختیار چشمم به کفش‌های مردانه و زمختشان افتاد. هر سه به اتاق مهمانخانه رفتند. حمید در را بست و به طرف من برگشت و گفت:

ـ حالا اون چراغ کوچیکه‌رو روشن کن. از اخبار بگو.

ـ خبری نبود اینجا اتفاقی نیفتاد.

ـ اینو می‌دونم ولی تو چیز مشکوکی حس‌نکردی؟

ـ نه...!

ـ از خونه بیرون رفتی؟

ـ آره، تقریباً هر روز.

ـ احساس نکردی کسی دنبالت بیاد؟ ماشین تازه‌ای تو کوچه ندیدی؟ همسایه‌ها عوض نشدن؟

ـ نه من چیزی ندیدم.

ـ مطمئنی؟

ـ نمی‌دونم، من‌که چیز مشکوکی حس نکردم.

ـ خوب حالا اگه می‌تونی برو چیزی برای خوردن بیار، چای، نون و پنیر غذای دیشب، هر چی که هست.

رفتم کتری را گذاشتم، احساس شادمانی خاصی داشتم، خدا را شکر او سالم بود هر چند می‌دانستم که هنوز خطر دور سرش می‌چرخد به محض اینکه چای دم کشید هر چه نان در خانه داشتم با پنیر و سبزی‌خوردن و کره و مرباهایی که تازه پخته بودم در سینی گذاشتم، و آهسته در زدم و حمید را صدا کردم می‌دانستم نباید داخل اتاق شوم. حمید با سرعت سینی را گرفت و گفت تو برو بخواب، خیلی ممنون. به نظرم لاغر شده بود، ریش‌های درآمده‌اش جوگندمی می‌زدند، دلم می‌خواست می‌بوسیدمش. به اتاق خواب رفتم و در را محکم بستم تا آنها با خیال راحت بتوانند از دستشویی و حمام استفاده کنند. دوباره خدا را شُکر کردم که یک

بار دیگر او را زنده و سالم می‌بینم. ولی نگرانی همچنان وجودم را می‌آزرد، غرق در خیالات نامشخص بالاخره به خوابی ناآرام فرو رفتم.

❀

هوا تازه روشن شده بود که بیدار شدم یادم آمد که نان در خانه نداریم، لباس پوشیدم، دست و رویم را شستم، سماور را روشن کردم و بیرون آمدم وقتی برگشتم بچه‌ها بیدار شده بودند ولی درِ اتاق مهمان‌خانه هنوز بسته بود، سیامک به دنبالم به آشپزخانه آمد و طوری که مسعود نشنود گفت:

ـ بابا اومده؟

جا خوردم. با تعجب گفتم:

ـ از کجا فهمیدی؟

ـ اینجا یه جوریه، درِ اتاق مهمون خونه قفله، از پشت شیشه‌ها یه سایه‌هایی می‌بینم. (شیشه‌های اتاق مات و مشجر بود.)

ـ آره عزیزم، ولی نمی‌خواد کسی بفهمه، ما هم نباید به روی خودمون بیاریم.

ـ تنها نیست نه...!؟

ـ نه، با بابات سه نفرن.

ـ من مواظبم مسعود نفهمه.

ـ آفرین پسر گُلم، تو آقایی مسعود بچه‌اس ممکنه جایی حرفی بزنه.

ـ آره می‌دونم نمی‌ذارم بره کنار در مهمون‌خونه.

حالا دیگر او با چنان وسواسی از اتاق مهمان‌خانه پاسداری می‌کرد که مسعود بیشتر کنجکاو می‌شد و می‌خواست ببیند که آنجا چه خبر است. داشت دعوایشان می‌شد که حمید از اتاق بیرون آمد. مسعود متحیر بر جا ماند و سیامک به طرفش دوید و پاهایش را در آغوش گرفت، هر دو را بوسید و نوازش کرد.

ـ بشین بچه‌ها رو بغل کن تا صبحونه بیارم.

ـ باشه بذار دست و صورتمو، بشورم تو هم صبحونهٔ رفقا رو حاضر کن.

وقتی چهار نفری سر سفره نشستیم بی‌اختیار بغض کردم و گفتم:

ـ خدا رو شکر! می‌ترسیدم دیگه هیچ‌وقت با هم نباشیم.

حمید با نگاهی مهربان گفت:

ـ فعلاً خبری نیست. تو که با کسی حرف نزدی؟

ـ نه، حتی به پدر و مادرتم نگفتم با اینکه خیلی کنجکاوی می‌کردن و سراغتو می‌گرفتن، یادت باشه حتماً بهشون تلفن بزن وگرنه به قول خودت شلوغ‌بازی راه می‌افته.

ـ بابا من هم به هیچ‌کس نگفتم، مواظب بودم اینم نفهمه.

حمید با تعجب نگاه به من کرد؛ با سر علامت دادم که نگران نباشد و گفتم:

ـ آره سیامک خیلی کمک کرد، رازدار خوبیه.

مسعود با آن لحن بچگانه شیرینش گفت:

ـ منم رازدارم، منم رازدارم.

ـ برو بابا، تو بچه‌ای نمی‌فهمی.

ـ من بچه نیستم می‌فهمم.

ـ ساکت بچه‌ها، ببین معصوم یه چیزی برای ناهار بار بذار و برو خونهٔ آقاجونت، هر وقت تلفن کردم بیا.

ـ کی تلفن می‌کنی؟ نکنه مجبور بشم اونجا بمونم.

ـ امشب که حتماً باید بمونی.

ـ آخه بهشون چی بگم خیال می‌کنن قهر کردم.

ـ عیب نداره بذار فکر کنن قهر کردی، ولی تا من تلفن نکردم به هیچ عنوان نباید خونه بیایی، متوجه که هستی؟

ـ آره ولی این کارای تو بالاخره کار دستمون می‌ده، خدا رحم کنه، این یک هفته که من از نگرانی شب و روز نداشتم، تو رو خدا اگه چیزی تو این خونه داری ببر بیرون خیلی می‌ترسم.

ـ تو خونه رو خلوت کن همین کارو می‌کنیم.

سیامک ناراحت و دلخور گفت:

ـ بابا بذار من بمونم.

با سر به حمید اشاره کردم که با او حرف بزند، و خودم با مسعود به آشپزخانه

رفتیم، آنها روبه‌روی هم نشستند، حمید جدی و آرام حرف می‌زد و سیامک دقیق و هشیار گوش می‌داد، آن روز رفتار سیامک شش‌سال‌ونیمهٔ من مانند مرد بزرگ و مسؤولی بود که می‌دانست وظیفه‌ای بر عهده دارد، ساک سنگینی را که درست‌کرده‌بودم به‌سختی بردوش می‌کشید. با حمید خداحافظی کردیم و به خانهٔ آقاجون رفتیم، تمام راه سیامک ساکت و آرام بود نمی‌دانستم در کلهٔ کوچکش چه می‌گذرد، در خانهٔ آقاجون هم هیچ بازی یا سر و صدایی نداشت در کنار حوض نشسته بود و ماهی‌های قرمز را تماشامی‌کرد و حتی عصر که احترام‌سادات آمد با دیدن غلامعلی هم به هیجان نیامد و دعوا یا شیطنتی نکرد، آقاجون با اشاره سر به او پرسید:

ـ چِش شده؟

ـ هیچی آقاجون بزرگ شده، آقا شده!

و با لبخند نگاهش‌کردم، سرش را بلندکرد و به من لبخند زد، چه آرامش و وقاری در چهره داشت، حالا من و حمید و سیامک اسرار مشترک داشتیم، آن‌هم اسرار واقعاً مهم و یک خانوادهٔ صمیمی بودیم و مسعود مثل بچهٔ همهٔ ما بود.

همان‌طور که حدس می‌زدم خانم‌جون از آمدن بی‌موقع ما تعجب کرد، تمام راه فکرمی‌کردم که به او چه بگویم و چه بهانه‌ای برای نرفتن به خانه بیاورم، او تا ما را دید گفت:

ـ خیره انشاالله، چه شده از این طرفا؟ اونم با بار و بندیل.

ـ حمید مهمونی مردونه داشت، تمام دوستاش و کارگرای چاپخونه می‌آمدن، اونم گفت اگه من خونه نباشم اونا راحت‌ترن، تازه چندتاشون هم از شهرستان اومدن و شب می‌مونن حمید گفت تا اینا اینجان نمی‌خواد بیایی، وقتی همه رفتن خودم می‌آم دنبالت.

ـ عجب نمی‌دونستم حمیدآقا این‌قدر باغیرته!

ـ خوب مردا وقتی دور هم جمع می‌شن می‌خوان آزاد باشن حرف‌هایی بزنن که جلوی زن‌ها نمی‌شه، تازه منم چند تا پارچه داشتم می‌خواستم فاطی برام

لباس بدوزه دیدم بهترین فرصته.

اقامت من در خانهٔ خانم‌جون دو شب و سه روز طول کشید. در این مدت هرچند که نگران بودم ولی خیلی هم خوش‌گذشت، پروین‌خانم برایم یک بلوز دامن شیک دوخت و فاطی دو لباس راحت و گلدار، کلی حرف‌زدیم و خندیدیم، خانم‌جون که هفتهٔ پیش از سفر قم آمده بود کلی اخبار دست اول از فامیل و همسایه‌ها و آشنایان داشت، آنجا بود که فهمیدم محبوبه که یک دختر داشت، حالا سر دومی حامله است، خانم‌جون می‌گفت:

ـ حتماً اینم دختره، از ریخت وارفته‌اش پیداس، نمی‌دونی وقتی از پسرای تو و محمود تعریف می‌کنم چه آتیشی می‌گیرن. دخترش عین بچگی‌های خود محبوبه سفید و بی‌نمکه.

ـ وای خانم‌جون، محبوبه که بچگی‌هاش خیلی ناز بود با اون موهای بور حلقه حلقه‌اش پسر و دختر هم تو این دوره و زمونه دیگه فرقی نداره که بخواد به بچه‌های من یا محمود حسادت کنه.

ـ وا چطور فرقی نداره، شماها اصلاً این‌طوری هستین هر چی خودتون دارین ارزش نداره عوضش اونا تا دلت بخواد پزو و ازخودراضین حالا هم که پولدار شدن دیگه «به شیپیش تنشون می‌گن منیژه‌خانم». ولی وقتی از کار و زندگی و درآمد محمود آقا گفتم داشتن از حسادت می‌ترکیدند.

ـ ای بابا خانم‌جون چرا حسادت کنن خودشون که می‌گی این‌همه پولدارن.

ـ باشه باز هم چشم دیدن ما رو ندارن، می‌خوان ما نداشته باشیم، راستی عمه‌ات می‌گفت شوهر محبوبه امسال می‌خواسته بِبَردش فرنگ ولی محبوبه قبول نکرده.

ـ وا چرا؟ چقدر خره.

ـ اوا ننه، بره چکار اونجا همه چی نجسه، چطوری نماز بخونه؟ راستی این‌هم بهت بگم ولی پیش خودت بمونه عموی احترام‌ساداتو گرفتن. محمود خیلی ناراحته می‌ترسه برای کار و کاسبی‌اش بد بشه.

ـ وا؟ حالا کی گرفته؟

ـ خوب معلومه امنیتی‌ها دیگه... انگار رو منبر حرفایی زده.

ـ راس می‌گی؟ باریک‌الله چه باشهامته! بهش نمی‌اومد، چند وقته؟

ـ یکی دو هفته‌ای هس، می‌گن با منقاش گوشت‌های تنشو ذره‌ذره می‌کنن.

پشتم لرزید و در دل گفتم خدایا به حمید رحم کن.

※

عصر روز سوم حمید با یک ماشین ژیان زرد رنگ به دنبالمان آمد، بچه‌ها از دیدن او و ماشین خیلی خوشحال شدند، برخلاف همیشه عجله نداشت، روی تخت نشست و با آقاجون چای خورد و صحبت‌کرد، موقع خداحافظی آقاجون گفت:

ـ خدا رو شکر خیالم راحت شد، فکر می‌کردم خدای نکرده دعوا کـردین، نگران بودم. ولی اینو هم بگم که این سه روزه به من خیلی خوش‌گذشت وقتی شماها رو توی این خونه دیدم روحم تازه شد.

آقاجون معمولاً عادت نداشت از این حرف‌ها بزند به همین دلیل خیلی تحت تأثیر قرار گرفتیم. در راه بـازگشت بـه خـانه بـعضی اخبار فـامیل مخصوصاً دستگیری عموی احترام را برای حمید تعریف کردم، سری تکان داد و گفت:

ـ عجب جونی گرفته این ساواک بی‌پدر. به جون همهٔ گروه‌ها افتاده.

نخواستم جلوی سیامک این حرف‌ها ادامه پیدا کند گفتم:

ـ ماشین از کجا رسیده؟

ـ فعلاً در اختیار منه. باید بعضی جاها رو پاکسازی کنم.

ـ پس لطفاً از خونهٔ خودمون شروع کن.

ـ اون تموم شد، دیگه خیالم از خونه راحت شد، این یه هفته خیلی نگران بودم اگه می‌اومدن همه اعدامی بودیم.

ـ تورو خدا حمید به این طفل معصوما رحم‌کن.

ـ من حداکثر احتیاط رو کردم، برای همین هم تنها جای امن فعلاً خونهٔ ماست.

با اینکه سر و صدای ماشین زیاد بود و ما هم در صندلی جلو نشسته بودیم و خیلی یواش صحبت می‌کردیم متوجه‌شدم که سیامک با دقت تمـام از پشت بـه حرف‌های ما گوش می‌دهد.

ـ هیس، بچه‌ها...!

حمید برگشت نگاهی به سیامک کرد و با لبخند گفت:

ـ اینکه دیگه بچه نیست، برای خودش مردی شده. قراره وقتی مـن نیسـتم مواظب شماها باشه.

تمام وجود سیامک انباشته از غرور بود و چشمانش برق می‌زد به محض رسیدن به خانه به زیرزمین رفتم، از قفل در عقبی خبری نبود، و جز وسایل معمول چیزی در آنجا به چشم نمی‌خورد، با خود گفتم: فردا صبح باید یک وارسی حسابی در روز روشن بکنم. مبادا چیزی جامانده‌باشد. سیامک مدام به دنبال حمید بود حتی حاضر نشد من حمامش کنم گفت:

ـ من مرد شدم با بابام می‌رم حموم.

من و حمید به هم نگاه کردیم و خندیدیم. بعد از من و مسعود آنها حمام‌کردند، صدای حرف زدنشان را که در فضای حمام منعکس می‌شد تا حدودی می‌شنیدم. چقدر دلنشین بود، با اینکه حمید خیلی کم در خانه و با ما بود ولی رابطهٔ پدر و پسر واقعاً صمیمانه و نزدیک بود.

❀

تا چند روز بعد حمید گرفتار بود و کار داشت ولی پس از آن بیشتر وقتش را در خانه می‌گذراند گویی جایی برای رفتن نداشت، از دوستانش هـیچ خبـری نبود، مثل بقیهٔ مردها صبح‌ها به شرکت می‌رفت و عصرها در خانه می‌ماند. این وضع کلافه‌اش می‌کرد. من هم از فرصت استفاده کرده او را با بچه‌ها به خیابان و پارک می‌فرستادم. کاری که هرگز در عمرش نکرده بود، فکر می‌کنم آن روزها از بهترین روزهای زندگی بچه‌هایم بود. تجربهٔ پدر و مادر داشـتن و یک زنـدگی عادی که شاید برای بقیهٔ مردم به هیچ وجه شایان توجه و شکرگزاری نـباشد برای ما دنیایی ارزش داشت. کم‌کم آن‌قدر پررو شدم که به حمید پیشنهاد کردم که چند روز به مسافرت برویم.

ـ بریم شمال، مثل اون سال که سیامک تازه دنیا اومده بود.

حمید با نگاهی جدی گفت:

ـ نه! نمی‌شه، من منتظر خبر هستم. باید یا توی خونه باشم یا چاپخونه.

ـ فقط دو روز، الان دو ماه و نیمه که خبری نیست، هفتهٔ دیگه هم مدرسه‌ها باز می‌شه بیا بریم مسافرت، بذار خاطرهٔ خوبی برای بچه‌ها ایجاد بشه. حداقل یک بار با پدر و مادرشون سفر کرده باشن.

بچه‌ها هم به او آویختند مسعود التماس می‌کرد، هرچند نمی‌دانست مسافرت چیست، سیامک حرفی نمی‌زد ولی دست حمید را گرفته بود و با چشمانی آرزومند نگاهش می‌کرد. می‌دانستم همین نگاه او را متزلزل خواهد کرد، باید ادامه می‌دادم.

ـ می‌دونی شوهر منصوره یه ویلا توی شمال خریده، منصوره همیشه می‌گه همه به این ویلا رفتن غیر از شماها؛ اگه دلت می‌خواد بابا و مامانتو هم با خودمون می‌بریم. بالاخره اونا هم حق دارن، آرزو دارن با پسرشون یه سفر چند روزه برن. با همین ماشین هم می‌تونیم بریم.

ـ نه، این ماشین جون جادهٔ چالوسو نداره!

ـ خوب از هراز می‌ریم، خودت گفتی ماشین نوه چرا جون نداره، یواش‌یواش می‌ریم.

بچه‌ها همچنان التماس می‌کردند، با بوسه‌ای که سیامک به دست حمید زد کار تمام شد و ما برنده شدیم. پدر و مادرش نیامدند، ولی از اینکه ما بعد از این‌همه سال مثل یک خانوادهٔ واقعی می‌خواهیم با هم به مسافرت برویم خیلی خوشحال شدند. منصوره در شمال بود، تلفنی با حمید حرف زد و با شادمانی بسیار آدرس داد، و ما بالاخره با این‌همه فشار و تشویق راه افتادیم.

وقتی از شهر خارج شدیم گویی به دنیای دیگری پا می‌گذاشتیم. بچه‌ها چنان محو کوهها، دره‌ها و دشتها شده بودند که مدتی هر کدام به پنجره‌ای چسبیده و بیرون را نگاه‌می‌کردند و صدایشان در نمی‌آمد. حمید آهنگی را زمزمه‌می‌کرد و من همراهیش می‌کردم. قلبم مالامال از شادی و نشاط بود. همراه با دعای سفر از خدا خواستم که سعادت با هم بودن را از ما نگیرد، ماشین سربالایی‌ها را به کُندی طی می‌کرد ولی مهم نبود، دلم می‌خواست این سفر تا ابد ادامه یابد.

برای ناهار کتلت درست کرده بودم، در جایی خوش‌منظره ایستادیم و نـاهار
خوردیم. بچه‌ها مدتی دنبال هم دویدند. صـدای خـنده‌شان گـوشم را نـوازش
می‌داد. به حمید گفتم:

ـ عجیبه! رفتار سیامک خیلی تغییرکرده. متوجه هستی چقدر آروم، سربه‌راه
و خوش‌اخلاق شده! یادم نمی‌آید آخرین باری که دعواش کـردم کـی بـود در
صورتی که قبلاً تقریباً روزی نبود که یک جنگ و جدال واقعی نداشته باشیم.

ـ اصلاً نمی‌فهمم که تو چرا با این بچه این همه مشکل داری در صورتی که به
نظر من پسر بسیار خوبیه. ظاهراً من اونو بهتر از تو درک می‌کنم.

ـ نه عزیزم، تو اونو وقتی می‌بینی که خودت حضور داری وقتی تـو نیستی
شخصیتش واقعاً چیز دیگه‌ایه با این بچه‌ای که در این دو ماه هر روز دیدی زمین
تا آسمون فرق داره. فکر می‌کنم تو براش یه قرص مسکنی، یه آرام‌بخشی.

ـ اه... نگو! دلم نمی‌خواد هیچ‌کس به من تا این حد وابسته باشه.

ـ ولی خیلی‌ها به تو وابستن و این دست تو نیست.

ـ فکرش هم عذابم می‌ده و اعصابمو بهم می‌ریزه.

ـ خوب بگذریم، اصلاً در موردش حرف نمی‌زنیم، فقط از این روزای قشنگی
که داریم لذت می‌بریم. سعی کن فکر نکنی.

❀

منصوره اتاق دلبازی که پنجره‌های رو به دریا داشت را برایمان آماده کرده‌بود،
جلوی آنها حمید نمی‌توانست رختخوابش را به اطاق دیگر ببرد و مجبور بود در
کنار من بخوابد. همه از آفتاب و دریا لذت می‌بردیم، سعی کردم دوباره در آفتاب
بسوزم، موهایم را پریشان می‌کردم، لباس‌های خوش‌رنگ و یقه بازی راکه تازه
دوخته بودم می‌پوشیدم تا بار دیگر نگاه‌های تحسین‌آمیز حمید را متوجه خـود
کنم، چقدر به محبت و توجه او نیاز داشتم، تا شب سوم بالاخره طاقت از دست
داد، قسم چند ساله‌اش را شکست و مرا در آغوش کشید.

❀

آن سفر خوب و به یادماندنی ما را بیش‌ازپیش به هم نزدیک‌کرد، می‌دانستم

او انتظارات دیگری جز خانه‌داری از من دارد، تا می‌توانستم مطالعه می‌کردم و
آنچه را در این سال‌ها از کتاب‌های او آموخته‌بودم با او به بحث می‌گذاشتم،
سعی می‌کردم با هم‌فکری و گفت‌وگو در مورد مسایل سیاسی و اجتماعی تا
حدودی کمبود دوستانش را جبران کنم. او کم‌کم باور می‌کرد که من هم آگاهی و
دانش در زمینه‌های سیاسی دارم و حتی معتقد شده بود که باهوش و خوش
حافظه‌ام، دیگر از نظر او بچه یا زنی عقب‌مانده نبودم. یک روز که بخشی از کتابی
را که فراموش کرده بود برایش بازگو کردم گفت:

ـ واقعاً حیفه که تو با این‌همه استعداد درستو ادامه ندادی، راستی چرا کنکور
نمی‌دی، مطمئنم اگه درس بخونی پیشرفت زیادی می‌کنی.

ـ فکر نمی‌کنم قبول بشم، زبان انگلیسیم خوب نیست، تازه بچه‌هارو چکار کنم.

ـ همون کاری که برای دیپلم گرفتن کردی، تازه حالا بچه‌ها بزرگ‌تر هم شدن
و دست و بال تو بازتره، برای زبان کلاس برو، یا اصلاً یک کلاس کنکور اسم
بنویس. تو هر کاری بخوای می‌تونی بکنی.

❊

بعد از هشت سال تازه داشتم معنی زندگی خانوادگی را می‌چشیدم، با تمام
وجود لحظات دلپذیر آن را مزه‌مزه می‌کردم. پاییز آن سال از حضور مرتب حمید
در بعداز ظهرها استفاده کردم و در یک کلاس کنکور اسم نوشتم، نمی‌دانستم تا چه
زمانی برنامهٔ او به همین شکل ادامه‌خواهدیافت ولی سعی می‌کردم از همین
روزهای باارزش و مغتنم حداکثر بهره را ببرم. در دل می‌گفتم شاید هم گروهشان از
هم پاشیده و ما می‌توانیم برای همیشه یک زندگی خانوادگی واقعی و دلچسب داشته
باشیم، هرچند که حمید مدام عصبی و نگران و منتظر تلفن بود ولی این وضع هم
بالاخره تمام می‌شد. من هنوز هم هیچ چیز در مورد گروهشان نمی‌دانستم، یک بار که
در میان بحث‌های سیاسی سؤالی در این مورد مطرح کردم گفت:

ـ نه! در مورد بچه‌ها و فعالیت‌های ما نپرس، نه اینکه من به تو اعتماد ندارم، یا
تو درک نمی‌کنی، بلکه به این دلیل ساده که تو هرچه کمتر بدونی در امنیت
بیشتری هستی و خطر کمتری تهدیدت می‌کنه.

و من دیگر هرگز در این زمینه کنجکاوی نکردم.

❀

پاییز و زمستان آن سال به آرامی گذشت، برنامهٔ حمید کم‌کم بـه صـورت جدیدی شکل گرفت، هفته‌ای یا دو هفته‌ای یک بار تلفن‌هایی می‌شد و او یکی دو روزی غیبش می‌زد، در بهار به من اطمینان داد که خطر گذشته، هیچ ردی در هیچ جا ندارند، و همه تقریباً در خانه‌های امن جای داده شده‌اند.

ـ یعنی در تمام این مدت جا و مکان نداشتند؟

ـ نه دیگه، فراری بودن، بعد از دستگیری اون چند نفر خیلی از آدرس‌ها لو رفت. بچه‌ها مجبور شدند خونه‌هارو رها کنند.

ـ یعنی شهرزاد و مهدی هم خونشونو رها کردند؟

ـ اونا از اولین نفرا بودن، فقط تونستند اسناد و مدارک رو نجات بـدن، تمـام زندگیشون از دست رفت.

ـ وسایل زیاد داشتن؟

ـ اوه... خونوادهٔ شهرزاد به اندازهٔ وسایل دو تا خونه به شهرزاد جـهاز داده بودن، البته تو این مدت خیلی چیزا رو بخشیـده بـود ولی خـوب هنـوز خیـلی چیزها هم بود.

ـ بعد از ترک خونه کجا رفتند. بدون وسایل چکار کردند؟

ـ اوه یواش! دیگه وارد معقولات نشو.

❀

در بهار و تابستان حمید چند بار بـه مسـافرت‌های نسـبتاً طـولانی رفت. روحیه‌اش خوب بود. و من مواظب بودم هیچ‌کس از نبودن‌های او بویی نبرد، و در ضمن درس‌هایم را هم به شدت مـی‌خوانـدم و خـودم را بـرای کـنکور آمـاده می‌کردم... قبول شدن من در کنکور همان‌قدر که من و حمید را خوشحال کرد باعث تعجب خانواده‌هایمان شد، عکس‌العمل‌ها بسیار متفاوت بودند خانم‌جون گفت:

ـ برای چی می‌ری دانشگاه؟ مگه می‌خوای دکتر بشی؟

(از نظر او فقط برای پـزشک شـدن بـه دانشـگاه مـی‌رفتند.) آقاجون بـا

خوشحالی، تعجب و غرور گفت:

ـ مدیرتون گفته بود تو چقدر بااستعدادی، من می‌دونستم، کاشکی یه دونه از این پسرها هم لااقل مثل تو بودند.

علی و محمود معتقد بودند که من هنوز از لوس‌بازی‌هایم دست برنداشته‌ام و شوهرم هم چون به اندازهٔ کافی غیرت و مردانگی ندارد نمی‌تواند جلوی من را بگیرد. در اوج پرواز بودم، احساس عزت و افتخار می‌کردم همه چیز بر وفق مراد بود. میهمانی بزرگی دادم منیژه را هم که مدتی از ازدواجش می‌گذشت و من فرصت دعوتشان را نداشتم پاگشا کردم، در این میهمانی بعد از سال‌ها خانوادهٔ من و حمید در کنار هم جمع شدند، البته محمود و علی به بهانه اینکه زن بی‌حجاب در مجلس هست نیامدند ولی احترام‌سادات و بچه‌ها بودند و به اندازه کافی شلوغ کردند. من آن‌قدر شاد و خوشبخت بودم که هیچ چیز آزارم نمی‌داد و نمی‌توانست خنده را از لب‌هایم دور کند.

زندگیم روال جدیدی یافت، اسم مسعود را در کودکستان نزدیک منزلمان نوشتم، اغلب کارهایم را شب‌ها انجام می‌دادم تا صبح با خیال راحت به دانشگاه بروم و کمبودی متوجه حمید و بچه‌ها نشود.

هوا سرد شده بود باد پاییزی شاخه‌های خشک درختان را به پنجره می‌زد، باران ریزی که از عصر شروع شده بود با برف آمیخته و سریع‌تر می‌بارید، حمید تازه به خواب رفته بود، با خود گفتم: زمستان یکدفعه آمد خوب شد لباس‌های زمستانی را درآوردم، ساعت نزدیک یک بود داشتم آماده خواب می‌شدم که صدای زنگ در میخکوبم کرد، ضربان قلبم دو برابر شد، کمی صبر کردم با خود گفتم حتماً اشتباه شنیده‌ام که دیدم حمید آشفته و هراسان وسط هال ایستاده است، به هم خیره شدیم با صدایی که به سختی از گلویم بیرون می‌آمد گفتم:

ـ تو هم شنیدی؟

ـ آره...!

ـ حالا چکار کنیم؟

در حالی که شلوارش را روی پیژاما می‌پوشید گفت:

ـ تا می‌تونی معطلشون کن، من از راه پشت‌بوم و راه‌هایی که قبلاً شناسایی کردم می‌رم، بعد تو درو باز کن، اگه خطری بود تمام چراغا رو روشن کن.

کتش را روی زیرپیراهنی پوشید و به طرف پشت‌بام دوید.

ـ صبر کن پالتو، پلوور، چیزی بردار.

زنگ بی‌امان صدا می‌داد.

ـ وقت نیست برو.

در نیمه راه پشت‌بام ژاکتی را که دم دستم بود به طرفش پرتاب کردم. سعی کردم آرام باشم و خودم را خواب‌آلود نشان دهم، پتویی را دورم پیچیدم و از پله‌ها پایین آمدم، مثل بید می‌لرزیدم، حالا دیگر با مشت هم به در می‌زدند، چراغ را روشن کردم که حمید بتواند از بالا بهتر ببیند و در را گشودم، کسی که پشت در بود با عجله در را هُل داد، خودش را به درون حیاط انداخت و در را پشت سرش بست، او یک زن بود با چادر نماز گلدار که معلوم بود مال خودش نیست چون تنها تا بالای قوزک پایش را می‌پوشاند، با وحشت و مبهوت نگاهش کردم، چادر خیس روی شانه‌هایش افتاد بی‌اختیار گفتم: شهرزاد...! انگشتش را به نشانهٔ سکوت روی بینی گذاشت و گفت:

ـ چراغو خاموش‌کن، چرا شماها قبل از هر کاری چراغ روشن می‌کنین؟ با نگاهی به پشت بام چراغ را خاموش کردم، موها و لباس‌هایش همه خیس بودند.

ـ بیا تو سرما می‌خوری.

ـ هیس... ساکت...

چند دقیقه‌ای همان‌طور پشت در ایستادیم و به صداهای کوچه گوش دادیم، همه جا ساکت بود بعد از دقایقی او مانند کسی که ناگهان تمام انرژی‌اش را از دست داده باشد همان‌طور که به در تکیه‌داده‌بود تا شد و روی زمین نشست، چادر روی زمین ولو شد دست‌هایش را روی زانوها گذاشته سرش را بین بازوها پنهان کرد. از موهایش آب می‌چکید. زیر بازویش را گرفتم، به سختی از زمین بلندشد،

نمی‌توانست راه برود، چادر را برداشتم دستش را در دستم گرفتم، برخلاف انتظار دستش داغ بود، بی‌حال و بی‌اراده به دنبالم آمد، از پله‌ها بالا رفتیم.

ـ باید خودتو خشک کنی، تو مریض هستی مگه نه؟

با سر تأیید کرد.

ـ آب داغه برو زیر دوش، لباساتو همونجا بذار برات لباس می‌آرم.

بدون حرف به حمام رفت مدتی زیر دوش ایستاد، لباس‌هایی که فکر می‌کردم اندازه باشد آماده کردم و در اتاق مهمان‌خانه برایش رختخواب انداختم، از حمام بیرون آمد لباس‌ها را پوشید، هیچ حرفی نمی‌زد، در نگاهش سرگشتگی بچه‌های گمشده و ناامید را داشت.

ـ حتماً گرسنه‌ای.

سرش را به نشانه نفی تکان داد.

ـ برات شیر گرم کردم، باید بخوری.

تسلیم و بی‌صدا شیر را خورد، به اتاق مهمان‌خانه بردمش فکر می‌کنم قبل از اینکه در رختخواب جابه‌جا شود خوابش برد، رویش را کشیدم، در را بستم و بیرون آمدم تازه به یاد حمید افتادم، یعنی او هنوز آن بالاست؟ آهسته از پله‌ها بالا رفتم، حمید کنار خرپشته که سایبان کوچکی داشت چمباتمه زده بود.

ـ فهمیدی کی بود؟

ـ آره، شهرزاد.

ـ پس چرا اینجا ایستادی؟ شهرزاد که خطری نداره؟

ـ اتفاقاً خیلی هم خطر داره، منتظرم ببینم کسی تعقیبش کرده یا نه، به نظرت چقدر از آمدنش گذشته؟

ـ نیم ساعت، نه سه ربع، اگه دنبالش بودن تا حالا خبری می‌شد، نه؟

ـ نه الزاماً، گاهی صبر می‌کنن تا همه جمع بشن، برای گرفتن یه خونۀ تیمی بی‌گدار به آب نمی‌زنن.

دوباره تنم به لرزه افتاد، اگه بریزن خونۀ ما چی؟ ما رو هم می‌گیرن؟

ـ نترس، تو که کاره‌ای نیستی، اگرم بگیرنت چیزی نمی‌دونی، ولت می‌کنن.

ـ ولی از کجا می‌فهمن که چیزی نمی‌دونم؟ لابد بعد از هزار جور شکنجه...! بچه‌ها چی؟

ـ فکرای بیخود نکن، به این سادگی‌ها هم نیست باید قوی باشی، با این فکرها روحیه‌تو از دست می‌دی، خوب بگو شهرزاد چطوره؟ چی گفت؟

ـ هیچی، اصلاً نمی‌تونه حرف بزنه، به نظرم حسابی مریضه، باید سرمای سختی خورده باشه.

ـ اونا مثل گاو پیشونی سفید شدن، شناساییشون کردن، اول از همه ریختن خونهٔ اینها، یک سال و نیمه که زندگی مخفی دارن، مدت‌ها شهرستان بودن تا جای امن براشون درست کردیم و اومدن، حتماً اونجا هم لو رفته.

ـ یعنی یک سال و نیمه که این بیچاره‌ها آواره‌ان؟

ـ آره...!

ـ شوهرش کجاس؟

ـ مهدی؟ نمی‌دونم با هم بودن، حتماً اتفاقی افتاده که مجبور شدن از هم جدا بشن... شاید گرفتنش؟

قلبم فرو ریخت، اولین فکری که به خاطرم رسید این بود که مهدی خانهٔ ما را بلد است.

آن‌شب حمید تا صبح روی پشت بام کشیک داد. برایش لباس گرم و چای داغ بردم، صبح کمی زودتر از معمول بچه‌ها را بیدار کردم صبحانه دادم و خودم هر دو را به مدرسه و کودکستان رساندم. در راه به‌دقت به اطراف می‌نگریستم تا ببینم آیا چیز مشکوکی توجهم را جلب می‌کند یا نه، در هر نگاه و حرکت مردم به دنبال منظوری پنهانی می‌گشتم. قدری خرید کرده و برگشتم، حمید از پشت بام پایین آمده‌بود با دیدن من گفت:

ـ نمی‌دونم چکار باید بکنم، برم چاپخونه یا نه؟

ـ به نظرم بهتر باشه عادی رفتار کنیم، تا کسی مشکوک نشه.

ـ توی خیابون متوجه چیز خاصی نشدی؟

ـ نه، فکرمی‌کنم همه چیز عادی بود، شاید هم همین عادی بودن غیرعادی باشه می‌خوان ما مشکوک نشیم.

ـ خوب دیگه خیال‌پردازی نکن، فکر می‌کنم باید صبر کنم با شهرزاد حرف بزنم بفهمم چه اتفاقی افتاده بعد برم، شاید باهام کار داشته باشه، بیدارش نمی‌کنی؟

ـ نه گناه‌داره خیلی خسته و مریضه. می‌خوای به چاپخونه تلفن کنم بگم امروز نمی‌ری تو هم کمی استراحت کن تا اونم بیدار بشه.

ـ نه لازم نیست. اونا به نبودنای من عادت دارن، هیچ‌وقت هم خبر نمی‌دم.

شهرزاد تا ساعت یک بعدازظهر بی‌هوش و بی‌رمق در رختخواب افتاده بود، آش شلغم مفصلی درست‌کردم کمی هم گوشت برای کباب گذاشتم، کاملاً مشخص بود که احتیاج به تقویت دارد، از آخرین باری که دیده بودمش نصف شده بود، قدری هم قرص مسکن، شربت سینه و تب‌بر گرفتم. نزدیک آمدن بچه‌ها بود به ناچار بالای سرش رفتم، دستم را آهسته روی پیشانیش گذاشتم، هنوز تب داشت، سراسیمه ازخواب‌پرید و در رختخواب نیم‌خیز شد لحظاتی با نگاهی ناآشنا به من و اطرافش نگریست معلوم بود که زمان و مکان را گم کرده است.

ـ نترس آروم باش منم معصوم، خیالت راحت باشه اینجا امنه.

یک مرتبه گویی همه چیز را به‌خاطرآورد نفس بلندی کشید و خودش را روی بالش رها کرد.

ـ خیلی ضعیف شدی پاشو برات آش درست کردم، قرصا و دواهاتو هم بخور بعد دوباره بخواب بدجوری سرما خوردی.

چشم‌های درشت و تب‌زده‌اش پر از غم بود، لب‌هایش لرزید، به روی خودم نیاوردم و از اتاق بیرون آمدم، حمید در هال قدم می‌زد.

ـ بیدار شد؟ باید باهاش حرف بزنم.

ـ صبر کن بذار یک‌ذره حالش جا بیاد چیزی بخوره بعد...

آش را با داروها به اتاق بردم، در رختخواب نشسته بود، حوله‌ای را که دیشب به سرش بسته بودم باز شده و موهایش هنوز کمی نَم داشتند.

ـ شما شروع کنید آش بخورید، من می‌رم شونه و برس می‌آرم.

یک قاشق از آش به‌دهان گذاشت چشم‌هایش را بست آن را مزه‌مزه کرد و گفت:

ـ وای غذای گرم، اونم آش، می‌دونی چند وقته غذای گرم نخوردم؟

قلبم فشرده شد، حرفی نزدم و از اتاق بیرون آمدم. حمید هنوز بی‌صبرانه منتظر بود و قدم می‌زد.

ـ چیه...؟ چقدر عجله داری، یک دقیقه صبر کن. تا غـذا نخـوره نمـی‌ذارم باهاش حرف‌بزنی.

با شانه به اتاق برگشتم موهای بهم گره‌خورده‌اش، بسختی شانه می‌شدند گفت:

ـ صد دفعه خواستم برم موهامو از تَه بزنم و راحت بشم ولی فرصت نشد.

ـ چی؟ چرا موهای به این خوبی و پُرپشتی رو از ته بزنی؟ زن کچل دیگـه خیلی زشته.

ـ متفکرانه گفت: زن...؟! آره راستی من زنم یادم رفته بود.

و با تمسخر خندید. آش تمام شد.

ـ کمی هم کباب درست کردم باید بخوری تا تقویت بشی.

ـ نه حالا نه، بعداً. آخه من چهل و هشت ساعت بود چیزی نخورده بودم، باید یواش یواش بخورم، بعداً یک کم دیگه آش بهم بده، حمید خونه‌اس؟

ـ بله منتظره با شما حرف بزنه، فکر کنم دیگه صبرش هم تموم شده.

ـ بگو بیاد، من حالم خیلی بهتر شد انگار دوباره جون‌گرفتم.

ظرف‌ها را برداشتم، در اتاق را باز کردم و گفتم بیا تو، چنان مشتاقانه و با ادب و احترام سلام کرد که احساس کردم با رییسش صحبت مـی‌کند، در را بسـتم، بیشتر از یک ساعت در اتاق با صدای آهسته حرف زدنـد بـچه‌ها از مـدرسه برگشتند، سیامک به محض ورود مثل سگی که بوی غریبه را احساس کند گفت:

ـ مامان کی اینجاس؟

ـ یکی از دوستای بابات، ولی به کسی نگی‌ها!

ـ می‌دونم...

با دقت جریانات را زیر نظر گرفت. خودش را پشت در اتاق مهمانخانه مشغول

بازی نشان می‌داد ولی می‌دانستم که تمام وجودش گوش شده و می‌خواهد چیزی بشنود، صدایش زدم و گفتم:

ـ برو برامون چند تا شیشه شیر بخر.

ـ نه حالا نمی‌رم.

و با عجله به محل بازیش برگشت.

حمید پس از خروج از اتاق کاغذهایی را که در دست داشت در جیب کتش که آویزان بود گذاشت و درحالی‌که کفش‌هایش را می‌پوشید گفت:

ـ شهرزاد فعلاً اینجا می‌مونه، من باید برم، اگر دیر کردم یـا امشب نـیومدم نگران نشو فردا عصر حتماً می‌آم.

به اتاق مهمانخانه رفتم شهرزاد دراز کشیده بود. گفتم:

ـ قرصاتونو خوردید؟

با شرمندگی در رختخوابش نشست و گفت:

ـ مزاحمت شدم، باید ببخشی سعی می‌کنم هر چه زودتر برم.

ـ اختیار دارین، شما باید استراحت کنید. اینجا هم خونهٔ خودتونه تا کاملاً هم خوب نشدین نمی‌ذارم از این جا برین.

ـ می‌ترسم برای شماها مشکلی پیش بیاد، در تمام این سال‌ها سعی ما این بود که ایـن خـونه بـرای تـو و بـچه‌ها امـن بـاشه، ولی مـن دیشب ایـن امـنیتو به‌خطرانداختم، باید ببخشی، دو شبانه‌روز بود که از این سوراخ به اون سـوراخ می‌رفتم شانس من هوا هم یک دفعه سرد شد و برف و بارون گرفت، حالم بد بود تب داشتم ساعت به ساعت هم شدیدتر می‌شد ترسیدم وسط خیابون ولو بشم چاره‌ای نداشتم وگرنه نمی‌اومدم.

ـ خیلی کار خوبی کردین که اومدین، فعلاً هم بـه هـیچ چـیز فکـرنکنید و بخوابید، خیالتون هم راحت باشه اینجا هیچ خبری نیست.

ـ تو رو خدا با من این‌قدر رسمی صحبت نکن.

ـ باشه!

ولی دست خودم نبود، درست نمی‌دانستم ارتباطم با او چیست، بـچه‌ها بـا

کنجکاوی از لای در به شهرزاد نگاه می‌کردند. شهرزاد خندید و با تکان دادن انگشتهایش به آنها سلام کرد و گفت:

ـ ماشاالله چقدر پسرات بزرگ شدن.

ـ بله حالا آقا سیامک کلاس سوم دبستانه، مسعود هم پنج سالشه.

ـ و لیوان آب را با قرص‌ها به دستش دادم.

ـ به نظرم فاصله‌شون کمتر از این بود.

ـ سیامکو یه سال زودتر مدرسه گذاشتیم، بیایید... بچه‌ها بیایید به شهر...!

ناگهان متوجه نگاه شهرزاد شدم و فهمیدم نباید اسم او را ببرم بعد از کمی تردید گفتم: بیایید به عمه شری سلام کنید.

شهرزاد ابروهایش را بالا برد، خنده بانمکی کرد، گویی این اسم به نظرش خیلی مسخره آمده بود.

بچه‌ها سلام کردند. سیامک با چنان کنجکاوی و دقتی به او نگاه می‌کرد که شهرزاد دست‌پاچه شد حتی به سینه‌اش نگاه کرد که مبادا باز باشد، خنده‌ام گرفت گفتم:

ـ خوب بسه، همه بیرون عمه باید استراحت کنه.

و پشت در اتاق گفتم:

ـ مواظب باشین سروصدا نکنین، به هیچ‌کس هم نگین عمه اینجاس.

ـ من که خودم می‌دونم.

ـ بله پسرم ولی حالا مسعود هم باید بدونه، فهمیدی مامان به کسی نگی‌ها این یک رازه.

با خوشحالی گفت:

ـ آره، باشه.

بعد از چند روز حال شهرزاد تقریباً خوب شد، فقط هنوز سرفه‌های خشکی می‌کرد که شب‌ها مانع خوابش می‌شد، سعی می‌کردم با غذاهای خوشمزه و متنوع اشتهایش را تحریک کنم تا شاید کمی از وزن از دست رفته را جبران کند. حمید مدام در حال رفت‌وآمد بود، در اتاق در بسته گزارش کارهایش را به شهرزاد

می‌داد و با دستوراتی تازه برمی‌گشت، یک هفته گذشت شهرزاد در اتاق‌ها قدم می‌زد ولی سعی می‌کرد پشت پنجره‌ها دیده نشود، من در این مدت به دانشگاه نرفته بودم و مسعود را هم به کودکستان نمی‌فرستادیم، چون ممکن بود ناآگاهانه حرفی بزند. او آرام و بی‌صدا در خانه بازی می‌کرد، با لِگوهایی که به تازگی حمید برایش خریده بود خانه می‌ساخت، نقاشی‌های زیبایی می‌کشید که پیشرفته‌تر از سنش بود و حکایت از استعدادی خاص داشت، از نظر خلق هم روحیهٔ خلاق و زندهٔ یک هنرمند در او دیده می‌شد، خیره در اشیا می‌نگریست و چیزهایی در آنها کشف می‌کرد که ما قبلاً متوجه نشده بودیم، وقتی هوا خوب بود، می‌توانست ساعت‌ها در باغچه با گل‌ها و گیاهان مشغول باشد، خودش هـم چـیزهـایـی می‌کاشت و عجیب آنکه همگی هم سبز می‌شدند، در دنیای دیگـری زنـدگی می‌کرد، گویی مسایل زمینی برایش ارزشی نداشتند برخلاف سیامک به راحتی می‌بخشید و با هر شرایطی کنار می‌آمد، به کوچک‌ترین محبتی با تمام وجود پاسخ می‌گفت، متوجهٔ تمام حالت‌های من بود و اگر فکر می‌کرد رنجیده‌ام با بوسه‌ای شیرین سعی در برطرف کردن آن داشت. روابط او بـا شهـرزاد خـیلی زود بـه صمیمیتی عاشقانه رسید، دوست داشتند تمام وقتشان را با هم بگذرانند، مثل یک نگهبان از شهرزاد مراقبت مـی‌کرد، مـدام بـرایش نـقاشی مـی‌کشید و خـانه می‌ساخت، شهرزاد با اشتیاقی خاص او را درآغوش‌می‌گرفت و مسعود هم بدون اعتراض مدت‌ها در بغل او می‌نشست و در مورد ساخته‌هایش بـا آن زبـان شیرینِ بچه گانه داستان‌های عـجیب و غـریب مـی‌گفت. شهـرزاد از خـنده غش‌می‌کرد و مسعود تشویق شده و خوشحال بـه شـیرین‌زبانی‌هایش ادامـه می‌داد. ولی سیامک رفتاری مؤدبانه و با احتیاط با او داشت مثل رفتار مـن و حمید. سعی می‌کردم با او راحت و صمیمی باشم، بسیار هم دوستش داشتم ولی نمی‌دانم چرا در کنار او حالت بچه‌های مدرسه را پیدا می‌کردم، او برای من مظهر توانایی، آگاهی‌های سیاسی، شهامت و بی‌نیازی بود، جمع این خصوصیات در یک زن او را در نظر من موجودی مافوق بشر کرده بود، او همیشه با من مهربان و خودمانی بود ولی من نمی‌توانستم فراموش کنم که او حتی دو برابر شـوهر مـن

سرش می‌شود و به او دستور می‌دهد.

حمید و شهرزاد مدام با هم در حال صحبت‌کردن بودند من‌هم سعی‌می‌کردم کنجکاوی نشان نداده و مزاحم آنها نشوم، یک شب که بچه‌ها را برای خواباندن برده بودم خودم هم مشغول کتاب خواندن شدم، آنها به تصور اینکه من هم خواب هستم با خیال راحت در هال نشسته و حرف می‌زدند، حمید گفت:

ـ واقعاً عجب شانسی آوردیم که عبّاس هیچ‌وقت خونهٔ ما نیومده بود، نامرد چهل و هشت ساعت هم مقاومت نکرد.

ـ من از اول فهمیدم که آدم ضعیفیه، یادته، تو دورهٔ آموزشی چقدر نق‌می‌زد؟ برای من مثل روز روشن بود که اعتقادات سستی داره.

ـ چرا به مهدی نگفتی؟

ـ گفتم ولی می‌گفت حالا دیگه نمی‌تونیم کنارش بذاریم از همه چیزمون خبر داره، می‌گفت باید درستش کنیم، زمینه داره. ولی من ته دلم همیشه ناراضی بودم.

ـ آره یادمه، تو تا دم مرز هم با بردنش مخالفت می‌کردی.

ـ روی همین حساب هم بود که مهدی هیچ‌وقت اطلاعات خیلی مهمو در اختیارش نذاشت، من هم سعی می‌کردم حتی‌الامکان با افراد کمتری روبرو بشه، مثلاً همین که هیچ چیز از تو نمی‌دونه حتی اسم واقعی، آدرس خونه یا چاپخونه. خوب خیلی به ما کمک کرد.

ـ آره، ولی بزرگ‌ترین شانس این بود که ساکن تهران نبود وگرنه بالاخره سردر می‌آورد.

ـ نامرد اگه فقط چهل و هشت ساعت مقاومت کرده بود همه چیزو نجات می‌دادیم حالا بازم خدا رو شکر که هستهٔ مرکزی و بچه‌های تهرون گیر نیفتادن. از اسلحه‌ها هم همین‌که باقی مونده کافیه اگه عملیات درست و طبق نقشه انجام بشه می‌تونیم اسلحه‌های دشمنو مصادره کنیم.

مهره‌های پشتم تیر کشیدند، عرق سردی بر پیشانیم نشست، واقعاً اینها می‌خواهند چه کنند؟ کجا بوده‌اند؟ چه دوره‌ای گذرانده‌اند؟ چه برنامه‌هایی

دارند؟ خدایا من کجا و با چه کسانی زندگی‌می‌کنم؟ البته می‌دانستم که آنها بر ضد رژیم فعالیت می‌کنند ولی نمی‌دانستم ابعاد این فعالیت تا این حد گسترش یافته همیشه کارهای آنها را در حد نق‌زدن‌های روشنفکرانه، چاپ اعلامیه، مقاله، شب‌نامه، کتاب و سخنرانی تصورمی‌کردم. وقتی حمید برای خوابیدن آمد گفتم که حرف‌هایشان را شنیده‌ام، به گریه افتادم و التماس‌کردم که دست از این کارها بردارد، به فکر زندگی و بچه‌هایش باشد، او گفت:

ـ حالا دیگه خیلی دیر شده، من اصلاً نباید خانواده می‌داشتم، اینو به هزار زبون بهت گفتم، ولی قبول نکردی، من برای آرمان‌ها و وظیفه‌ای که دارم زنده‌م، نمی‌تونم فقط به فکر بچه‌های خودم باشم و هزاران کودک بدبختو که زیر بار ظلم این جلاد زندگی می‌کنن فراموش کنم. ما برای نجات و رهایی خلق قسم خوردیم.

ـ ولی این برنامه‌هایی که دارین خیلی خطرناکن، واقعاً فکر می‌کنید با این چهار نفر و نصفی آدم می‌تونین جلوی این‌همه ارتش و شهربانی و ساواک بایستین و همه رو از بین ببرین و مردمو نجات بدین؟

ـ ما باید کاری کنیم که دنیا بفهمه اینجا جزیرهٔ ثُبات و آرامش نیست، باید پایه‌ها رو به لرزه دربیاریم، تا مردم بیدار شند و وحشتشون بریزه، باور کن که حتی این قدرت هم ممکنه ساقط بشه، اون‌وقت اونا هم به تدریج به ما خواهند پیوست.

ـ شماها خیلی ایده‌آلیستید، باور نمی‌کنم چنین چیزهایی اتفاق بیفته، فقط شماها از بین می‌رید، حمید من خیلی می‌ترسم.

ـ چون تو اعتقاد نداری، حالا هم بیخودی شلوغش نکن، این‌ها هم که شنیدی همه در حد حرفه. تا حالا صد تا از این نقشه‌ها کشیدیم و هیچ‌کدوم اجرا نشده، بیخودی روحیهٔ خودت و بچه‌ها رو بهم نریز، بگیر بخواب، مبادا به شهرزاد حرفی بزنی.

بعد از ده روز رفت‌وآمد، بردن پیغام و دستور به جاهایی که من نمی‌شناختم تصمیم بر این شد که شهرزاد تا اطلاع ثانوی از منزل ما بیرون نرود و ما هم روش معمول زندگیمان را ادامه دهیم، تنها مشکل این بود که باید کاری می‌کردیم که

حتی‌الامکان کسی به خانهٔ ما رفت‌وآمد نکند، هرچند که خانهٔ مـا خـانهٔ پـر رفت‌وآمدی نبود ولی سرزدن‌های گاه و بی‌گاه پدر و مادرهایمان پروین‌خانم و فاطی می‌توانست مشکل‌ساز شود، تصمیم گرفتیم که مرتب به دیدن پدر و مادر حمید برویم و بی‌بی را هم ببریم که به خاطر دیدار او به خانهٔ ما نیایند. به خانوادهٔ خودم هم گفتم که تمام روزهای هفته دانشگاه هستم و هر وقت فرصت کنم خودم به‌شان سرمی‌زنم و گاه بعدازظهرها که کلاس دارم بچه‌ها را پیش آنها می‌گذارم، با تمام این حرف‌ها اگر کسی سرزده به خانهٔ ما می‌آمد شهرزاد در اتاق مهمانخانه می‌ماند و در را قفل می‌کرد و ما می‌گفتیم که کلید گم شده و نمی‌توانیم بـه آن اتاق برویم.

❧

بدین ترتیب شهرزاد پیش ما ماند. سعی می‌کرد در کارهای خانه به من کمک کـنـد ولی هـیـچ‌چیز از خـانه‌داری نمی‌دانست و خـودش بـیـشتر از هـمـه بـه ناشی‌گری‌هایش می‌خندید، در عوض با بچه‌ها حسابی جور شده بود و تقریباً تمام کارهای مسعود را با عشق و علاقه انجام می‌داد و عصرها کـه سـیـامک از مدرسه می‌آمد با او به انجام تکالیف مـدرسه مشغول مـی‌شد درس‌هـایش را می‌پرسید و دیکته‌ها را می‌گفت من‌هم با خیال راحت بـه دانشگـاه و کـلاس رانندگی می‌رفتم چون فکر کردند که اگر من رانندگی بلد باشم می‌توانم در مواقع ضروری کمک‌هایی کنم و در امنیت بچه‌ها مؤثر خواهدبود. ماشین ژیان هـم هنوز زیر چادر در حیاط بود، حمید و شهرزاد معتقد بودند که هـیـچ سـوءظنی متوجه این ماشین نیست و من می‌توانم از آن استفاده کنم.

مسعود تقریباً از شهرزاد جدا نمی‌شد، مدام در حال انجام کاری برای او بود، تصویر خانه‌ای را کشیده و به شهرزاد گفته بود این خانهٔ من و توست وقتی بزرگ شدم آن را می‌سازم بعد با تو عروسی مـی‌کنم و بـا هـم در آن زنـدگی می‌کنیم. شهرزاد این نقاشی را با پونز به دیوار زده بود، وقتی با من برای خرید از خـانه خارج می‌شد خوردنی‌هایی را که خودش دوست داشت برای شهرزاد می‌خرید و روزهایی که آفتاب بود در حیاط به دنبال چیزهای جالب می‌گشت و چون

هیچ گلی در آن فصل در باغچه نبود از بوتهٔ گل یخ پر از خار که به ندرت گل می‌داد چند غنچه می‌چید و با دست‌های خون‌آلود آنها را به عمه شری تقدیم می‌کرد و شهرزاد هم مانند کالاهایی قیمتی آنها را نگاه‌می‌داشت.

هرچه بیشتر با او زندگی می‌کردم، بیشتر به خصوصیات انسانیش پی می‌بردم، زن بسیار ساده‌ای بود، نمی‌شد گفت که خیلی زیباست ولی جذاب و دلنشین بود. یک‌بار که از حمام آمده بود از من خواست که موهایش را کوتاه کنم، بعد از کوتاه کردن گفتم:

ـ بذار برات سشوار بکشم هم حالت می‌گیره، هم خشک می‌شه وگرنه دوباره سرما می‌خوری. اعتراضی نکرد.

در مدتی که من موهایش را درست می‌کردم مسعود بادقت و توجه نگاهش می‌کرد، او عاشق زیبایی بود و از آرایش‌کردن زن‌ها بسیار خوشش می‌آمد، اگر کم‌رنگ‌ترین رُژها را هم به لب‌هایم می‌زدم متوجه‌می‌شد و تعریفی خوشایند می‌کرد، ولی عاشق ماتیک قرمز بود، وقتی کار من تمام شد یک ماتیک برداشت و گفت:

ـ عمه شری از این بزن.

شهرزاد با تردید به من نگاه کرد.

ـ خوب بزن مگه چی می‌شه؟

ـ نه خجالت می‌کشم.

ـ از کی؟ از من و مسعود؟ تازه مگه چه عیبی داره؟

ـ نمی‌دونم، عیبی نداره ولی برای من زشته یک کمی سبک‌سرانه است.

ـ چه حرفا؟ یعنی تا به حال آرایش نکردی؟

ـ چرا اون‌وقتا که جوون‌تر بودم می‌کردم بدم هم نمی‌آمد ولی الان سال‌هاست که...

مسعود دوباره اصرار کرد، عمه بزن بزن، اگه بلد نیستی، بذار من برات بزنم و ماتیک را به روی لب‌های شهرزاد مالید، بعد کمی دور ایستاد و او را نگاه‌کرد، تحسین و خوشحالی در نگاهش موج می‌زد، بعد درحالی‌که دست می‌زد و می‌خندید گفت: چه خوشگل شد...! ببین چه خوشگله، و پرید بغلش و بوسه‌ای

محکم بر گونه‌اش زد، من و شهرزاد خیلی خندیدیم، ناگهان شهرزاد ساکت شد، مسعود را به زمین گذاشت، در نهایت سادگی و مظلومیت گفت:

ـ بهت حسودیم می‌شه، تو زن خوشبختی هستی.

ـ به کی؟! به من؟ تو به من حسودیت می‌شه؟

ـ آره،! شاید اولین باره که چنین احساسی پیدا کردم.

ـ حتماً شوخی می‌کنی، این منم که باید به تو حسودی کنم، همیشه آرزو داشتم مثل تو باشم. تو یک زن فوق‌العاده هستی با این‌همه سواد، شهامت، قدرت، توانایی تصمیم‌گیری، همیشه فکر می‌کنم حمید آرزوی زنی مثل تو رو داشته، اون‌وقت می‌گی... اوه نه! حتماً شوخی می‌کنی، واقعیت اینه که من باید حسودی کنم ولی خودمو شایستهٔ حسادت هم نمی‌بینم مثل اینکه یه آدم معمولی به ملکه انگلستان حسادت کنه.

ـ چه حرف‌هایی می‌زنی، من کسی نیستم. تو از من خیلی بهتر و کامل‌تری خیلی خانمی، همسر خوب و دوست داشتنی، مادر مهربان و فهمیده، با این‌همه عشق به مطالعه و یادگیری و فداکاری برای خانواده.

آهی کشید از روی صندلی بلندشد، احساس می‌کردم که خیلی دلتنگ است، و به غریزه می‌فهمیدم که آرزوی دیدار همسرش را دارد.

ـ از مهدی‌آقا چه خبر خیلی وقته ندیدیش؟

ـ آره! خیلی وقته، تقریباً دو ماهه، دو هفته قبل از اینکه اینجا بیام، در یه شرایط بد مجبور شدیم از دو راه مختلف فرار کنیم.

ـ ازش خبر داری؟

ـ آره طفلک حمید مرتب پیغامای ما رو می‌رسونه.

ـ چرا یه شبی، نصفه شبی نمی‌آد اینجا همدیگه رو ببینید.

ـ خطرناکه ممکنه آمدن او باعث ناامنی این خونه هم بشه، باید احتیاط کرد.

دل به دریا زدم و با پررویی گفتم:

ـ حمید می‌گه ازدواج شماها یک دستور تشکیلاتی بوده، ولی من باور نمی‌کنم.

ـ چرا...؟

ـ شماها همدیگه رو دوست دارین مثل زن و شوهر نه همکار.

ـ از کجا می‌دونی...؟

ـ من ز نم عشقو می‌شناسم، احساسش می‌کنم، شما هم زنی نیستین که با کسی که دوستش نداری بتونی هم‌بستر بشی.

ـ آره درسته، من همیشه دوستش داشتم.

ـ توی کارای تشکیلاتی با هم آشنا شدین...؟ وای ببخشید خیلی فضولی کردم نشنیده بگیرید.

ـ نه...! اشکالی نداره، من بدم نمی‌آد، می‌دونی من دوستی نداشتم که با اون درددل کنم البته کسانی بودن ولی همیشه من شنونده بودم، اما ظاهراً این نیاز همیشه هست، شاید توی این سال‌های اخیر تو تنها دوست من باشی که می‌تونم براش از خودم حرف بزنم.

ـ من هم در زندگیم تنها یک دوست به معنی واقعی داشتم کـه اون رو هـم سال‌ها پیش گم کردم.

ـ پس ما به هم احتیاج داریم، ولی بازم من بیشتر چون تو لااقل خانواده و اطرافیانتو داری که باهاشون صحبت کنی ولی من اون رو هم نـدارم، نمی‌دونی چقدر دلم برای همشون تنگ‌شده و آرزوی صحبت‌های خـاله‌زنکی و اخبار فامیلی رو دارم، حرف‌های ساده، مسایل روزمره، مگه چقدر می‌شه از فلسفه و سیاست گفت؟ گاهی فکر می‌کنم توی خونمون چی می‌گذره، می‌بینم اسم بعضی از بچه‌های فامیل رو فراموش کردم، حتماً اونا هم منو فراموش کردن، من دیگـه عضو هیچ خونه‌ای نیستم.

ـ مگه نه اینکه شماها به تمام خلق و خانوادهٔ جهانی زحمتکشان تعلق دارین؟

ـ خندید، تو هم خوب یاد گرفتی‌ها...! ولی دلم برای خانوادهٔ خودم تنگ شده. خوب حالا تو چی پرسیدی؟

ـ پرسیدم کجا با هم آشنا شدید؟

ـ توی دانشگاه. البته مهدی دو سال از من بالاتر بود، قدرت رهبری و درک خیلی خوبی داشت، همه قبولش داشتند، وقتی فهمیدم اعلامیه‌هایی کـه پـخش

می‌شه و شعارهایی که گه گاه روی دیوار خوابگاه‌ها می‌نویسن کار اونه، برام یه قهرمان شد.

ـ اون موقع خودت دنبال سیاست نبودی؟

ـ چرا مگه می‌شه دانشجویی با ادعای روشنفکری دنبال سیاست نباشه، مخالفت با دستگاه و چپی‌بودن یک وظیفهٔ رسمی برای دانشجویان بود حتی اونا هم که واقعاً معتقد نبودن به عنوان یک ژست روشنفکری خودشونو این‌طوری نشون می‌دادن، معتقد واقعی مثل مهدی خیلی کم بود، من هنوز مطالعهٔ کافی نداشتم، ایده‌ام خیلی مشخص نبود، مهدی به عقیده و نظرات من شکل داد، اون اگر چه از یک خانوادهٔ مذهبی بود ولی همهٔ کتاب‌های مارکس و انگلس و سایرین رو خونده بود و خیلی خوب تجزیه‌وتحلیل می‌کرد.

ـ پس اون شما رو به تشکیلات کشوند؟

ـ اون موقع هنوز تشکیلاتی نبود، ما بعدها با هم اونو درست کردیم، ولی خوب شاید اگر اون نبود من به راه دیگه‌ای می‌رفتم، ولی آنچه مسلمه اینه که هرگز از سیاست خیلی فاصله نمی‌گرفتم.

ـ چطور شد ازدواج کردین؟

ـ گروه تازه داشت شکل می‌گرفت، من از خانواده‌ای سنتی بودم مثل بیشتر دخترای ایرونی، نمی‌تونستم بی‌دلیل از خونه خارج بشم و دیروقت برگردم، یکی از بچه‌ها پیشنهادکرد برای اینکه منم بتونم تمامِ وقت در اختیار گروه باشم بهتره یه ازدواج تشکیلاتی بکنم، مهدی هم این موضوع تأییدکرد و مثل یک خواستگار واقعی با خانواده‌اش به خانهٔ ما آمد.

ـ از این وصلت خوشحال بودی؟

ـ ای! چی بگم؟ شاید دلم می‌خواست با اون ازدواج کنم ولی دوست نداشتم دلیل ازدواجمون مسایل تشکیلاتی باشه و به این صورت از من تقاضای ازدواج بشه...، اون روزها هنوز جوون و رمانتیک بودم و تحت‌تأثیر ادبیات بورژوازی احمقانه.

در یک شب یخ‌زده و مه گرفتهٔ بهمن‌ماه، ساعت یک بامداد علی‌رغم تمام

خطراتی که می‌گفتند، مهدی آرام به خانهٔ ما خزید، حمید هنوز داشت کتاب می‌خواند، من تازه به خواب رفته بودم که از صدای باز شدن در ازجا پریدم، حمید با خونسردی مشغول خواندن بود.

ـ حمید شنیدی صدای دره، یک نفر درو باز کرد.

ـ بگیر بخواب به ما مربوط نیست.

ـ یعنی چه؟ تو خبر داشتی؟ کسی قرار بود بیاد؟

ـ آره مهدیه کلید خونه رو خودم بهش دادم.

ـ مگه نگفتی خطر داره؟

ـ نه مدتیه ردشو گم کردن. ما همهٔ احتیاط‌های لازمو کردیم، با شهرزاد کار داشت، اختلاف عقیده پیدا کرده بودن باید در مورد چند چیز بحث می‌کردن و تصمیم می‌گرفتند، من هم نمی‌تونستم بیش از این نظرات رو منتقل کنم مجبور شدیم یه ملاقات حضوری ترتیب بدیم.

خنده‌ام گرفت، چه زوج عجیبی؟ زن و شوهری که برای دیدار یکدیگر به هر بهانه‌ای جز عشق و دلتنگی که ساده‌ترین و موجّه‌ترین دلیل است متوسّل می‌شوند.

قرار بود مهدی صبح زود از خانهٔ ما برود ولی نرفت، حمید گفت آنها هنوز به نتیجه نرسیده‌اند، من می‌خندیدم و کارهایم را انجام می‌دادم عصر که حمید برگشت ساعت‌ها سه نفری در اتاق دربسته بحث و گفت‌وگو کردند، صورت شهرزاد گلگون بود، با انرژی و سرحال‌تر به‌نظرمی‌رسید ولی از نگاه من پرهیز می‌کرد و با شرمندگی یک دختر نوجوان که رازش برملا شده خود را به راه دیگری می‌زد. مهدی سه شب در منزل ما ماند و بالاخره در نیمه‌شب چهارم به همان آرامی که آمده بود رفت، نمی‌دانم آیا آنها بار دیگر همدیگر را ملاقات‌کردند یا نه ولی این را مطمئن هستم که آن چند روز از شیرین‌ترین روزهای زندگیشان بود، مسعود هم در خلوت آن دو راه داشت از آغوش مهدی به بغل شهرزاد می‌رفت و تمام شیرین‌زبانی‌ها و شگردها و کارهایی راکه بلد بود برایشان انجام می‌داد و آنها را از ته دل می‌خنداند. حتی یک‌بار از پشت شیشهٔ مات اتاق

مهمانخانه سایهٔ مهدی را دیدم که مسعود را پشتش سوارکرده‌بود و دور اتاق می‌چرخید. خیلی برایم عجیب بود، هرگز فکر نمی‌کردم آدمی با آن همه جدیت که حتی لبخندش را به زور می‌شد دید بتواند این‌گونه با بچه‌ها رابطه برقرار کند. آنها در اتاق دربستهٔ خودشان بودند، خودِ واقعی‌شان.

❦

بعد از رفتن مهدی، شهرزاد دو سه روزی دلگیر و بی‌حوصله بود مدام خودش را با کتاب خواندن مشغول می‌کرد، تمام کتاب‌های ما را خوانده بود. کتاب اشعار فروغ را زیر بالشش می‌گذاشت. اوایل اسفندماه بود که از من خواست برایش چند بلوز، دو شلوار و یک کیف بزرگ که دسته‌ای محکم داشته باشد بخرم. هر کیف زنانه‌ای که می‌خریدم می‌گفت کوچک است. بالاخره گفتم:

ـ پس تو ساک می‌خوای نه کیف!

ـ آره، باریک‌الله، یک ساک که بزرگ هم نباشه، جلب توجه نکنه، به راحتی قابل‌حمل باشه و تمام زندگی منو توی خودش جا بده.

در دل گفتم حتی اسلحه را، از روز اول فهمیده‌بودم که اسلحه دارد و تمام مدت وحشت داشتم مبادا بچه‌ها به طریق آن را کشف کنند. بدین ترتیب او کم‌کم آمادهٔ رفتن می‌شد ظاهراً فقط منتظر یک دستور یا خبر بود که آن هم نزدیکی‌های عید رسید، لباس‌های کهنه و کیفش را گذاشت و گفت سربه‌نیست کنم. همه چیز را به کیف جدید منتقل‌کرد نقاشی‌های مسعود را با دقت ته کیف کنار اسلحه گذاشت. حالت عجیبی داشت با اینکه از خانه ماندن، زندگی مخفی و بی‌تحرکی بسیار خسته‌شده بود و آرزوی هوای تازه، خیابان، کوچه و مردم را داشت، ولی حال که زمان رفتن فرا رسیده بود افسرده و غمگین به نظر می‌رسید، مدام مسعود را بغل می‌کرد و می‌گفت از این چطوری جدا بشم؟ او را در آغوش می‌فشرد، چشمان اشک‌آلودش را در موهای او پنهان می‌کرد مسعود که مدت‌ها بود رفتن قریب‌الوقوع شهرزاد را احساس‌کرده‌بود هر شب موقع خواب و یا هر گاه که به دلیلی می‌خواست از خانه خارج شود از او قول می‌گرفت که در غیاب او خانه را ترک نکند و در هر فرصتی می‌پرسید:

ـ تو می‌خوای بری؟ چرا می‌خوای بری؟ مگه من اذیتت می‌کنم، قول می‌دم صبحا نیام تو بغلت که بیدار شی، اگه میخوای بری منو هم با خودت ببر وگرنه گم می‌شی، تو اینجاها رو بلد نیستی.

و با این حرف‌ها بیش‌ازپیش شهرزاد را مردد و غمگین می‌ساخت و نه‌تنها دل او بلکه دل مرا هم به‌دردمی‌آورد، شبِ آخر شهرزاد کنارش خوابید برایش قصه گفت ولی نمی‌توانست جلوی اشک‌هایش را بگیرد، مسعود مثل همهٔ بچه‌ها که بسیاری از مسایل را با چشم دل می‌بینند و می‌فهمند صورت شهرزاد را در میان دو دست کوچکش گرفت و گفت:

ـ می‌دونم فردا صبح که بیدارشم تو رفتی.

ساعت دوازده‌ونیم شب طبق برنامه از خانه خارج‌شد، از همان لحظه دلم برایش تنگ شد و جایش را خالی احساس‌کردم. موقع خداحافظی مرا در آغوش گرفت و گفت برای همه چیز متشکرم، مسعودمو به تو می‌سپارم، مواظبش باش خیلی حساسه، نگران آیندشم و رو کرد به حمید و گفت:

ـ تو مرد سعادتمندی هستی، قدر زندگیتو بدون، زن خوب و بچه‌های نازنینی داری، دلم نمی‌خواد هیچ چیز آرامش و صفای این کانون رو بهم بزنه. حمید با تعجب نگاهش کرد و گفت:

ـ می‌فهمی داری چی می‌گی؟ ول کن بابا بیا بریم، دیر شد.

روز بعد موقع تمیزکردن اتاق مهمانخانه کتاب فروغ را از کنار رختخوابش برداشتم مدادی لای یکی از صفحات آن بود کتاب را باز کردم زیر این ابیات خط پررنگی کشیده بود:

(... کدام قله کدام اوج؟

مرا پناه دهید ای زنان سادهٔ کامل...)

بی‌اختیار اشکی از گوشهٔ چشمانم فرو غلتید، مسعود لای در ایستاده بود با چشمان غمبار گفت:

ـ رفت...؟

ـ سلام عزیزم. صبح بخیر، خوب بالاخره اونم باید می‌رفت خونشون.

مسعود دوید سرش را روی شانه‌ام گذاشت و شروع به گریه کـرد، و هـرگز خاطرهٔ عمه شری عزیزش را از یاد نبرد، حتی سال‌ها بعد که جوانی برومند شده بود می‌گفت: هنوز خواب خانه‌ای را می‌بینم که برای او ساخته‌ام و با هم در آن زندگی می‌کنیم.

بعد از رفتن شهرزاد من به شدت گرفتار کارهای مختلف شدم، خـانه‌تکانی شب عید تهیهٔ وسایل مورد نیاز، لباس عید برای بچه‌ها. دوختن ملافه‌های نو، عوض‌کردن پرده‌های اتاق مهمانخانه، دلم می‌خواست عید برای بچه‌ها واقعه‌ای دلچسب و هیجان‌انگیز باشد، سعی می‌کردم تمام مراسم را اجرا کنم، و آن را بـه صورت خاطره‌ای شیرین از دوران کودکی در ذهن بچه‌ها حک نمایم، سیامک مسؤول آب‌دادن به سبزه‌هایی بود که سبز کرده بودم، مسعود تخم‌مرغ‌ها را رنگ می‌کرد، حمید می‌خندید و می‌گفت:

ـ تو چه کارا می‌کنی، حالا مگه چه خبره که این‌همه خودتو به زحمت انداختی.

ـ ولی من می‌دانستم که او هم ته دلش به‌هیجان‌آمده و از آمدن عید خشنود است، از زمانی که بیشتر وقت‌های آزادش را با ما می‌گذراند بـه‌ناچار درگـیر مسایل روزمرهٔ زندگی می‌شد و خواه‌ناخواه علاقه نشان‌می‌داد. کسی را هم برای کمک آوردم تمام خانه را از پشت بام تا زیرزمین شستیم و برق انداختیم، بوی عید در فضای خانه پیچیده بود.

آن سال مثل یک خانوادهٔ کامل به عیددیدنی رفتیم، در برنامه‌های نوروزی شرکت کردیم و حتی سیزده‌به‌در را با خانوادهٔ حمید در خارج از شهر گذراندیم پس از تعطیلات، شادمان و با توان بیشتر مشغول درس‌ها و امتحانات سیامک و خودم شدم، حمید بیشتر در خانه و در انتظار تلفنی بود که نمی‌شد عصبی و دلخور بود ولی کار خاصی نمی‌توانست بکند، من هم توجهی نداشتم و از اینکه او بیشتر در خانه است راضی بودم. با آمدن تابستان و پایان گرفتن امتحان‌ها، برنامه‌های تفریحی برای بچه‌ها تدارک دیدم، می‌خواستم تمام تابستان کنار هم باشیم، قول

داده بودم حالا که تصدیق رانندگی گرفته‌ام هر بعدازظهر بچه‌ها را به سینما و پارک و مهمانی و مراکز تفریحی ببرم. بچه‌ها خوشحال و شاد بودند و من احساس رضایتی عمیق در درونم داشتم.

آن‌روز عصر که بچه‌ها را از پارک برمی‌گرداندم سر راه روزنامه، نان و خرت‌وپرت‌های دیگر خریدم، حمید هنوز به خانه نیامده بود، خریدهایم را جابه‌جا کردم و مشغول بریدن نان‌ها که روی روزنامه گذاشته بودم شدم، کم‌کم حروف درشت عنوان روزنامه نمایان شد با سرعت نان‌ها را کنار زدم، کلمات مثل خنجری به چشمم فرومی‌رفتند، درست معنی آن‌ها را درک نمی‌کردم، مثل برق‌گرفته‌ها خشک‌شدم و برجامی‌لرزیدم، نمی‌توانستم نگاهم را که به روزنامه دوخته شده بود، برگیرم، در مغزم طوفانی و در دلم آشوبی برپا بود، بچه‌ها متوجهٔ حال غیرطبیعی من شده به طرفم آمدند، حرف‌هایشان را نمی‌فهمیدم، در همین هنگام در به شدت باز شد و حمید آشفته و سراسیمه پا به درون گذاشت، نگاهمان به هم گره خورد، پس خبر راست بود، لازم نبود حرفی زده شود، حمید با دو زانو بر زمین نشست مشت‌های گره‌کرده‌اش را بر پایش کوفت و فریاد زد: نه...! پیشانیش را روی زمین گذاشت، حال او چنان بد بود که من خود را فراموش کردم، بچه‌ها با وحشت و کنجکاوی به ما زُل‌زده‌بودند، خودم را جمع‌وجور کردم، آنها را با فشار بیرون فرستادم و گفتم برید توی حیاط بازی کنید، بدون اعتراض در حالی‌که به پشت سرشان نگاه‌می‌کردند بیرون رفتند. به طرف حمید رفتم مثل بچه‌ای سرش را بر سینه‌ام گذاشت و با صدای بلند شروع‌به گریه کرد، نمی‌دانم چه مدت هر دو اشک ریختیم. حمید مرتب می‌گفت:

ـ چرا؟ چرا به من نگفتند؟ چرا منو خبر نکردند؟

بعد از مدتی، اندوه آمیخته با خشمش او را به حرکت درآورد، صورتش را شست و مثل دیوانه‌ها از خانه بیرون رفت، نمی‌توانستم جلویش را بگیرم تنها گفتم:

ـ مواظب باش، ممکنه همه زیر نظر باشند، احتیاط کن.

روزنامه را دوباره خواندم، شهرزاد به همراه چند نفر دیگر در یک عملیات

نظامی محاصره شده، برای اینکه به دست ساواک نیفتند با انفجار نـارنجک در دست‌هایشان خودکشی کرده بودند، بارها و بارها خبر را خواندم تا شـاید از زوایای آن به واقعیت پی ببرم ولی بقیه مطلب فحش‌ها و لعن و نفرین‌های معمول به خرابکاران خائن بود، روزنامه‌ها را پنهان کردم تا سیامک نبیند. نیمه‌های شب حمید خسته و مستأصل بازگشت خودش را با لباس روی تخت انداخت و گفت:

ـ همه چیز به هم ریخته، تمام خطوط تماس قطع شده.

ـ ولی اونا تلفن تورو دارن، اگه لازم باشه زنگ می‌زنند.

ـ پس چرا توی این مدت نزدند؟ از یک ماه گذشته هیچ تماسی با من گرفته نشده، برنامهٔ عملیات رو می‌دونستم قرار بود منم باشم، برای این کار آمـوزش دیده بودم، تمرین کرده بودم، نمی‌فهمم چرا منو کنار گذاشتن، چه اتفاقی افتاده؟ شاید اگر من بودم این‌طور نمی‌شد.

ـ یعنی تو یک تنه با اون همه نیروی نظامی کـه اونـا رو محـاصره کـرده بود می‌جنگیدی و همه رو نجات می‌دادی؟ اگر تو هم بودی کشته می‌شدی؟

و با خود فکر کردم، به‌راستی او را به چه دلیل خبر نکردند؟ آیا ایـن کـار شهرزاد نبود؟ آیا منظور او از کنار گذاشتن حمید حمایت از خانوادهٔ او نبوده است؟

❧

دو سه هفته گذشت، حمـید عصبی و بی‌خواب مدام سـیگار مـی‌کشید و در انتظار خبر با هر زنگ تلفن از جا می‌جهید، خودش را به آب و آتش می‌زد تا مهره‌های اصلی و مهدی را پیدا کند ولی هیچ سرنخی نبود، هر روز خبر دستگیری گروهی و دسته‌ای پخش می‌شد، حمید راه پشت‌بام و سایر راه‌های فرار را مجدداً بررسی کرد، شرکت و چاپخانه هم ظاهراً پاکسازی شده بودند، زمان، آبسـتن حوادث بود، ناامنی در هوا موج می‌زد، هر لحظه بـه انـتظار اتـفاقی یـا خـبری می‌گذشت به حمید گفتم:

ـ همه پنهان شدن، شاید هم رفته باشن بیا تو هم برای مدتی به مسافرت برو، آب‌ها که از آسیاب افتاد برگرد، هنوز کسی تو رو نمی‌شناسه، می‌تونی از کشور خارج بشی.

ـ به هیچ عنوان خارج نمی‌رم.

ـ پس لااقل به دهی، شهرستانی، جایی دور برو مدتی بمون تا این جو متشنج آروم بگیره.

ـ من از کنار تلفنِ خونه و شرکت تکون نمی‌خورم هر لحظه ممکنه با من کاری داشته باشن.

سعی می‌کردم زندگی را به حالت عادی بگذرانم ولی هیچ چیز عادی نبود روحم عزادار بود و به شدت نگران زندگی و سلامتی حمید. قیافهٔ شهـرزاد و خاطرات چند ماهی که با هم گذرانده بودیم یک دم از نظرم دورنمی‌شد. فردای آن روز سیامک با جست‌وجوی بسیار روزنامه را یافته، به پشت‌بام برده و خوانده بود، من در آشپزخانه بودم که با رنگ پریده روزنامه در دست جلویم ایستاد، به طرفش رفتم و گفتم:

ـ خوندی؟

سرش را به دامنم گذاشت و گریه کرد، گفتم:

ـ مواظب باش مسعود نفهمه.

ولی مسعود از همان دقایق اول به موضوع پی برده بود، غمگین و درخودفرو رفته به گوشه‌ای می‌نشست، دیگر چیزی برای عمه شری عـزیزش نسـاخت، نکشید، سراغش را نگرفت و با وسواس مواظب بود که نام او را نبرد. بعد از چندی متوجهٔ رنگ‌های تیره و مناظر عـجیب و نـامشخص در نـقاشی‌هایش شـدم، رنگ‌هـا و تصاویری که قبلاً هرگز در کارهایش ندیده بودم، هیچ توضیحی هم در مورد آن‌ها نمی‌داد و داستانی نمی‌گفت. مدت‌ها طول کشید تا غمی را که در درونش خانه کرده بود هضم کند ولی هیچ‌وقت فراموش نکرد، می‌ترسیدم این غم ناگفته جزئی از وجود شاداب و شیرینش شود، او برای خندیدن، مهرورزی، غم‌گساری ساخته شده بود نه افسردگی و دلتنگی، ولی چه می‌شد کرد، متأسفانه نمی‌توانستم فرزندانم را در مقابل تجارب دردناک زندگی محافظت کنم، واقعیات تلخی که هر چند زود بود ولی باید با آن‌ها روبه‌رو می‌شدند، این‌هم بخشی از فرایند رشد آن‌ها بود.

❦

وضع حمید از بچه‌ها بدتر بود، سرگردان دور خودش می‌چرخید مدام می‌رفت و می‌آمد، گاهی چند روزی گم می‌شد، ولی در بازگشت هیچ از آشفتگی‌اش کاسته نشده بود، می‌فهمیدم که خواسته‌اش را نیافته است. آخرین بار بیش از یک هفته ما را بی‌خبر گذاشت، نه تنها به خانه نمی‌آمد بلکه حتی تلفن هم نمی‌کرد که بپرسد آیا کسی با او تماس گرفته یا نه؟ مدام در دلشوره و اضطراب به‌سر می‌بردم، هرچند بعد از مرگ شهرزاد از خرید روزنامه بدم می‌آمد و می‌ترسیدم ولی چاره‌ای نبود هر روز زودتر از روز قبل خود را به دکهٔ روزنامه فروشی می‌رساندم و منتظر آمدن روزنامه می‌ماندم، با ترس و لرز روزنامه را باز می‌کردم، وقتی می‌دیدم خبری نیست آرام شده قدم‌زنان به خانه برمی‌گشتم در واقع من روزنامه را برای کسب خبر نمی‌خواستم بلکه هدفم اطمینان از بی‌خبری بود.

۞

اواسط مرداد بالاخره، خبری را که نمی‌خواستم در روزنامه دیدم. بندهایی که دستهٔ روزنامه را در خود گرفته بود را هنوز بازنکرده‌بودند که تیتر سیاه و درشت صفحهٔ اول بر جا میخکوبم کرد پاهایم می‌لرزیدند، نفسم به‌شماره‌افتاد، یادم نمی‌آید چگونه روزنامه را خریدم و خود را به خانه رساندم، بچه‌ها در حیاط بازی می‌کردند با عجله از پله‌ها بالا رفتم در را پشت سرم بستم و روزنامه را همان پشت در، روی زمین پهن کردم قلبم داشت از حلقومم بیرون می‌آمد خبر حاکی از متلاشی شدن گروه رهبری یک سازمان تروریستی و خرابکاری بود و بشارت می‌داد که کشور عزیزمان از وجود این عناصر خائن پاک‌شده‌است اسم‌ها جلوی چشمم رژه می‌رفتند حدود ده اسم بود بعضی را به‌یادنمی‌آوردم ولی اسم مهدی به‌طور مشخص و کامل ذکرشده‌بود، دوباره اسامی را خواندم، نه اسم حمید نیست، حال ضعف پیدا کردم، نمی‌دانستم چه احساسی دارم برای از دست رفتگان متأسف بودم ولی بارقهٔ امیدی در قلبم درخشید، اسم حمید در بین آنها نیست، لابد هنوز زنده است، شاید فراری است، شاید اصلاً شناسایی نشده‌باشد و بتواند به خانه برگردد. اوه خدا را شکر ولی اگر دستگیر شده باشد چه؟ گیج و منگ بودم، با ناامیدی به شرکت و چاپخانه زنگ زدم ولی جواب

ندادند، هنوز یک ساعت به تعطیل شدن شرکت مانده‌بود. احساس می‌کردم این همه اضطراب و نگرانی دیوانه‌ام خواهدکرد کاش می‌توانستم با کسی حرف بزنم، کاش کسی برای هم‌فکری بود، کاش کسی دلداریم می‌داد. با خود گفتم: باید قوی باشم، حتی کلامی از آنچه در درونم می‌گذرد می‌تواند ما را به باد فنا دهد.

دو روز دیگر در تاریکی اضطراب گذشت، مثل دیوانه‌ها کار می‌کردم شاید ذهنم به امر دیگری مشغول شود. شب دوم آنچه را که ناآگاهانه منتظرش بودم اتفاق افتاد، نیمه‌شب بود تازه داشتم به‌خواب می‌رفتم، نفهمیدم آنها چگونه ناگهان وسط خانهٔ ما سبز شدند. سیامک وحشت‌زده به طرفم دوید یک نفر مسعود را که جیغ می‌زد در آغوشم انداخت، یک سرباز با تفنگ به ما سه نفر که روی تخت مثل بید می‌لرزیدیم نشانه رفته بود، نمی‌دانم چند نفر بودند ولی در آنِ واحد در تمام سوراخ سنبه‌های خانه حضور داشتند و هر چه را که به دستشان می‌رسید به وسط اتاق پرتاب می‌کردند، صدای فریاد وحشت‌زدهٔ بی‌بی که از پایین به گوش می‌رسید اعصاب تحریک‌شده‌ام را بیش‌از‌پیش می‌آزرد، تمام محتویات کمدها، کابینت‌های آشپزخانه، کتابخانه‌ها و چمدان‌ها را روی زمین انباشتند و تشک‌ها و لحاف‌ها را با چاقو از هم دریدند، نمی‌دانستم دنبال چه می‌گردند، به خود نوید می‌دادم که پس حمید زنده است و هنوز دستگیر نشده برای همین اینجا آمده دنبال او می‌گردند، ولی شاید هم او را گرفته‌اند و این کتاب‌ها و نامه‌ها و کاغذها را به عنوان سند و مدرک جمع‌آوری می‌کنند، آدرس خانهٔ ما را چه کسی به آنها داده؟ این فکرها با هزاران افکار نامشخص دیگر از ذهنم می‌گذشت. مسعود درحالی‌که به من چسبیده بود آنها را نگاه می‌کرد، سیامک راست روی تخت نشسته بود، دستش را گرفتم مثل یخ سرد بود و لرزش خفیفی داشت به صورتش نگاه کردم، تمام وجودش چشم بود، تمام حرکات آنها را زیرنظر داشت ولی در نگاهش جز ترس چیز دیگری بود که پشت مرا لرزاند شعلهٔ خشم، کینه و نفرتی که از چشمان این پسر نه ساله بیرون می‌آمد برای همیشه در خاطرم ماند به یاد بی‌بی افتادم با خود گفتم مدتی‌ست صدایش نمی‌آید، مبادا مرده باشد، چه بر سرش آمده؟ یک‌بار ما را از روی تخت بلندکردند،

رختخواب‌ها را گشتند، چاقویی هم در تشک فروکردند و دوباره دستور دادند که همان‌جا بنشینیم.

آفتاب طلوع کرده بود که آنها با مقداری کاغذ، دفتر و کتاب خانهٔ ما را ترک کردند، نیم‌ساعت بود که مسعود به خواب رفته بود، ولی سیامک همان‌طور رنگ‌پریده و ساکت نشسته بود. مدتی طول کشید تا جرأت کردم و به آرامی از تخت بیرون آمدم. هنوز فکر می‌کردم یکی از آنها در جایی پنهان شده و ما را نگاه می‌کند، اتاق‌ها را گشتم سیامک همه جا دنبالم می‌آمد. در را باز کردم و بیرون آمدم، نه، کسی نبود، با عجله از پله‌ها پایین دویدم، درِ اتاق بی‌بی چهارطاق باز بود و او یک بری در رختخوابش افتاده بود، گفتم وای، مرده. ولی وقتی به کنارش رسیدم متوجه‌شدم هرچند به سختی ولی نفس‌می‌کشد. کمی خُرخُر می‌کرد. لیوانی آب آوردم و سعی کردم به دهانش بریزم. دو بالش پشتش گذاشتم تا به آنها تکیه کند. دیگر جایی برای پنهان‌کاری نبود رازی نمانده بود که از فاش شدنش بترسم، تلفن را برداشتم و به منزل پدر حمید زنگ‌زدم پدرش سعی می‌کرد آرامشش را حفظ کند ولی من احساس کردم خبر خیلی هم ناگهانی نبود گویی چنین انتظاری داشت.

به همه جا سرزدم. آنچنان خانه را بهم‌ریخته‌بودند که فکر می‌کردم هرگز دوباره مرتب نخواهد شد خانه‌ام مانند مملکتی اشغال شده پس از رفتن دشمن بود، ویرانه، آشفته و بی‌سروسامان آیا بعد از این باید منتظر کشته‌ها بنشینم؟

در اتاق‌های بی‌بی آن‌قدر اثاثیه انباشته‌شده‌بود که تعجب‌کردم چطور این‌همه چیزهای به‌دردنخور را در این چند اتاق جای‌داده‌است؟ پرده‌های کهنه که معلوم نبود از کدام خانه می‌آمدند، رومیزی‌های دست‌دوزی شده با لکه‌هایی که در شستشوهای متعدد هم پاک‌نشده‌بودند، ترمه‌های قدیمی، تکه پارچه‌های ریز و درشت باقیمانده از لباس‌هایی که سال‌ها پیش دوخته و کهنه و دور انداخته شده

بودند، چنگال‌های ناقص و زرد شده، کاسه بشقاب‌های لب پریده و نصف شده در انتظار چینی‌بندزنی که هرگز نیامد، به راستی بی‌بی برای چه این‌ها را نگاه‌داشته؟ در هر کدام از این‌ها کدامین بخش از زندگیش را جست‌وجو می‌کند؟

در زیرزمین از کرسی و میز و صندلی شکسته، شیشه‌های خالی شیر و نوشابه که در خاک‌وخل پخش بودند، و تپه‌های کوچکی از برنج ریخته شده از گونی‌های شکافته، به راستی محشری برپا بود.

۞

پدر و مادر حمید متعجب و ناباورانه وارد خانه شدند، مادرش با دیدن وضعیت جیغی کشید و شروع به گریه کرد، مرتب می‌گفت:

ـ چه به سر بچه‌ام اومده؟ حمیدم کجاس...؟

مبهوت نگاهش‌کردم، راستی می‌شد گریه هم کرد، ولی من عین یخ سرد و منجمد بودم، مغزم همراهی نمی‌کرد انگار نمی‌خواستم ابعاد فاجعه را بفهمم. پدرش با سرعت بی‌بی را سوار ماشین کرد و مادر حمید را به زور به ماشین برد، حوصله و توان کمک یا تسلی و یا حتی جواب‌دادن به کسی را نداشتم، وجودم از هر احساسی خالی بود فقط می‌دانستم که نمی‌توانم یک جا بنشینم و مدام راه‌می‌رفتم، نفهمیدم چقدر طول کشید تا پدر حمید برگشت، سیامک را درآغوش‌گرفت و شروع به گریه کرد، بی‌تفاوت نگاهش‌کردم، گویی فرسنگ‌ها با من فاصله داشت. صدای جیغ بی‌امان و وحشت‌زدهٔ مسعود ذهنم را به یک باره بیدار کرد، با عجله به طرف پله‌ها دویدم. در آغوشش گرفتم خیس از عرق بود و می‌لرزید.

ـ چیزی نیست پسرم، نترس، چیزی نیست.

ـ وسایلتونو جمع کنین، چند روزی منزل ما می‌مونید.

ـ نه متشکرم، همین جا راحت‌ترم.

ـ اینجا نمی‌تونی بمونی، صلاح نیست.

ـ نه من می‌مونم شاید از حمید خبری بشه، شاید کاری با من داشته باشه.

سرش را تکان داد و با قاطعیت گفت:

ـ نه جانم، احتیاجی نیست، وسایلتو جمع‌کن اگه منزل پدرت راحت‌تری

می‌برمت اونجا، منزل ما هم زیاد مطمئن نیست.

فهمیدم که او اطلاعات بیشتری دارد، ولی جرأت نداشتم بپرسم، نمی‌خواستم بدانم. از میان آن آشفتگی کیفی پیدا کردم، هر چه از لباس‌های بچه‌ها به چشمم خورد را در آن ریختم چیزهایی هم برای خودم در ساک گذاشتم، نمی‌توانسـتم لباس بپوشم، چادر نمازم را روی لباس خواب به سر انداختم و از پله‌ها پـایین آمدم، پدر حمید درها را قفل کرد.

در تمام طول راه یک کلمه هم حرف نزدم، پدر حمید با بچه‌ها صحبت می‌کرد و سعی می‌کرد سرگرمشان کند، سر کوچه بچه‌ها از ماشین بیرون پریدند، نگاهشان کردم هنوز لباس‌های خواب تنشان بود چقدر کوچک و بی‌پناه بودند.

ـ ببین دخترم، می‌دونم ترسیدی، شوکه شدی، برات ضربهٔ سختی بوده، ولی باید قوی باشی، به خودت بیا، تا کی می‌خوای این‌طور ساکت و مات بشینی و از واقعیت فرار کنی؟ بچه‌هات بهت احتیاج دارن، باید مواظب اونا باشی.

بالاخره اشک‌هایم سرازیر شدند، گریه کنان پرسیدم:

ـ حمید، حمید چی شده؟ پدر سرش را به فرمان اتومبیل تکیه‌داد و هیچ نگفت.

ـ مرده! نه؟ اونم مثل بقیه کشته شده؟ مگه نه؟

ـ نه، باباجون زنده‌س اینو می‌دونیم.

ـ شما ازش خبر دارید؟ به من بگید، به خدا به هیچ‌کس نمی‌گم. توی چاپخونه قایم شده، نه؟

ـ نه جانم چاپخونه رو هم دو روز پیش ریختن، زیرورو کردن و بستن.

ـ پس چرا به من خبر ندادین؟ حمید هم اونجا بود؟

ـ تقریباً... همان حول‌وحوش بود.

ـ خوب...؟

ـ چی بگم، دستگیر شده.

ـ وای...!

تا مدتی نمی‌توانستم هیچ چیز دیگری بگـویم، مـدتی سکـوت بـرقرار شـد، بی‌اختیار گفتم:

ـ پس در واقع اونم مرده، از دستگیر شدن بیشتر از مردن می‌ترسید.

ـ نه جانم این طور فکر نکن، امیدوار باش. من هر کاری از دستم بربیاد می‌کنم از دیروز تا حالا هزار جا رفتم، چند تا از آدمای کله‌گنده رو دیدم کـلی آشـنا جورکردم، با یه وکیل هم امروز قرار دارم همه می‌گن باید امیدوار بـاشیم، مـن خوش‌بینم، تو هم باید به من کمک کنی، مرتب با ما در تماس باش، فعلاً فقط بـاید خدا رو شکر کنیم که زنده‌س، انشاالله بقیه‌ش هم درست می‌شه.

❀

سه روز تمام در خانهٔ آقاجون افتاده‌بودم، مریض نبودم، تب نداشتم ولی بـه قدری خسته‌بودم که نمی‌توانستم هیچ فعالیتی بکنم، انگار دلهره‌ها و نگرانی‌های چند ماههٔ اخیر و این ضربهٔ آخر تمام انرژی و توانم را گرفته بود. مسعود بالای سرم می‌نشست و نوازشم می‌کرد، سعی می‌کرد وادار به غذا خوردنم کند، و مثل یک پرستار مراقبم بود. سیامک ساکت دور حوض راه می‌رفت، نه با کسی حرف می‌زد، نه دعوا می‌کرد، نه چیزی را می‌شکست و نه بازی می‌کرد، در نگاه عمیق و تاریکش برق ناخوشایندی می‌درخشید، این حال او بیش از تـندخویی‌ها، دعواها و جنگ‌هایش مرا می‌ترساند. یک شبه ده پانزده سال بزرگ‌تر شده بود و حال مردان تلخ و عصبی را داشت.

روز سوم تصمیم گرفتم از جایم بلندشوم، چـاره‌ای نـبود بـاید بـه زنـدگی برمی‌گشتم، هرچند که هنوز خیلی بی‌حال بودم. محمود که تازه از داستان با خبر شده بود با زن و بچه‌هایش آمدند. احترام‌سادات مدام حرف می‌زد و من اصلاً حوصله نداشتم، محمود در آشپزخانه با خانم‌جون صحبت می‌کرد، می‌دانستم که برای کسب خبر آمده. فاطی سینی چای را روی زمین گذاشت و کنارم نشست که ناگهان فریاد عصبی سیامک از حیاط بلند شد گویی طوفانی در گرفته بود، به کنار پنجره پریدم، صورت سیامک برافروخته و قرمز بود با نفرت به محمود فحش می‌داد، به طرفش سنگ پرتاب می‌کرد، ناگهان برگشت و غلامعلی بیچاره را با قدرتی که از جثهٔ او بعید بود به درون حوض انداخت، و گلدانی را که کنار حوض بود با لگد پرت‌کرد و شکست، نمی‌دانستم چه چیزی او را این چنین خشمگین

کرده ولی مطمئن بودم که بی‌علت نیست، حتی راضی بودم، او بالاخره بعد از سه روز داشت خودش را به این ترتیب خالی می‌کرد، در این موقع علی در حالی که می‌گفت خفه‌شو، پدرسوخته دستش را بلندکرد تا بر دهان سیامک بزند. دنیا در نظرم تیره و تار شد، جیغ زنان گفتم:

ـ دستتو بنداز.

و خودم را از همان پنجره به حیاط انداختم، مثل ماده ببری که از فرزندانش در مقابل دشمن مراقبت می‌کند به طرف علی پریدم و گفتم:

ـ اگه دس رو بچۀ من بلند کنی، تیکه‌تیکه‌ت می‌کنم.

و سیامک را که از خشم می‌لرزید در آغوش گرفتم. همه ساکت و باتعجب نگاهم می‌کردند، علی وارفت و گفت:

ـ من فقط می‌خواستم ساکتش کنم، ببین چه الم‌شنگه‌ای راه انداخته؟ چه به سر این طفلک آورده.

و غلامعلی را که مثل موش آب کشیده کنار مادرش ایستاده بود و بینی‌اش را بالا می‌کشید نشان داد.

ـ ندیدی چه مزخرفاتی به دایی بزرگش گفت؟

ـ لابد یه چیزی گفتن که این بچه رو این‌طور عصبانی کرده وگرنه این سه روزه صداش تو این خونه در نیومده بود.

محمود با اخم گفت:

ـ اصلاً این تخم‌جن قابله ما باهاش حرف بزنیم؟ تو هم خجالت نمی‌کشی داداش بزرگتو به یه الف بچه می‌فروشی، واقعاً که هیچ‌وقت آدم نمی‌شی.

❀

وقتی آقاجون رسید اوضاع خانه آرام بود ولی آرامشی که بعد از طوفان برقرار می‌شود تا به طرفین مهلت بررسی ضایعات را بدهد. محمود و زن و بچه‌هایش رفته‌بودند، علی طبقه بالا در اطاقش بود، خانم‌جون گریه‌می‌کرد نمی‌دانست طرف من را بگیرد یا پسرهایش را، فاطی دوروبرم می‌گشت و در جمع‌آوری وسایل بچه‌ها کمک می‌کرد. آقاجون گفت:

ـ چکار می‌کنی؟

ـ باید برم، بچه‌هام نباید زیردست بزرگ بشن و شماتت ببینن، اونم از نزدیکاشون.

ـ مگه چی شده؟

خانم‌جون گفت:

ـ چی بگم آقا، محمود بیچاره داشت دلسوزی می‌کرد، تو آشپزخانه با من حرف می‌زد که این بچه شنید نمی‌دونی چه الم‌شنگه‌ای راه انداخت، خواهر و برادرا هم به جون هم افتادن.

آقاجون گفت:

ـ خیلی خوب حالا هر چی شده. نمی‌ذارم شب بری توی اون خونه.

ـ نه آقاجون باید برم، اسم بچه‌ها رو ننوشتم، هفته دیگه مدرسه‌ها باز می‌شه، هیچ کاری نکردم.

ـ خیلی خوب برو ولی امشب نه، اونم تنها.

ـ فاطی هم با من می‌آد.

ـ به به! چه محافظی، از این گنده‌تر نبود، منظورم اینه که مردی باید باهاتون باشه، شاید دوباره بیان. نباید دو تا زن تنها اونجا بمونن. فردا همه با هم می‌ریم.

حق با او بود، باید شب را هم صبر می‌کردیم، بعد از شام، آقاجون سیامک را پهلوی خودش نشاند و مثل زمان بچگی‌هایش که با هم صحبت می‌کردند از او پرسید:

ـ خوب پسرم، حالا برام درست تعریف کن که چه شد که تو این‌قدر عصبانی شدی.

او هم مانند ضبط‌صوتی که تمام کلمات را ضبط کرده باشد، درحالی‌که بی‌اختیار ادای حرف زدن محمود را در می‌آورد گفت:

ـ خودم شنیدم به خانم‌جون می‌گفت، مردیکه خرابکاره، همین امروز فردا اعدامش می‌کنن، من از اول هم از اینا خوشم نمی‌اومد، می‌دونستم ریگی به کفششونه، خواستگاری که پروین‌خانم پیدا کنه از این بهتر نمی‌شه. چقدر گفتم

بدینش به حاج آقا... کمی مکث کرد، نمی‌دونم کی... آقاجون گفت:
ـ لابد ابوذری...
ـ آره همین، گفتید سنش زیاده، زن داشته، نگفتید عوضش باخداس. تو حجره‌اش کلی جنس خوابیده، اون‌وقت دادیدش به این جوجه کمونیست خدانشناس، کثافت، حقشه، باید هم اعدامش کنن.
آقاجون سر سیامک را بر سینه‌اش گذاشت و موهایش را بوسید و گفت:
ـ تو گوش نده، اینا عقلشون نمی‌رسه، بابای تو خیلی مرد خوبیه، خیالت هم راحت باشه اعدامش نمی‌کنن. امروز با پدربزرگت حرف‌زدم، می‌گفت وکیل گرفته، انشاالله کارش درست می‌شه.
تمام شب به این فکر کردم که بدون حمید باید چگونه زندگی‌کنیم؟ تکلیفم در مقابل بچه‌ها چیست؟ چه وظیفه‌ای دارم؟ چطور از آنها در مقابل حرف‌های مردم محافظت کنم.

صبح با آقاجون، پروین‌خانم و فاطی به خانه جنگ‌زده‌مان برگشتیم، آقاجون از دیدن وضعیت خانه خیلی متأثر شد، موقع رفتن گفت:
ـ شاگردای مغازه رو می‌فرستم کمکتون کنن کار شماها تنها نیست، مقداری پول هم از جیبش درآورد و ادامه داد: فعلاً داشته باش، هر وقت هم احتیاجی بود حتماً بگو.
ـ نه متشکرم، فعلاً احتیاجی نیست.
ولی این حرکت مرا به فکر وضع اقتصادی خانواده در غیاب حمید انداخت، به‌راستی من باید خرجی خانه را چگونه تأمین کنم؟ آیا باید برای همیشه سربار پدرم یا پدر او یا دیگران باشم؟ دوباره دلشوره شروع‌شد، به خودم دلداری دادم که: چاپخانه شروع به کار خواهد کرد، او هنوز هم سهمی از آن دارد.
سه روز تمام، من، فاطی، پروین‌خانم، سیامک، مسعود، شاگردای مغازهٔ آقاجون و گاه‌گاهی خانم‌جون کار کردیم تا بالاخره خانه سر و سامانی گرفت، مادر و خواهرهای حمید هم برای جمع‌وجورکردن وسایل بی‌بی آمدند و خانه او را

هم مرتب کردند، بی‌بی از بیمارستان مرخص شده، در خانهٔ آنها بستری بود. هر چه آشغال در انبار بود را بیرون ریختم، فاطی می‌خندید و می‌گفت:

ـ خدا پدر ساواکی‌ها رو بیامرزه، باعث شدن بفهمی توی خونه چی داری و یه خونه‌تکونی حسابی بکنی.

❀

روز بعد برای نام‌نویسی بچه‌ها به مدرسه رفتم، طفلک مسعودم بـا چـه روحیه‌ای به کلاس اول رفت، ولی برخلاف سیامک سـعی مـی‌کرد بـرای مـن مشکلی ایجاد نکند، روز اول که او را به مدرسه رساندم وحشت از ایـن محـیط ناآشنا را در نگاهش می‌خواندم ولی هیچ نمی‌گفت موقع خداحافظی گفتم:

ـ تو پسر خوبی هستی خیلی زود دوست پیدا می‌کنی، حتماً مـعلمت هـم دوستت می‌داره من مطمئنم.

ـ دنبالم می‌آیی؟

ـ البته که دنبالت می‌آم، فکر کردی من پسر مهربون و عزیزمو فراموش می‌کنم؟

ـ نه می‌ترسم گُم بشی.

ـ من گُم بشم؟ نه مادر آدمای بزرگ که گُم نمی‌شن.

ـ چرا! گُم می‌شن وقتی هم گُم شدن دیگه پیدا نمی‌شن. دیدی شهرزاد و بابا چطوری گُم شدن.

اولین باری بود که پس از مرگ شهرزاد اسم او را می‌آورد آن‌هم با نام کامل نه عمه شری که همیشه می‌گفت. نمی‌دانستم چه بگویم. او در ذهن کوچکش چطور رفتن آنها را برای خودش تفسیر کرده بود؟ در آغوشش کشیدم و گفتم:

ـ نه پسرم، مامانا گم نمی‌شن، اونا بوی بچه‌هاشونو مـی‌شناسن بـه طـرفش می‌رن و هر جا باشه پیداش می‌کنن.

ـ پس وقتی من نیستم، گریه نکنی‌ها...!

ـ نه مامان من گریه‌نمی‌کنم، کی گریه کردم؟

ـ همیشه گریه می‌کنی، وقتی توی آشپزخونه تنها هستی.

وای که هیچ‌چیز را از این بچه نمی‌شد پنهان کرد، بغض گلویم را گرفت و گفتم:

ـ گریه هم چیز بدی نیست بعضی وقتا لازمه، این‌طوری دل آدم سبک‌تر می‌شه. ولی دیگه گریه نمی‌کنم.

بعدها هم با او هیچ مشکلی نداشتم. مشق‌هایش را مرتب می‌نوشت همهٔ کارهایش را می‌کرد و مواظب بود که به‌هیچ‌وجه باعث ناراحتی من نشود، تنها اثری که از آن شب وحشتناک در او باقی مانده بود و نمی‌توانست آن را از من پنهان کند، فریادهای وحشت‌زده‌ای بود که بعضی نیمه‌شب‌ها ما را از خواب می‌پراند.

❀

دو ماه گذشت، دانشگاه‌ها باز شدند ولی من به تنها چیزی که فکر نمی‌کردم رفتن به دانشگاه بود. هر روز با پدر حمید به ملاقات افراد مختلف می‌رفتیم، سفارش می‌گرفتیم، التماس و درخواست می‌کردیم، آشنا و پارتی می‌تراشیدیم حتی به دفتر ملکه فرح نامه نوشتیم تا او را اعدام نکنند و از زیر شکنجه درآورند و به زندان عادی بفرستند، قول‌هایی هم گرفتیم ولی معلوم نبود این‌همه اقدامات تا چه حد موثر بوده و حمید واقعاً در چه وضعی است. مدتی بعد ظاهراً محاکمه‌ای انجام شد و چون ثابت‌شده‌بود که در عملیات مسلحانه شرکت نداشته‌است خطر اعدام منتفی گردید و به پانزده سال زندان محکوم شد. پس از چندی نیز به ما اجازه دادند برایش غذا و لباس ببریم و نامه بنویسیم، هر دوشنبه با ساک بزرگی از غذا و لباس، کتاب، و وسایل نوشتن جلوی زندان می‌رفتم، بسیاری را همان موقع برمی‌گرداندند و از آنچه می‌گرفتند نمی‌دانم چه مقدار در نهایت به دست حمید می‌رسید. اولین باری که لباس‌های کثیفش را برای شستشو به من دادند متحیر شدم، بوی عجیبی می‌دادند، بوی خون مانده، بوی عفونت، بوی بدبختی، با وحشت تک‌تک آنها را وارسی‌کردم لکه‌های خون و چرک بر روی لباس‌ها دیوانه‌ام کرد، در حمام را بستم شیر آب پر سروصدا و خروشان را در تشت باز کردم و با صدای بلند گریستم. او در آنجا چه می‌کشید آیا بهتر نبود او هم مثل شهرزاد و مهدی و بقیه کشته می‌شد، آیا او هر لحظه آرزوی مرگ نمی‌کند. به تدریج از روی لباس‌ها محل جراحات و شدت آنها را شناختم، می‌دانستم کدام وخیم‌تر ست و کدامیک رو به بهبودی‌ست.

زمان می‌گذشت، از باز شدن مجدد شرکت و چاپخانه خبری نبود، پدر حمید هر ماه مبلغی به من می‌پرداخت ولی این وضع تا کی می‌توانست ادامه یابد؟ باید تصمیم قطعی می‌گرفتم، باید خودم یک کاری می‌کردم، نه بچه بودم، نه ناتوان، زنی بودم با مسؤولیت دو بچه که نمی‌خواستم از سر دلسوزی و صدقهٔ دیگران بزرگ شوند. نشستن، نالیدن، دست جلوی این و آن درازکردن در شأن من، بچه‌ها، به‌خصوص حمید نبود. ما باید با شرافت و سربلندی زندگی می‌کردیم، باید روی پاهای خودمان می‌ایستادیم. ولی چگونه؟ من چه کاری می‌توانستم بکنم؟ اولین و میسرترین کاری که به فکرم رسید خیاطی زیر دست پروین‌خانم و با کمک فاطی بود هرچند بدون معطلی شروع به کار کردم ولی از آن متنفر بودم خصوصاً که برای این کار باید همه روزه به خانهٔ خانم‌جون و پروین‌خانم می‌رفتم و با علی و احیاناً محمود روبه‌رو می‌شدم و سرزنش هر روز خانم‌جون را می‌شنیدم که می‌گفت:

ـ دیدی می‌گفتم خیاطی از همه چیز واجب‌تره گوش ندادی هی بیخود رفتی مدرسه و درس خوندی.

هر روز عصر روزنامه‌ها را می‌خواندم و به دنبال آگهی‌های استخدام به شرکت‌ها و ادارات مراجعه می‌کردم، بیشتر شرکت‌های خصوصی منشی می‌خواستند، پدر حمید در مورد محیط کار و بعضی مسایل شرکت‌ها هشدارهایی به من داد که کاملاً بجا بود و خود به خوبی آن‌را احساس‌کردم، در بعضی از جاها با چنان نگاه حریصی براندازم می‌کردند که گویی می‌خواهند معشوقه انتخاب کنند نه کارمند، در همین مراجعات فهمیدم داشتن دیپلم به تنهایی کافی نیست باید کارهای دیگری هم بلد باشم، دو جلسه به کلاس ماشین‌نویسی رفتم، بعد از یادگیری اصول اولیه، آن را رها کردم چون نه پول برای شهریه داشتم و نه وقت برای تلف کردن، پدر حمید یک ماشین تایپ قدیمی در اختیارم گذاشت، شب‌ها با آن تمرین می‌کردم، و خودش مرا به یکی از دوستانش در اداره‌ای دولتی معرفی کرد، روزی که برای مصاحبه رفتم با مردی سی و یکی دو ساله با چشمانی نافذ و باهوش که با کنجکاوی نگاهم می‌کرد روبه‌رو شدم، او در ضمن سؤال‌های

متعدد سعی داشت به آنچه که اظهار نمی‌کردم پی ببرد، پرسید:
ـ اینجا نوشتید متأهلید، شوهرتون چکاره است؟
مدتی مردد ماندم تصورمی‌کردم که چون پدر حمید مرا معرفی کرده از شرایط من باخبر است ولی ظاهراً نمی‌دانست، با لکنت گفتم کـار آزاد دارد، از نگـاه و لبخند تمسخرآمیزش فهمیدم حرفم را باور نکرده، خسته و عصبی بودم گفتم:
ـ من کار می‌خوام، شما به شوهرم چکار دارین؟
ـ به ما گفته بودند شما ممر درآمد دیگه‌ای ندارید.
ـ کی گفته بود؟
ـ آقای معتمدی، معاون، که شما رو معرفی کرده.
ـ حالا اگر ممر درآمد دیگه‌ای داشته‌باشم، شما استخدامم نمـی‌کنید مگـه شما کارمند نمی‌خواین؟
ـ چرا خانم می‌خوایم ولی داوطلب هم زیاد داریم که از نظر مدرک تحصیلی و تجربه، شرایط بهتری از شما دارن، من اصلاً نمی‌فهمم چرا آقای مـعتمدی شما رو معرفی کرده، اونم با این اصرار.
نمی‌دانستم چه بگویم، پدر حمید گفته بود وقتی برای کار به جـایی مـراجـعه می‌کنی نگو که شوهرت زندانی است، دروغ هم نمی‌توانستم بگویم چون مطمئناً مچم به زودی باز می‌شد، این کار را هم باید می‌گرفتم، اینجا از هر نظر برای من مناسب بود، مستأصل و نا‌امید شده بودم، بی‌اختیار دو قطره اشک بـر زانـوانم چکید با صدایی که خودم هم به سختی می‌شنیدم گفتم:
ـ شوهرم زندانه.
ـ با اخم‌های در هم رفته چشمانش را تنگ‌کرد و پرسید:
ـ برای چی؟
ـ فعالیت‌های سیاسی.
ساکت شد، جرأت نداشتم حرفی بزنم، او هم دیگر چیزی نپرسید، شروع کرد به نوشتن. بعد از مدتی سرش را بلندکرد، قیافه‌اش در هم رفته بود، نامه‌ای بـه دستم داد و گفت:

ـ در مورد شوهرتون با کسی حرفی نزنید، این نامه رو به اتاق بغلی ببرید بدید به خانم تبریزی، ایشون وظایف شما رو بهتون می‌گن، از فردا هم مشغول کار می‌شید.

خبر کارکردن من در خانه مثل بمب ترکید، خانم‌جون با چشم‌های از حدقه درآمده گفت:

ـ یعنی بری اداره، مثل مردا؟

ـ بله، مرد و زن دیگه فرقی نداره.

ـ وا! خدا مرگم بده، چه حرفا؟ آخرالزمون شده، من که فکر نمی‌کنم داداشا و آقاجونت بذارن.

ـ به اونا مربوط نیست، هیچ‌کس حق دخالت توی زندگی من و بچه‌هامو نداره هر بلایی تا حالا سرم آوردن بسه، حالا دیگه من شوهر دارم، شوهرم که نمرده، اختیارم دست خودم و اونه پس خودشونو بی‌خودی سبک نکنن.

با همین التیماتوم دهان همه بسته شد هر چند که فکر نمی‌کنم آقاجون خیلی هم مخالف بود چون چندین بار از اینکه من روی پای خودم ایستادم و به برادرهایم متکی نیستم اظهار خوشحالی کرد. این کار در تقویت روحیه‌ام بسیار موثر افتاد، احساس شخصیت و امنیت خاصی داشتم هرچند خیلی خسته مـی‌شدم ولی از اینکه به کسی محتاج نبودم احساس غرور می‌کرد.

در اداره نقش منشی یا رئیس دفتر را داشتم. همه کاری می‌کردم تایپ، پاسخ به تلفن، مرتب کردن پرونده‌ها، رسیدگی به برخی حساب و کتاب‌ها، و گاه حتی ترجمه، در ابتدا همه چیز خیلی سخت به نظر می‌رسید، کارها را آشفته و سنگین می‌دیدم ولی دو هفته نگذشته بود که تسلط کافی بر مطالب پیدا کردم، آقای زرگر .که حالا رییسم شده بود با دقت و حوصله توضیحات لازم را می‌داد و کارهایم را زیر نظر داشت ولی هرگز دیگر نه سؤالی در مورد زندگی خصوصیم کرد و نـه کنجکاوی خاصی در مورد حمید نشان داد. کم‌کم شروع به غلط گیری املایی و انشایی از مطالبی که برای تایپ به من می‌دادند کردم، بالاخره هر چه بود مـن

دانشجوی رشتهٔ ادبیات فارسی بودم و حداقل نیمی از وقتم در تمام ده سال گذشته به کتاب خواندن گذشته بود، وقتی با تشویق و توجه رییسم روبه‌رو شدم شهامت بیشتری یافتم، کم‌کم اعتماد او به کار من به حدی رسید که منظورش را می‌گفت و از من می‌خواست تا متن نامه یا گزارش را بنویسم. از کارم خیلی خوشم می‌آمد ولی با مشکل جدیدی روبه‌رو شدم که قبلاً به آن نیندیشیده بودم. دیگر نمی‌توانستم هر هفته و به‌طورمرتب به زندان بروم، سه هفته بود که هیچ خبری از حمید نداشتم دلم شور می‌زد، با خود گفتم، این هفته هر طور شده باید بروم، از روز قبل تمام وسایل را آماده کردم، مقداری غذا پختم، شیرینی، میوه، سیگار و پول گذاشتم، صبح زود خود را به زندان رساندم، پاسبان جلوی در با تمسخر و بی‌ادبانه پرسید:

ـ چته؟ دیشب خوابت نبرده که صبح به این زودی اومدی؟ من که حالا چیزی تحویل نمی‌گیرم.

ـ خواهش می‌کنم من باید ساعت هشت سر کارم باشم.

ولی او شروع به مسخره و توهین کرد، گفتم:

ـ خجالت بکش این چه طرز حرف زدنه؟

گویی فقط منتظر همین اعتراض بود تا با خیال راحت هر نسبت زشتی را به من و آن شوهر... بدهد، هرچند در این مدت من با همه جور بی‌اعتنایی و بی‌ادبی مواجه‌شده‌بودم ولی تا آن موقع کسی چنین فحش‌ها و القاب زشتی به ما نداده بود، از شدت خشم تمام تنم می‌لرزید، دلم می‌خواست تکه‌تکه‌اش کنم، ولی جرأت اظهار حتی کلمه‌ای را نداشتم، می‌ترسیدم اگر حرفی بزنم حمید از همین بسته و نامه و غذایی که خدا می‌دانست چقدر از آن به دست او می‌رسید محروم شود. در حالی‌که لب‌هایم را می‌گزیدم و اشک‌هایم را فرو می‌خوردم تحقیر شده و خُرد به اداره رفتم، آقای زرگر با آن نگاه تیزش متوجهٔ دگرگونیم شد و مرا به اطاقش خواند، در حالی‌که نامه‌ای را برای تایپ به دستم می‌داد پرسید:

ـ چی شده خانم صادقی امروز حالتون خوش نیست؟

اشک‌هایم را که تا روی گونه‌هایم رسیده بود با پشت دست پاک‌کردم و

جریان را مختصراً شرح دادم، با عصبانیت سرش را تکان داد و بـعد از کـمی سکوت گفت:

ـ شما باید اینو زودتر به من می‌گفتید، می‌دونین اگه این هفته هم خبری از شما بهش نرسه چه روحیه‌ای در اون سیاهچال پیدا می‌کنه؟ زود برید و تا وسایلو تحویل ندادید برنگردید، بعد از اینم هر دوشنبه بـعد از دادن وسـایل بـه اداره می‌آیید، متوجه شدید؟

ـ بله، ولی بعضی وقت‌ها تا ظهر طول می‌کشه، غیبت‌هامو چه کنم؟ من نباید این کارو از دست بدم.

ـ شما نگران کارتون نباشید، من براتون مأموریت اداری رد مـی‌کنم. این حداقل کاریه که ما می‌تونیم برای این از خودگذشتگان بکنیم.

چقدر این مرد مهربان، حساس و فهمیده بود، بین او و مسعودم شباهت‌هایی می‌دیدم، و فکر می‌کردم مسعود من هم وقتی بزرگ شود مثل او خواهد شد.

ﷻ

به تدریج به برنامهٔ جدید زندگی عادت کردیم، بچه‌ها آگاهانه و با دلسوزی حداکثر کوششان را می‌کردند تا مشکل جدیدی برای من ایجاد نکنند، صبح‌ها با هم صبحانه می‌خوردیم و آماده می‌شدیم با همان ماشین ژیان که در این مدت خیلی به دادم رسیده بود، آنها را به مدرسه می‌رساندم، هرچند راهشان دور نبود، ظهرها خودشان پیاده برمی‌گشتند، سر راه یک نان می‌خریدند، غذایشان را که آماده گذاشته بودم گرم می‌کردند، می‌خوردند و مقداری نیز برای بی بی می‌بردند. بیچاره بی بی بعد از بازگشت از بیمارستان خیلی مریض احوال شده بود، هیچ جای دیگر را هم جز خانهٔ خودش دوست نـداشت، در نـتیجه مـا بـاید بـه او هـم می‌رسیدیم، عصرها سر راه خرید می‌کردم، به بی بی سر می‌زدم، بشقاب‌ها را جمع و اطاقش را مرتب می‌کردم، کمی با او حرف می‌زدم و بعد بالا می‌رفتم، تازه کارِ خانه شروع می‌شد، شستن، نظافت، آماده کردن غذای فردا، دادن شام بچه‌ها، رسیدگی به درس‌ها، گفتن دیکته و خلاصه هزار کار دیگر که معمولاً تا ساعت ده، یازده طول می‌کشید، و بعد مانند جنازه‌ای می‌افتادم و به خواب می‌رفتم، با

این وضع فکر نمی‌کردم دیگر بتوانم ادامهٔ تحصیل دهم، یک سال را از دست داده بودم ولی گویا مجبور بودم سال‌های دیگر را هم از دست بدهم.

آن سال اتفاق دیگری در خانواده مدتی ما را به خود مشغول کرد و آن ازدواج فاطی بود که بعد از بحث‌ها و اختلاف نظرهای بسیار به وقوع پیوست، محمود با درسی که از ازدواج من گرفته‌بود درنظرداشت که فاطی را حتماً به مردی بازاری و با خدا مثل خودش شوهر دهد. فاطی که برخلاف من مظلوم و حتی توسری‌خور بود با وجود بیزاری از خواستگار معرفی شده جرأت مخالفت نداشت، ظاهراً تنبیه‌هایی که من شده بودم آنچنان بر او اثر گذاشته بود که اعتمادبه‌نفس و توانایی اظهارنظر را برای همیشه از او گرفته بود، در نتیجه دفاع از حقوق او نیز به من محول‌شد و عنوان خروس‌جنگی خانواده به‌طورقطع برایم به تصویب رسید. این بار با درایت بیشتری عمل‌کردم و بدون گفت‌وگو با محمود یا خانم‌جون محرمانه با آقاجون وارد بحث شدم، نظر فاطی را گفتم و از او خواستم تا با یک ازدواج اجباری وسایل بدبختی دختر دیگرش را هم فراهم نکند، هرچند که بعد رد پای من در تصمیم‌گیری جدید آقاجون مشخص‌شد و تنفر محمود را بیش‌ازپیش برانگیخت ولی به‌هرحال این ازدواج بهم‌خورد و فاطی با خواستگار دیگری که عموعبّاس معرفی‌کرده و مورد پسندش بود پیمان زناشویی بست. صادق‌خان شوهر فاطی جوانی تحصیل‌کرده، خوش‌قیافه، مهربان از خانواده‌ای فرهنگی، متوسط و محترم بود که به عنوان حسابدار در یکی از شرکت‌های دولتی کار می‌کرد هرچند که به قول محمود حقوق‌بگیر بود و وضع مالی درخشانی نداشت ولی فاطی راضی بود و من و بچه‌ها هم دوستش داشتیم او هم با درک نیاز پسرهای من به پدر با آنها رفتاری بسیار دوستانه داشت و اغلب با ترتیب برنامه‌های تفریحی، آنها را با خود به گردش می‌برد.

زندگی ما تقریباً روی روال مشخصی افتاده بود، کارم را دوست داشتم، همه چیز باب میلم بود، دوستان خوبی هم پیدا کردم که وقت ناهار یا ساعت‌های

بیکاری را با شوخی و خنده و حرف‌زدن دربارهٔ دیگران پر می‌کردند، از این طریق من با کارکنان سایر ادارات آشنا می‌شدم ولی اغلب بحث ما در مورد یکی از رؤسای ادارات به نام آقای شیرازی بود که از همان ابتدا از من بدش می‌آمد و از هر کاری که می‌کردم ایراد می‌گرفت، همه می‌گفتند مردی حساس و شاعر بسیار خوب و توانایی است ولی من جز خشونت و بدخلقی هیچ چیز در او نمی‌دیدم. مواظب بودم با او برخورد پیدا نکنم و بهانه‌ای به دستش ندهم، مدام متلک می‌گفت و بهانه می‌گرفت و با گوشه و کنایه به من می‌فهماند که من در نتیجه پارتی‌بازی استخدام شده‌ام و صلاحیت کافی ندارم. بچه‌ها می‌گفتند ناراحت نشو اون اخلاقش این جوریه، ولی من احساس می‌کردم با من بیش از سایرین بدرفتاری می‌کند، حتی شنیده بودم پشت سر به من می‌گوید سوگلی آقای زرگر، خیلی ناراحت شدم و بهم برخورد، نمی‌فهمیدم مشکل او کجاست به تدریج من هم از او بدم آمد، به بچه‌ها گفتم:

ـ تنها چیزی که بهش نمیاد شاعریه، بیشتر شبیه اعضای مافیاست، شاعر باید روح لطیف داشته باشه، افتاده باشه نه این همه ازخودراضی، خشن و بداخلاق. حتماً شعرها مال خودش نیست، لابد یه شاعر بیچاره‌ای رو زندونی کرده و با چاقو تهدیدش می‌کنه تا به اسم او شعر بگه. همه می‌خندیدند.

فکر می‌کنم این حرف‌ها به گوش خودش هم رسیده بود. یک روز به بهانهٔ چند غلط کوچک تایپی مقاله ده صفحه‌ای را که با دقت و زحمت تصحیح و تایپ کرده بودم پاره کرد و روی میزم پرتاب نمود. دیوانه شدم، دیگر نمی‌توانستم جلوی خودم را بگیرم، فریاد زدم:

ـ شما معلوم هست چتونه؟ مدام دنبال بهانه‌گیری از کار من هستین، مگه من چه هیزم تری به شما فروختم؟

ـ هه...! خانم شما نمی‌تونید هیزم تری به من بفروشید، چون من دست شما رو خوندم، خیال کردی منم زرگر و معتمدی هستم که بتونی سرانگشتت بچرخونیم؟ من امثال شماها رو خوب می‌شناسم.

تمام بدنم از عصبانیت می‌لرزید می‌خواستم جواب بدهم که آقای زرگر وارد

اتاق شد و با صدای بلند گفت:

ـ چه خبره آقای شیرازی چی شده؟

ـ چی شده؟ کار بلد نیست، دو روزه معطل‌کرده، اون‌وقت مقاله رو با این‌همه غلط داده دستم، همینه دیگه وقتی یه آدم بی‌سوادو فقط برای اینکه پارتیش کلفت بوده و بروررویی داشته استخدام می‌کنید همین می‌شه باید منتظر عواقبش هم باشید.

ـ مواظب حرف زدنت باش، خودتو کنترل کن، بفرمایید توی اتاق من کارتون دارم و با فشار دست تقریباً او را به اتاق خودش هل داد.

سرم را در دست‌هایم گرفته‌بودم و سعی‌می‌کردم از ریختن اشک‌هایم جلوگیری کنم، بچه‌ها دورم جمع شدند، هر یک به نوعی دلداریم می‌دادند، عباسعلی مستخدم طبقهٔ ما که خیلی هوای من را داشت برایم آب قند آورد. خودم را به کار مشغول کردم. بعد از یک ساعت آقای شیرازی وارد اطاقم شد، رویم را از او برگرداندم، جلوی میزم ایستاد سعی‌می‌کرد نگاهش به چشمان من نیفتد، با بغض گفت:

ـ ببخشید! منو ببخشید.

و باعجله اتاق را ترک‌کرد. مات و متحیر با نگاهی پرسنده به آقای زرگر که در کنار در ایستاده بود نگاه کردم و پرسیدم:

ـ چی شد...؟

ـ هیچی شما فراموش کنید، اون همین طوریه، مرد خوب و خوش‌قلبیه ولی خوب عصبی هم هست و نسبت به بعضی چیزها حساسه.

ـ مثلاً نسبت به من؟

ـ نه دقیقاً شما، هرکسی که فکر می‌کنه حق دیگری رو گرفته.

ـ ولی من حق کی رو گرفتم؟

ـ جدی نگیرید می‌دونید قبل از اومدن شما این آقا یکی از شاگرداشو که تازه لیسانس گرفته بود برای استخدام معرفی کرد، تقریباً کاراش تموم شده بود که جریان شما پیش‌آمد، هرچند من قبل از مصاحبه با شما به شیرازی قول دادم که

زیر بار سفارش معتمدی نمی‌رم ولی خوب ما شما رو استخدام کردیم، از نظر او این نامردی بود، طبیعیه که با اون روحیهٔ حساس نمی‌تونست به قول خودش این بی‌عدالتی رو تحمل کنه از اون به‌بعد دشمن من و شما شد، با معتمدی که از قبل دشمن بود چون اون به‌طورکلی با رؤسا دشمنی ذاتی و ماهوی داره.

ـ ظاهراً حق هم داشته، چون واقعاً من حق کس دیگری رو گرفتم، با این شرایط چرا منو استخدام کردین؟

ـ ای بابا حالا یه چیزی هم بدهکار شدیم، من حساب‌کردم که او با اون شرایط می‌تونه جای دیگه کار پیدا کنه کمااینکه یک هفته بعدش استخدام شد ولی شما در شرایطی بودید که سخت‌تر براتون کار پیدا می‌شد. به هر حال با عرض معذرت مجبور شدم موضوع شوهرتونو بهش بگم، نگران نباشید، آدم قابل اعتمادیه، پیش خودتون بمونه خودش هم تمام عمرش درگیر مسایل سیاسی بوده.

روز بعد آقای شیرازی افسرده و رنگ‌پریده، با چشمانی سرخ و تب‌زده به اطاقم آمد معلوم بود که نمی‌داند چه بگوید بالاخره گفت:

ـ می‌دونید، دست خودم نیست.

در خشم درون‌تافته چون اخگر تابان
گرگی شده‌ام هارتر از گرگ بیابان

ـ من در حق شما بد کردم، راستشو بخواین کارتون خیلی هم خوبه من به سختی می‌تونستم اشکال پیدا کنم، در صورتی‌که از دو خط نامهٔ تمام این رئیس رؤسا هزارتا اشکال بیرون می‌آد.

بعد از آن او یکی از مهم‌ترین حامیان و دوستان من شد، برخلاف آقای زرگر نسبت به وضعیت مبارزاتی حمید، گروهشان و نحوه دستگیری او بسیار کنجکاو بود و در هر فرصتی سؤالاتی در این مورد مطرح می‌کرد، شور و اشتیاق او برای شنیدن مرا که هیچ تمایلی به گفت‌وگو در این زمینه را نداشتم به سخن می‌آورد، همدردی او با آنچنان خشم و کینه‌ای آمیخته بود که به وحشتم می‌انداخت، یک بار در میان سخنانم متوجه چهرهٔ غضب‌آلودش شدم، رنگش به کبودی می‌گرایید، با نگرانی پرسیدم:

ـ حالتون خوبه؟!!

ـ نه خوب نیستم، ولی شما نگران نشید من اغلب این حالو دارم، نمی‌دونید در درون من چی می‌گذره.

ـ چی می‌گذره؟ شاید منم همون حالو داشته باشم ولی نمی‌تونم بگم.

دانی درون من به چه روزی نشسته است؟

شهری عزا گرفته پس از قتل‌عام‌ها

من تشنه‌ام به خون کسی در گداز خشم

چون روزه‌دار تشنه به ظهر صیام‌ها

نه! من که بیشترین ضربه‌ها را خورده بودم هرگز خشم و اندوهی چنین مهیب نداشتم. یک بار در مورد شب هجوم به خانهٔ ما پرسید، مختصری از آنچه گذشته بود را گفتم، ناگهان خویشتن‌داری از دست داد و بی‌مهابا فریاد زد:

زین قوم پاچه گیر سگستان شدست شهر

شیران چه می‌کنند مگر در کنام‌ها

وحشت‌زده پریدم، در اتاق را بستم و با التماس گفتم:

ـ شما رو به خدا آقای شیرازی، صداتونو می‌شنون، این ساواکیه تو همین طبقه‌اس.

آن روزها نصف همکاران خود را ساواکی می‌پنداشتیم و با وحشت، بیزاری و احتیاط با آنها رفتار می‌کردیم. از آن پس او اشعارش را که هر کدام برای اعدام دارنده یا گویندهٔ آن کافی بود برایم می‌خواند و من با پوست و خونم آنها را درک می‌کردم و به‌خاطر می‌سپردم. او بازماندهٔ شکست‌های سیاسی مردم بعد از سال‌های سی بود، روح جوان و حساس او در آن زمان زیر بار این شکست‌ها خُرد شده، و تمام زندگیش را به تلخی و تباهی کشیده بود، با نگرانی می‌اندیشیدم که آیا تجارب تلخ کودکی و نوجوانی این چنین پایدار است؟ پاسخم را در شعری یافتم که توصیف روز بیست و هشت مرداد و ناکامی‌هایش بود و می‌گفت:

بعد از آن لحظه چشم من همه عمر

آسمان را به خون شناور دید

ماه و خورشید را به شام و بـه روز

دیـد و از پشت بـرق خـنجر دیـد

آشنایی با او مرا به شدّت نگران سیامک کرد، برق خشم و نفرتی راکه آن‌شب در چشمانش دیده‌بودم به یادآوردم، آیا او هم چنین خواهد شد؟ آیا او هم به جای امید، شادی و دیدن زیبایی‌های زندگی به بیزاری، تنفر، قهر و تنهایی تـن در خواهد داد؟ آیا مسایل سیاسی و اجتماعی چنین تأثیرات پایداری در روح‌های حساس به جا می‌گذارد؟ وای پسرم باید فکری برای او می‌کردم.

اواخر تابستان بود، حدود یک سال از زندانی شدن حمـید مـی‌گذشت، بـا حکمی که دادگاه داده بود، ما باید چهارده سال دیگر را بدون او می‌گذرانـدیم، چاره‌ای نبود باید به این وضع عادت می‌کردیم انـتظار کشیدن هـدف نهـایی زندگیمان شده بود، موعد نام‌نویسی دانشگاه نزدیک می‌شد باید تصمیم می‌گرفتم یا برای همیشه از ادامهٔ تحصیل منصرف می‌شدم و این آرزوی دیرین را به گور می‌بردم و یا با پذیرش سختی و فشار بسیار بر روی خـودم و بـچه‌ها دوبـاره نام‌نویسی می‌کردم. می‌دانستم درس‌ها هر ترم سخت‌تر می‌شوند و من بـا ایـن وقت محدود نمی‌توانم وقت کلاس‌ها را به گونه‌ای تنظیم کنم که به کارم لطمه نزند حتی اگر آنها حرفی نداشته‌باشند من حق‌ندارم بیش از ایـن از محبت رؤسـایم سوءاستفاده کنم، از سوی دیگر کار در اداره، لزوم تحصیل را بیش‌ازپیش نشانم می‌داد، وقتی می‌دیدم کسانی فقط به دلیل داشتن مدرک بالاتر به من امـرونهی می‌کنند و اشتباهاتشان را به پای من می‌گذارند متأسف می‌شدم و میل رفتن به دانشگاه در وجودم زبانه می‌کشید، در ضمن از هنگامی که فهمیدم تا سال‌های سال باید به‌تنهایی زندگی را اداره کنم، در فکر راهی برای کسب درآمد بیشتر که بتواند جوابگوی نیازهای آتی بچه‌ها باشد بودم. مسلماً با داشتن لیسانس وضع خیلی فرق می‌کرد.

همان‌گونه که انتظار داشتم خانوادهٔ خودم همگی مـعتقد بـودند کـه بـاید از دانشگاه چشم بپوشم ولی عجیب این بود که خانوادهٔ حمید هم همین عـقیده را

داشتند، پدر حمید با دلسوزی گفت:

ـ تو خیلی تحت فشاری، فکر نمی‌کنی برداشتن دو هندوانه برات مشکل باشه؟

مادرش با نگرانی همیشگی پرید وسط که:

ـ از صبح تا عصر که اداره‌ای، لابد عصر هم می‌خوای بری دانشگاه، پس این بچه‌ها چی؟ فکر تنهایی این طفل معصوم‌ها رو نمی‌کنی؟

منیژه که ماه‌های آخر حاملگیش را می‌گذراند و سال‌ها پشت کنکور ماند تا بالاخره ازدواج کرد، با ژست همیشگی‌اش گفت:

ـ همش روی چشم و هم‌چشمیه، نه اینکه منصوره دانشگاه رفته.

خیلی سعی کردم خودم را کنترل کنم، ولی اخیراً بسیار کم‌طاقت شده‌بودم و دیگر هم آن دختر شهرستانی دست و پا چلفتی نبودم که زیر بار هر حرف زور یا طعنه‌ای بروود و هرگز میل و خواست او اهمیتی نداشته باشد. در وجودم خشمی جوشید که تردیدهایم را شست و ترسی را که بر وجودم مستولی شده بود زایل کرد گفتم:

ـ حالا که من باید هم نقش پدر و هم نقش مادرو برای بچه‌هام داشته باشم و زندگیشونو اداره کنم، ناچارم به فکر درآمد بیشتر باشم، حقوق فعلی من برای تأمین نیازهای آیندۀ اونا کافی نیست، مخصوصاً که روزبه‌روز هم خرجشون بیشتر می‌شه. در مورد برنامۀ زندگیشون هم شما نگران نباشید، نوه‌های شما مورد بی‌مهری و بی‌توجهی قرار نمی‌گیرن، من فکر همه چیزو کردم.

ولی واقعیت این بود که من هیچ فکری نکرده‌بودم. شب با بچه‌ها نشستم و سعی کردم آنها را در جریان امر قرار دهم و همکاریشان را جلب کنم. آنها ابتدا به دقت به حرف‌هایم گوش دادند، محاسن و معایب دانشگاه رفتن را برشمردم، وقتی گفتم که مشکلی اصلی اینست که عصرها مجبور می‌شوم دیرتر به خانه بیایم، سیامک با به‌حرکت‌درآوردن ماشین پرسروصدایش وانمود کرد که دیگر به حرف‌های من گوش نمی‌دهد، فهمیدم که مطلقاً راضی به تنهایی بیش از این نیست، ساکت شدم و پرسشگرانه به مسعود نگریستم، مسعود با چشمان معصومش حالات چهره مرا برانداز می‌کرد، جلو آمد، موهایم را نوازش

کرد و گفت:

ـ مامان، تو خیلی دلت می‌خواد بری دانشگاه؟

ـ ببین عزیزم، دانشگاه رفتن من به نفع همهٔ ماست، ممکنه کمی بهمون سخت بگذره ولی تموم می‌شه، عوضش حقوق من بیشتر می‌شه، بهتر می‌تونیم زندگی کنیم.

ـ نه... من می‌گم تو دوست داری بری؟

ـ خوب آره من برای رفتن به دانشگاه خیلی زحمت کشیدم.

ـ پس برو، تو اگه دوست داری، برو، ما خودمون کارامونو می‌کنیم، شبا هم می‌ریم پیش بی‌بی که نترسیم شایدم تا اون موقع بابا اومد و ما دیگه تنها نبودیم.

سیامک ماشینی را که در دست داشت پرت‌کرد و گفت:

ـ عجب بچهٔ خنگیه، بابا کجا بود که بیاد؟ انگار می‌تونه؟

ـ ببین عزیزم، ما باید خوشبین و امیدوار باشیم، همین‌که بابا زنده‌س خیلی جای شکر داره، بالاخره اونم می‌آد.

ـ چی‌چی می‌گی؟ می‌خوای بچه گول بزنی؟ بابابزرگ گفته باید پونزده سال تو زندون بمونه.

ـ ولی توی پونزده سال ممکنه خیلی اتفاقا بیفته، تازه هر سال هم به خاطر خوش‌رفتاری بهشون عفو می‌خوره، از مدت زندونیشون کم می‌شه.

ـ آره اون وقت می‌شه ده سال، چه فایده داره، او موقع من بیست سالمه دیگه بابا می‌خوام چکار؟ من بابامو همین حالا می‌خوام. همین حالا...

دوباره تردید بر وجودم چیره شد، در اداره دوستانم معتقد بودند که نباید این فرصت را از دست بدهم، آقای زرگر تشویقم می‌کرد و می‌گفت کاری می‌کند که بتوانم کلاس‌هایم را در وقت اداری بروم مشروط بر اینکه کارهای مانده را در خارج از وقت اداری به انجام برسانم، اتفاقاً در همان روزها بالاخره با درخواست‌های مکرر ما موافقت شد و به من و بچه‌ها و پدر و مادرش اجازهٔ ملاقات دادند، هم خوشحال بودم و هم نگران، پدرش با عجله نزد من آمد و گفت:

ـ من به خانم نمی‌گم تو هم به بچه‌ها نگو، معلوم نیست با چه منظره‌ای روبرو

بشیم، اگر حال و روز حمید مناسب بود دفعهٔ دیگه اونا رو می‌بریم.

این حرف بر دلشورهٔ من افزود، تمام شب قبل از ملاقات خواب دیدم که او را خُرد شده و خون‌آلود می‌آورند تا در آغوش من آخرین دقایق زندگیش را بگذراند. خسته و مضطرب صبح زود به‌راه‌افتادیم نمی‌دانم اتاق و شیشه‌ها گرد گرفته بودند یا چشمان من همه چیز را از پشت پردهٔ اشک تار می‌دید، بالاخره حمید را آوردند، برخلاف انتظارم تمیز و مرتب بود، موهای شانه شده و ریش‌های تراشیده ولی به نحو غیرقابل تصوری تکیده و لاغر شده‌بود حتی صدایش به نظرم با گذشته فرق داشت. برای چند دقیقه هیچ‌کدام نمی‌توانستیم حرف‌بزنیم، پدرش زودتر از ما بر خودش مسلط شد از اوضاع و شرایط زندان پرسید حمید نگاهی کرد که یعنی این چه سؤال بیجایی است که می‌کنید، و گفت:

ـ خوب زندانه دیگه، من سختیاشو گذروندم، شماها از خودتون بگید، مامان و بچه‌ها چطورن؟

ظاهراً تعداد زیادی از نامه‌های من به دستش نرسیده بود، از بچه‌ها گفتم که خوبند بزرگ شده‌اند هر دو شاگرد اول شدند و امسال سیامک به کلاس پنجم و مسعود به کلاس دوم می‌رود، از کارم پرسید گفتم که آنجا همه به خاطر تو با من خوب هستند و هوایم را دارند، برقی در چشمانش درخشید که فهمیدم نباید از این حرف‌ها بزنم، بالاخره در مورد دانشگاه سؤال‌کرد، من هم از سردرگمی و تردیدم برای ادامه تحصیل گفتم، خندید و گفت:

ـ یادته آرزوی دیپلم گرفتن داشتی؟ ولی لیسانس هم برای تو کافی نیست، تو استعداد و پشتکار داری باید پیشرفت کنی تو دکترا هم می‌گیری.

فرصت نبود تا برایش توضیح دهم که ادامهٔ تحصیل چه بار سنگینی بر دوشم خواهد گذاشت و چقدر از وقتم را می‌بلعد فقط گفتم:

ـ کار سختیه، درس‌خوندن و کار کردن با بچه‌ها، اونا رو چه کنم؟

ـ تو از عهده‌ش برمی‌آی، تو اون دختر دست‌وپاچلفتی ده، یازده سال پیش نیستی، تو حالا یک خانم باعرضه، و زحمت‌کشی که هر ناممکنی رو ممکن می‌کنه، من واقعاً به تو افتخار می‌کنم.

چشمانم پر از اشک شد گفتم:

ـ واقعاً؟ راست میگی؟ دیگه از داشتن زنی مثل من شرمنده نیستی؟

ـ من کی شرمنده بودم؟ تو زن خیلی خوبم هستی، روزبه‌روز هـم کـامل‌تر شدی و رشد کردی حالا دیگه هر مردی آرزو تو داره فقط دلم برات می‌سوزه که گرفتار من و بچه‌هام شدی.

ـ وای این حرفو نزن تو و بچه‌هام عزیزترین چیزای زندگی من هستید.

آه! که چقدر دلم می‌خواست در آغوشش بگیرم سر بر شـانه‌اش گـذاشـته گریه کنم. احساس می‌کردم سرشار از انرژیم و به راستی توان انجام هر کاری را دارم.

۞

نام نویسی کردم، تعداد کمی واحد که ساعت مناسب داشتند گرفتم، بـا پروین‌خانم و فاطی صحبت کردم و آنها قبول کردند که کمکم کنند، پروین‌خانم چون شوهرش مریض بود هفته‌ای یکی دو بعدازظهر پیش بچه‌ها مـی‌مانـد و سه‌شب در هفته هم فاطی و صادق‌خان مراقبت از آنها را برعهده می‌گرفتند، و چون فاطی ماه‌های آخر حاملگیش را می‌گذراند و رفت‌وآمد برایش مشکل بود، من ماشین را در اختیار صادق‌خان گذاشتم تا او بتواند به راحتی یا فاطی را به خانهٔ ما بیاورد و یا بچه‌ها را به آنجا ببرد و یا همه با هم به سینما و گردش بروند. من هم از هر فرصتی برای درس خواندن استفاده می‌کردم، فرصت‌های آزاد در اداره، صبح‌های زود، شب هنگام خواب، اغلب روی کتاب‌ها خوابم می‌برد. این رفت و آمدها و برنامهٔ سنگین سردرد مزمنی را که از نوجوانی داشتم تشدید می‌کرد. ولی مهم نبود مسکن می‌خوردم و به کارهایم ادامه می‌دادم طیف وسیع وظایفم شامل وظیفهٔ مادری، خانه‌داری، کارمندی، دانشجویی و وظیفه همسر یک زندانی می‌شد که با دقت بیشتری به آن می‌رسیدم، آماده کـردن وسـایل زندان، مایحتاج و خوراکی‌های حمید به صورت آیین مذهبی خاصی با تشریفات و به‌وسیلهٔ تمام اعضای خانواده صورت می‌گرفت، کم‌کم یاد گرفتم که چگونه این برنامهٔ سنگین را اجرا کنم و به آن عادت کردم و دیگر سنگین نبود، در این دوران بود که فهمیدم توان انسان بسیار بیشتر از آن چیزی است که می‌پندارد، بعد از

مدتی شخص با برنامهٔ زندگیش هماهنگ می‌شود و ریتم فعالیت‌ها متناسب با حجم کارها می‌گردد. مثل دونده‌ای در میدان زندگی می‌دویدم و صدای حمید که می‌گفت «من به تو افتخار می‌کنم» مانند کف‌زدن‌های جمعیتی بزرگ در ورزشگاهی عظیم در گوشم طنین می‌انداخت و به تحرّک و توانم می‌افزود.

❁

آن روز در اداره روزنامه‌های شب قبل را زیرورو می‌کردم که چشمم به آگهی‌های مجالس ترحیم افتاد. در آن زمان هنوز به این آگهی‌ها چندان توجهی نمی‌کردم ولی آن‌روز بی‌اختیار نگاهم در مقابل یک اسم میخکوب شد، آگهی خبر از فوت آقای ابراهیم احمدی، پدر پروانه می‌داد. قلبم فشرده شد. آن قیافهٔ محترم و مهربان در جلوی چشمانم ظاهر گردید. بی‌اختیار چشمانم پر از اشک شد، و یاد و خاطرهٔ پروانه تمام ذهنم را پر کرد؛ فاصله‌های زمانی و مکانی هرچند دور و طولانی نمی‌توانست محبت پروانه و عشق به دیدار او را از قلبم بیرون کند، بعد از تلفنی که چند سال پیش با مادر او داشتم هرگز خبری از آنها دریافت‌نکردم و خودم هم آنچنان غرق در مشکلات زندگی بودم که نتوانستم دوباره ارتباطی برقرار کنم. من باید می‌رفتم، شاید این تنها فرصتی بود که می‌توانستم دوباره پروانه را پیداکنم. هر جا که بود حتماً برای مرگ پدرش می‌آمد.

❁

وقتی می‌خواستم وارد مسجد شوم مضطرب بودم، دست‌هایم عرق‌کرده‌بود، در صف صاحبان عزا با چشم به دنبال پروانه می‌گشتم، ولی او را نمی‌دیدم، یعنی ممکنست او نیامده باشد در همین موقع خانمی نسبتاً چاق با موهای بور که مقداری از آن از زیر تور سیاه رنگ بیرون آمده‌بود سرش را بلند کرد نگاهمان در هم گره خورد، بله این خود پروانه بود، چطور در عرض دوازده، سیزده سال این‌همه تغییر کرده بود. خود را در بغل من انداخت و تقریباً باقی مجلس را بدون کلامی حرف در آغوش یکدیگر گریستیم، او عزادار پدر عزیز از دست رفته‌اش بود و من بغض سختی‌هایی که در تمام این سال‌ها کشیده بودم را بیرون می‌ریختم. مرا در کنار خود نشاند، محکم دستم را در دستش گرفت. بعد از خاتمهٔ مراسم به زور مرا با

خودش به خانه برد. وقتی کمی دوروبرش خلوت شد روبه‌روی هم نشستیم،
نمی‌دانستیم از کجا باید شروع کنیم، حالا که نگاهش می‌کردم می‌دیدم او همان
پروانهٔ منست فقط کمی چاق‌تر شده و موهایش را روشن کرده، پف چشم‌ها و
ورم صورت به خاطر گریه‌های این مدت است، بالاخره پرسید:

ـ معصوم! خوشبختی؟

متحیر ماندم، جاخوردم، نمی‌دانستم چه بگویم. همیشه در مقابل این سؤال
گیج می‌شدم، با طولانی شدن سکوت و سرگشتگی من سرش را تکان داد و گفت:

ـ بمیرم الهی! مثل اینکه مسایل تو تمومی نداره.

ـ ولی من ناشکر نیستم، فقط نمی‌دونم معنی خوشبختی چیه؟!! وگرنه مـن
چیزای خوب زیاد دارم. مثل بچه‌هام، دوتا پسرِ سالم و خوب، شوهرم هم مرد
خوبیه، هرچند که با ما نیست، کار می‌کنم، درس می‌خونم، یادته آرزوی همیشگیم.

خندید و گفت:

ـ هنوز ول کن نیستی، بابا این دیپلم همچین ارزشی هم نداره فکر می‌کنی من با
دیپلم چیکار کردم؟

ـ دیپلمو خیلی وقته گرفتم، الان دانشـجو هسـتم، رشـته ادبیـات فارسـی
دانشگاه تهران.

ـ راست می‌گی؟!! بابا ایوالله، تو واقعاً چه پشتکاری داری. آفرین البته تـو
همیشه شاگرد زرنگی بودی. ولی فکر نمی‌کردم بعد از این همه سال با شوهر و بچه
بازم بتونی درس بخونی. خوبه شوهرت هم مانعت نمی‌شه.

ـ نه اون مشوّق من بود.

ـ چه خوب، پس آدم فهمیده‌ایه، باید باهاش آشنا بشم.

ـ آره، انشاالله ده، پونزده سال دیگه!

ـ یعنی چه؟! چرا؟ مگه اینجا نیست؟

ـ شوهرم زندانه.

ـ وا... خدا مرگم بده، مگه چکار کرده؟

ـ زندانی سیاسیه.

ـ راس میگی...؟ من توی آلمان دیدم که این ایرونیا، بچه‌های کنفدراسیون و بقیه مخالفین از زندانیان سیاسی حرف می‌زنن، پس شوهر تو هم جزء اونـاس؟ می‌گن شکنجه‌شون هم می‌دن، راسته؟

ـ چیزی به من نگفته، ولی من لباسای خونیشو زیاد شستم، الان هم باز مدتیه اجازهٔ ملاقات ندادن. نمی‌دونم در چه حالیه.

ـ پس زندگیتونو کی تأمین می‌کنه؟

ـ گفتم که کار می‌کنم.

ـ تنهایی، یعنی فقط خودت تنها باید زندگی رو بچرخونی؟!

ـ چرخوندن زندگی مهم نیست، تنهایی سخته، آه پروانـه نمـی‌دونی چـقدر تنهام. با وجود اینکه تمام مدت مشغولم و یک لحظه وقت استراحت نـدارم ولی تنهایی رو در تمام وجودم مدام احساس می‌کنم. چقدر خوشحالم که می‌بینمت. خیلی بهت احتیاج داشتم. خوب حالا تو بگو خوشبختی؟ چند تا بچه داری؟

ـ ای بد نیست، دو تا دختر دارم، لیلی و لاله هشت و چهار ساله، شوهرم بد نیست، مَرده دیگه مثل همهٔ مردای دیگه، به زندگی اونجا هم عادت‌کرده‌بودم ولی حالا با این اتفاقی که افتاده دیگه نمی‌تونم مامانو تنها بذارم مخصوصاً که فرزانه هم دو تا بچه کوچیک داره و سرش به زندگی خودش گرمه. از پسرها هم که نمی‌شه انتظار داشت. خسرو هم مدتیه فکر ایران به سرش زده، حالا باید تصمیم قطعی بگیریم فکر می‌کنم باید برگردیم اینجا زندگی کنیم.

حرف‌های من و پروانه چیزی نبود که در یک جلسه قابل بیان باشد، احتیاج به روزها و شب‌های متمادی داشتیم، قـرار شـد جـمعه از صبح بـا بـچه‌ها بـه منزلشان بروم، روز بسیار خوبی بـود، در عـمرم ایـن‌همه صـحبت‌نکرده‌بودم، خوشبختانه گذشت زمان و دوری طولانی نتوانسته بود در دوستیمان خللی وارد کند، ما هنوز راحت‌تر از هر کس دیگری می‌توانستیم با هم حرف بزنیم و مـن که همیشه دردِدل کردن برایم مشکل بود و در ایـن مـدت هـم بـه دلیـل لزوم پنهان ماندن اسرار حمید آن توانایی مختصر در گـفت‌وگوهای آزادانـه را هـم

از دست داده بودم، می‌توانستم پنهان‌ترین زوایای قلبم را بر روی پروانه بگشایم، من دوباره دوستم را پیدا کرده بودم و دیگر هرگز از دستش نمی‌دادم. خوشبختانه برنامهٔ آمدنشان خیلی زود سر و سامان یافت و پروانه بعد از یک سفر کوتاه به آلمان زندگیش را به تهران منتقل کرد، شوهرش مشغول کار شد و خودش کار نیمه‌وقتی در انجمن ایران و آلمان گرفت. تکیه‌گاه دیگری یافته بودم، پروانه داستان زندگی مرا با آب و تاب برای شوهرش شرح داده بود، او هم تحت تأثیر قرار گرفته و به نوعی در مورد ما احساس مسؤولیت می‌کرد، بچه‌هایمان به هم علاقمند شده و همبازی‌های خوبی بودند، پروانه مرتب برنامه‌های تفریحی برای آنها ترتیب می‌داد و بچه‌ها را به سینما، گردش و استخر می‌برد، زندگی ما با حضور خانوادهٔ پروانه رنگ و بوی تازه‌ای یافت و در بچه‌های دلمرده‌ام که خصوصاً بعد از زایمان فاطی خیلی تنها و بی‌برنامه شده بودند بار دیگر شور و نشاط زندگی دمیده شد.

❦

یک سال دیگر گذشت، برنامه دیدار حمید تقریباً مرتب شده بود، ماهی یک بار بچه‌ها را می‌بردم ولی هر بار که از ملاقات برمی‌گشتیم حالشان دگرگون بود و یک هفته طول می‌کشید تا به حال عادی برگردند، مسعود ساکت‌تر و غمگین‌تر می‌شد و سیامک وحشی‌تر و عصبی‌تر، حمید به طور محسوسی در هر دیدار پیرتر به‌نظر می‌رسید ولی من به همین دیدارها هم دل‌خوش بودم. دانشگاه می‌رفتم، واحدهای کمی را در هر ترم می‌گذراندم، در اداره کارمند رسمی شدم. با آن که هنوز لیسانس نداشتم کارهای کارشناسی را انجام می‌دادم و همه قبولم داشتند آقای زرگر با نگاه نافذ و دقیقش همیشه مرا زیر نظر داشت، و با اعتماد کامل کارهایش را به دستم می‌سپرد، آقای شیرازی یکی از نزدیک‌ترین دوستانم محسوب می‌شد، دیگر هرگز با من مشکلی پیدا نکرد، هرچند که همچنان ناسازگار و بدخلق بود و هراز گاهی سر و صدا و دعوایی به راه می‌انداخت و در این میان خودش بیش از همه زجر می‌کشید، سعی می‌کردم از بدبینی عمیق او نسبت به همه چیز بکاهم برایش قسم می‌خوردم که کسی دشمن شما نیست و منظور خاصی

در پس حرف‌هایشان ندارند. در پاسخم گفت:

حـسـن ظـن را هـراس بـرد از یـاد

سوءظن است اگر حبیب مـن است

در هیچ جمعی راحت نبود، به هیچ گروهی نمی‌پیوست، در هر حرکتی ردپای سیاسیون خائن را می‌دید، همه را مزدور می‌پنداشت و جیره‌خوار دربار، همکاران با بودن او در جمع هیچ مخالفتی نداشتند ولی او خود را کنار می‌کشید، یک بار پرسیدم:

ـ شما از تنهایی خسته نمی‌شید؟

در جوابم گفت،

مـن عـزیز انـدوهم، نـورچشم تـنهایی

شمع بـزم خـودسوزی سوز جـان خودرایی

با ممنست چون خورشید در منست چون دریـا

جـاودانـه نـومیدی، بی‌کـرانـه تـنهایی

یک بار آقای زرگر برای تسکین او به شوخی گفت:

ـ ای بابا چقدر سخت می‌گیری، اوضاع به اون بدی هم که تو می‌بینی نیست، در هر جامعه‌ای کم و بیش این مسایل وجود داره، ما هم راضی نیستیم ولی این‌همه هم از کاه، کوه نمی‌سازیم و غصه نمی‌خوریم.

او پاسخ داد که:

بـرو کـه مـعنی هـذیان مـن نـمی‌دانی

کـــه حـال تب‌زده را آشـنای تب دانـد

عجب که زنده کسی هست و حال مایش نیست

عجب‌تر آنکـه کسی حـال مـا عـجب دانـد

بالاخره در دعوای تندی که با مدیرکل اداره به‌راه‌انداخت، در را به هم کوفت و بیرون آمد، بچه‌ها جمع شدند تا میانه را بگیرند، یکی گفت:

ـ آقا کوتاه بیا، بالاخره اداره اس خونهٔ خاله که نیست، آدم باید به یه چیزایی گردن بذاره. و او فریاد زد:

هرگز سر خود پیش مخنّث نکنم خم
اینم من و گو جملهٔ عالم عسسم باش

ـ آقا شما باید کمی از حساسیت‌هاتون کم کنید، این‌طور که نمی‌شه زندگی کرد.

خشمگین غرید که یعنی می‌فرمایید:

شیر نر بودن و در جلد خر ماده شدن
تن به بی‌غیرتی خاصِ عوام آوردن

گفتم:

ـ آقای شیرازی سعی کنید آروم باشید نمی‌تونید به این سادگی این اداره رو هم رها کنید، بالاخره باید سر یک کاری دوام بیارید.

ـ نمی‌شه.

نیست آسان به چنین ورطه دوام آوردن
توسن معرکه در زیر لگام آوردن...
تیغ بَر نای و هراسان سر تسلیم فرود
به رجزخوانی هر تخم‌حرام آوردن

ـ خوب حالا می‌خواهید چکار کنید؟

ـ می‌رم، من باید از اینجا برم...

سربه‌سر وحشت است و بیم و هراس
آنـچه از خـاک مـن نصیب منست

و خیلی زود کشور را ترک کرد. روزی که برای بردن باقیماندهٔ وسایلش به اداره آمده بود از من خداحافظی کرد و گفت:

ـ به شوهر قهرمانتون سلام برسونید و از قول من بهشون بگید:

دور معراج شهادت ختم بر حلاج نیست
هرکه را حق بر زبان بگذشت سر برداشت

با رفتن آقای شیرازی آرامش در اداره برقرار شد، حتی آقای زرگر هم که ظاهراً با او مشکلی نداشت این اواخر به‌نظر می‌رسید که نمی‌تواند تحملش کند، ولی یاد او، اندوه عمیقش و زجری که می‌کشید برای همیشه در خاطرم ماند و

باعث شد که هر کاری بکنم تا بچه‌هایم با تجارب تلخشان روحیه‌ای مثل او پیدا نکنند، سعی می‌کردم در خانه محیطی شاد ایجاد کنم تا آنها خندیدن را به دست فراموشی نسپارند و اندوه و نفرت در جانشان ریشه ندواند. مسابقهٔ تعریف جوکُ گذاشتم و هرکس می‌توانست جوک دست‌اول بگوید جایزه می‌گرفت، سعی می‌کردیم ادای همدیگر را درآوریم، می‌خواستم به خود و به مشکلات خود خندیدن را یاد بگیرند، لهجه‌های مختلف را تمرین می‌کردیم، تشویقشان می‌کردم در خانه آواز بخوانند، صدای موسیقی را بلند کنند، به آهنگ‌های شاد گوش دهند، با هم می‌رقصیدیم، شب‌ها با وجودی که اغلب از خستگی نای حرکت نداشتم با آنها بازی می‌کردم قلقلکشان می‌دادم، بچه‌ها از خنده ضعف می‌کردند، متکا بازی می‌کردیم تا بالاخره حاضر می‌شدند به تخت خوابشان رفته بخوابند، خیلی خسته می‌شدم ولی چاره‌ای نبود باید این محیط دلگیر را زنده نگهدارم تلافی نبودن‌هایم را بکنم، شادی را به آنها تزریق نمایم تا فردا با چشمان آقای شیرازی به دنیا ننگرند.

فاطی خیلی زود بعد از ازدواجش بچه‌دار شد و دختری زیبا با چشمانی آسمانی به دنیا آورد که اسم او را فیروزه گذاشتند، بچه‌ها او را بسیار دوست‌داشتند خصوصاً مسعود که همیشه آمادهٔ بازی‌کردن با او بود، پروین‌خانم با مرگ شوهرش به آزادی و آرامش رسید، خصوصاً که بالاخره موفق‌شده‌بود خانه را قبل از مرگ او به نام خودش کند ولی هرگز از او به خوبی یاد نکرد و او را به خاطر آنچه بر سرش آورده بود نبخشید. پس از آن بیشتر وقتش را با ما می‌گذراند، هر وقت من دیر به منزل می‌آمدم پیش بچه‌ها می‌ماند، و بسیاری از کارهای خانه را انجام می‌داد تا من وقت بیشتری برای استراحت و بودن با بچه‌ها داشته باشم او به نوعی خود را در سرنوشت و تنهایی من مقصر می‌دانست و با علاقهٔ خاصی که به من داشت سعی می‌کرد جبران کند.

علی هم به سفارش محمود به خواستگاری دختر یکی از حاجی‌های بازار که تاجر معتبری بود رفت، عقد رسمی صورت گرفت و قرار شد در پاییز مراسم

عروسی مفصلی در تالاری که زنان و مردان را جدا از یکدیگر پذیرایی می‌کرد گرفته شود، این وصلت باب میل محمود بود و به همین دلیل تمام شرایط احمقانهٔ خانوادهٔ عروس را که بیشتر شبیه به سوداگری دوران باستان بود تا انتخاب همسر پذیرفت و قول همه جور کمک و همراهی را داد و وقتی آقاجون اعتراض کرد که ما نمی‌توانیم این‌همه خرج‌کنیم، این مزخرفات یعنی چه؟ به سادگی گفت:

«این سرمایه‌گذاری پولش خیلی زود برمی‌گرده، ببین چه جهازی بیاره و ما در کنار پدرِ دختره چه معامله‌ها بکنیم.»

در این میان احمد کاملاً از دور خارج‌شده‌بود، هیچ‌کس دوست نداشت در مورد او حرفی بزند و همه سعی می‌کردند حتی‌الامکان نامش را هم بر زبان نیاورند، مدت‌ها بود که آقاجون او را رسماً از خانه بیرون‌کرده‌بود مرتب می‌گفت:

ـ خدا رو شکر که خونهٔ تو رو بلد نیست وگرنه آبروریزی برات درست می‌کرد و تیغت می‌زد.

سرعت سقوط احمد به حدی بود که همه از او قطع‌امید کرده‌بودند، فقط پروین‌خانم هنوز می‌دیدش و یواشکی با من در موردش حرف‌می‌زد، می‌گفت:

ـ ندیده بودم کسی با این اصرار زندگی خودشو به باد بده، حیف چه جوون خوش‌قیافه و رشیدی بود، حالا اگه ببینیش محاله بشناسیش، همین روزا جسدشو تو یکی از جوی‌های پایین شهر پیدا می‌کنن. اگرم تا حالا زنده مونده به خاطر رسیدگی‌های خانم‌جونته، به کسی نگی‌ها، اگه آقات بفهمه دمار از روزگارش درمی‌آره، ولی خوب اون بیچاره هم مادره، این هم که پسر عزیز کرده‌اش بود، صبح‌ها که آقات می‌ره، احمد می‌آد خونتون خانم‌جونت بهش غذا می‌ده، براش کباب درست می‌کنه، لباساشو عوض می‌کنه، می‌شوره، تو جیباش خوراکی و اگه بتونه پول می‌ذاره، هنوز هم اگه کسی بگه احمد هروییینه جیگرشو بیرون می‌کشه. بیچاره هنوز هم امیدواره که خوب بشه.

پیش‌گویی‌های پروین‌خانم خیلی زود به‌حقیقت‌پیوست ولی او با خودش

آقاجون را هم به نابودی کشید. او که در مراحل آخر زوال بود، برای تهیهٔ پول هر کاری می‌کرد، در یکی از این بحران‌های نیاز و بی‌پولی به منزل آقاجون می‌رود، فرش را جمع می‌کند تا ببرد و بفروشد، آقاجون با او گلاویز می‌شود و سعی می‌کند فرش را پس بگیرد، این عصبانیت و تقلا خارج از توان قلب فرسودهٔ او بود، حملهٔ سختی به او دست داد، به بیمارستان منتقل شد، یک هفته در بیمارستان بستری بود، چند روز را پشت در اتاق مراقبت‌های ویژه گذراندیم، حالش بهتر شد و به بخش منتقل گردید، هر روز با بچه‌ها به بیمارستان می‌رفتم. سیامک که به تازگی قدکشیده‌بود، می‌توانست خودش را بزرگ‌تر از سنش نشان‌دهد، به راحتی اجازهٔ ملاقات می‌گرفت ولی مسعود با هزاران نیرنگ و خواهش و تمنا فقط دوبار توانست او را ببیند، سیامک در تمام مدت ملاقات دست پدربزرگش را در دست می‌گرفت و بدون کلامی حرف در کنارش می‌نشست. به بهبودیش امیدوار شده بودیم ولی متأسفانه حملهٔ وسیع دیگری اتفاق افتاد و او را دوباره به بخش مراقبت‌های ویژه برد و بیست‌وچهارساعت بعد جان به جان‌آفرین تسلیم‌کرد. بدین‌ترتیب تنها پشت‌وپناه واقعی زندگیم را از دست دادم. پیش از موقعی که حمید به زندان رفته‌بود احساس تنهایی و بی‌کسی می‌کردم، بعد از مرگش فهمیدم که تنها حضور او حتی دورادور چگونه بر سر من سایه گسترده‌بود و در عمق تاریک‌ترین لحظات ناامیدی نور درخشان وجودش قلبم را روشن می‌کرد. با رفتن او بندهای ارتباطم با آن خانه به شدت سست شد. تا یک هفته نمی‌توانستم جلوی اشک‌هایم را بگیرم، ولی با اولین ضربه‌های غیرارادی ذهن برای بازگشت به خودآگاهی و توجه به اطرافیان دریافتم که گریه‌های من در مقابل اندوه عمیق و ساکت سیامک وزنی ندارد. این بچه بدون ریختن قطره اشکی مانند بادکنکی که دیگر حتی ظرفیت یک نفس اضافی را ندارد در حال انفجار بود، خانم‌جون با دلخوری می‌گفت:

ـ حیف از اون همه عشق که مصطفی‌خان به این بچه داشت حتی وقتی تو گور هم گذاشتنش یه قطره اشک نریخت، اصلاً عین خیالش نبود.

فهمیدم که وضع روحیش خراب‌تر از آن چیزی است که به نظر می‌رسد، یک

روز مسعود را پیش پروانه گذاشتم و با سیامک به سر خاک آقاجون رفتیم همچون ابری تیره و دلگیر بالای سرم ایستاده‌بود، سعی می‌کرد به جایی دیگر نگاه کند و خود را از زمان و مکان دور نگه‌دارد، شروع به حرف‌زدن کردم، از خاطراتم با او، از محبت‌هایش و از کمبودش در کنارمان گفتم، کم‌کم در کنار خودم نشاندمش و آنقدر مرثیه خواندم تا ناگهان بغضش ترکید و اشک‌های فروخورده‌اش سرازیر شد، این گریه تا شب ادامه یافت، مسعود هم که به خانه برگشت با دیدن اشک‌های سیامک به گریه افتاد، گذاشتم تا خوب خود را خالی کنند، آنها باید تمام دردهای تلمبار شده در دل‌های کوچکشان را بیرون می‌ریختند، بعد نشاندمشان و پرسیدم: به نظر شما برای احترام و بزرگداشت خاطرهٔ او چه باید بکنیم؟ او چه انتظاری از ما دارد و ما باید چگونه زندگی کنیم تا او از ما راضی باشد، بدین ترتیب خودم نیز به این درک رسیدم که باید سعی‌کنم که به وضعیت طبیعی بازگردم و با حفظ خاطرهٔ دلپذیر او برای ابد، زندگی عادی را ادامه‌دهم.

❀

هنوز سه ماه از فوت آقاجون نگذشته بود که احمد هم با همان فلاکتی که پروین‌خانم می‌گفت به دیار عدم شتافت، جنازهٔ او را رفتگری در یکی از خیابان‌های پایین شهر یافته بود، علی را برای شناسایی جسد بردند، ختمی برگزار نشد و جز خانم‌جون که از غصه تا شده بود کسی نگریست، هر چه سعی کردم، خاطرهٔ خوبی از او به یاد آورم، نشد، از اینکه برای مرگش متأسف نبودم احساس گناه می‌کردم، عزادار او نبودم ولی نمی‌دانم برای چه تا مدت‌ها وقتی یادش می‌افتادم غم وسیع و مبهمی قلبم را می‌فشرد.

علی در این شرایط طبیعتاً نمی‌توانست جشن عروسی به‌پاکند، ناچار همسرش را بدون سروصدا به خانهٔ آقاجون که چند سال پیش آن را به نام خانم‌جون کرده بود. آورد، خانم‌جون هم افسرده و تنها تقریباً خود را بازنشسته کرد و زمام امور خانه را به عروس جدید سپرد. بدین ترتیب درِ خانه‌ای که هنگام سختی‌ها تنها پناهگاهم بود برای همیشه به رویم بسته‌شد.

فصلِ چهارم

اواخر سال پنجاه‌وشش بود. نوعی دگرگونی در جریان‌های سیاسی احساس می‌کردم. رفتار و گفتار مردم به نحو محسوسی تغییرکرده‌بود. مردم در اداره، کوچه و خصوصاً دانشگاه بی‌پرواتر حرف می‌زدند. برنامه‌های زندان نسـبتاً مـرتب شده‌بود. برای حمید و سایر زندانیان تسهیلات بیشتری درنظرگرفته‌بودند. ارسال لباس و غذا با موانع کم‌تری روبه‌رو بود. ولی در قلب بد دیدهٔ من هیچ روزنـهٔ امیدی به چشم نمی‌خورد و هرگز تصور نمی‌کردم واقعه‌ای در حال تکوین باشد.

۞

چند روز به عید مانده بود، هوا بوی بهار می‌داد، غرق در افکارم بـه خـانه برگشتم که با منظرهٔ عجیبی روبه‌رو شدم، در هال خانه چند گونی برنج، چند حلب روغن، مقداری چای، حبوبات و مواد غذایی دیگر چیده‌شده‌بود، بـا تـعجب نگاه کردم، پدر حمید گاهی برای ما برنج می‌آورد ولی نه با این همه مواد غذایی دیگر، خصوصاً حالا که خودشان هم با بسته‌شدن چاپخانه دستشان تنگ بود، سیامک که مرا هاج‌وواج می‌دید با خنده گفت:

ـ تازه اصل کاریش مونده، و پاکتی را به طرفم درازکرد، یک بسته اسکناس صدتومانی از لای پاکت دیده می‌شد.

ـ اینا چیه؟ از کجا اومده؟

ـ حدس بزن.

ـ آره مامان این مسابقه‌س حدس بزن.

ـ بابا بزرگ زحمت کشیدن؟

ـ نه...! و هر دو با شیطنت خندیدند.

ـ پروانه اینا آوردن؟

ـ نه...!! و باز خنده.

ـ پروین‌خانم؟ فاطی؟

ـ نه بابا نمی‌تونی حدس بزنی...، بگم...؟

ـ آره، زودباش کی آورده؟

ـ دایی علی! ولی گفت که بگم دایی محمود فرستاده.

داشتم از تعجب شاخ درمی‌آوردم.

ـ وا...! برای چی؟ خواب‌نما شده؟

تلفن را برداشتم و به منزل خانم‌جون تلفن کردم، او از هیچ‌جا خبر نداشت، گفتم:

ـ پس گوشیو بدید به علی ببینم چه اتفاقی افتاده.

علی خیلی گرم سلام‌وعلیک کرد، لحنش هم به نظرم مثل همیشه نبود.

ـ چه خبر شده علی آقا؟ اطعام مساکین فرمودین؟

ـ اختیار داری آبجی، ما وظیفه‌مونو انجام می‌دیم.

ـ کدوم وظیفه، مگه من چیزی خواستم؟

ـ خوب شما بلندنظری، ولی ما هم باید به وظایفمون عمل کنیم.

ـ متشکرم علی جان، من و بچه‌هام به هیچ چیز احتیاج نداریم، لطفاً همین الان بیا ببرشون.

ـ ببرم چکارشون کنم؟

ـ نمی‌دونم هر کار دلت می‌خواد، بده به کسانی که نیازمندن.

ـ می‌دونی چیه آبجی، این اصلاً به من ارتباط نداره، اینا رو داداش محمود فرستاده، به خودش بگو، تنها برای شما هم نداده، برای خیلی‌ها فرستاده، من فقط تحویل می‌دادم.

ـ عجب پس ایشون صدقه دادن؟ به حق چیزای نشنیده؟ نکنه دیوونه شده؟

ـ این حرف‌ها چیه آبجی؟ حالا بیا و کار خیر بکن.

ـ برای من به اندازهٔ کافی کار خیر کـردین. مـتشکرم، فـقط بـیا و هـر چـه زودتر ببرشون.

ـ داداش محمود بگه... من می‌آم می‌برم، اصلاً خودت با اون حرف بزن.

ـ باشه حتماً، همین کارو می‌کنم!

به منزل محمود تلفن زدم، تعداد دفعاتی که من به این خانه زنگ زده بودم از انگشتان یک دست تجاوز نمی‌کرد، غلامعلی گوشی را برداشت، و پس از سلامی آشنا گوشی را به پدرش داد.

ـ سلام آبجی، چی شده یاد ما کردید؟

ـ اتفاقاً منم همینو می‌خواستم بپرسم، چی شده یاد ما کردین؟ صدقه فرستادین.

ـ این حرفا کدومه خواهر صدقه چیه حقته، شوهرت به خاطر دفاع از آزادی و حق با این بی‌ایمونا در افتاده و به زندان رفته، ما هم چشممون کور، وظیفمونه حالا که عرضهٔ مبارزه و زندون و شکنجه نداریم اقلاً به خونواده‌هاشون برسیم.

ـ ولی داداش، الان چهار ساله حمید زندونه، ما همون‌طور که این مدت به لطف خدا خودمونو اداره کردیم و به کسی احتیاج نداشتیم بعد از این هم می‌کنیم.

ـ حق داری خواهر، حق داری طعنه بزنی، روی ما سیاه، خواب بودیم حالیمون نبود، عقلمون نمی‌رسید، شماها باید ببخشین.

ـ اختیار دارید داداش منظورم اینه که ما می‌تونیم زندگیمونو اداره کنیم، دوست ندارم بچه‌هام با صدقه بزرگ بشن، لطفاً بفرستید این‌ها رو ببرن...

ـ این حرف‌ها چیه ما وظیفه داریم، شماها تاج سر ما هستین، حمید افتخار ماس.

ـ ولی داداش حمید همون جوجه کمونیسته‌س که خرابکاره و حقشه که اعدام بشه.

ـ طعنه نزن دیگه خواهر، تو هم عجب کینه‌ای هستی‌ها...، گفتم که ما حالیمون نبود، برای ما هر کس با این بنیاد ظلم بجنگه، ارج و قُرب داره چه کافر باشه چه مسلمون.

ـ خیلی ممنون داداش، با همهٔ اینا من احتیاج به هیچ‌چیز ندارم، خواهش می‌کنم بیایید ببرید.

با عصبانیت گفت: بده به در و همسایه‌هات، بریز دور، من کسی رو ندارم بفرستم، و گوشی را گذاشت.

در ماه‌های بعد تغییرات محسوس‌تر شد، در اداره بااینکه ظاهراً کسی نباید می‌دانست که همسر من زندانی سیاسی است ولی تقریباً همه می‌دانستند، تا همین اواخر جز همکاران نزدیک بقیه برخوردی محافظه‌کارانه با من داشتند و مواظب بودند که بیش‌ازحد به اتاق من رفت‌وآمد نکنند، به این وضع عادت‌کرده‌بودم، ولی این روزها گویی تمام این محذورات برداشته‌شده‌بود. ظاهراً دیگر کسی از ارتباط داشتن با من وحشتی نداشت، دایره آشنایانم به سرعت گسترش می‌یافت. بچه‌ها به غیبت‌های بیش از معمولم یا درس‌خواندنم در اداره اعتراض نمی‌کردند. و بالاخره کار به جایی رسید که چه در میان فامیل، چه دوستان دانشکده و چه همکاران اداره در مورد مسألهٔ ما به روشنی سخن می‌گفتند. از حال حمید می‌پرسیدند، اظهار هم‌دردی و ستایش می‌کردند. در مجالس در صدر می‌نشاندند و به راحتی کانون توجه همگان قرار می‌گرفتم، این شرایط هر چند تا حدودی مرا معذب می‌کرد ولی برای سیامک لذت‌بخش و افتخارآفرین بود. گویی پر و بال درآورده، با غرور و آشکارا در مورد پدرش صحبت‌می‌کرد. به سؤال‌ها و کنجکاوی‌های مردم در مورد چگونگی دستگیری او، و شبی که به خانهٔ ما ریختند پاسخ می‌گفت و بدیهی است که با آن ذهن خیالباف و کودکانه بسیاری چیزها نیز بدان می‌افزود. هنوز دو هفته‌ای از باز شدن مدارس نگذشته بود که مرا به مدرسه احضار کردند، نگران شدم فکرکردم مطابق معمول دعوایی به‌راه‌انداخته و کسی را کتک‌زده‌است. ولی وقتی وارد دفتر مدرسه شدم دیدم فضای حاکم به شکل دیگری است، عده‌ای از معلم‌ها و ناظم مدرسه دورم را گرفتند. در را بستند مواظب بودند کسان دیگر مثل آقای مدیر و دفتردار متوجه نشوند. ظاهراً به آنها اعتماد نداشتند، و شروع‌کردند به سؤال‌کردن در مورد حمید و بعد اوضاع و شرایط، برنامه‌های آینده و انقلاب. من متحیر ماندم، انگار من منبع اخبار سری و برنامه‌های انقلابی بودم. در مورد حمید و دستگیریش پاسخ دادم، ولی در مورد سایر مسائل تنها می‌گفتم؛ نمی‌دانم، من کاره‌ای نیستم. معلوم شد سیامک با آنچنان لاف و گزافی در مورد پدرش و فعالیت‌های انقلابی او و آگاهی‌های ما از مسایل سیاسی صحبت‌کرده، که مشتاقان را به این فکر انداخته

تا ضمن بررسی صحت و سُقم گفته‌های او خط مستقیمی با منابع اصلی انقلاب برقرار کنند؛ یکی از معلم‌ها درحالی‌که اشک در چشمانش داشت گفت:

ـ البته از چنان پدری باید انتظار چنین پسری را داشته باشیم، نمی‌دانید چقدر زیبا و مؤثر حرف می‌زند.

ـ مگه چه گفته؟

برایم جالب بود بدانم او با غریبه‌ها چگونه در مورد پدرش صحبت می‌کند.

ـ او مثل یک آدم بزرگ، مثل یک خطیب، بدون ترس و وحشت جلوی همهٔ ما ایستاد و گفت: پدرم در راه آزادی خلق ستم‌دیده مبارزه‌می‌کند، بسیاری از دوستانش در این راه کشته‌شده‌اند و خودش سال‌هاست که در زندانست و زیر شکنجه‌های وحشتناک مقاومت کرده حتی کلامی حرف نزده.

در راه بازگشت احساسات متفاوت و متناقضی در درونم می‌جوشید، از اینکه سیامک شرایطی برای ابراز وجود، جلب توجه و کسب افتخار یافته خوشحال بودم، از سویی می‌ترسیدم این لاف و گزاف‌ها مزاحمتی جدید برایمان ایجاد کند و بالاخره برای خودش و شخصیت قهرمان‌ساز و قهرمان‌دوستش نگران بودم، او که در تمام مراحل رشد بچهٔ مشکلی بود، در این زمان که دورهٔ پرآشوب و خطرناک نوجوانی را می‌گذارند چگونه خواهد توانست پس از آن همه تحقیر و توهین، این تشویق و تأییدها را هضم نماید، آیا شخصیت نوپای او تحمل چنین فراز و فرودهایی را دارد؟ اصولاً این بچه چرا این‌همه به توجه، تأیید و محبت نیازمند است، من که تا حد ممکن سعی کرده‌ام همهٔ این‌ها را به او بدهم.

توجه و احترام روزافزون اطرافیان اغلب به نظرم اغراق‌آمیز و دور از حقیقت می‌آمد، شاید بیشتر از یک نوع کنجکاوی سرچشمه می‌گرفت، این برخوردها کم‌کم داشت برایم آزاردهنده می‌شد، گاه احساس عدم صداقت، دورویی و گناه می‌کردم، با خود می‌گفتم مبادا من دارم با سوءاستفاده از شرایطم مردم را گول می‌زنم، مرتب توضیح می‌دادم که من از اعتقادات و آرمان‌های شوهرم چیز زیادی نمی‌دانم و هرگز در این راه به او کمکی نکرده‌ام، ولی انگار

مردم دوست نداشتند این واقعیات را بشنوند، در اداره، در دانشگاه، در هر بحث انقلابی به من اشاره‌می‌شد، در هر انتخاباتی مرا به عنوان نماینده برمی‌گزیدند، وقتی می‌گفتم که من چیز زیادی نمی‌دانم، کاره‌ای نیستم، حمل بر فروتنی ذاتیم می‌کردند، تنها کسی که رفتارش با من تغییرنکرده‌بود آقای زرگر بود که با دقت تحولات اطراف مرا زیر نظر داشت، روزی که در اداره می‌خواستند افرادی را به عنوان کمیتهٔ انقلاب انتخاب کنند و پیوستگی‌شان را با موج خروشان مردم اعلام نمایند، یکی از افرادی که تا همین اواخر خیلی با احتیاط با من سلام و علیک می‌کرد، نطق غرایی دربارهٔ خصوصیات انقلابی، انسانی و آزادی‌خواهی من بیان نمود و مرا کاندید انتخابات کرد، از جایم بلندشدم، با اعتماد به نفسِ ناشی از زندگی سخت اجتماعی که توان صحبت در مقابل جمع را برایم فراهم‌کرده‌بود، ضمن تشکر از حسن ظن گوینده، به گفته‌هایش اعتراض کردم و در کمال صراحت گفتم:

ـ هرگز فردی انقلابی نبوده‌ام، سرنوشت مرا در مسیر مردی قرار داد که دارای نگرش خاص سیاسی بود و من وقتی برای اولین بار با بخشی از اساس و چارچوب فکری او روبه‌رو شدم غش‌کردم.

همه خندیدند و چند نفر دست زدند.

ـ باور کنید واقعیت را می‌گویم، همین باعث‌شد که دیگر مرا در جریان کارهایش قرار نداد، من با تمام وجود آرزوی آزادی او را دارم ولی از نظر عقیدتی و یا توانایی سیاسی مزیتی بر دیگران ندارم.

آن مرد به اعتراض از میان جمع فریاد کرد و گفت:

ـ ولی شما زجر کشیده‌اید، سال‌ها شوهرتان در زندان بوده، به‌تنهایی زندگی خود و بچه‌هایتان را اداره کرده‌اید، آیا این‌ها ناشی از هم‌رامی و اعتقاد به بنیادهای فکری او نیست؟

ـ نه...! اگر شوهرم برای دزدی هم به زندان افتاده بود من همین کارها را می‌کردم ، این نشان‌دهندهٔ این است که من به عنوان یک زن، یک مادر، وظیفه دارم زندگی خود و بچه‌هایم را اداره کنم.

هیاهو برخاست، از نگاه تأییدکنندهٔ آقای زرگر فهمیدم که درست گفته‌ام،

ولی این بار از فروتنی و صداقتم قهرمانی ساختند و باز مرا انتخاب کردند.

❀

هیجان انقلاب روزبه‌روز بیشتر می‌شد و با وسعت گـرفتن ابـعاد آن بـر شاخه‌های امیدم هر روز جوانه‌ای تازه می‌شکفت. آیا ممکنست آنچه که شهرزاد و بقیه به خاطرش کشته‌شدند و حمید سال‌ها رنج زندان و شکنجه را تحمل کرد، به بار بنشیند؟

برای اولین بار در خانهٔ ما من و برادرهایم در یک جبهه بودیم، همه یک حرف می‌زدیم، حرف یکدیگر را می‌فهمیدیم، خواست مشترک داشتیم، با هم احساس صمیمیت و نزدیکی می‌کردیم، آنها رفتاری برادرانه داشتند و از من و خانواده‌ام حمایت می‌کردند، محبت‌های محمود به جایی رسیده‌بود که هر چه برای بچه‌های خودش می‌خرید برای سیامک هم تهیه‌می‌کرد، خانم‌جون با چشمان پراشک خدا را شکر می‌کرد و می‌گفت:

ــ حیف که آقاتون نیست تا این‌همه صمیمیتو بـبینه، همیشه نگـران بـود و می‌گفت، اگه من بمیرم اینا سال تا سال همدیگه‌رو نمی‌بینن و از همه تنهاتر ایـن دختر بی‌کس منه که هیچ‌کدوم دستشو نمی‌گیرن. کاش بود و می‌دید کـه همـین برادرا چطور جونشونو برای این خواهر می‌دن.

❀

محمود نوار و اعلامیه می‌آورد، علی آن‌ها را تکثیر می‌کرد، من در دانشگاه و اداره توزیع می‌کردم، سیامک با هم‌کلاسی‌هایش به خیابان مـی‌رفت و شـعار می‌داد، مسعود دسته‌های تظاهرات را نـقاشی مـی‌کرد و روی آنـها مـی‌نوشت «آزادی» از تابستان ما عضو ثابت جلسات، سخنرانی‌ها و تظاهراتی بودیم که بر ضد رژیم برپا می‌شد، حتی یک بار به فکرم نرسید که این برنامه مربوط به کدام گروه یا دسته است، چه تفاوتی داشت، همه با هم بودیم و یک خواسته داشتیم، مهم این بود که ارتباطات محمود به گونه‌ای بود که به آخرین اخبار، نـوارهـا و اعلامیه‌ها دسترسی داشت. هر روز فکرمی‌کردم یک قدم به حمید نـزدیک‌تر شده‌ام، داشتم باور می‌کردم که رؤیای من برای داشتن یک خانواده و حضور

پدری بر فراز سر فرزندانم دست نیافتنی نیست، حالا از زنده بودن حمید با تمام
وجود خوشحال بودم، دیگر با دیدن چهرهٔ افسرده و رنج‌کشیده‌اش از خـود
نمی‌پرسیدم آیا بهتر نبود او در کنار دوستانش یک بار و در یک لحظهٔ پرافتخار
می‌مرد و درد و شکنجهٔ چندین ساله و مرگ هر روزه را تحمل‌نمی‌کرد؟ داشتم باور
می‌کردم که رنج‌های او بی‌نتیجه نبوده و به‌زودی به ثمر می‌رسد، این همان خواب
آنهاست که درحال تعبیر است، مردم به پاخاسته‌اند، در خیابان‌ها فریاد می‌زنند
و می‌گویند «زیر بار ستم نمی‌کنم زندگی» وقتی آنها از چنین روزهایی صـحبت
می‌کردند چقدر به نظرم دور از ذهن، غیرواقعی و ایده‌آلیستی بود.

❧

با اوج گرفتن انقلاب کنترل من بر روی بچه‌ها کمتر و کمتر می‌شد، آنها بـه
دائی‌شان بسیار نزدیک شده بودند، محمود با توجه و علاقهٔ خاصی که واقعاً برایم
عجیب و تازه بود به دنبال بچه‌ها می‌آمد، آنها را با خود به مجالس سخنرانی و
گفت‌وگو می‌برد. سیامک از این برنامه‌ها بسیار مسرور بود و با علاقه به دنبال
محمود روان می‌شد ولی مسعود خیلی زود خودش را کنار کشید و به بهانه‌های
مختلف از رفتن سرباز زد، وقتی پرسیدم چرا نمی‌روی گفت: دوست ندارم و وقتی
دلیل قانع کننده‌تری خواستم گفت: خجالت می‌کشم، نمی‌فهمیدم از چه چیزی
خجالت می‌کشد ولی اصرار هم نکردم، درعوض سیامک روزبه‌روز مشتاق‌تر
می‌شد، روحیهٔ بسیار خوبی پیدا کرده بود، هیچ مشکلی ایجاد نمی‌کرد گویی با
همین فریادها و شعار دادن‌ها تمام عقده‌هایش بیرون می‌ریخت و تخلیه می‌شد، به
تدریج نظم و دقت خاصی در انجام فرایض دینی‌اش پیدا کرد، او که همیشه
صبح‌ها به زور از خواب بیدار می‌شد حالا مواظب بود که نماز صبحش قضا
نشود، نمی‌دانستم از این همه تغییرات در او خوشحال باشم یا نگران، چون بعضی
کارهایش مثل خاموش کردن رادیو هنگام پخش موسیقی یا نگاه‌نکردن بـه
برنامه‌های تلویزیونی بی‌اختیار مـرا بـه سال‌ها پیش مـی‌برد و رفتارهای
وسواس گونهٔ محمود را برایم تداعی می‌کرد.

❧

اوایل مهرماه محمود اعلام کرد که می‌خواهد برای آقاجون مراسم سال مفصلی برگزار کند، هر چند که از سال آقاجون یک مـاهی مـی‌گذشت ولی هـیچ‌کس اعتراض نکرد، گرامی‌داشت یاد و خاطرهٔ آن عزیز و نثار صدقاتی برای روح پاک او در هر زمان و به هر بهانه‌ای مغتنم بود، با توجه به حکومت نظامی و شرایط منع عبور و مرور در شب، بهتر دیدیم که مراسم را به جمعه ظهر موکول کنیم، همه با خوشحالی از چند روز قبل به تهیه و تدارک وسایل غذا و پذیرایی پرداختیم عدهٔ مهمانان هر لحظه بیشتر می‌شد، در دل به شهامت محمود برای انجام چنین مراسمی در آن موقعیت آفرین می‌گفتم، در روز موعود از صبحِ زود همه در خانهٔ محمود کار می‌کردیم، احترام‌سادات که روزبه‌روز چاق‌تر می‌شد هِن و هِن کنان می‌رفت و می‌آمد، وقتی بالاخره در کنار من که سیب‌زمینیِ پوست می‌کندم ولو شد و نشست گفتم:

ـ خسته نباشی خیلی زحمت می‌کشی، دستت درد نکنه. ما همه ازت متشکریم.

ـ ای بابا این حرفا چیه بالاخره باید بعد از این چند سال یک فاتحهٔ درست و حسابی برای آقاجون خدا بیامرز می‌فرستادیم، از طرفی بهانهٔ خوبی هم برای جمع کردن مردم در این موقعیته.

ـ راستی احترام جون حال داداش چطوره، مثل اینکه بزنم به تخته دیگه با هم مشکلی ندارین.

ـ ای بابا دیگه از ما گذشته، اصلاً دیگه محمودو کی می‌بینه که بخواد دعوا کنه، وقتی که می‌آد این‌قدر خسته‌س و فکرش مشغوله که کار به کار ما نداره و هیچ ایرادی نمی‌گیره.

ـ وسواسش چطوره، دیگه موقع وضو گرفتن نمی‌گه نشد، نشد از اول.

ـ گوش شیطون کر خیلی بهتره، دیگه اون‌قدر مشغوله که وقت نداره هی آب بکشه و غسل کنه، می‌دونی این انقلاب اونو از این‌رو به اون‌رو کرده، انگار دوای دردش همین بود، حالا می‌گه به گفتهٔ آقا در درجهٔ اوّل انقلابه که مثل جهاد در راه خدا می‌مونه و بزرگ‌ترین ثوابا رو داره، دیگه به جزییات توجه نداره، راستش حالا بیشتر وسواسش رو مسایل انقلابیه.

بعد از ناهار سخنرانی‌ها شروع شد، ما در اتاق عقبی بودیم صدا را خوب

نمی‌شنیدیم، از ترس بیرون رفتن صدا نمی‌توانستند از بلندگوهای قوی‌تر استفاده کنند، به سختی ما را هم در اتاق مهمانخانه و ناهارخوری جا دادند، پشت سر مردها نشستیم، عده‌ای هم پشت پنجره‌ها ایستاده بودند. بعد از سخنان یکی دو نفر در مورد انقلاب، ستمکاری حکومت فعلی و وظایف ما در راه براندازی این رژیم، نوبت به عموی احترام‌سادات رسید که حالا دیگر روحانی معروفی شده و به خاطر آن چند ماه زندان در نظر همه قهرمانی بود. او ابتدا قدری از مناقب آقاجون صحبت کرد و در تعریف تاریخچهٔ انقلابی خانوادهٔ ما گفت:

ـ این خانوادهٔ محترم از سالها قبل در راه دین و میهن مبارزه کرده‌اند و در این راه زخم‌ها خورده‌اند، در سال چهل‌ودو بعد از جریان پونزده خرداد و دستگیری آقای خمینی مجبور به ترک خانه و دیارشان شدند و از قم کوچ کردند، چون امنیتشان در خطر بود، در این راه جوان دادند، پسر برومندشان را سر به نیست کردند، دامادشان هنوز در زندان است، خدا می‌داند چه شکنجه‌ها دیده...

برای مدتی مطالب را قاطی کردم، نمی‌فهمیدم در مورد چه کسانی صحبت می‌کند، با آرنج به پهلوی احترام‌سادات زدم و پرسیدم:

ـ از کی داره حرف می‌زنه؟

ـ خوب از شوهر تو دیگه!

ـ نه منظورم اون جوون که سر به نیست شد و اینهاست...

ـ خوب احمد رو می‌گه دیگه.

ـ وا احمد ما؟!! داشتم شاخ درمی‌آوردم.

ـ خوب بعله هیچ فکر کردی چقدر مرگش مشکوک بود. وسط خیابون، بعد از سه روز ما رو خبر کردند که علی رفت پزشکی قانونی برای شناسایی جسد تازه می‌گفت آثار ضرب و جرح هم در بدنش بوده.

ـ لابد با یه معتاد دیگه سر مواد دعواش شده بوده.

ـ این حرفا رو نزن پشت سر مرده.

ـ این مزخرفا در مورد اومدن ما از قم رو کی به آقا گفته؟

ـ وا مگه نمی‌دونی، بعد از همون جریانات پونزدهٔ خرداد بود که شماها از قم

اومدین، آقاجون و محمود حسابی در خطر بودن، حتماً تو بچه بودی یادت نیست.

با حرص گفتم: خوبم یادمه ما سال چهل اومدیم تهرون. چطور محمود به خودش اجازه می‌ده، این دروغ‌ها رو به آقا بگه و از شور و هیجان مردم سوء استفاده کنه.

حالا دیگر سخن به محمود رسیده بود که از چنان پدری چنین پسری هم انتظار می‌رفت، پسری که جان و مال خود را در راه انقلاب صرف کرده از هیچ فداکاری، گذشت و زحمتی فروگذار نمی‌کند. خرج ده‌ها خانواده از زندانیان سیاسی را می‌دهد و مثل یک پدر از آنها مراقبت و سرپرستی می‌کند، خانوادهٔ خواهرش که جای خود دارد که چندین سال است که این برادر جور آنها را کشیده و نگذاشته لحظه‌ای احساس کمبود و بی‌کسی کنند. در این موقع با اشاره‌ای، ناگهان سیامک از میان جمعیت بلند شد و به طرف او رفت، گویی برای این کار تعلیم دیده بود و دقیقاً می‌دانست چه وقت باید بلند شود و ایفای نقش کند، آقا دستی به سر سیامک کشید و گفت:

ـ این طفل معصوم فرزند یکی از مجاهدین شریف راه اسلامه که سال‌هاست در زندان و زیر شکنجه به سر می‌بره، دست جنایتکار رژیم این بچه و صدها بچهٔ مثل اونو یتیم و محروم کرده، خدا را شکر که این بچه دایی مهربان و ازجان‌گذشته‌ای مثل آقا محمود صادقی دارد که جای پدر را برایش پر کند، وگرنه خدا می‌داند در غیبت پدر چه بر سر این خانوادهٔ مظلوم می‌آمد...

حالت تهوع بهم دست داده بود، احساس می‌کردم یقهٔ بلوزم دارد خفه‌ام می‌کند، بی‌اختیار دست انداختم و آن را کشیدم، دگمهٔ یقه کنده شد و به طرفی پرید، با چنان خشمی از جا برخاستم که خانم جون و احترام‌سادات که در کنارم نشسته بودند به وحشت افتادند، احترام گوشهٔ چادرم را می‌کشید و می‌گفت:

ـ بشین معصوم، تورو ارواح خاک آقات بشین، زشته.

محمود پشت سر واعظ روبه‌روی جمعیت نشسته بود و با نگرانی مرا نگاه‌می‌کرد، می‌خواستم فریاد بزنم ولی صدایم گرفته بود، سیامک که در کنار واعظ بود با ترس و تعجب از میان جمعیت راه را باز کرد و به طرف من آمد،

دستش را کشیدم و گفتم:

ـ خجالت نمی‌کشی؟

ـ خانم‌جون توی صورتش می‌زد و می‌گفت:

ـ خدا مرگم بده، آبروریزی نکن دختر.

با تنفر به محمود نگاه کردم، می‌خواستم خیلی چیزها بگویم که ناگهان صدای نوحه بلند شد، همه ایستادند و مشغول سینه‌زنی شدند، از میان جمعیت راهی پیدا کردم و درحالی‌که دست سیامک را با خشم می‌فشردم از خانه بیرون آمدم، مسعود پایین چادرم را گرفته بود و به دنبالم می‌دوید، دلم می‌خواست آن‌قدر سیامک را کتک بزنم که سیاه و کبود شود، در ماشین را باز کردم و با خشونت به درون ماشین هلش دادم. سیامک مرتب می‌گفت:

ـ چته؟ مگه چی شده؟

ـ فقط خفه شو!

صدایم آنچنان آمرانه و خشن بود که بچه‌ها تا رسیدن به خانه کلامی حرف نزدند و به من فرصت دادند تا به خود بگویم:

ـ تقصیر این بچه چیه؟ اون در این میون چه گناهی داره؟

وقتی به خانه رسیدم، اول مدتی به زمین و زمان و محمود و علی و احترام بد و بیراه گفتم و بعد نشستم و زار زار گریه کردم، سیامک سرافکنده روبه‌رویم نشسته بود، مسعود لیوان آبی برایم آورد و با چشمان پر اشک خواست آن را بنوشم تا شاید حالم بهتر شود، کم‌کم آرام گرفتم، سیامک گفت:

ـ نمی‌دونم تو از چی این‌قدر ناراحتی ولی هر چی هست ببخشید.

ـ یعنی تو نمی‌دونی؟ چطور نمی‌دونی؟ ببینم تو در تمام مراسمی که با محمود می‌ری همین کارا رو می‌کنی؟ تو رو به همه نشون می‌دن؟

با غرور و افتخار گفت:

ـ بله! کلی هم از بابا تعریف می‌کنن.

آه از نهادم برآمد. نمی‌دانستم به این بچه چه بگویم، سعی می‌کردم آرام باشم و او را نترسانم، گفتم:

ـ ببین پسرم، ما چهار سال بدون بابا زندگی‌کردیم، هیچ‌وقت هم محتاج هیچ‌کس به خصوص دایی محمود نبودیم. من جون کندم که به کسی نیازمند نباشیم. شما با افتخار بزرگ بشید، نه با ترحم و صدقهٔ مردم، کسی به شما به چشم بچهٔ یتیم و محروم نگاه‌نکنه. تا حالا هم روی پای خودمون بودیم، شاید بهتون کمی سخت می‌گذشت ولی در عوض غرور و شخصیت خودمون و بابا رو حفظ می‌کردیم ولی حالا این محمود عوضی برای استفادهٔ خودش شماها رو مثل عروسک به نمایش گذاشته، داره ازتون سوءاستفاده می‌کنه، کاری می‌کنه که مردم دلشون به حالتون بسوزه و همه بگن به‌به! چه دایی خوبی دارن. چرا هیچ از خودت نپرسیدی چطور شده محمود تو این هفت هشت ماه یاد ما افتاده، چطور تو این چند سال یک بار هم حال ما رو نپرسید؟ ببین پسرم تو باید عاقل‌تر از این حرفا باشی، نذاری از تو و احساسات پاکت سوءاستفاده کنند. اگر بابات بفهمه که محمود داره از تو و اون این‌طوری بهره‌برداری می‌کنه، خیلی ناراحت می‌شه. اون حتی در یک مورد هم با محمود هم‌عقیده نیست. هرگز نمی‌خواد خودش و خانواده‌اش وسیله و ابزاری باشند در دست افرادی مثل محمود.

هر چند که من در آن زمان نمی‌دانستم او از این کارها چه منظوری دارد ولی دیگر نمی‌گذاشتم بچه‌ها را با خودش به این طرف و آن طرف ببرد و جواب تلفن‌هایش را نمی‌دادم.

اواخر مهرماه بود، ولی اداره، مدرسهٔ بچه‌ها و دانشگاه من (که تمام ناشدنی به نظر می‌رسید) تق و لق بودند. من تقریباً یک ترم از درسم مانده بود ولی کلاس‌ها تشکیل نمی‌شد. ما دائماً در اعتصاب به سر می‌بردیم. در اجتماعات مختلف حاضر می‌شدم. تمام حرف‌ها را گوش می‌کردم و آنها را می‌سنجیدم تا ببینم آیا روزنهٔ امیدی برای نجات حمید هست یا نه، گاه به شدت امیدوار می‌شدم، همه چیز روشن و زیبا می‌شد و گاه چنان ناامید می‌شدم که گویی به قعر چاهی پرتابم می‌کردند. هر جا برای زندانی‌های سیاسی صدایی بلند می‌شد من آنجا بودم، و در

صف اول فریاد می‌زدم، مشت‌های بچه‌ها در دو طرفم مانند دو پرچم کوچک در اهتزاز بودند؛ با گفتن: «زندانی سیاسی آزاد باید گردد». تمام خشم و درد و رنجی را که در این سال‌ها کشیده‌بودم فریاد می‌زدم. اشک در چشمانم حلقه می‌بست ولی قلبم گویی سبک می‌شد. وقتی می‌دیدم این‌همه آدم با من همراهند، از شوقی بی‌حد لبریز می‌شدم، دلم می‌خواست همه را در آغوش می‌گرفتم و می‌بوسیدم، شاید این اولین و آخرین باری بود که چنین احساسی را نسبت به هم‌میهنانم تجربه کردم، گویی همه فرزندان، پدران، مادران، خواهران و برادران من بودند.

زمزمه‌ها و شایعاتی در مور عفو زندانیان سیاسی بر سر زبان‌ها بود، می‌گفتند روز چهارم آبان که مصادف با تولد شاه است عده‌ای از زندانیان آزاد خواهند شد، امید در قلبم ریشه می‌دوانید، ولی سعی می‌کردم باور نکنم، توان سرخوردگی دوباره را نداشتم. پدر حمید بر کوشش‌ها و رفت‌وآمدهایش افزوده بود، توصیه‌نامه‌های مختلف برای مقامات می‌گرفت، هر روز با هم تشریک مساعی می‌کردیم، همدیگر را در جریان پیشرفت کارهایمان قرار می‌دادیم. وظایفی که به من محول می‌شد را با تمام وجود به انجام می‌رساندم.

کم‌کم با تماس‌هایی که داشتیم مطمئن شدیم که عفو هزار نفر از زندانیان قطعی است، فقط باید کاری می‌کردیم که اسم حمید هم دراین فهرست قرار گیرد. آن روزها بحث مداوم من و پدر حمید در این مورد بود، با تردید می‌پرسیدم:

ـ آیا این یک بازی سیاسی برای آرام کردن مردم نیست، فقط یک تبلیغ و سر و صدای بی نتیجه؟

ـ نه! در این شرایط نمی‌تونن از این کارا بکنن، حداقل عده‌ای از سرشناسا باید آزاد بشن و مردم به چشم ببینند تا آروم بگیرند و گرنه بدتر خواهد شد، تو هم امیدوار باش دخترم، امیدوار باش.

ولی من از امیدوار بودن وحشت داشتم، اگر او جزو آزادشدگان نباشد دوباره در گرداب ناامیدی و دلتنگی فروخواهم‌رفت، این‌همه بیم و امید اعصابم را به‌شدت می‌فرسود، بیش از خودم نگران بچه‌ها بودم می‌ترسیدم پس از امید و

دلگرمی نتوانند بار دیگر ضربهٔ سنگین ناامیدی و حسرت را تحمل‌کنند، سعی می‌کردم بچه‌ها مطلقاً در جریان این اخبار قرار نگیرند ولی بیرون از خانه شایعه چون سیلابی مارگونه به هر سوراخی سر می‌کشید. سیامک هیجان‌زده و برافروخته اخبار را برای من می‌گفت ولی من با خونسردی و آرامش جواب می‌دادم که:

ـ نه مادر جون. اینا همه تبلیغ دستگاهه برای آروم‌کردن مردم، فعلاً از این کارا نمی‌کنن، انشاالله انقلاب که پیروز شد خودمون می‌ریم و درِ زندان‌ها رو باز می‌کنیم و اونو می‌آریم.

پدر حمید هم با این روش من موافق بود و خودش هم در مورد مادر حمید از این شیوه استفاده می‌کرد.

هر چه به چهارم آبان نزدیک‌تر می‌شدیم هیجان درونیم بیشتر می‌شد، بی‌اختیار برای حمید خرید می‌کردم، لباس زیر، پیراهن، لباس خانه خریدم دیگر نمی‌توانستم جلوی رؤیاهای شیرینم را بگیریم، به برنامه‌هایی که بعد از آزادی حمید می‌توانستیم داشته باشیم فکر می‌کردم. ولی چند روز قبل از تاریخ موعود پدر حمید پس از رفت‌وآمدها و انجام آخرین ملاقات‌ها، خسته و گرفته به خانهٔ ما آمد و در یک فرصت مناسب که بچه‌ها مشغول بودند گفت:

ـ فهرست تقریباً تکمیل شده، ظاهراً اسم حمیدو نداشتن، البته به من اطمینان دادن که اگه اوضاع همین‌طور پیش بره به زودی حمید هم آزاد می‌شه، ولی این بار احتمالش کمه، این بار بیشتر مذهبیون در فهرست هستند.

با بغضی فروخورده گفتم:

ـ می‌دونستم، من اگه یه جو شانس داشتم زندگیم غیر از این بود.

در چشم برهم زدنی تمام امیدهایم به یأس تبدیل‌شد. با چشمانی اشک‌آلود روزنه‌های باز شده در قلبم را دوباره بستم. پدر حمید رفت ولی پنهان‌کردن افسردگی و ناامیدی شدیدم از بچه‌ها مشکل بود، مسعود مرتب دورم می‌چرخید و می‌پرسید:

ـ چی شده، سرت درد می‌کنه؟

سیامک می‌گفت:

ـ خبر تازه‌ای شده؟

با خود گفتم قوی باش، هنوز باید انتظار بکشی. حس می‌کردم دیوارهـای خانه تنگ‌تر می‌شوند و تمام بدنم را در هم می‌فشارند، نمی‌توانستم آن خانهٔ دلگیر و تنها را تحمل کنم، دست بچه‌ها را گرفتم و از خانه بیرون آمدم، جلوی مسجد شلوغ بود، عده‌ای شعار می‌دادند، بی‌اختیار به طرف آنها رفتم، حیاط مسجد مملو از آدم بود، نمی‌دانستم باز چه خبر شده، برای خودم و بچه‌ها در میان ازدحـام راهی باز کردم، نمی‌فهمیدم چه شعاری می‌دهند، برایم اهمیتی نداشت من شعار خودم را داشتم، با بغض و صدایی خشمگین فریاد زدم: «زندانی سیاسی آزاد باید گردد» نمی‌دانم در صدایم چه بود که پس از لحظاتی شعار همگانی به شعار مـن تبدیل شد.

❀

آن روز تعطیل رسمی بود، هنوز آفتاب نزده بود که دیدم دیگر تحمل غلت زدن در رختخواب را ندارم، می‌دانستم تدابیر امنیتی برای آن روز بسیار شدید است، به خاطر بچه‌ها هم شده نباید از خانه خـارج مـی‌شدم. نمـی‌دانسـتم اعصـاب تحریک‌شده و ناآرامم را چگونه آرامش بخشم، باید خودم را مشغول مـی‌کردم. مثل همیشه به کار پناه بردم، می‌خواستم تمام انرژی، خشم و اضطراب درونم را با کاری سخت، بدون فکر و دیوانه‌وار بیرون بریزم پرده‌ها و ملافه‌ها را در آوردم در ماشین رختشویی انداختم، شیشه‌ها را پاک کردم، اتاق‌ها را جارو زدم، حوصلهٔ بچه‌ها را نداشتم گفتم برای بازی به حیاط بروند، ولی وقتی متوجه شدم که سیامک نقشهٔ بیرون زدن از خانه را در سر می‌پروراند با دعوا برشان گرداندم و به حمام فرستادمشان، آشپزخانه را هم تمیز کردم، حوصله پختن غذا را نداشتم، چیزهایی از روز قبل مانده بود که برای من و بچه‌ها کافی بود، بی‌بی هم آن‌قدر ضعیف و کم‌غذا شده بود که هر چه جلویش می‌گذاشتم باز با تکه‌ای نـان و کاسه‌ای ماست خود را سیر می‌کرد. با تلخی به بچه‌ها غـذا دادم، ظرف‌ها را شستم، دیگر کاری نمانده بود، می‌خواستم بروم حیاط را هم بشویم که دیدم دیگر

توان ندارم، داشتم از خستگی از پا درمی‌آمدم و این همان چیزی بود که می‌خواستم، به سختی خود را به زیر دوش رساندم، آب را باز کردم و با صدای بلند گریستم اینجا تنها جایی بود که می‌توانستم با خیال راحت گریه کنم.

❀

ساعت نزدیک به چهار بعدازظهر بود، از حمام بیرون آمدم، موهایم خیس بودند ولی مهم نبود، بالشی در هال، جلوی تلویزیون گذاشتم و دراز کشیدم، بچه‌ها جلویم بازی می‌کردند، تازه چشمانم گرم شده بود که دیدم در خانه باز شد و حمید به درون آمد، چشم‌هایم را محکم بستم تا این رؤیای شیرین ادامه یابد ولی صدای مبهمی در اطرافم زمزمه می‌شد. با تردید چشمانم را نیمه‌باز کردم و در جایم نیم‌خیز شدم، بچه‌ها مبهوت و با تردید مرد لاغر اندامی را که موها و سبیلی تقریباً سفید داشت نگاه می‌کردند، در جایم خشک شدم، یعنی این هم خواب و خیال بود؟ صدای خوشحال و در عین حال بغض‌آلودِ پدرِ حمید ما را به خود آورد که پیروزمندانه گفت:

ـ بفرمایید اینم شوهر جنابعالی، بچه‌ها چتونه؟ ماتتون برده بیایین جلو بابا اومده.

وقتی درآغوشش‌گرفتم جثه‌اش چندان بزرگ‌تر از جثهٔ سیامک نبود، البته من در این سال‌ها او را بارها دیده‌بودم، ولی هرگز این چنین تکیده و نزار به نظرم نرسیده بود، شاید به خاطر لباس‌ها که به تنش زار می‌زدند این‌قدر کوچک شده بود، گویی لباس‌های پدری را بر کودکی پوشانده باشند همه چیز حداقل دو سایز بزرگ بود شلوارش را با کمربند به خودش وصل‌کرده‌بود دورتادور شلوارش چین‌های درشتی خورده‌بود، سر شانه‌های کتش چنان افتاده‌بود که آستین‌هایش به سرانگشتان می‌رسید. زانو زد و بچه‌ها را درآغوش‌گرفت، و من با دست‌هایی که سعی می‌کردم هر سه عزیزم را در برگیرد بر سرشان خیمه زدم، چهار نفری با هم می‌گریستیم و رنج‌هایی که هر یک به نوعی در این دوران طولانی کشیده‌بودیم را با هم قسمت می‌کردیم. پدر حمید در حالی‌که اشک‌هایش را پاک می‌کرد گفت:

ـ بسه دیگه، پاشید، حمید خسته‌س، خیلی هم مریضه، از بهداری زندان تحویلش گرفتم، بذارید استراحت کنه، منم برم مادرشو بیارم.

بی‌اختیار در آغوشش گرفتم، بوسیدمش، در حالی‌که مرتب می‌گفتم متشکرم سر به شانه‌هایش گذاشته گریستم، چقدر این پیرمرد مهربان، فهمیده و با ملاحظه بود، چگونه توانسته بود بار اضطراب و دوندگی‌های این چند روزه را به تنهایی بر دوش بکشد. حمید تب داشت گفتم:

ـ بیا کمکت کنم لباساتو در بیار و بخواب.

ـ نه بذار اول حمام کنم.

ـ آره راست می‌گی، تمام کثافت و بدبختی زندانو باید از خودت پاک کنی و بعد با آرامش و سبک بخوابی، خوشبختانه امروز نفت داشتیم، حمام از صبح روشنه.

کمک کردم لباس‌هایش را درآورد، خیلی ضعیف بود، به سختی روی پاهایش بند می‌شد، هر تکه از لباسش را که در می‌آورد به نظرم کوچکتر می‌شد، در آخر از هیکل نحیفی که پوستی بر استخوان بود وحشت کردم، همه جای بدنش نشانی از زخمی کهنه داشت، روی صندلی نشاندمش تا جوراب‌هایش را درآورم، وضع غیر عادی پاها، پوست نازک و قرمز آن طاقتم را به انتها رساند پاهایش را در بغل گرفتم سر بر زانوانش نهادم و گریستم، با او چه کرده بودند؟ آیا دوباره انسانی عادی و سالم خواهد شد؟ لباس زیر و شلوار و پیژامای نویی که هفتهٔ پیش در اوج امیدواری خریده بودم را بر تنش کردم، هر چند آنها هم بزرگ بودند ولی مثل کت و شلوارش زار نمی‌زدند، با احتیاط روی تخت دراز کشید، گویی می‌خواست این لحظه را مزه‌مزه کند، رویش را کشیدم، سر بر بالش گذاشت، چشمانش را بست و با آهی عمیق گفت:

ـ یعنی واقعاً من روی تخت خودم خوابیدم؟ چند سال هر روز و هر لحظه آرزوی این تخت، این خونه و این لحظه رو کردم، باورم نمی‌شه که واقعیت داشته باشه، چه لذتی!!

بچه‌ها با عشق، تحسین، کمی تردید و خجالت نگاهش می‌کردند و تمام حرکاتش را زیر نظر داشتند، آنها را صدا زد کنار تخت نشستند و مشغول حرف

زدن شدند، چای را آماده کردم، سیامک را صدا زدم و برای خرید شیرینی و نان سوخاری به قنادی سرکوچه فرستادم، آب پرتقال گرفتم، کمی سوپ داشتیم که گرم کردم، هر لحظه چیزی برای خوردن به دستش می‌دادم، خندید و گفت:

ـ عزیزم صبرکن، من نمی‌تونم بخورم، عادت ندارم، باید یـواش‌یـواش بهـم غذا بدی.

🌱

ساعتی بعد مادر و خواهرهای حمید آمدند، مادرش دیوانه و از خود بی‌خود بود، مثل پروانه دور حمید می‌چرخید، اشک‌ریزان قربان صدقه‌اش می‌رفت، از سر تا پایش را می‌بوسید و دوباره از سر شروع مـی‌کرد، تـا اینکه صـدای نامفهومش به هق‌وهق تبدیل شد، به دیـوار تکیـه‌داد و نشسـت، چشـم‌هایش بی‌حالت و موهایش آشفته و درهم بودند، رنگش به شدت پریده‌بود و به‌سختی نفس‌می‌کشید، حمید حتی توان پاک‌کردن اشک‌هایش را نداشت. بـا صـدایی گرفته مرتب می‌گفت، مادر بسه، تو رو به خدا آروم باش، منیژه مادرش را در آغوش گرفت و فریاد زد، زود باشید آب قند بیارید. منصوره دوید آب آورد و به صورتش پاشید، تکانی خورد و شروع به گریه کرد، با عجله آب قند با چند قطرهٔ کرامین درست کردم، و آن را با قاشق به حلقش ریختم. با چشم به دنبال بچه‌ها گشتم، پشت در ایستاده با چشمان اشک‌آلود گاه به مادربزرگ و گاه به پدرشان نگاه‌می‌کردند، کم‌کم هیجان اولیه فروکش کرد، مادر حاضر نبود از اتاق بیرون برود، قول داد که دیگر گریه و زاری نکند، یک صندلی روبه‌روی حمید گذاشت و خیره در او همان‌جا نشست، تنها گاه‌گاهی قطرات اشکی را کـه بی‌صدا بـر گونه‌هایش می‌چکید پاک می‌کرد، پدر در هال کنار بی‌بی کـه زیـر لب دعـا می‌خواند نشست، پاهایش را دراز کرد و سر خسته‌اش را به پشتی تکیه‌داد، مطمئن بودم از صبح تا آن زمان در حرکت و هیجان بوده، برایش چای آوردم، دستم را روی دستش گذاشتم و گفتم:

ـ خسته نباشید، خیلی امروز زحمت کشیدین.

ـ ای کاش همهٔ خستگی‌ها و زحمت‌ها نتایجی این چنین داشته باشه.

صدای منصوره که مادرش را دلداری می‌داد می‌آمد که می‌گفت:

ـ مادر تو رو به خدا بس کن، شما باید خوشحال باشید، چرا مثل ماتم‌گرفته‌ها اشک می‌ریزین؟

ـ خوشحالم مادر، خوشحالم. نمی‌دونی چقدر خوشحالم، فکر نمی‌کردم زنده بمونم و دوباره پسر یکی یک دونه‌مو تو خونه ببینم.

ـ پس چرا هی جلوش اشک می‌ریزی و خون به جگرش می‌کنی؟

ـ آخه ببین بی‌شرفا با بچه‌ام چه کردن، به چه روزی انداختنش؟ ببین چقدر ضعیف و لاغر شده، ببین چقدر پیر شده، الهی بمیرم برات مادر، خیلی اذیتت کردند؟ کتکت زدند؟

حمید معذب و ناراحت جواب می‌داد که:

ـ نه مامان جون، فقط غذاهاشونو دوست نداشتم، بعد هم سرماخوردم و مریض شدم همین.

۞

در همین شلوغی‌ها خانم‌جون که چند روزی بود از من خبر نداشت برای احوالپرسی تلفن کرد، وقتی فهمید حمید آمده شوکه شد، هنوز نیم ساعت نگذشته بود که همه با گل و شیرینی به خانهٔ ما سرازیر شدند، خانم جون و فاطی با دیدن حمید شروع به گریه کردند، محمود انگار نه انگار که اتفاقی بین ما افتاده، حمید را بوسید و با خوشحالی بچه‌ها را بغل‌کرد و تبریک گفت و سررشتهٔ کارها را در دست گرفت، به احترام‌سادات گفت:

ـ استکان‌ها رو حاضر کن، چای مفصل هم دم کن الان براشون مهمون می‌آد، علی تو هم درِ اتاق مهمون‌خونه رو باز کن، میز و صندلی‌ها رو دور بچین، میوه و شیرینی‌ها را هم توی ظرف‌ها بذارید.

با تعجب گفتم:

ـ ولی کسی قرار نیست بیاد، ما کسی رو خبر نکردیم.

ـ احتیاج نداره شما خبر کنید، الان فهرست اسامی آزادشده‌ها همه‌جا پخش شده، مردم می‌آن.

فهمیدم خیال‌هایی در سر دارد با تندی و جدیت گفتم:

ـ ببینید داداش، حمید مریضه، احتیاج به استراحت داره، تبش هم بالاس. می‌بینید که سینه‌اش چقدر خرابه نفسش در نمی‌آد، مبادا کسی رو خبر کنیدها!

ـ من خبر نمی‌کنم خودشون می‌آن.

ـ ولی من هیچ کسو تو خونه راه نمی‌دم از حالا گفته باشم بعد باعث دلخوری کسی نشه.

محمود وارفته بود با سر در گمی نگاهم می‌کرد یکدفعه مثل اینکه چیزی به خاطرش رسیده باشد گفت:

ـ یعنی دکتر هم نمی‌خواهی بالای سر این بیچاره بیاری؟

ـ چرا خیلی هم می‌خوام ولی روز تعطیله از کجا دکتر پیدا کنم.

ـ من دکتر آشنا دارم تلفن می‌کنم بیاد.

مشغول تلفن به جاهای مختلف شد. یک ساعت بعد دکتر به همراه دو نفر که یکی از آنها دوربین بزرگی بر دوش داشت وارد شد، نگاه شماتت‌باری به محمود کردم، همه را از اتاق بیرون کردند دکتر مشغول معاینه شد و عکاس از جای زخم‌های حمید عکس گرفت، در آخر دکتر بیماری حمید را ذات‌الریهٔ مزمن تشخیص داد نسخهٔ مفصلی نوشت و گفت که داروهایش را باید سر موقع بخورد و آمپول‌هایش را مرتب بزند، در مورد رژیم غذایی هم گفت که باید به تدریج بر مقدار غذایش اضافه کنم، برای آن شب دو آمپول تزریق‌کرد و چند قرص داد تا فردا که بقیهٔ داروها را تهیه‌کنیم. محمود نسخه را گرفت و به علی داد تا فردا اول وقت آن‌ها را بخرد و بیاورد، ناگهان به یاد حکومت‌نظامی افتادند همه باعجله وسایلشان را جمع کردند و رفتند، مادرش حاضر به رفتن نبود، پدر به‌زور او را با خود برد و قول داد که فردا اول وقت بازش گرداند، بعد از رفتن همه با خواهش و التماس لیوانی شیر به حمید و شام سبکی به بچه‌ها دادم، به قدری خسته بودم که توان جمع‌کردن بشقاب‌های پراکنده را نداشتم، خودم را به رختخواب رساندم در کنار حمید درازکشیدم، ظاهراً یکی از آمپول‌های تزریق‌شده آرام‌بخش بود چون در همین مدت کوتاه به خوابی سنگین فرورفته‌بود مدتی به صورت لاغرش

نگاه کردم و از حضورش لذت بردم بعد از میان پنجره به آسمان نگریستم، با تمام وجود خدا را سپاس گفتم و قسم خوردم که او را به روز اولش بازگردانم هنوز مناجاتم تمام نشده بود که به خواب رفتم.

فصلِ پنجم

بعد از یک هفته حال عمومی حمید بهتر شد، تب قطع گردید، بهتر می‌توانست غذا بخورد، اما هنوز با سلامتی کامل فاصلهٔ زیادی داشت، از سرفه‌های مداوم که شب‌ها بیشتر می‌شد رنج می‌برد و ضعف ناشی از چهار سال بدغذایی و بیماری‌های درمان نشده بر جای بود، ولی به تدریج متوجه شدم که مشکل حمید این‌ها نیست، او قبل از اینکه جسماً مریض باشد روحاً بیمار بود، افسردگی از سر تا پای او می‌بارید، هیچ حرفی برای گفتن نداشت، هیچ علاقه‌ای به اخبار حساس آن روزها نشان نمی‌داد، نمی‌خواست از دوستان قدیمش کسی را ببیند، به هیچ سؤالی جواب نمی‌گفت. از دکتر پرسیدم:

ـ به نظر شما این افسردگی، دلمردگی و بی‌علاقگی به آنچه در اطرافش می‌گذره طبیعیه؟ همهٔ کسانی که از زندون بیرون می‌آن این‌طورند؟

ـ تا حدودی ولی نه به این صورت، البته عدم تحمل شلوغی، کمی احساس غربت، عادت نداشتن به زندگی معمول خانوادگی، کم و بیش در همهٔ اونها دیده می‌شه ولی این آزادی زودرس، انقلابی که همیشه آرزو و هدفش بوده، بودن با خانواده‌ای که این چنین گرم ازش استقبال می‌کنه باید اونو به هیجان بیاره، نشاط و شور زندگی در وجودش ایجاد کنه، این روزها با افرادی مثل حمید این مشکلو دارم که چگونه آروم نگهشون دارم تا هیجانات روحیشون با توان بدنیشون هماهنگ بشه ولی اونو باید برانگیزم تا فعالیت‌های عادی زندگی رو از سر بگیره.

❦

دلیل افسردگیش را درک نمی‌کردم، اوایل حرف نزدنش را به حساب بیماری می‌گذاشتم ولی حالا دیگر چندان مریض نبود، از سوی دیگر به او فرصت

نمی‌دادند تا خود را برای پذیرش مجدد زندگی خانوادگی آماده کنند، آن‌قدر دورمان شلوغ بود که حتی فرصت نمی‌کردیم برای نیم‌ساعت با هم حرف بزنیم، خانه‌مان کاروانسرایی بود که مدام از آدم‌های مختلف پر و خالی می‌شد، مادر حمید از شب دوم وسایلش را آورد و در خانهٔ ما ماند، منیر خواهر بزرگ‌تر حمید با بچه‌هایش از تبریز آمدند، هر چند که همه کمک می‌کردند ولی نه من و نه حمید تحمل این‌همه شلوغی را نداشتیم، می‌دانستم که مسؤول نیم بیشتر این شلوغی‌ها محمود است، دلم می‌خواست کله‌اش را می‌کندم، هر روز عده‌ای را برای تماشا می‌آورد، انگار مخلوق عجیب‌الخلقه‌ای یافته بود و برای اینکه صدای من در نیاید مسؤولیت غذا را بر عهده گرفته، هر روز غذا می‌فرستاد و می‌گفت اضافهٔ آن را به فقرا بدهید، از این همه دست‌ودلبازی‌اش متعجب بودم. نمی‌دانستم چه دروغ‌هایی سر هم کرده ولی به نوعی وانمود می‌کرد که آزادی حمید در نتیجهٔ فعالیت‌ها و اقدامات او بوده است، خوشبختانه جرأت نداشت وگرنه بدش نمی‌آمد که هر بار حمید را لخت کند و جای زخم‌ها را به مردم نشان دهد. بحث‌های سیاسی هم بازار داغی داشت، کم‌کم سر و کلهٔ برخی دوستان سابق و هم مسلکان جدید پیدا شد، آنها با گروهی از جوانان پرشور به دیدن حمید می‌آمدند و می‌خواستند این قهرمان بزرگ را از نزدیک ببینند و حرف‌هایش را دربارهٔ تاریخچهٔ سازمان و هم‌سنگرانی که کشته‌شدند بشنوند، ولی حمید مطلقاً تاب دیدن آنها را نداشت، به هر بهانه‌ای از دیدنشان سربازمی‌زد و در حضور آنها افسرده‌تر و ساکت‌تر می‌شد، در صورتی که چنین حالتی را در مقابل دوستان محمود و سایر آدم‌ها نداشت. یک روز دکتر که برای معاینه آمده بود به من گفت:

ـ خانم چرا خونهٔ شما همیشه شلوغه؟ مگه نگفته بودم این مریض احتیاج به استراحت داره؟

ـ چه کنم آقای دکتر خودم هم دارم دیوونه می‌شم، نمی‌تونم که مردمو بیرون کنم، روم نمی‌شه به فامیل بگم نیایید.

ـ ولی من روم می‌شه.

موقع رفتن جلوی همهٔ حاضران که دورش را گرفته‌بودند گفت:

ـ من روز اول به شما گفتم، اعصاب به‌هم‌ریختهٔ این مریض احتیاج به آرامش، استراحت، هوای تمیز و سکوت داره تا بتونه خودشو کم‌کم ترمیم کنه و به حال عادی برگرده، ولی اینجا همیشه مثل یه میدان مسابقه شلوغه، بیخود نیست که از نظر روحی به مراتب بدتر از روز اول شده، اگر بخواهید این‌طور ادامه بدید من دیگه هیچ مسؤولیتی رو قبول نمی‌کنم.

همه وحشت‌زده نگاهش می‌کردند، مادرش گفت:

ـ چکار کنیم آقای دکتر؟

ـ اگر نمی‌تونید درِ این خونه رو ببندید و محیط مناسب فراهم کنید، ببریدش جای دیگه.

ـ آره دکتر جون، راست می‌گی من از اول هم گفتم ببریمش خونهٔ مـا اونجـا بزرگ‌تره این همه شلوغ نمی‌شه.

ـ نه خانم، جایی خلوت که تنها باشه فقط با زن و بچه‌هاش.

احساس شادی کردم. از دل من حرف می‌زد، هر کس پیشنهادی داد و همه زودتر از معمول خانهٔ ما را ترک کردند، منصوره سعی کرد آخرین نفر باشد، وقتی خلوت شد گفت:

ـ دکتر راست می‌گه، والله من هم داشتم از این وضع دیوونه می‌شدم چه برسه به این طفلک که چهار ساله به تنهایی و سکوت عادت کرده، می‌دونی تـنها راه حلش اینه که شماها برید شمال، تا حمید دوران نقاهتشو بگذرونه، ویلای ما هم بی‌مصرف و خالی اونجا افتاده، به هیچ‌کس هم نمی‌گیم که کجایید.

از خوشحالی در پوست نمی‌گنجیدم، این بهترین کاری بود که می‌تـوانستیم بکنیم، شمال هم که سرزمین رؤیاهای من بود، با توجه به تعطیلی مدارس، تق‌ولق بودن ادارات و دانشگاه می‌توانستیم بدون هیچ دغدغه و مزاحمـتی مـدتی را در کنار هم بگذرانیم.

۞

پاییز شمال رنگین و زیبا با آفتابی دلپذیر، آسمانی آبی و دریایی که هر لحظه به رنگی در می‌آمد از ما استقبال‌کرد، باد خنکی که از دریا بوی شـور آب را بـه

ساحل می‌آورد، نشستن در آفتاب را بهانه‌ای شیرین بود. چهار نفری روی تراس ویلا ایستادیم، به بچه‌ها گفتم نفس بکشید، این هوا هر مرده‌ای را هم زنده می‌کند و بی‌اختیار به حمید نگاه کردم، ولی او نه این‌همه زیبایی را می‌دید و نه حرف‌های مرا می‌شنید، نه بوی دریا را حس می‌کرد و نه باد را که بر صورتش می‌خورد می‌فهمید، مغموم و بی‌تفاوت به اتاق رفت و نشست. با خود گفتم: تسلیم نشو! من زمان و مکان لازم را در اختیار دارم اگر نتوانم بااین امکانات کمکی به او کنم شایستگی نام همسر، و لطفی که خدا به من کرده را نخواهم داشت. برنامهٔ مرتبی چیدم، روزهای آفتابی که اتفاقاً در آن سال کم هم نبود او را به بهانه‌های مختلف بیرون می‌بردم و وادار به قدم زدن می‌کردم، گاه کنار دریا. روی ساحل زیبای شنی و گاه به سوی جنگل می‌رفتیم، گاه از سر جاده خرید می‌کردیم و گردش‌کنان باز می‌گشتیم، او غرق در افکار خود به دنبال من می‌آمد ولی حتی یک کلمه حرف نمی‌زد، سؤالات من را یا نمی‌شنید و یا با تکان‌دادن سری و گفتن آری یا نه پاسخ می‌گفت، ولی من به روی خودم نمی‌آوردم، از اتفاقاتی که در نبود او رخ‌داده‌بود می‌گفتم، از زیبایی و طبیعت حرف‌می‌زدم، با بچه‌ها بازی می‌کردم، شعر می‌خواندم، می‌خندیدم و گاه محو مناظر بدیع که چون تابلوهای نقاشی از شدت زیبایی غیرواقعی به نظر می‌رسیدند می‌شدم، به وجد می‌آمدم و آن‌ها را می‌ستودم، عکس‌العمل او در این موارد تنها نگاهی متعجب و بی‌حوصله بود. روزنامه و رادیو تلویزیون را تعطیل‌کردم چون متوجه شدم که هر خبری بر اضطراب او می‌افزاید، این بی‌خبری برای من هم که مدت‌ها در نگرانی، هیجان و وحشت به سر برده بودم دلپذیر و آرامش‌بخش بود. بچه‌ها که به دلیل تجارب تلخ زودهنگام مدت‌ها بود از سنشان بزرگ‌تر به‌نظرمی‌رسیدند دوباره نشاط کودکی را بازیافته، می‌دویدند، بازی می‌کردند، صدای خندیدن آنها در گوشم طنینی دلنشین داشت، به حمید گفتم: بچه‌ها مدت‌ها بود این چنین شاداب و خوشحال نبودند، ما خیلی زود دوران کودکی را از آنها گرفتیم، به آنها ظلم شده ولی هنوز هم دیر نیست می‌توانیم جبران کنیم. شانه‌هایش را بالا انداخت و رویش را برگرداند. او آنچنان بی‌تفاوت به اطراف می‌نگریست که این فکر

احمقانه به سرم زد که شاید دچار کوررنگی شده و بازی رنگ‌ها را با بـچه‌هـا اختراع کردیم، هر کس باید سعی می‌کرد رنگی را نام ببرد که در اطراف دیـده نشود، اغلب هم دچار اختلاف نظر می‌شدیم و حمید را داور قرار می‌دادیم، او به ناچار نگاهی از سر بی‌حوصله‌گی به اطراف می‌کرد و نظری می‌داد، با خود گفتم من از او پایدارترم، تا کی می‌تواند مقاومت کند؟ پیاده‌روی‌های هـر روزه را طولانی‌تر کردم دیگر پس از مسافتی کوتاه به هن‌وهن نمی‌افتاد، قوی‌تر و کمی چاق‌تر شده بود، بدون خستگی و دلسردی حرف می‌زدم و سؤال می‌کردم تـا کم‌کم زبانش باز شد، موقعی که احساس می‌کردم آمادگی حرف‌زدن دارد سراپا گوش می‌شدم و شرایط را مناسب نگه می‌داشتم. یک هفته از آمدنمان به شمال گذشته بود، یک روز درخشان اواخر آبان‌ماه وسایل را جـورکردم و بـرنامۀ پیک‌نیک گذاشتم، پس از مدتی راه پیمایی بر روی تپه‌ای بسیار خوش‌منظره پتوها را پهن کردیم، آفتاب با زیبایی می‌درخشید، آسمان و دریا انواع رنگ‌های آبی را از سیر تا روشن به‌نمایش‌گذاشته‌بودند و در یک نقطه در هم ادغام می‌شدند، در طرف دیگر جنگل با تمام رنگ‌های موجود در طبیعت زیر نور طلایی خورشید سر بـه آسمان کشیده بـود، نسیـم خـنک پـاییزی شاخه‌های رنگ‌رنگ را به‌رقص‌درمی‌آورد و خنکای آن بر گونه‌هایمان دلچسب و هستی‌بخش بود. بچه‌ها مشغول بازی شدند، حمید در کنار پتو نشسته بـه نـقطه‌ای نـامشخص در افـق می‌نگریست چای تـازه‌دم را بـه دسـتش دادم، صـورتش رنگ گـرفته‌بود و گونه‌هایش به نحو محسوسی پر شده بودند بی‌اختیار خندیدم، با تعجب نگاهم‌کرد و گفت:

ـ به چی می‌خندی؟

ـ به تو، به خودم، به فکرهای احمقانه‌ای که تمام این چهار سال آزارم دادند.

ـ چه فکرایی؟

ـ ولش کن، فکرهای خوبی نبودند.

ـ نه بگو!

ـ قول می‌دی ناراحت نشی؟

ـ آره! مگه چی بودند؟

خوشحال شدم، کنجکاو شده‌بود، گفتم:

ـ فکر می‌کردم، اگر تو هم کشته‌شده‌بودی بهتر بود. در نگاهش برقی درخشید.

ـ جداً؟! پس تو هم همین عقیده رو داری؟

ـ نه! داشتم، چون اون موقع خیال‌می‌کردم هرگز دوباره به زندگی بازنخواهی گشت و با مرگ تدریجی و جانکاه از بین می‌ری، در صورتی که کشته‌شدن فقط یک لحظه بود و تو کمتر زجر می‌کشیدی.

ـ خودم هم همیشه همین فکر رو می‌کنم، از اینکه لایق چنان مرگ با ارزشی نبودم رنج می‌برم.

ـ ولی حالا از اینکه زنده هستی خیلی خوشحالم، این روزا مدام به شهرزاد فکر می‌کنم و از اینکه تو رو برای ما زنده نگه‌داشت ازش متشکرم.

سرش را برگرداند، باز به افق خیره شد و گفت:

ـ چهار ساله که شبانه‌روز فکر می‌کنم که چرا با من چنین کردند؟ چه خیانتی از من سر زده بود؟ چرا مرا در جریان نذاشتند؟ یعنی من حتی لایق این نبودم که پیامی یا پیغامی برام بذارند؟ در ماه‌های آخر خط تماسم را هم قطع کردند، من برای اون عملیات آموزش‌دیده‌بودم شاید اگر از من سلب اعتماد نشده‌بود و در کنار آنها بودم شهرزاد و بقیه الان زنده بودند، شاید مقصر اصلی در مرگ آنها من بودم، وای چه کردم که این‌طور نامحرم شدم.

و بغض فروخورده‌اش ترکید و سرش را بر زانوان گذاشت. با صدای بلند گریه کرد، گویی دریچهٔ سدی را ناگهان برداشته بودند. دلم از گریه‌اش به درد آمد ولی ترسیدم هر حرکت من دوباره این دریچهٔ گشوده را مسدود کند. گذاشتم تا مدتی همان‌طور گریه کرد وقتی های‌های گریه به هق‌هق خفیف تبدیل‌شد گفتم:

ـ اونا تورو نامحرم نمی‌دونستند، تو دوست همیشگی و عزیزشون بودی، شماها دوستان واقعی بودید.

ـ آره، تنها دوستانی که در تمام عمرم داشتم، همه چیز من بودند، حاضر بودم هر چه دارم را به پاشون بریزم، خودت می‌دونی از جان و مالم برای اونا دریغ

نمی‌کردم، حتی حاضر بودم خانواده‌ام رو فدای اونا کنم ولی اونا منو نخواستند، منو پس‌زدند در صورتی که به کمکم احتیاج داشتند، منو دور انداختند، مثل یه خائن، یه غریبه، یه پست فطرت، با چه رویی راه برم و زندگی کنم؟ مردم نمی‌گن تو چرا با اونا نبودی، تو چرا با اونا نمردی؟ شاید فکر کنن من همه رو لو داده‌ام. تو متوجه نیستی، از وقتی از زندان اومدم همه با چشمانی پر از سوءظن و سؤال نگاهم می‌کنند.

ـ نه! نه عزیزم، اشتباه می‌کنی، اونا تو رو بیش از هر کس دیگه، حتی بیش از خودشون می‌خواستند، اونها با اینکه به کمک تو احتیاج داشتند حاضرشدند خودشون رو بیش‌ازپیش به خطر بندازن و تو رو حفظ کنند.

ـ مزخرف نگو، ما چنین قرارایی باهم نداشتیم، مهم‌ترین مسألهٔ ما هدفمون بود، ما آموزش‌دیده‌بودیم که در این راه بجنگیم و کشته‌بشیم، جایی برای این حرفای احمقانه وجود نداشت، در این میان فقط خیانتکاران و افراد غیرقابل اعتماد از دایره خارج می‌شدند و اونا با من این کارو کردند، می‌فهمی یعنی چی؟

ـ آه حمید، این‌طور نیست، نه عزیزم تو اشتباه‌می‌کنی، من چیزایی می‌دونم که تو نمی‌دونی، این کارو شهرزاد برای ما کرد.

ـ این پرت و پلاها چیه می‌گی؟ شهرزاد در مسایل انقلابی از همه جدی‌تر بود، چرا باید یک نیروی خودشو از دست می‌داد؟

ـ تو شهرزاد رو اون‌طور که من در اون چند ماه زندگی مشترک شناختم نمی‌شناسی، شهرزاد قبل از اینکه یک انقلابی، یک کمونیست، عضو گروه رهبری، یا یک قهرمان باشه یک زن بود و حسرت زندگی خانوادگی و آرامش در کنار همسر و فرزند را داشت. یادت هست چطور به مسعود عشق می‌ورزید، مسعود جای فرزندی رو که همیشه در پس‌زمینه‌های ذهنش آرزوکرده‌بود پر می‌کرد، او به عنوان یک زن، یک مادر حاضر نبود مسعودو بی‌پدر و یتیم کنه، هر چند معتقد بود که همه باید در راه آزادی خلق‌ها بجنگند، هر چند که هدفش سعادت تمام کودکان جهان بود و همه رو فرزندان خود می‌دونست ولی وقتی به احساسات مادری دست یافت مثل هر مادر دیگری برای فرزند خودش

امتیازات ویژه قائل شد، مثل هر مادر دیگری سعادت و آرزوهـای فـرزنـدش جایگاهی دیگر گرفت، جـایگاهی مـلمـوس کـه بـا آن شـعارهای انـتزاعـی «خوشبختی همـهٔ کودکان جهان» فرق داشت، این تبعیضِ ناگزیر در پاک‌ترین روح‌ها وقتی به وجود می‌آد، که فرزندی داشته باشه. یک زن در نهایت انسانیت و عشق به همهٔ کودکان معصوم دنیا، محاله برای کودک بیافرایی که از گـرسنگی می‌میره همان‌قدر غصه بخوره که برای کودک خودش اگر چنین سرنوشتی پیدا کنه، هر چند که حاضری برای همون کودک بیافرایی هم بمیری. اون در چهار پنج ماهی که خونهٔ ما بود مادر شد و مسعودو با تمام وجود، عواطف و روحش بـه فرزندی پذیرفت و نمی‌خواست هیچ آسیبی به اون برسونه و کمبودی براش فراهم کنه. حمید تا مدتی متحیر و ساکت نگاهم‌کرد بعد گفت:

ـ اشتباه می‌کنی، شهرزاد قوی و مبارز بود اون ایده‌های خیلی بالایی داشت، تو هرگز نمی‌تونی اونو با زنای معمولی حتی زنی مثل خودت مقایسه کنی.

ـ عزیزم، مبارز و قوی بودن مغایر و مانع زن بودن نیست.

مدتی به سکوت و تفکّر گذشت، در چهره‌اش می‌خواندم که انوار تازه‌ای بر افکار سیاهش تابیده، گذاشتم خوب به زیرورو کردن آن‌ها بـپردازد، بـعد بـه حرف‌هایم ادامه دادم:

ـ یادته چقدر فروغ رو دوست داشت، همیشه شعرهاشو می‌خوند؟

ـ خوب آره که چی؟ فروغ هم در نهایت انقلابی و مبارز بود.

ـ بله ولی یک زن بود و به بهترین شکل مکنونات و احساسات زنی رو که از کمبودهایی رنج می‌بره مطرح مـی‌کرد، و ایـن بـرای شهـرزاد جـذاب بـود، او چیزهایی رو می‌گفت که شهرزاد از بیانشون عاجز بود، بذار این‌طوری بـرات بگم، اون یه روز به من گفت که به زندگی و خانواده‌ام غـبطه مـی‌خوره، بـاور می‌کنی؟! به من غبطه می‌خورد، بهش گفتم، حتماً شوخی می‌کنی، این منم که باید حسرت مثل تو بودن رو داشته باشم، تو به کمال رسیده‌ای ولی من مثل زنای صد سال پیش همون ضعیفه‌ای هستم که تمام عمرشو باید به کار خـونه و بـیگاری بگذرونه به قول حمید سمبل ظلم مضاعفم، ولی تو در اوجی. می‌دونی در جوابم

چی گفت؟

حمید سرش را تکان داد.

ـ در جوابم شعر فروغ رو خوند.

ـ کدوم شعر؟ اگه یادته بخون.

ـ او گفت:

کدام قله کدام اوج؟

به من چه دادید ای واژه‌های ساده فریب

اگر گلی به گیسوی خود می‌زدم

از این تقلب از این تاج کاغذین

که بر فراز سرم بو گرفته است

فریبنده‌تر نبود؟

🌱

کدام قله کدام اوج؟

مرا پناه دهید ای چراغ‌های مشوش

ای خانه‌های روشن شکاک

که جامه‌های شسته در آغوش دودهای معطر

بر بام‌های آفتابیتان تاب می‌خورند

🌱

مرا پناه‌دهید ای زنان سادهٔ کامل

که از ورای پوست سرانگشت‌های نازکتان

مسیر جنبش کیف‌آور جنینی را دنبال می‌کنند

و در شکاف گریبانتان همیشه هوا

به بوی شیر تازه می‌آمیزد...

ـ یادته شبی که قرارشد بره، مدام مسعودو در آغوش می‌گرفت، می‌بوسید، می‌بویید و اشک می‌ریخت، موقع رفتن گفت: هر طور شده باید خانواده‌ت رو حفظ کنی و بچه‌ها رو در محیط گرمی بزرگ‌کنی، مسعود خیلی حساسه، احتیاج به

پدر و مادر داره، هر کمبودی می‌تونه داغونش کنه، من اون‌موقع معنی واقعی حرف‌اش رو درک نمی‌کردم، بعدها فهمیدم که تکرار مداوم او برای حفظ خانواده سفارش به من نبود، اون داشت با خودش کلنجار می‌رفت.

ـ باور کردنی نیست، این آدمی که تو توصیف می‌کنی اصلاً شهرزاد نیست، یعنی اون ناخواسته در این راه قدم گذاشته بود؟ یعنی اون به آرمان‌های ما اعتقاد نداشت؟ ولی آخه کسی مجبورش نکرده بود، هر لحظه می‌خواست می‌تونست رها کنه، چه کسی سرزنشش می‌کرد؟

ـ نه حمید چطور نمی‌فهمی؟ این بخشی از وجود او بود، بخشی پنهان که شاید تا اون زمان برای خودش هم ناشناخته مانده بود و در اون چند ماه به آگاهیش راه یافت، ولی بخش دیگه وجود او همون بود که تو می‌شناختی، همون بخشی که از سال‌ها قبل بر وجودش مسلط شده بود و تمام زندگیش رو وقف اون کرده بود ولی برای این بخش ناشناخته که تجلی زودگذری داشت تنها کاری که کرد معاف‌کردن تو بود از مرگ، همین. بقیه به صورت حسرتی پنهان در عمق قلبی حساس دفن شد. بی‌خبر گذاشتن تو برای حفظ خودشان بود که در صورت دستگیری اطلاعات زیاد نداشته باشی و خبر نکردنت برای عملیات برای حفظ تو بود، نمی‌دونم او چطور دیگران رو قانع‌کرد ولی به هر حال این کارو کرد.

چهرهٔ حمید حالت خاصی از تردید، امید و حیرت داشت، هر چند حرف‌های مرا به‌طور کامل نپذیرفته بود ولی پس از چهار سال به احتمالات دیگری برای کنار گذاشته شدن می‌اندیشید و این امید مبهم بیشترین تغییری که در او ایجاد کرد، تمایل به حرف‌زدن به جای آن سکوت دیرپا بود. پس از آن روز ما مدام با هم حرف می‌زدیم، تمام زندگیمان، روحیه، رفتار و شرایط خانواده را پس از زندگی مخفیانه بررسی و تجزیه و تحلیل کردیم، گره‌ها یکی‌یکی گشوده‌می‌شدند و با هر گشایشی دریچه‌ای بر آزادی، نشاط، رهایی از عقده‌های سربسته باز می‌شد و اعتماد به نفسی که سال‌ها آن را مرده می‌پنداشت رشد می‌کرد. گاه در میان بحث‌ها با تعجب نگاهم می‌کرد و می‌گفت:

ـ تو چقدر عوض شدی! چقدر پخته و با مطالعه به نظر می‌رسی، مثل یک

فیلسوف، یک روانشناس حرف می‌زنی، واقعاً چند سال دانشگاه تو رو این‌همه عوض کرده؟

من در پاسخ با غروری که نمی‌خواستم پنهان کنم می‌گفتم:

ـ نه! جبرِ زندگی وادارم کرد، نیاز داشتم، باید مـی‌فهمیدم تـا مـی‌تونستم راه‌های درست رو پیدا کنم، من مسؤولیت زندگی بچه‌هامو داشتم. جایی برای اشتباه نبود، خوشبختانه، کتاب‌های تو، دانشگاه و کارم هم این امکان رو برام به وجود آوردند.

❦

بعد از دو هفته حمید کاملاً شاداب و سرحال بود کم‌کم داشت به گذشته‌هایش شبیه می‌شد بدنش به موازات رفع گرفتگی‌های فکری و روحی نیرو می‌گرفت، بچه‌ها با نگاه تیزبین خود متوجهٔ این تغییرات بودند و بیش از گذشته به خود اجازهٔ نزدیک شدن به او را می‌دادند، با دیدگانی شیفته و ملتهب پر از نشاط و عشق حرکات او را دنبال می‌کردند، دستوراتش را به مورد اجرا می‌گذاشتند، با خندهٔ او می‌خندیدند و صدای این خنده‌ها زندگیم را روشن و درخشان می‌کرد، با بازگشت سلامتی و جریان یافتن مجدد شور زندگی، غرایز و خواست‌های دیگر او نیز بیدار شدند و شب‌های عاشقانهٔ ما را پس از آن‌همه تاریکی و محرومیت به آتش کشیدند.

❦

برای دو روز تعطیلی پدر و مادر حمید با منصوره و شوهرش پیش ما آمدند و از آن‌همه تغییری که در حمید به وجود آمده بود متحیر و شادمان شدند، منصوره گفت:

ـ دیدید گفتم راه حلش همینه!

مادرش از خوشحالی در پوست نمی‌گنجید، مدام دور حمید می‌گشت، قربان صدقه‌اش می‌رفت و از من به خـاطر سـلامتی او تشکـر می‌کرد، نمی‌دانم چـرا حرکات او در همه حال این‌همه رقت‌انگیز بود و در اوج شادی هم انسان را به گریه می‌انداخت، تمام آن دو روز باران بارید و هوا سرد بود ما دور آتش شومینه

می‌نشستیم و حرف می‌زدیم، بهمن شوهر منصوره جوک‌های تازه‌ای را کـه در مورد شاه و ازهاری ساخته بودند می‌گفت، حمید از ته دل می‌خندید همه معتقد بودند که حال حمید خوب شده با این‌همه پس از رایزنی‌های مختلف به این نتیجه رسیدیم که ما یکی دو هفته دیگر هم در شمال بمانیم، خصوصاً که مادر حمید در گوش من گفته بود که حال بی‌بی هیچ خوب نیست، در ضمن چند نفر از دوستان سابق هم که بسیار فعال هستند دربه‌در دنبال حمید می‌گردند، قلبم فروریخت و تصمیم گرفتم تا می‌توانم زمان ماندن در این صلح و آرامش را طولانی‌تر کـنم. بهمن پیشنهاد کرد که ماشین را برای ما بگذارند و خودشان با ماشین‌های کرایه برگردند تا ما بتوانیم قدری در شهرهای شمال گردش کنیم، هر چند که آن روزها پیدا کردن بنزین کار دشواری بود.

۞

بدین ترتیب دو هفتهٔ زیبای دیگر هم در شمال ماندیم، برای بچه‌ها یک تـوپ والیبال خریده بودم. حمید با پسرها بازی می‌کرد، بـا آنهـا مـی‌دویـد و ورزش می‌کرد، بچه‌ها که هرگز چنین روابطی را تجربه نکرده بودند سپاسگزار و شاکر، او را چون بتی می‌پرستیدند، نقاشی‌های مسعود پر از خانواده‌های چهار نفری بود که میان گل و بوستان و زیر نور درخشان آفتاب غذا می‌خوردند، بازی می‌کردند و یا قدم می‌زدند، همه‌جا صورت آفتاب خندان و نگاه او به این خانواده مهربان بود. تمام یخ‌های خجالت و رودربایستی میان پدر و پسران آب شده بود، بچه‌ها از دوستان، مدرسه و معلم‌هایشان مـی‌گفتند، سـیامک در مـورد فـعالیت‌هـای انقلابیش لاف می‌زد و از جاهایی که با دایی محمود رفته بود و حرف‌هایی کـه شنیده بود می‌گفت و حمید را متعجب و متفکر می‌کرد. یک روز خسته از بازی در کنار من روی پتو ولو شد چای خواست و گفت:

ـ عجب بچه‌هایی، خستگی سرشون نمی‌شه. چقدر انرژی دارن؟

ـ به نظرت چطورند؟

ـ فوق‌العاده! دوست‌داشتنی، هیچ‌وقت فکر نمی‌کردم این‌قدر دوستشون داشته باشم، تمام کودکی و نوجوانیم رو در وجود اینا می‌بینم.

ـ یادته چقدر از بچه بدت می‌اومد؟ وقتی فهمیدی من سر مسعود حامله‌ام یادته چکار کردی؟

ـ نه! چکار کردم؟

خنده‌ام گرفت، حتی به خاطر نمی‌آورد که چطور مرا در آن موقعیت حساس تنها گذاشت، حالا هم وقت گله گذاری و یادآوری خاطرات تلخ نبود گفتم:

ـ هیچی ولش کن.

ـ نه بگو.

ـ از خودت سلب مسؤولیت کردی، همین.

ـ خودت خوب می‌دونی اون موقع هم مشکل من بچه نبود، من به آیندهٔ خودم و زندگیم اطمینان نداشتم، همیشه فکر می‌کردم تا سال دیگه بیشتر زنده نیستم، در اون شرایط بچه‌دار شدن واقعاً احمقانه بود و به صلاح هیچ کدوممون نبود، خودمونیم فکر نمی‌کنی اگه بچه‌ها نبودن تو در این سال‌ها این‌قدر صدمه نمی‌کشیدی و مسؤولیتی به این زیادی نمی‌داشتی؟

ـ اگر بچه‌ها نبودند من دلیلی برای زنده موندن و تلاش نداشتم، وجود اونا منو به حرکت واداشت و همه چیزو قابل تحمل کرد.

ـ جالبه، تو زن عجیبی هستی، به هر حال فعلاً که از بودنشون خیلی راضیم و از تو ممنونم که اونا رو به من دادی. اوضاع هم عوض شده حالا آینده‌ای شیرین در انتظار این بچه‌هاست دیگه نگران نیستم.

شنیدن این حرف‌ها از دهان او موهبتی بود، با خنده گفتم:

ـ جداً ؟! پس بچه‌دار شدن در این دوره اشکالی نداره و از اون نمی‌ترسی؟

مثل ترقه از جا پرید.

ـ وای، نه! تورو خدا، معصوم یعنی باز خبریه؟

غش‌غش خندیدم.

ـ نترس مگه به این زودی معلوم می‌شه؟ ولی بعید هم نیست، من هنوز در سن باروری هستم، قرص مرض هم که می‌دونی اینجا نداشتم، حالا از شوخی گذشته اگه در این شرایط ما بچه‌دار بشیم باز به همون اندازه وحشت می‌کنی و ناراحت می‌شی؟

کمی فکر کرد و گفت:

ـ نه! البته بچه دلم نمی‌خواد ولی دیگه اون حساسیت رو هم ندارم.

وقتی عقده گشایی‌هایمان به پایان رسید، بحث‌های سیاسی، اجتماعی آغاز شد هنوز درست درک نمی‌کرد که چه اتفاقی افتاده، چه چیزی منجر به آزادیش از زندان شده و مردم چرا این‌قدر تغییرکرده‌اند و من برایش توضیح می‌دادم، از مردم، دانشجوها و همکارانم می‌گفتم از تجارب خودم، از برخورد دیگران در ابتدا و تغییرات محسوسی که در روابطشان با من در این اواخر حاصل‌شده‌بود، از آقای زرگر که مرا فقط به خاطر زندانی بودن او استخدام کرد، از آقای شیرازی که معترض بالفطره بود و مسایل سیاسی و اجتماعی او را به حجمی از نفرت و بدبینی تبدیل کرده بود و بالاخره از محمود که به قول خودش حاضر است جان و مالش را برای انقلاب بدهد.

ـ محمود واقعاً پدیده‌ای‌ست، هرگز فکر نمی‌کردم من و او روزی بتوانیم حتی دو قدم با هم همراه باشیم.

به تدریج تمایل آمیزش با مردم در حمید رشد می‌کرد، به اخبار علاقمند شده بود، در مغازه و خیابان با مردم وارد گفت‌وگو می شد، در اطراف دوستانی یافته بود که با آنها بحث می‌کرد و خبرهای دست اول و شایعات را از آنها می‌شنید. دو هفته دیگر هم بدین ترتیب گذشت ولی بعد از آن نگه‌داشتن او در آن محیط امن و محدود دیگر میسر نبود راهی تهران شدیم.

وقتی رسیدیم مراسم شب هفت بی‌بی هم تمام‌شده‌بود، آنها ضرورتی ندیده بودند ما را خبر کنند، در واقع ترسیده بودند که شلوغی و رفت‌وآمدهای فامیل و بقیه حمید را عصبی و ناراحت کند. بیچاره پیرزن، رفتنش هیچ اثری در زندگی هیچ‌کس نداشت، هیچ دلی را نلرزاند، در واقع او سال‌ها پیش مرده‌بود، فقدان او حتی از تأثری که مرگ یک انسان در شرایط عادی ایجاد می‌کند خالی بود و در مقابل مرگ جوانان و مبارزان که آن روزها می‌گفتند گروه گروه کشته‌می‌شوند، رنگ‌باخت. درها و پنجره‌های اتاق‌های پایین بسته‌شد و کتاب زندگی او که

حتماً روزگاری جذاب و شیرین بود به پایان رسید.

❀

بازگشت به تهران حمید را به سال‌ها پیش بازگرداند، کتاب‌ها و جزوات از گوشه و کنار رسیدند، روزبه‌روز دوروبرش شلوغ‌تر می‌شد، کسانی که از قبل او را می‌شناختند به عنوان بازماندهٔ پیشروان ازجان‌گذشته، فردی زندان‌دیده و رنج‌کشیده از او برای جوانان قهرمان می‌ساختند، برایش شعار می‌دادند، به برتری و ریاست قبولش می‌کردند و او در این میان نه‌تنها اعتماد بنفس ازدست‌رفته‌اش را مجدداً کسب می‌کرد، بلکه هر روز مغرورتر از روز پیش می‌شد، مانند یک رئیس صحبت می‌کرد و راه‌های مبارزه را نشان می‌داد. بعد از یک هفته با گروهی از پیروان پرشور به چاپخانه رفتند، مهر و موم‌ها را شکستند و از بقایای ماشین‌آلات، چاپخانه‌ای محقر ایجاد نمودند که هر چند کامل نبود ولی نیاز آنها را به چاپ اطلاعیه، جزوه و هفته‌نامه مرتفع می‌کرد. سیامک همچون سگی باوفا پا به پای پدرش می‌دوید، دستوراتش را می‌بلعید، به فرزند او بودن افتخار می‌کرد و در هر اجتماعی سعی می‌کرد در کنارش قرار گیرد، به عکس مسعود، بیزار از هر گونه جلب توجه، مجدداً از آنها فاصله گرفت و در کنار من به نقاشی صحنه‌های تظاهرات با کمترین خشونت پرداخت، حتی در نقاشی‌هایش کسی زخمی نمی‌شد و خونی جاری نبود.

❀

روزهای تاسوعا و عاشورا عده زیادی به خانهٔ ما آمدند و همگی با هم به راهپیمایی رفتیم. حمید در حلقهٔ محاصرهٔ دوستانش از ما جدا شد، پدر و مادر حمید زود برگشتند. من و خواهران حمید، فاطی و شوهرش «آقا صادق» مواظب بودیم که همدیگر را گم نکنیم آن‌قدر فریاد کشیدیم و شعار دادیم که صدای همگیمان گرفت، من با اینکه خیلی هیجان داشتم و از این عقده‌گشایی عمومی لذت می‌بردم، نتوانستم از دلشوره و اضطرابی که درونم را چنگ می‌زد جلوگیری کنم، این اولین بار بود که حمید واقعاً موج مردم و انقلاب را می‌دید همان‌طور که حدس می‌زدم به شدت تحت تأثیر قرار گرفت و دیوانه‌وار خود را در اختیار این

حرکت قرار داد.

بعد از چندی متوجه‌شدم که حال عمومیم تغییر کرده، زود خسته می‌شدم صبح‌ها حالت تهوع خفیفی داشتم ولی ته دلم خوشحال بود با خود می‌گفتم این بچه در شرایط دیگری متولدخواهدشد، ما حالا یک خانوادهٔ واقعی هستیم یک دختر بچه خوشگل می‌تواند گرمی بیشتری به کانون خانوادهٔ ما بدهد، حمید لذت داشتن بچهٔ کوچک را نچشیده، ولی باز هم جرأت نمی‌کردم او را از وجود بچه آگاه کنم، وقتی بالاخره گفتم خندید و گفت:

ـ می‌دونستم تو بازم کار دستمون می‌دی ولی خوب چه می‌شه کرد بد هم نیست، این‌هم محصول انقلابه، به نیروی انسانی احتیاج داریم.

روزهای پرهیجان انقلاب هر لحظه آبستن حادثه‌ای بود، همه در تدارک و تکاپو بودیم همان‌قدر که خانهٔ محمود جنب‌وجوش داشت در خانهٔ ما هم رفت و آمد می‌شد، به تدریج خانهٔ ما آشکارا به یک پاتوق سیاسی تبدیل شد، هر چند هنوز خطر در کمین بود و جمع شدن افراد از نظر پلیس و گارد غیرقانونی تلق می‌شد ولی حمید چنان مغرور و هیجان زده بود که بی‌باکانه کارِ خودش را می‌کرد و می‌گفت:

ـ اونا جرأت ندارن کاری با ما داشته باشن، اگه منو دوباره بگیرن به یک اسطوره تبدیل می‌شم، اونا چنین ریسکی نمی‌کنند.

شب‌ها روی پشت‌بام‌ها الله‌اکبر می‌گفتیم و از راه فراری که سال‌ها پیش حمید تدارک دیده بود به خانهٔ همسایه ها می‌رفتیم، هر شب تا دیروقت به بحث و تبادل نظر می‌گذشت، همهٔ مردم از کوچک و بزرگ برای خود یک پا صاحب‌نظر سیاسی شده بودند، با رفتن شاه هیجان‌ها بیشتر شد. محمود ترتیبی داده بود که هر وقت لازم بود همه در خانهٔ او جمع‌شویم. آخرین اخبار و برنامه‌ها را بگیریم همکاری حمید و محمود نزدیک و دوستانه بود، وارد بحث با یکدیگر نمی‌شدند ولی اخبار و برنامه‌های کار و راهپیمایی را رد و بدل کرده، در مورد آن‌ها اظهارنظر می‌کردند. حمید تجاربش را در

مورد مقاومت مسلحانه و جنگ‌های چریکی با محمود و دوستانش در میان می‌گذاشت. گاه این گفت‌وگوها تا صبح ادامه می‌یافت. با نزدیک شدن تاریخ آمدن امام این همکاری‌ها شدیدتر و هماهنگ‌تر می‌شد. بسیاری از دشمنی‌ها و دوگانگی‌ها فراموش شد و بسیاری از ارتباطات قطع شده دوباره وصل گردید، مثلاً ما داییمان را که حدود بیست و پنج سال بود در آلمان می‌زیست پیدا کردیم، او مثل هر ایرانی خارج از کشور، هیجان‌زده بود، سعی می‌کرد از طریق تماس تلفنی با محمود در جریان تمام خبرها قرار گیرد. حتی محمود با شوهر محبوبه دختر عمه‌ام صحبت می‌کرد و اخبار قم و تهران را مبادله می‌کردند؛ محمود واقعاً از بذل ثروت و داراییش مضایقه نمی‌کرد. گاه فکر می‌کردم او را نمی‌شناسم، یعنی او همان محمود بود؟

سیامک سیزده سالهٔ من از نظر عقلی به سرعت رشد می‌کرد، مثل یک مرد در کنار پدرش مشغول انجام وظیفه بود، من کمتر می‌دیدمش. اغلب نمی‌دانستم ناهار یا شام چه خورده، ولی مطمئن بودم که از همیشه سرحال‌تر است. مسعود مسؤول نوشتن شعار به در و دیوار بود، گاهی هم آن‌ها را با خط نسبتاً خوبی که داشت بر کاغذهای بزرگ می‌نوشت. اگر وقت داشت گل و بته‌ای هم کنارش می‌کشید و با بقیه بچه‌ها به خیابان می‌دوید، با تمام خطری که این کارها داشت نمی‌شد مانع بچه‌ها شویم. به‌ناچار خودم هم در گروه مسعود نام‌نویسی کردم، به عنوان مراقب سر کوچه کشیک می‌دادم تا آنها با خیال راحت شعارهایشان را بنویسند، و غلط‌های دیکته‌شان را تصحیح می‌کردم، بدین ترتیب هم مواظبش بودم و هم سهمی در فعالیت‌های انقلابی پسرم داشتم. در این‌گونه مواقع مسعود واقعاً به‌هیجان می‌آمد و از اینکه کار خلاف و خطرناکی را با همدستی مادرش انجام داده غرق در شعفی معصومانه می‌شد. تنها سایهٔ اندوهی که در آن روزها درونم را تیره می‌کرد دور شدن مجدد پروانه بود. این بار نه به دلیل مسافرت یا بُعد مسافت، بلکه به خاطر اختلاف عقیده و آرمان، او که در دوران محبوس بودن حمید بسیار به ما کمک کرده و از معدود کسانی بود که به خانهٔ ما رفت‌وآمد می‌کرد و به فرزندانم می‌رسید حالا با ما قطع‌رابطه کرده‌بود، آنها طرفدار شاه بودند و انقلابیون را اوباش می‌خواندند، بحث‌هایمان اختلاف‌نظرها را تشدیدمی‌کرد،

بی‌اختیار به هم توهین می‌کردیم و هر بار در مرز دعوا از هم جدا می‌شدیم، کم‌کم هیچ‌کدام رغبتی به دیدار هم نداشتیم، به‌طوری‌که هرگز نفهمیدم آنها چگونه و در چه زمانی دوباره بار سفر بستند و از کشور خارج شدند، خشم انقلابیم با تأسف برای از دست دادن مجدد او در تضاد بود ولی نمی‌توانست آن را محو کند.

❧

روزهای شیرین و پر از صفای انقلاب مثل باد گذشت، شادی‌ها و سرمستی، در بعدازظهر روز بیست‌ودو بهمن به اوج رسید، تلویزیون سرود ای ایران، ای مرز پرگُهر را گذاشت و خانم گویندهٔ برنامه کودک شعر «من خواب دیده‌ام کـه کسی می‌آید» فروغ را خواند، در پوست نمی‌گنجیدیم، سرودخوانان از این خانه به آن خانه می‌رفتیم، همدیگر را در آغوش می‌گرفتیم، شیرینی تعارف می‌کردیم و تبریک می‌گفتیم، احساس رهایی و سبکی داشتیم، گویی باری سنگین را بر زمین گذاشته بودیم، به حمید گفتم:

دمی آب خوردن پس از بدسگال   به از عمر هفتاد و هشتاد سال

مدارس به سرعت باز شدند، ادارات ظاهراً شروع به کارکردند ولی همه چیـز به‌هم‌ریخته و وضع غیرعادی بود، تمام مدت به بحث و جـدل مـی‌گذشت، عـده‌ای می‌گفتند حتماً باید برویم در حزب تازه تأسیس شدهٔ جمهوری اسلامی نام نـویسی کنیم و از این طریق پیوندمان را با انقلاب نشان دهیم، عده‌ای می‌گفتند نیازی به این کار نیست، مگر زمان شاه است که همه مجبور بودند عضو حزب رستاخیز شوند، در این میان من بیش از همه مورد توجه بودم، همه به من تبریک می‌گفتند، گوئی من به تنهایی انقلاب کرده‌بودم، دلشان می‌خواست حمید را ببینند، بالاخره یک بار که حمید از راه چاپخانه به دنبالم آمده بود همکاران با اصرار او را به درون اداره کشـیدند، و مثل یک قهرمان استقبال کردند، حمید که علی‌رغم کارهایش ذاتاً مرد محجوبی بود و از هر برنامهٔ ناگهانی دست‌پاچه می‌شد تنها چند کلمه حرف زد و نشریاتی را که تازه چاپ کرده‌بودند و در بغل داشت بین همکاران توزیع نمود و بـه بـعضی از سـؤالات جواب داد، دوستانم او را مردی مهربان، جذاب، و دوست داشتنی توصیف کردند و به من که سرمست غرور بودم تبریک گفتند.

فصلِ ششم

آن روزها پیروزمندانه می‌زیستیم، موهبت تازه‌به‌دست‌آمدهٔ آزادی را مـزه‌مزه می‌کردیم، تمام پیاده‌روها پر بود از کتاب‌ها و جزواتی که تا چندی پیش بـرای داشتن یکی از آن‌ها باید از جان خود می‌گذشتیم، انواع و اقسام روزنامه و مجله در دسترس همه بود، آشکارا در مورد همه‌چیز حرف می‌زدیم، نـه از سـاواک می‌ترسیدیم، نه از هیچ‌کس دیگر ولی این‌همه سال اخـتناق نگـذاشتـه‌بود راه صحیح استفاده از آزادی را بیاموزیم، بلد نبودیم بحث کنیم، برای گوش‌دادن بـه نظرات مخالف تربیت نشده بودیم، نمی‌توانستیم اندیشه‌های دیگران را تحمل کنیم. همین باعث شد که ماه‌عسل انقلاب حتی یک ماه هم دوام نیاورد و زودتر از آنچه فکر می‌کردم به پایان رسید، اختلاف عقیده و سلیقه‌ها که تا آن زمان در پردهٔ همبستگی ناشی از داشتن دشمن مشترک تلطیف شده‌بود، روزبه‌روز شدیدتر و خشن‌تر خود را به نمایش می‌گذاشت، جنگ‌های عقیدتی به یارگیری‌های وسیع می‌انجامید، هر گروه، دیگری را دشمن مردم، خلق، کشور و دین خطاب می‌کرد. هر روز گروه تازه‌ای اعلام مـوجودیت مـی‌کرد و در مـقابل سـایرین صف می‌کشید، تمام مراسم عیددیدنی آن سال به بحث‌های داغ سیاسی، جنجال و حتی دعوا گذشت، برخورد سرنـوشت‌ساز بـرای مـن در عـیددیدنی خـانهٔ محمود رخ داد؛بحث بین محمود و حمید به شـدت بـالا گـرفت و بـه دعـوا مـنجر شـد، محمود می‌گفت:
ـ تنها چیزی که مردم می‌خواستند و برای آن انقلاب کردند، اسلام بود، پس حکومت باید اسلامی باشد و لاغیر.
ـ عجب! اصلاً ممکنست بفرمایید حکومت‌اسلامی یعنی چه؟
ـ یعنی پیاده شدن تمام قوانین اسلام.

ـ یعنی بازگشت به هزار و چهارصد سال پیش!!

ـ قانون اسلام، قانون خداس، هیچ‌وقت هم کهنه نمی‌شه، و در هر زمانی قابل استفاده است.

ـ پس لطفاً بفرمایید، قوانین اقتصاد اسلام چیه؟ قوانین حقوقیتون چی؟ لابد می‌خواین حرمسرا راه بندازین، با شتر مسافرت کنین، دست و پا قطع کنین؟

ـ اینم قانون خداست، اگر دست دزدو قطع می‌کردند این همه دزد نداشتیم این همه مال مردم‌خور و خائن نبود، تو بی‌دین چی از قانون خدا می‌فهمی؟ اینا همه حکمت داره.

بحث‌ها به توهین کشید هیچ‌یک تحمل دیگری را نداشت، حمید از حقوق خلق‌ها، آزادی، مصادرهٔ اموال، تقسیم ثروت، اعدام انقلابی خیانتکاران و حکومت شورایی می‌گفت، محمود او را بی‌دین، خدانشناس، مرتد و واجب‌القتل می‌خواند، حمید لقب دُگم، خشک‌مغز، مرتجع به او می‌داد و او حمید را خائن و جاسوس بیگانه می‌خواند. احترام‌سادات و بچه‌هایش، علی و زنش پشت سر محمود می‌ایستادند و هر چه را که او فراموش می‌کرد به یادش می‌آوردند، و من دلتنگ از تنها ماندن حمید ناچار از او حمایت می‌کردم و با گفتن جملاتی به یاریش می‌شتافتم، مادرم به صورتش چنگ می‌انداخت، از حرف‌های ما هیچ نمی‌فهمید، فقط می‌خواست صلح برقرار شود، فاطی و شوهرش مردد بودند و نمی‌دانستند کدام جبهه را باید حمایت کنند و از همه بدتر سیامک بود که گیج و منگ این وسط مانده و نمی‌دانست که حق با کیست، او که هنوز آموخته‌های مذهبی چند ماه پیشش را در ذهن داشت، در این اواخر در فضای فکری پدرش می‌زیست، ولی تاکنون تضادی احساس‌نکرده‌بود زیرا با دیدن همراهی پدر و دایی به نوعی این دو نگرش را در ذهنش به هم آمیخته بود، ولی با آغاز برخوردهای عقیدتی آنها، تضاد فکری انباشته شده‌شان، در ذهن نوجوان او منفجرمی‌شد و او را سرگردان و وازده می‌کرد، دیگر به هیچ‌یک از دو طرف اشتیاق و تمایل نداشت، دوباره عصبی و پرخاشگر شده بود، بالاخره یک روز مانند دوران کودکیش بعد از جنگ و جدالی طولانی سر بر سینه‌ام گذاشت و زار زار گریست، دلداریش دادم

و پرسیدم که واقعاً از چه چیز رنج می‌برد با هق‌هق گفت:

ـ همه چی! یعنی راسته که بابا خدا رو قبول نداره؟ و دشمن آقای خمینیه؟ یعنی دایی محمود واقعاً معتقده که بابا و دوستانش باید اعدام بشن؟

نمی‌دانستم چه جوابی باید به او بدهم.

برنامهٔ زندگی ما به سال‌ها پیش بازگشت. حمید دوباره کم‌پیدا شد، خانه و زندگی و خانواده را فراموش‌کرد. مدام این سو یا آن سوی کشور بود، و وقتش را با نوشتن مقاله، سخنرانی، چاپِ روزنامه، مجله و اطلاعیه می‌گذراند. روزها می‌گذشت و ما از او بی‌خبر می‌ماندیم، او هیچ مانعی برای اینکه سیامک کنارش باشد نمی‌دید، ولی به نظر می‌رسید که سیامک مانند گذشته تمایل به بودن با او را ندارد. البته باز شدن مدارس، دانشگاه‌ها و ادارات هم همه را به کار خود مشغول کرده بود. ولی همه‌جا صحنه‌ای بود از بحث‌ها، درگیری‌ها و اختلاف عقاید و سلیقه‌ها. در دانشگاه هر گروه که زودتر می‌رسید اطاقی را فتح کرده، تابلوی گروه خود را بر درِ آن می‌آویخت و به پخش اطلاعیه و اعلامیه می‌پرداخت. این خاص دانشجویان نبود، حتی اساتید نیز در گروه‌بندی‌ها به جان یکدیگر افتادند. در و دیوارها پر بود از شعارهای ضد و نقیض و افشاگری‌ها، عکس‌های دانشجویان یا اساتید در حال گرفتن جایزه از دست شاه یا فرح. یادم نیست آن سال چگونه درس‌خواندیم و امتحان را چگونه گذراندیم. همه چیز تحت‌الشعاع جنگ‌های ایدئولوژیکی بود. دوستان دیروز تا حد مرگ یکدیگر را می‌کوبیدند، و وقتی طرف مقابل شکست می‌خورد، از زندگی ساقط می‌شد، حتی جان خود را ازدست‌می‌داد، جشن می‌گرفتند و آن را پیروزی بزرگی برای گروهشان تلقی می‌کردند. خوشحال بودم که ترم آخر را می‌گذرانم. حمید می‌خندید و می‌گفت:

ـ عجب دانشجوی علاقمندی! تو آنچنان عاشق درسی که خیال نداری تمومش کنی.

ـ بی انصاف! حالا مسخره می‌کنی، من می‌تونستم حتی سه سال و نیمه دورهٔ لیسانس را بگذرونم ولی به خاطر تو مجبور شدم ترک تحصیل کنم. بعد هم در هر

ترم حداقلِ واحدهای ممکن رو بگیرم، تا هم به اداره برسم، هم به بچهها و هم بتونم درسامو بخونم. ولی با همهٔ این حرفا معدلم خیلی بالاست. مطمئن باش فوقلیسانس هم قبول میشم.

متأسفانه آشفتگی دانشگاه، رفتن بسیاری از اساتید، عدم تشکیل کلاسها باعث شد که باز هم درسم تمام نشود و تعداد محدودی واحد درسی برای ترم بعدی باقی بماند. در اداره هم وضع به همین منوال بود، هر روز به عدهای مهر ساواکی بودن میزدند و شایعهای مطرح میشد که همه را بر جا میخکوب میکرد. اخراج و پاکسازی ادارات و سازمانها از عناصر ضدانقلاب در دستور کار همهٔ گروهها بود. و هر کس دیگری را به ضد انقلاب بودن متهم میکرد. در خانهٔ ما زمزمههای دیگری به گوش میرسید. سیامک از مدرسه روزنامهٔ مجاهدین را به خانه میآورد.

❧

در اواخر شهریور ۱۳۵۸ دخترم متولد شد. این بار حمید در هنگام زایمان حضور داشت، خودش مرا به بیمارستان برد. پس از تولد بچه وقتی به بخش منتقل شدم، با خنده به کنارم آمد و گفت:

ـ این یکی از همه بیشتر شکل خودته؟

ـ راست میگی؟ مگه چه شکلیه؟ به نظر خودم که سبزهس.

ـ فعلاً بیشتر قرمزه تا سبزه! ولی گونههاش چال میـره، خیلی شیرین و بانمکه؛ اسمشو هم که قرار بود شهرزاد بذاریم. مگه نه؟

ـ نه! قرار شد او برخلاف شهرزاد زندگی طولانی، آرام و سعادتمندی داشته باشه. و اسمی براش بذاریم که بهش بیاد.

ـ مثلاً به این فسقلی چیچی میآد؟

ـ خودت الان گفتی.

ـ چی گفتم؟

ـ شیرین!

❧

این بار خیلی خوب می‌دانستم دوران نوزادی و کودکی بچه‌ها چقدر کوتاه است و این مطمئناً آخرین فرزند من خواهد بود، می‌خواستم از تمام لحظاتش لذت ببرم. سیامک چندان توجهی به این تازه‌وارد نداشت ولی مسعود نه‌تنها حسادت نمی‌کرد بلکه با اشتیاق به این معجزهٔ کوچک می‌نگریست، و با تعجب می‌گفت:

ـ بااینکه این‌قدر کوچیکه همه چی داره! نگا کن انگشتاش چقده! سوراخای دماغش مثل دو تا صفر می‌مونه.

نمی‌دانم چرا از شکل گوش و موهای کرک مانندش که فقط در جلوی سرش وجود داشت خنده‌اش می‌گرفت. وقتی از مدرسه می‌آمد سراغ بچه می‌رفت. با او حرف‌می‌زد و بازی‌می‌کرد. ظاهراً شیرین هم او را خیلی دوست داشت. با دیدن او دست و پا می‌زد و می‌خندید و وقتی بزرگ‌تر شد بعد از من تنها به آغوش او می‌پرید، شیرین دختر سالمی بود. هم از نظر روحی و رفتاری و هم از نظر قیافه مخلوطی بود از سیامک و مسعود. مانند مسعود خوش‌اخلاق و خنده‌رو بود و مانند سیامک شیطان و ناآرام. شکل لب، دهان و گونه‌هایش مانند من بود ولی پوست گندمگون و چشمان سیاه و درشتش را از حمید به ارث برده بود. من آن‌قدر سرگرم او بودم که از غیبت‌های طولانی حمید ناراحت نمی‌شدم. در جریان کارها و فعالیت‌هایش قرار نمی‌گرفتم، حتی از سیامک هم غافل شده بودم، درس‌هایش مثل همیشه خوب بود. ولی از بقیهٔ کارهایش خبری نداشتم. بعد از سه ماه مرخصی زایمان تصمیم گرفتم، یک‌سال هم مرخصی بدون حقوق بگیرم. در این مدت می‌توانستم با آرامش و لذت بچه‌ام را بزرگ کنم، درسم را تمام کنم و احتمالاً برای کنکور فوق لیسانس آماده شوم.

دخترم جز اعضای خانواده عاشق دیگری هم داشت و آن پروین‌خانم بود که دیگر خیلی تنها و بی‌کار شده بود. ظاهراً دیگر کسی لباس نمی‌دوخت و بازار کار خیاطی او کساد بود، او هم دو اتاق آن طرف حیاط خانه را اجاره داد و خودش در اتاق‌های این طرف زندگی‌می‌کرد، بدین ترتیب درآمد مختصری کسب کرد و دیگر نگران کم شدن کار نبود. اغلب وقت‌های آزادش را پیش من می‌گذراند و

وقتی برای ترم زمستان نام‌نویسی کردم با خوشحالی قول داد که در روزهایی که کلاس دارم از شیرین مواظبت کند.

ولی دانشگاه واقعاً آشفته و بی‌نظم بود. روزی که دکتر... از اساتید قدیمی و باسواد دانشکده که در کلاسش جرأت حرف‌زدن نداشتیم و برایش احترام بسیار قائل بودیم را گروهی از دانشجویان به جرم اینکه کتابش جایزه سلطنتی را گرفته، با اردنگی از دانشگاه بیرون انداختند، حالم خیلی بد شد، خصوصاً که چند تن از اساتید دیگر هم با تأیید و لبخند به این منظره نگاه‌می‌کردند، وقتی جریان را برای حمید گفتم، سری تکان داد و گفت:

ـ در انقلاب جایی برای این دلسوزی‌های بی‌خودی وجود نداره، پاکسازی از ارکان انقلابه، متأسفانه اینا توان این کارو ندارن و با سهل‌انگاری ازش می‌گذرن. بعد از هر انقلابی جوی‌های خون راه افتاده و خلق انتقام چند صد ساله رو از خائنین گرفته، ولی اینجا هیچ خبری نیست.

ـ چطور هیچ خبری نیست؟ تازه عکس‌های اعدام‌شدگان رو توی روزنامه انداخته بودن.

ـ اوه...! همون چند نفر؟ دیگه اگه اونا رو هم اعدام نمی‌کردن که خودشون زیر سؤال می‌رفتند.

ـ این حرفو نزن حمید، منو می‌ترسونی، به نظر من همین هم زیاده.

ـ تو زیادی احساساتی هستی، اشکال این جاست که مردم ما فرهنگ انقلابی ندارن.

کم کم نابسامانی‌ها و اختلاف‌های سیاسی و اجتماعی چنان بالا گرفت که منجر به تعطیل دانشگاه شد، ظاهراً این دورهٔ درس من نمی‌خواست تمام شود. با آرامش و ثبات فاصلهٔ زیادی داشتیم، زمزمه‌هایی در مورد جنگ داخلی و شایعاتی در مورد استقلال و جدا شدن بعضی قسمت‌های کشور خصوصاً کردستان بر سر زبان‌ها بود، حمید بیشتر در سفر به‌سر می‌برد، این بار بیش از یک

ماه بود که به خانه نیامده بود و هیچ خبری از او نداشتم، دوباره نگرانی‌ها و دلواپسی‌ها شروع شدند ولی من دیگر طاقت و تحمل گذشته را نداشتم، تصمیم گرفتم وقتی برگشت خیلی جدی با او صحبت کنم.

❧

بعد از شش هفته، خسته و ژولیده نیمه‌شب به خانه آمد، یک‌راست به طرف رختخواب رفت و دوازده ساعت خوابید، ظهر فردا بالاخره از سر و صدای بچه‌ها بیدار شد، حمام کرد، غذای کاملی خورد و در کنار همان میز آشپزخانه، سرحال و قبراق به حرف زدن و سربه‌سر گذاشتن با بچه‌ها پرداخت. من مشغول شستن ظرف‌ها بودم که با تعجب نگاهی به طرفم کرد و گفت:

ـ چاق شدی؟

ـ نه خیر اتفاقاً از چند ماه پیش خیلی هم لاغرتر شدم.

ـ پس قبلاً چاق شده بودی؟

دلم می‌خواست چیزی به طرفش پرتاب می‌کردم. او فراموش کرده بود که من هفت، هشت ماه بیشتر نیست که زاییده‌ام، به همین دلیل هیچ سراغی هم از شیرین نمی‌گرفت، در همین موقع صدای گریهٔ بچه بلند شد، با حرص برگشتم و گفتم:

ـ یادتون اومد؟ جنابعالی یه بچه دیگه هم دارید.

زیر بار نمی‌رفت که وجود او را فراموش کرده بود، بچه را در بغل‌گرفت و گفت:

ـ به به عجب تُپل‌مُپل و بزرگ شده، خیلی بانمکه!

و مسعود با افتخار شروع به شمردن هنرهای خواهرش کرد، که چطور به او می‌خندد، همهٔ اعضای خانواده را می‌شناسد، انگشت او را محکم می‌گیرد، دو دندان دارد و به تازگی چهار دست و پا هم راه می‌رود.

ـ ای بابا، مگه من چند وقت نبودم؟ یعنی همهٔ این کارا رو توی این مدت کم یاد گرفته؟

ـ نه خیر قبل از رفتنت دندون در آورده بود و خیلی کارهای دیگه هم می‌کرد ولی تو نمی‌دیدی.

آن شب از خانه بیرون نرفت، حدود ساعت ده شب زنگ خانه به صدا درآمد،

او ناگهان از جایش پرید، و درحالی‌که کتش را قاپ می‌زد به طرف پشت بام دوید، من به سال‌ها پیش برگشتم، گویی هیچ چیز عوض نشده بود؟ حال تهوع پیدا کردم.

یادم نیست چه کسی زنگ زد، هر چه بود خطری در بر نداشت ولی هر دویمان را دگرگون کرد. با تلخی نگاهش کردم، شیرین خوابیده بود. پسرها را که با دیدن پدرشان خیال خوابیدن نداشتند جدی و مصمم به اطاقشان فرستادم، حمید هم بلند شد کتاب کوچکی از جیبش بیرون آورد، شب‌به‌خیری گفت و به طرف اتاق خواب رفت، خیلی آمرانه گفتم:

ـ حمید بشین باید باهات حرف بزنم.

با بی‌حوصلگی گفت: اَه ... حالا حتماً همین امشب؟

ـ بله همین امشب، می ترسم فردایی وجود نداشته باشه.

ـ وای چقدر جدی و شاعرانه!

ـ هر چی دلت می‌خواد بگو و مسخره کن، ولی من باید حرفمو بزنم، ببین حمید من این‌همه سال تحمل همه‌جور بدبختی‌رو کردم، هیچ‌وقت ازت توقعی نداشتم، به ایده‌ها و آرمان‌هات احترام گذاشتم هر چند که قبولشون ندارم، با تنهایی، بی‌همزبانی، ترس‌ها، نگرانی‌ها، و نبودنات ساختم، خواسته‌های تورو در زندگی مقدم بر همه چیز دونستم، هجوم شبانه، زیر و رو شدن زندگی، سال‌ها توهین و تحقیر پشت درهای زندان را پذیرفتم، به تنهایی بار زندگی رو بردوش‌کشیدم و بچه‌ها رو بزرگ کردم.

ـ خوب منظور، منو بیدار نگه‌داشتی که ازت تشکر کنم؟ باشه متشکرم سرکار خانم، تو فوق‌العاده‌ای...!

ـ خودتو لوس‌نکن حمید، من تشکر تورو نمی‌خوام، می‌خوام اینو بگم که نه من دیگه اون دختر هفده‌ساله هستم که قهرمانی‌های تو رو ستایش کنم و به اونا دل خوش باشم و نه تو اون جوون سی‌سالهٔ سالم و قوی هستی که بتونی بجنگی و مبارزه کنی، خودت می‌گفتی اگه رژیم شاه از بین بره، انقلاب پیروز بشه، مردم به

چیزی که می‌خوان برسن، تو به زندگی طبیعی برمی‌گردی و آروم و شاد و راحت در کنار همدیگه بچه‌هامونو بزرگ می‌کنیم، یک کمی به اونا فکر کن ما در قبال بچه‌ها مسؤولیم، اونا بهت احتیاج دارن، دیگه ول کن، من تحمل و توان ندارم، کار اصلی انجام شده، تو وظیفَتو در قبال آرمان‌ها و کشورت انجام‌دادی. بقیه‌رو بذار به عهدهٔ جوان‌ترها، من به‌جز آرامش و سعادت بچه‌هامون مگه چی خواستم؟ بیا برای یک بار هم که شده اونا رو در اولویت قرار بده، پسرها به پدر احتیاج دارن من دیگه نمی‌تونم جای تو رو براشون پر کنم، یادته اون یک ماهی که شمال بودیم بچه‌ها چقدر شاد و سرحال بودن، چه روحیه‌ای داشتن همه چیزو برای تو می‌گفتن، ولی حالا مدتیه من نمی‌دونم سیامک چه می‌کنه، دوست‌هاش چه کسانی هستن؟ اون تو سن بلوغه، سن خطرناکیه باید براش وقت بذاری، مواظبش باشی، باید برای آینده‌شون برنامه‌ریزی کنیم، هزینه‌هاشون داره روزبه‌روز سنگین‌تر می‌شه، با این گرونی و مشکلات اقتصادی من دیگه نمی‌تونم به‌تنهایی این بارو به دوش بکشم، تو اصلاً فکر کردی در این چند ماه که من مرخصی بدون حقوق داشتم زندگیمون چطور گذشته؟ باور کن اون صنّار سه شاهی هم که برای روز مبادا گذاشته بودم تمام شده، پدر پیر تو تا کی باید جور ما رو بکشه؟

ـ اون حقوق خودمه که سر ماه به شما‌ها می‌ده.

ـ کدوم حقوق؟ چرا خودتو گول می‌زنی، این چاپخونه مگه چقدر درآمد داره که به آدم بی‌کاری مثل تو که هیچ‌وقت نیست هم حقوق بده.

ـ حالا مشکل تو چیه؟ احتیاج به پول داری؟ می‌گم بهم اضافه‌حقوق بدن. این جوری خیالت راحت می‌شه؟

ـ چرا نمی‌فهمی من چی می‌گم؟ من این‌همه حرف‌زدم تو فقط پولو چسبیدی؟

ـ اونا همه شعر بود، مشکل اصلی تو همینه، تو هیچ ایده‌آل بزرگی در ذهنت نداری؟ خدمت به خلق، هیچ جایگاهی در تفکرات مادی تو نداره؟

ـ باز شروع‌کردی به شعاردادن، اگه دلت خیلی برای خلق و مردم بدبخت می‌سوزه، بیا بریم دورافتاده‌ترین نقاط مملکت معلم بشیم، برای مردم کار کنیم،

بهشون چیز یاد بدیم، خودمون هم زمین بگیریم کشاورزی کنیم یا هر کار دیگه‌ای که به نظر تو خدمت به خلقه، هیچ درآمدی هم نداشته باشیم اگه من حرفی زدم، من می‌خوام که فقط با هم باشیم، بچه‌هام پدر داشته باشن، به خدا هرجا بری باهات می‌آم، فقط از این جنگ اعصاب، وحشت، فرار و نگرانی رها بشیم، خواهش می‌کنم، یک بار در زندگیت برای خاطر خانواده و بچه‌هات تصمیمی بگیر. با خشم و تحقیر گفت:

ـ تمام شد؟ واقعاً این‌همه ساده‌اندیش و رؤیایی هستی؟ هنوز مثل دختربچه‌ها خواب می‌بینی و حرف‌می‌زنی، تو خیال‌کردی من این‌همه زجر کشیدم زندان رفتم، آموزش دیدم، که حالا موقع رسیدن به نتیجه همه را دودستی تقدیم اینا کنم و خودم برم در یک نقطهٔ دورافتاده با چهارتا و نصفی دهاتی باقالی بکارم؟ زمین شخم بزنم؟ من رسالت ایجاد حکومت مردمی بر دوش دارم، کی گفته که انقلاب پیروز شده؟ ما هنوز راه درازی درپیش‌داریم، وظیفهٔ من در رابطه با نجات همهٔ خلق‌هاست، تو کی می‌خوای اینو بفهمی؟

ـ بگو ببینم حکومت مردمی چیه؟ مگه حکومتی نیست که مردم انتخاب کرده باشن؟ خوب این کارو کردن منتها جنابعالی قبول ندارین اکثریت مردم، همونا که تو براشون سینه‌می‌زنی به این حکومت رأی دادند، خودشون اینها رو انتخاب کردند، تو با کی می‌خوای بجنگی؟

ـ برو بابا ... کدوم رأی؟ این رأی رو از مردم ناآگاه و انقلاب‌زده گرفتند خودشون هم نفهمیدند توی چه دامی افتادند.

ـ فهمیدند یا نفهمیدند، به هر حال مردم با اینا هستن و تو وکیل وصی مردم نیستی، خودشون خواستن هنوز رأیشون رو هم پس نگرفتن، تو هم باید به این انتخاب احترام بذاری هر چند که مخالف عقیدهٔ تو باشه.

ـ یعنی بشینم و دست رو دست بذارم تا همه چیز بر باد بره؟ من یک متفکر سیاسی هستم، راه صحیح حکومتو می‌شناسم، حالا که زمینه آماده‌س باید کارو یک‌سره کرد، در این راه هم از هیچ مبارزه‌ای روگردان نیستم.

ـ مبارزه؟ مبارزه با کی؟ حالا که دیگه شاه نیست، رژیم جمهوریه می‌خوای

مبارزه کنی؟ باشه بکن، برنامه‌هاتو اعلام کن و چهار سال دیگه اونارو به رأی بذار، اگه راه تو درست باشه مطمئن باش مردم بهت رأی می‌دن.

ـ برو بابا تو هم دلت خوشه. مگه می‌ذارن؟ تازه کدوم مردم؟ مردمی که هفتاد درصد بی‌سوادن، از ترس خدا و پیغمبر دارن همه چیزشونو دو دستی تقدیم مذهبیون می‌کنن؟

ـ باسواد یا بی‌سواد، مردم ما همینند با همین انتخاب و تو می‌خوای حکومت خودتو به‌زور در جامعه مستقر کنی.

ـ آره! اگه لازم بشه این کارو هم می‌کنم، بعد که مردم فهمیدن چی به نفعشونه و کی در جهت منافع اونا کار می‌کنه با ما می‌شن.

ـ و اونهایی که با شما نشن، اونهایی که عقیده‌ای جز نظر شما دارن چی؟ الان هزار تا گروه تو این مملکت معتقده که حق با اونهاس و حکومت شماها رو نخواهند پذیرفت، با اونا چه می‌کنی؟

ـ فقط مغرضان و خائنین هستند که به منافع خلق فکر نمی‌کنند و در مقابل اون می‌ایستند، باید از سر راه برداشته شوند.

ـ یعنی اعدامشون می‌کنی؟

ـ بله، اگه لازم باشه.

ـ خوب این کارو شاه هم می‌کرد، پس چرا این‌قدر وامصیبتا می‌کردید؟ ما رو باش که در مورد تو چه فکرا و چه امیدا داشتیم، حالا نگو آقا بعد از اون‌همه مبارزه و خلق‌پرستی و دم از حقوق انسان‌ها زدن تازه می‌خواد بشه جلاد، این‌قدر هم تو رؤیاهای خودت غرقی که خیال می‌کنی اونا هم می‌شینن تا تو انقلاب بعدی رو راه بندازی، اسلحه دست بگیری و جلوشون وایسی و بعد هم قتل عامشون کنی؟ زهی خیال باطل! می‌کشنت بیچاره کشته‌می‌شی اینا دیگه اشتباه شاهو تکرار نمی‌کنن. و با برنامه‌ای که تو داری حق هم دارن.

ـ می‌دونم، همین نشون‌دهندۀ گرایش‌های فاشیستی اوناس برای همین هم ما باید مسلح و قوی باشیم.

ـ تو هم کم از این گرایش‌های فاشیستی نداری، چنانچه به فرض محال

حکومتو دست بگیری اگه بیشتر از اونا کشتار نکنی کمتر نخواهی کرد.

ـ بسه دیگه تو هیچ‌وقت شعور انقلابی نداشتی.

ـ نه من شعور انقلابی نداشته و ندارم، فقط می‌خوام خانواده‌مو حـفظ کـنم حکومت هم نمی‌خوام.

ـ تو از خودراضی هستی و فقط به فکر خودت.

🌺

بحث با حمید بی‌فایده بود، دور و تسلسلی بی‌نتیجه، ما به سال‌ها پیش برگشته بودیم و همه چیز از اول شروع شده بود ولی این بار من بسیار خسته و بیزار بودم، و او جری‌تر و بی‌باک‌تر. چند روز با خودم کلنجار رفتم، به زندگیم و آیـنده اندیشیدم و به این نتیجه رسیدم که امید بستن به او کار عبث و احمقانه‌ای‌ست، من باید تنها روی خودم حساب‌کنم، زندگی ما بدین ترتیب نمی‌چرخـد، تـصمیم گرفتم که باقی‌ماندهٔ مرخصی بدون حقوقم را لغو کنم و به اداره بازگردم، پروین‌خانم حاضر شد که برای مراقبت از شیرین صبح‌ها به خانهٔ ما بیاید.

🌺

آقای زرگر از بازگشت من تعجب‌کرد و گفت:

ـ بهتر نبود تا پایان دورهٔ مرخصی کنار بچه مـی‌موندید. تـا آب‌هـا هـم از آسیاب بریزه.

ـ به من احتیاج ندارید، یا اینکه اتفاق‌های تازه‌ای افتاده که من بی‌خبرم.

ـ نه خبر خاصی نیست، ما هم همیشه بـه شما احـتیاج داریـم ایـن مـوضوع روسری و این پاکسازی‌ها کمی تشنج ایجاد کرده.

ـ برای من که مهم نیست من یه‌عمر با روسری و چادر زندگی‌کردم.

🌺

روز به پایان نرسیده بود که کاملاً متوجه منظور او شدم، فضای باز اوایـل انقلاب احساس نمی‌شد، هوا سنگین بود، دسته‌بندی‌های جدیدی شکل گرفته و هر دسته با دیگری دشمن بود، بچه‌ها سعی می‌کردند از من فاصله بگیرند هرجا که وارد می‌شدم حرف‌ها قطع می‌شد و یا بی‌دلیل به من گوشه و کنایه می‌زدند،

درمقابل عده‌ای سعی می‌کردند پنهانی با من وارد گفت‌وگو شده و اطلاعات عجیب غریبی را مطالبه‌می‌کردند گویی من برنامه‌ریز تمام جناح‌های چپ بودم. کمیتهٔ انقلاب که من منتخب اول آن بودم منحل شده و کمیته‌های دیگری درست شده بود که مهم‌ترین آنها کمیتهٔ پاکسازی بود که ظاهراً سرنوشت همـه را در دست داشت، از آقای زرگر پرسیدم:

ـ مگه پارسال ساواکی‌ها رو شناسایی و اخراج نکردند پس دیگه برای چی این همه جلسه تشکیل می‌دن و شایعه می‌سازن؟

خنده تلخی کرد و گفت: چند روز که بمونی می‌فهمی، کسانی رو که سال‌ها می‌شناختیم یک شبه مسلمون شدن، تسبیح دست گرفتن و مدام ذکـر مـی‌گن ریش گذاشتن و اومدن تا حساب‌های شخصی‌شونو تسویه کنن، دیگران رو از میدون بیرون بندازن و خودشون از این خوان گسترده و بی‌صاحب بهره‌مند بشن. دیگه انقلابیون واقعی رو نمی‌تونی از این ابن‌الوقت‌ها تشخیص بدی، بـه نظرم اینها به مراتب برای انقلاب خطرنا‌ک تر از کسانی هستند که آشکارا جلوی آن ایستاده‌اند. راستی یادت باشه ظهر حتماً برای نماز بری وگرنه کارت تمومه.

ـ شما که می‌دونید من آدم مذهبی هستم هیچ‌وقت هم نمازم ترک نشده ولی نماز خوندن توی این اداره که می‌گن ساختمونش هم غصبیه، جلوی این همـه آدم برای اینکه به اونا ثابت کنم که من نماز خونم از من بر نمی‌آد من هیچ‌وقت نتونستم در جمع و جلوی چشم مردم عبادت کنم.

ـ این حرف‌ها رو بذار کنار، امروز حتماً باید برای نماز بری، یک اداره منتظرن ببینن تو چطوری نماز می‌خونی.

❦

هر روز اسامی عده‌ای راکه پاکسازی کرده بودند در جعبهٔ اعلانات می‌زدند، همه با نگرانی به این جعبهٔ سرنوشت‌ساز خیره مـی‌شدیم و وقتی نـام خـود را نمی‌دیدیم نفس راحتی کشیده آن روز را روز خوبی تلقی می‌کردیم.

❦

روز شروع جنگ با صدای بمباران خـود را بـه پشت بـام اداره رساندیم،

هیچ‌کس نمی‌دانست چه اتفاقی افتاده، عده‌ای می‌گفتند ضدانقلاب حمله کرده، عده‌ای معتقد بودند که کودتاست و هزاران شایعهٔ دیگر، دلم برای بچه‌ها شور می‌زد با عجله به خانه بازگشتم. از آن پس جنگ هم به سایر معضلات زندگیم افزوده شد. خاموشی‌های شبانه، کمبودهای مختلف، نبودن بنزین و سوخت در هوایی که رو به سردی می‌رفت با بچهٔ کوچک و آسیب‌پذیری که در دامن داشتم و از همه بدتر تصور خوف‌آوری که از جنگ در ذهنم بود روحیه‌ام را تضعیف می‌کرد. به پنجرهٔ اتاق بچه‌ها پارچهٔ سیاه چسباندم و شب‌ها که برق قطع می‌شد و خطر حملهٔ هوایی بود همه در آنجا زیر نور شمع جمع می‌شدیم و با وحشت به صداهای بیرون گوش می‌دادیم، حضور حمید می‌توانست کمک و دلداری بزرگی برایمان باشد ولی او مثل همیشه در هیچ زمان حساسی در کنار ما نبود، نمی‌دانستم کجاست ولی دیگر توان دلشوره برای او را نداشتم.

کمبود سوخت و جیره‌بندی بنزین، سیستم رفت‌وآمد عمومی را برهم زده بود، اغلب پروین‌خانم برای آمدن به خانهٔ ما نمی‌توانست ماشین پیدا کند و مقداری از راه را پیاده می‌آمد. آن روز دیرتر از همیشه به اداره رسیدم، به محض ورود متوجه شرایط غیرعادی شدم، نگهبان رویش را برگرداند، نه‌تنها سلام نکرد بلکه جواب سلام مرا هم نداد، چند نفر از راننده‌های اداره از پشت در اتاق نگهبانی دزدکی نگاهم‌کردند، هر کس با من روبه‌رو می‌شد نگاهش را می‌دزدید و خود را به ندیدن می‌زد، وقتی پا به درون اطاقم گذاشتم بر جا ماندم، همه چیز درهم و برهم بود محتویات کشوها را روی میز خالی کرده، کاغذها پراکنده بودند، زانوهایم شروع‌به‌لرزیدن‌کرد، ترس، نگرانی، خشم، خفتِ اهانت، درونم را می‌گداخت، صدای آقای زرگر مرا به خود آورد:

ـ ببخشید خانم صادقی، لطفاً تشریف بیارید اتاق من.

مثل یک آدم آهنی ساکت و مبهوت به دنبالش روان شدم. مرا به نشستن دعوت‌کرد روی صندلی افتادم، مدتی حرف‌زد ولی من هیچ چیز نمی‌شنیدم، نامه‌ای به دستم داد، به خود آمدم نامه را گرفتم و گفتم چی هست؟

ـ از کمیته پاکسازی ادارهٔ مرکزی آمده، گفتم که ... نوشته شما اخراج شدید....

خیره نگاهش کردم اشکی نریخته که از خشم یخ زده بود چشمم را می‌سوزاند، هزاران فکر در مغزم می‌جوشید با صدایی خفه گفتم:

ـ چرا؟!!

ـ عرض کردم که، به داشتن تمایلات کمونیستی وابستگی به گروه‌های ضدانقلاب و تبلیغ برای اونا متهم شدید.

ـ ولی من نه تمایلی دارم نه فعالیتی کردم، من نزدیک به یک سال مرخصی بودم و اداره نیومدم.

ـ خوب، به خاطر شوهرتون...

ـ ولی کارای اون به من چه مربوطه، هزار دفعه گفتم من مثل اون فکر نمی‌کنم نباید گناه اونو پای من بنویسن.

ـ درسته، البته شما می‌تونید اعتراض بدید ولی می‌گن در این مورد اسناد و مدارکی دارن و کسانی هم شهادت دادن.

ـ کدوم سند و مدرک؟ چه شهادتی دادند؟ مگه من چکار کردم؟

ـ گفتن در اسفند سال پنجاه‌وهفت شوهرتونو برای تبلیغ مرامش به اداره آورده بودین، جلسه پرسش‌وپاسخ تشکیل دادین و روزنامه‌های ضدانقلاب هم توزیع کردین.

ـ ولی اون فقط اومده بود دنبال من، خود بچه‌ها به‌زور آوردنش بالا.

ـ می‌دونم، می‌دونم، خودم همه چیز یادمه، فکر نکنید من این حرف‌ها رو قبول دارم، فقط دارم جریان حُکمو تشریح می‌کنم، شما هم می‌تونید اعتراض بدید، ولی راستش من احساس خطر می‌کنم هم برای شما هم برای اون، راستی، حالا کجاس؟

ـ نمی‌دونم، باز یه ماهه که رفته و هیچ خبری ازش ندارم.

۞

خسته و طردشده برای جمع‌کردن وسایل به اطاقم برگشتم، اشک‌هایم در چشمخانه می‌غلتیدند ولی اجازه فرود به آن‌ها نمی‌دادم، نمی‌خواستم این دشمنان

شاهد ضعف و زبونیم باشند. عباسعلی مستخدم طبقهٔ ما با سینی چای به درون اتاق خزید، گویی به جایی ممنوع پای گذاشته است، مدتی با تأسف به من و اتاق درهم‌ریخته نگاه کرد و با صدایی آهسته گفت:

ـ خانم صادقی به خدا نمی‌دونی چقدر ناراحتم، به جون بچه‌هام به این قبلهٔ حاجات ما هیچی بر علیه شما نگفتیم، ما که غیر از خوبی و مهربونی از شما چیزی ندیده بودیم، بچه‌ها همه ناراحتن.

خندهٔ عصبی و تلخی کردم و گفتم:

ـ آره از رفتارشون، از شهادت‌های دروغشون پیداس، کسانی که هفت سالِ تمام، هر روزمونو با هم گذروندیم این‌طور برام زدند، حالا حتی حاضر نیستن نگام کنن.

ـ نه به خدا خانم صادقی این‌طور نیست، اونا می‌ترسن، نمی‌دونی برای خانم سعادتی و کنعانی که دوستای شما بودند چه پاپوش‌هایی دوختن می‌گن همین روزا اونا رو هم بیرون می‌کنن.

ـ نه دیگه این‌طورا هم نیست، خودتون بیشتر شلوغش می‌کنید، اگرم بیرونشون کنن به خاطر دوستی با من نیست، عقده‌های اداری چند ساله و حسادت‌های شخصیه که فعلاً این‌طوری داره ظاهر می‌شه.

کیفم را که از وسایل قلمبه شده بود برداشتم و پوشه‌ای را که مدارک شخصیم در آن بود زیر بغل زده، عازم رفتن شدم.

ـ خانم تورو خدا از ما به دل نگیرین، حلالمون کنین.

حالم داشت به هم می‌خورد. این شعر آقای شیرازی را با تمام وجودم حس می‌کردم که می‌گفت:

... بر درونم چو مریضان وبا دیده
حال غثیانی از هر چه که بود آمد
یک خداحافظ و آنگاه جسد بر دوش
پایم از پله فرود آمد

مدتی سرگردان در خیابان‌ها چرخیدم.

...خشم، غیرت، غلیان، فریاد
در بن هستی من خوش‌خوش می‌گندید
خواب می‌دیدم امید رهایی را
و کسی در من با قهقهه می‌خندید

تا ظهر راه‌رفتم، کم‌کم نگرانی جایگزین احساس تلخِ تحقیرشدگی، خشم و عصیان شد، نگرانی برای آینده، نگرانی برای حمید، برای بچه‌ها، برای بی‌پولی، با این گرانی وحشتناک، بدون حقوق و درآمد باید چه می‌کردم؟ دو ماه بود که چاپخانه هیچ درآمدی نداشت و پدر حمید نتوانسته بود حقوقی برای او دست‌وپا کند، سرم به شدت دردمی‌کرد، به‌سختی خود را به خانه رساندم، پروین‌خانم با تعجب گفت:

ـ وا! چرا به این زودی اومدی؟ صبح هم که دیر رفتی، این جوری بیرونت می‌کنن‌ها!

ـ بیرونم کردند!

ـ چی؟ تورو خدا راست می‌گی؟ چرا؟ خدا منو بکشه، همش تقصیر من بود صبح دیر رسیدم.

ـ نه بابا...، کسی رو به خاطر دیر رسیدن، کارنکردن، پدر مردومو درآوردن، کار بلد نبودن ، دزدی، هیزی، خراب‌بودن، بی‌شرفی، بی‌شعوری بیرون نمی‌کنن، منو بیرون می‌کنن، من که مثل خر کار می‌کردم، کارمو بلد بودم، باید خرج بچه‌هامو می‌دادم، من ناپاک بودم باید منو بیرون می‌کردند تا اداره پاکسازی می‌شد.

چند روزی حالم خیلی خراب بود سردرد شدید و مداومم یک لحظه هم قطع نمی‌شد، فقط با آمپول‌های نوالژین پروین‌خانم می‌توانستم چند ساعتی بخوابم. ولی اخبار جدیدی که از حمید و گروهشان به‌گوش‌می‌رسید دوباره مرا به‌خودآورد و به‌حرکت‌واداشت، حمید هفتهٔ پیش از سفر کردستان برگشته بود ولی تنها یکی دو بار به خانه سرزد می‌گفت کار دارم و شب‌ها در چاپخانه می‌ماند، حتی فرصت نشد موضوع پاکسازی و اخراجم را از اداره برایش بگویم.

اخبار روز به روز نگران‌کننده‌تر و وحشت مـن روزبـه‌روز بـیشتر مـی‌شد تـا بالاخره شبی کابوسی که یک بار دیگر هم دیده بودم تکرار شد. نیمه‌های شب به خانه‌مان ریختند، از صحبت‌هایشان فهمیدم که همزمان در چاپخانه هستند و حمید و بقیه دستگیر شده‌اند. همان پرخاش، همان ترس، همان نـفرت، گـویی وادارم کرده بودند فیلمی قدیمی و زشت را دوباره با اکراه تماشا کنم، کاوش این دست‌ها و چشم‌های غریبه در پنهان‌ترین و خصوصی‌ترین زوایای خانه و اموالم همـان احسـاس بـرهنگی و سرمـا را در وجـودم دوانـد کـه سـال‌هـا پیش تجربه کرده بودم و یادآوریش هنوز لرزش چندش‌آوری را در بدنم ایجاد می‌کرد. این بار خشم سیامک تنها در نگاهش نبود، او که حالا نوجوانی پانزده ساله و حساس بود از شدت خشم به‌خودمی‌پیچید و هر لحظه می‌خواست بیزاریش را با پرخاش یا حمله‌ای فرونشاند، دستش را محکم در دست گرفته بودم، زیر لب التماس می‌کردم، که آرام باشد، حرفی نزند و اوضاع را از این که هست خراب‌تر نکند، مسعود رنگ‌پریده به این صحنه‌ها می‌نگریست، شیرین را که بی‌قـرار و وحشت‌زده بود در آغوشش گذاشتم، کوششی برای ساکت کردنش نمی‌کرد.

۰۰۰

دوباره همه چیز از نو آغاز گردید، صبح اول وقت به منصوره تلفن کردم و از او خواستم که به‌آرامی و به هر ترتیبی که صلاح می‌داند پدرش را در جریان امر قرار دهد، آیا آنها توان تحمل چنین تجربهٔ تلخی را برای بار دوم داشتند؟ ساعتی بعد پدرش تلفن کرد، صدای گرفته و دردناکش قلبم را فشرد، گفتم:

ـ پدر دوباره باید شروع کنیم، ولی نمی‌دونم از کجا، کسی دارید که بتونه ردشو برامون پیدا کنه؟ خبری ازش بیاره؟

ـ نمی‌دونم، بذار ببینم کسی رو پیدا می‌کنم.

۰۰۰

خانه آشفته و همگی عصبی بودیم، سیامک مانند شیری می‌غرید و به در و دیوار مشت و لگد می‌زد و به زمین و زمان فحش می‌داد، مسعود پشت مبل در اتاق مهمانخانه خودش را به‌خواب زده‌بود، می‌دانستم که گریه می‌کند و نمی‌خواهد

کسی مزاحم خلوتش شود، شیرین که معمولاً خندان و خوش خلق بود از امواج اضطراب و دردی که در خانه می وزید متأثر شده بی دلیل گریه می کرد و خودم.... خودم گیج و درهم ریخته با افکار وحشتناکم می جنگیدم، از سویی به حمید که با کارهایش ما را به روز سیاه نشانده بود فحش می دادم و مقصرش می دانستم، از سوی دیگر با خود می گفتم: یعنی هنوز شکنجه معمول است؟ الان حمید در چه وضعی است؟ می گفت چهل و هشت ساعت اول بدترین شکنجه ها را می دهند، آیا او تحمل ضربات شلاق را دارد؟ پاهایش تازه به شکل عادی برگشته بودند، اتهام او دقیقاً چیست؟ آیا در دادگاه انقلاب محاکمه خواهد شد؟ می خواستم جیغ بزنم، احتیاج به تنهایی داشتم، به اتاق خوابم رفتم و در را بر روی خود بستم، گوش هایم را گرفتم تا صدای بچه ها را نشنوم و گذاشتم تا اشک هایم سرازیر شوند، تصویرم در آینه رنگ پریده، وحشت زده، ناتوان و درهم ریخته بود، دوباره با این وضع چه باید می کردم؟ چه می توانستم بکنم؟ دلم می خواست فرار کنم، آه که اگر بچه ها نبودند، سر به کوه و بیابان می گذاشتم و خـود را سر بـه نیست می کردم، ولی اینها را چه کنم؟

مانند ناخدایی بودم که کشتی اش در حال غرق شدن است و سرنشینان همه چشمِ امید بر او دوخته اند، ولی خودم از کشتی ام درهم شکسته تر بودم، احتیاج به قایق نجاتی داشتم که از مهلکه برهاندم، فراریم دهد و به جایی دور از دسترس روانه ام کند، نه من دیگر تحمل کشیدن باری چنین سنگین را ندارم، صدای گـریهٔ بـچه شدیدتر شده، کم کم به فریادهایی دردناک تبدیل می شد، بی اختیار بلند شـدم اشک هایم را با پشت دست پاک کردم، چاره ای نبود، بچه ها بـه مـن احـتیاج داشتند، این کشتی طوفان زده نمی تواند کشتیبانی جز من داشته بـاشد. تـلفن را برداشتم به پروین خانم زنگ زدم، جریان را خلاصه گفتم و از او خواستم که در خانه باشد تا من شیرین را پیش او ببرم، هنوز پشت تلفن داد و فریاد می کرد که گوشی را گذاشتم، شیرین در آغوش مسعود آرام گرفته بود، می دانستم که طاقت گریهٔ خواهرش را ندارد و به اجبار از خواب دروغینش بیدار خواهدشد. سیامک پشت میز آشپزخانه با چهره ای برافروخته، مشت ها و دندان های بـه هم فشرده

نشسته بود ضربان رگ‌های برآمده پیشانیش را می‌دیدم، کنارش نشستم گفتم:

ـ ببین پسرم اگه می‌خوای داد بزنی، بزن! این‌قدر داد بکش که خالی بشی.

با خشم فریاد زد:

ـ اومدن تمام زندگیمونو بهم ریختن، بابا رو زندون کردن و ما مثل احمق‌ها نشستیم و نگاه‌کردیم تا هر کاری می‌خوان بکنن و صدامون در نیومد.

ـ می‌خواستی چکار کنیم؟ چکار می‌تونستیم بکنیم؟ می‌تونستیم جلوشونو بگیریم؟

مشت‌هایش را روی میز کوبید، کنار انگشتش خونین شد، دست‌هایش را گرفتم، ناسزا می‌گفت و فریاد می‌زد، خود را به وارسی زخم دستش مشغول کردم تا کمی آرام گرفت گفتم:

ـ می‌دونی سیامک، وقتی بچه بودی با همه دعوا می‌کردی و خیلی عصبی می‌شدی، در این مواقع بغلت می‌کردم و تو آن‌قدر به من مشت و لگد می‌زدی تا دلت خالی می‌شد حالا هم اگه این کار آرومت می‌کنه بیا.

و در آغوشش گرفتم، یک سرو گردن از من بلندتر شده بود و بسیار قوی‌تر، به‌راحتی می‌توانست خود را از آغوش من برهاند ولی نمی‌خواست، سرش را بر شانه‌ام فشرد و شروع به گریه کرد، و بعد از مدتی گفت:

ـ خوش بحالت مامان، تو چقدر آروم و قوی هستی!

پوزخندی زدم و در دل گفتم بهتر، بگذار در مورد من چنین تصوری داشته باشد... مسعود با چشمان اشک‌آلود به ما نگاه‌می‌کرد، شیرین در بغلش به خواب رفته بود، او را هم با اشارهٔ دست به جلو خواندم، بچه را زمین گذاشت و به کنارم آمد، در آغوشش گرفتم، سه نفری با هم گریستیم، اشکی که به ما همبستگی می‌داد و بر توانمان می‌افزود، پس از چند دقیقه خودم را کنار کشیدم و گفتم:

ـ خوب بچه‌ها، نباید وقتو تلف کنیم، گریه و زاری کمکی به بابا نمی‌کنه، باید روی برنامه و جدی کار کنیم، حاضرید؟

ـ البته!!

ـ خوب، زود باشید اسباب‌هاتونو جمع کنین، یکی دو روزی می‌رین خونهٔ

خانم‌جون، شیرین هم پیش پروین‌خانم می‌مونه.

ـ شما چکار می‌کنید؟

ـ من باید برم منزل پدربزرگت، با اون بریم دنبال پیدا کردن سرنخ از بابا، شاید بتونیم ازش خبر بگیریم، خیلی جاها باید سر بزنیم چون هزارتا کمیته و پایگاه نظامی هست.

ـ منم با شما می‌آم.

ـ تو از خواهر و برادرت باید مراقبت کنی، بعد از بابا تو مسؤول خونواده‌ای.

ـ اولاً که من منزل خانم‌جون نمی‌رم، زن دایی‌علی ناراحت می‌شه، می‌خواد از من رو بگیره و هی غُر بزنه، ثانیاً پروین‌خانم مواظب شیرینه، مسعود خرس‌گنده هم احتیاج به مراقبت نداره.

حق با او بود، ولی می‌ترسیدم روح جوان و حساس او تحمل برخی از برخوردها را نداشته باشد، نمی‌دانستم این بار شرایط چگونه است پس گفتم:

ـ ببین پسرم تو وظایف دیگه‌ای داری، فقط نگهداری از بچه‌ها که نیست، باید برامون کمک جمع‌کنی، برو جریانو برای دایی‌علی تعریف کن ببین توی کمیته‌ها آشنایی، کسی رو داره، شنیدم برادرزنش پاسدار شده، اگه لازم شد خودت باهاش برو و حرف بزن، ولی چیزی نگی که کار بابا رو خراب‌تر کنه.

ـ نه مگه بچه‌ای؟ خودم می‌دونم چی بگم.

ـ خوب، بعد می‌ری منزل خاله، همه چیزو برای آقاصادق تعریف کن، شاید اونم آشنا داشته باشه، اگر هم خواستی اونجا بمون، بهتره... اول باید بفهمیم باباتو کجا بردن بعد بقیه کارا رو بهت می‌گم.

ـ نمی‌خوای به دایی‌محمود بگم؟ حاج‌آقا هم می‌تونه کمک کنه‌ها...! می‌گن خودش اصلاً رئیس کمیته‌س.

ـ نه، با اون دعوایی که بابات و محمود کردند، فکر نمی‌کنم کاری برای بابات بکنه، اون فعلاً باشه برای بعد، من هر وقت تونستم می‌آم منزل خانم‌جون، فعلاً دو روزی هم نمی‌خواد مدرسه برین، پس‌فردا هم که جمعه‌س، انشاالله تا شنبه خیلی

چیزا روشن می‌شه.

ولی نه‌تنها هیچ چیز روشن نشد بلکه شرایط مبهم‌تر و پیچیده‌تر هم شد، در عرض این دو روز من و پدر حمید به تمام دوستان و کسانی که او می‌شناخت سرزدیم، ولی بی‌فایده بود. آنهایی که پست و مقامی داشتند اغلب از کشور خارج شده بودند، بقیه یا بی‌کار و فراری بودند یا دستمان به آنها نمی‌رسید. پدر حمید گفت:

ـ اوضاع عوض شده، ما دیگه هیچ‌کس رو نمی‌شناسیم، چاره‌ای نبود خودمان شروع به‌جست‌وجو کردیم، کلانتری‌ها به کلی از خود سلب مسئوولیت می‌کردند و می‌گفتند که خبر ندارند، باید به کمیته‌ها مراجعه کنید. در کمیته‌ها می‌پرسیدند او را به چه جرمی گرفته‌اند. نمی‌دانستیم چه بگوییم من با وحشت و کم‌رویی می‌گفتم فکر می‌کنم به کمونیست بودن متهم شده، هیچ‌کس خود را موظف به جوابگویی نمی‌دانست. شاید هم از نظر امنیتی صلاح نمی‌دانستند به ما بگویند که او در کجا نگهداری می‌شود. بعد از دو روز خسته‌تر از قبل، نگران برای او و بچه‌ها، به امید یافتن کمک و همراهی، راهی خانهٔ خانم‌جون شدم. بچه‌ها و فاطی هم آمدند. همه نگران و منتظر بودند. سیامک با سرزنش گفت:

ـ نمی‌تونستی یه خبری به ما بدی؟

ـ نه عزیزم، نمی‌تونستم، نمی‌دونی در چه حال و اوضاعی بودم. هزار جا رفتیم. دیشب دیروقت به خانهٔ پدربزرگ رسیدیم مجبور شدم همون‌جا موندم چون ساعت هفت‌ونیم صبح هم قرار بود کسی‌رو ببینیم، تو که با مادربزرگت صحبت کردی؟ مگه نه؟!

ـ آره. ولی می‌خواستم بدونم شماها چه کردین؟

ـ مطمئن باش اگه خبر خوبی پیدا کنم حتماً اول از همه به تو می‌گم. حالا برید وسایلتونو و جمع کنید، باید برگردیم خونه. و رو به علی کردم و گفتم:

ـ علی تو و داداش محمود این‌همه آشنا توی کمیته‌ها دارین. نمی‌تونی برای من

تحقیق کنی، ببینی اون کجاس؟

ـ راستش آبجی، حرف داداش محمودو که اصلاً نزن، حتی حاضر نیست اسم حمیدو بشنوه. خودم هم مستقیماً نمی‌تونم تحقیق کنم، بالاخره هـر چـه بـاشه شوهرت یه کمونیسته. پس‌فردا هزار جور وصله به ما می‌چسبونن. ولی حـالا غیرمستقیم یک تحقیق‌هایی می‌کنم.

خیلی دلم گرفته بود، دلم می‌خواست جوابی می‌دادم ولی خودم را کنترل کردم. هر چه بود من به کمک اینها احتیاج داشتم. فاطی گفت:

ـ صادق هم به چند نفر که می‌شناسه می‌گه، تو خودتو این‌طور عذاب نده. چون به هر حال کاری از دستت بر نمی‌آد. حالا برای چی می‌خوای بری خونه؟

ـ باید برم خواهر، نمی‌دونی چه خونه و زندگی‌ای دارم، بالاخره باید مرتب بشه، بچه‌ها دو روزه مدرسه نرفتن باید از شنبه برن.

ـ خوب پس شیرینو پیش من بذار، می‌خوای این‌ور و اون‌ور بری دست‌وپا گیرت می‌شه، می‌بینی که فیروزه هم عاشقشه، مثل عروسک باهاش بازی می‌کنه.

فیروزه پنج ساله و مثل گل زیبا و دوست‌داشتنی بود و فـاطی مـاه چـهارم حاملگی بر سر بچه دومش را می‌گذراند.

ـ نه عزیزم، تو خودت با این وضع که نمی‌تونی بچه‌داری کنی، منم بچه‌ها که پیشم هستند خیالم راحت‌تره، فقط اگه می‌شد پروین‌خانم می‌اومد...

پروین‌خانم که این دو روز با عشق از شیرین نگهداری‌کرده‌بود و حالا بـا حسرت به سخنان من در مورد رفتن گوش می‌داد از جا پرید و گفت:

ـ کی؟ من؟! پس چی که می‌آم، الهی قربونش برم، عزا گرفته بودم این بچه رو ببری من چه کنم.

ـ خودت کاری نداری؟ مزاحمت نمی‌شم؟

ـ ای بابا چکار دارم؟ الحمدلله نه شوهری، نه زاغ و زوغی، این روزها هم که دیگه کسی لباس نمی‌دوزه، اصلاً می‌آم یک هفته پیشت می‌مونم، تا کارات رو به راه بشه.

ـ قربونت برم پروین‌خانم، اگه تورو نداشتم چـه کـار مـی‌کردم؟ چـطوری

این همه محبت‌ها تو جبران کنم؟

تمام روز جمعه به تمیزکردن خانه گذشت، به پروین خانم گفتم:

ـ اون دفعه که خونه رو به‌هم‌ریختن آقاجونم خدا بیامرز چند تا کمک برام فرستاد، حالا ببین چقدر بی‌کس و کار و بی پشتیبان شدم، آخ که چقدر دلم براش تنگه، چقدر بهش احتیاج دارم، و صدایم در گلو شکست، مسعود که نمی‌دانستم شاهد این گفت‌وگوست به کنارم دوید، دستم را گرفت و گفت:

ـ ما که هستیم خودمون کمکت می‌کنیم، تورو خدا غصه نخور.

موهای خوش رنگش را با نوازشی به‌هم‌ریختم، به چشمان پر محبتش نگاه کردم و گفتم:

ـ می‌دونم عزیزم، تا شماها رو دارم غصه ندارم.

این بار به خانهٔ بی‌بی و زیرزمین که تقریباً خالی بود کاری نداشتند، در نتیجه کار ما به طبقهٔ خودمان محدود شد که آن‌هم تا عصر تقریباً جمع‌وجور شد و حداقل ظاهر خانه مرتب گردید، شب بچه‌ها را به حمام فرستادم و وادارشان کردم کارهای عقب‌افتادهٔ مدرسه را انجام‌دهند و برای فردا آماده‌شوند ولی سیامک ناآرام بود، دل به کار نمی‌داد و اذیت می‌کرد، می‌دانستم حق‌دارد ولی تحمل من‌هم حدی داشت، بالاخره با جدیت نشاندمشان و گفتم:

ـ می‌بینید بچه‌ها من چقدر گرفتارم، چقدر بدبختی و فکر و خیال دارم، حواسم چند جا باید باشه، فکر می‌کنید من چقدر توان دارم؟ من بدون کمک شماها هیچ کاری نمی‌تونم بکنم، اگه شماها بامن همکاری نکنید و بخواهید به نگرانی‌ها و فکر و خیال‌هام اضافه کنید از پا درمی‌آم مهم‌ترین کمک شما اینه که تکالیف مدرسه‌تونو خوب انجام بدین تا من لااقل از فکر اونا راحت باشم، این کمکو به من می‌کنید؟

مسعود با جان ودل و سیامک با تردید قول‌دادند.

شنبه باز به چند جا سر زدم. پدر حمید به اندازهٔ چندین سال پیرتر شده بود،

زیر بار این غصه به وضوح داشت می‌شکست، خیلی دلم برایش می‌سوخت، سعی می‌کردم کمتر او را با خودم همراه کنم، دوندگی‌هایم بی‌حاصل بود، هیچ جواب صحیحی به من نمی‌دادند، چاره‌ای جز رفتن پیش محمود نمانده‌بود، نباید در این موقعیت به غرورم فکر می‌کردم، از پشت تلفن راحت‌تر می‌توانستم با او حرف‌بزنم، ولی همهٔ اعضای خانواده‌اش می‌دانستند که باید به من بگویند خانه نیست. با اکراه به در خانه‌اش رفتم، منتظر شدم تا به خانه آمد، پشت سرش زنگ زدم و وارد خانه شدم، احترام‌سادات با سردی پذیرایم شد، غلامعلی در حیاط من را دید، اول با خوشحالی گفت سلام عمه، ولی بعد گویی یادش آمد که نباید با من خوش‌وبش کند، پشتش را به من کرد و بااخم راهش را کشید و رفت. احترام سادات گفت:

ـ برای احوال‌پرسی من که نیومدی، اگه اومدی محمودو ببینی باید بگم که هنوز نیومده، امشب هم معلوم نیست که اصلاً خونه بیاد.

ـ برو بهش بگو بیاد اینجا کارش دارم می‌دونم خونه‌س، خودم موقع اومدن دیدمش.

ـ وا محمود کی اومد که من نفهمیدم؟

ـ تو ظاهراً هیچ‌وقت نمی‌فهمی توی خونه‌ات چی می‌گذره، بگو بیاد فقط دو دقیقه کارش دارم.

پشت‌چشم نازک‌کرد، چادرش را دور هیکل گردش پیچید و با غُرغُر از اتاق بیرون رفت، از او دلخور نبودم می‌دانستم که دستور محمود را اجرا می‌کند بعد از دو دقیقه برگشت و گفت:

ـ داره نماز می‌خونه، می‌دونی که نمازش هم چقدر طولانیه.

ـ باشه منتظر می‌شم، من تا صبح وقت دارم.

بالاخره بعد از مدتی محمود با بدخلق وارد شد، زیر لب چیزی به عنوان جواب سلام گفت، تمام ذرات وجودم از بودن در این خانه بیزار بودند. با صدایی گرفته گفتم:

ـ داداش تو برادر بزرگ منی، من جز تو کسی رو ندارم، آقاجون منو دست تو

سپرده، تو باید پشتیبانم باشی، تورو به جون بچه‌هات، نذار بچه‌های من یـتـیم بشن، کمکم کن.

ـ به من چه؟ مگه دست منه؟ من چکاره‌ام؟

ـ عموی احترام‌سادات تو کمیته‌ها و دادگاه‌های انقلاب همه کارس تو فقط ترتیب یک ملاقاتو بده، همین که معلوم بشه کجاس و در چه حالیه برام بسه. تو فقط منو ببر پیشش.

ـ نه بابا؟!! برم بگم این ملحد خدانشناس فامیل منه؟ ببخشیدش؟ نه جونم ما آبرومونو از سر راه نیاوردیم.

ـ تو نمی‌خواد حرف بزنی، من خودم باهاش حرف می‌زنم، نمی‌خوام آزادش کنن یا ببخشنش، اصلاً حبس ابدش کنن، فقط شکنجه... اعدام.

و زدم زیر گریه با نگاهی پیروزمندانه و خنده‌ای تمسخرآمیز سری تکان داد و گفت:

ـ خوب وقتی به هچل می‌افتین، یاد ما می‌کنین‌ها. تا حالا که آخوندا بد بودن مرتجع بودن، ال بودن، بل بودن خدا نبود، پیغمبر نبود؟

ـ بس کن داداش، من کی گفتم خدا نیست، پیغمبر نیست، من هنوز یک وعده نمازم فوت نشده، تازه بیشتر آخوندها به مراتب روشن‌فکرتر و آگاه‌تر از شماهان اصلاً مگه ما با هم نبودیم، مگه تو همه جا پُز نمی‌دادی که دامـادمون انـقلابیه، زندونیه، شکنجه‌شده، حالا من به عقایدش کاری ندارم، هر چی بـاشـه پـدر بچه‌هامه، نباید بدونم کجاس؟ در چه وضعیه، تورو جون بچه‌هات کمکمون کن.

ـ پاشو آبجی، پاشو جمع کن، خیال کردی شهر هرته؟ شوهرت علیه اسلام و خدا قیام کرده،، مرتده، اون‌وقت جناب‌عالی می‌خوای هـیـچ‌کس هـم کـاریـش نداشته باشه، ولش کنن تا هر کثافت‌کاری که می‌خواد بکنه و مملکت و دین و به باد بده، حالا انصافاً خودش اگه حکومت دستش بـود یکـی از مـا رو زنـده می‌ذاشت؟ جون بچه‌هات راستشو بگو، هان... چرا ساکت شدی...؟ نه جونم کور خوندی، اون مهدورالدمه، واجب‌القتله، اون‌وقت می‌خوای من که تمام عمرم به خاطر اسلام خون دل خوردم، نذاشتم حق و باطل قاطی بشن، بلندشم به خاطر

این ملحد از دین برگشته برم پیش حاج آقا و اون آقای پاک و مطهرو وادار به گناه کنم؟! نه من همچین کاری نمی‌کنم، اون هم حاضر نمی‌شه پا روی حق بذاره و دشمنِ خدا و دینو بدون مجازات رها کنه، اگرم تموم دنیا بهش التماس‌کنن اون کار خودشو می‌کنه، خیال کردی هنوز زمان شاهه که با پارتی‌بازی نجاتش دادی؟ نه جونم حالا دیگه پای حق در میونه، پای دین، کی می‌تونه ببخشه؟

احساس‌می‌کردم بر سرم پتک سنگینی می‌کوبند، چشم‌هایم می‌سوختند، از خشم آتش‌گرفته‌بودم، به خودم ناسزا گفتم که چرا آمدم؟ چرا از این خدا بی‌خبرِ ریاکار کمک خواستم؟ در حالی که دندان‌هایم را به‌هم‌می‌فشردم رودررویش ایستادم چادرم را دورم پیچیدم و فریاد زدم:

ـ نه! بگو استفاده‌هامو کردم، دیگه بهش احتیاج‌ندارم، شریک نمی‌خوام، می‌خوام تنهایی بخورم، عقب افتادهٔ عقده‌ای، خدا از داشتن بنده‌ای مثل تو در عذابه.

و دوان‌دوان و ناسزاگویان از خانه خارج شدم، بندبند بدنم می‌لرزید.

بعد از دو هفته فهمیدیم که حمید در زندان اوین است، هر روز همراه با پدر حمید و یا به‌تنهایی چادر سرم می‌انداختم و به دنبال مسؤولین زندان و کسانی که جوابگو باشند و خبر موثقی به ما بدهند می‌گشتم، جرم او محرز بود، آن‌قدر عکس و مقاله و سخنرانی از او داشتند که هیچ‌چیز را نمی‌شد انکارکرد، نفهمیدم دادگاهی داشت یا نه و کی تشکیل‌شد، ولی یک ماه و نیم از دستگیریش نگذشته بود که در یکی از مراجعاتمان به زندان، ما را به اطاقی راهنمایی کردند، در گوشِ پدر حمید گفتم:

ـ فکر کنم اجازهٔ ملاقات دادن، هر دو هیجان‌زده و منتظر ایستادیم. بعد از چند دقیقه یکی از مأمورین بسته‌ای به اتاق آورد، روی میز گذاشت و گفت:

ـ وسایلشه.

مدتی مات و مبهوت نگاه کردم، نمی‌فهمیدم منظور چیست؟ با بی‌حوصلگی گفت:

ـ مگه فامیل حمید سلطانی نیستین؟ پریروز معدوم شد، اینم وسایلشه.

مثل این بود که سیم برقی به بدنم وصل‌کرده‌بودند، تمام تنم متشنج شد، به پدر حمید نگاه‌کردم، با رنگی مثل گچ، همان‌طور که سینه‌اش را در مشت می‌فشرد

روی صندلی مچاله شد و افتاد، خواستم به طرفش بروم ولی پاهایم یاری نمی‌کردند، سرم گیج رفت و دیگر هیچ نفهمیدم. از صدای آژیر آمبولانس به خود آمدم و چشمانم را باز کردم، پدربزرگ را به سالن مراقبت‌های ویژه و مرا به اورژانس بردند باید خبر می‌دادم، شمارهٔ تلفن فاطی و منصوره را که به خاطرم بود به پرستار دادم.

پدر حمید بستری شد و من شب به خانه آمدم، نمی‌توانستم به چشم بچه‌هایم نگاه کنم، نمی‌دانستم آنها چقدر می‌دانند و من باید چه بگویم، حال حرف‌زدن حتی گریه‌کردن هم نداشتم، آن‌قدر آرام‌بخش تزریق کرده بودند که به زودی به خوابی تیره و سیاه فرو رفتم.

سه روز طول کشید تا من از گیجی و شوک به در آمدم و سه روز طول کشید تا پدر حمید در مبارزه با مرگ بالاخره شکست خورد و به آرامش و رهایی ابدی دست یافت، تنها چیزی که توانستم بگویم این بود که خوشا به سعادتش، آسوده شد، در آن زمان بیش از هر کسی در جهان به او غبطه می‌خوردم...

مراسم عزاداری پدر و پسر یکی شد و ما توانستیم بدون ترس و نگرانی زار بزنیم، قیافهٔ غم‌زده، چشمان پف‌کرده، جثه لاغر پسرهایم در آن بلوزهای سیاه جگرم را کباب می‌کرد، در بقیهٔ مواقع مبهوت و از خود بیخود در خاطرات زندگی مشترکم با حمید که حالا در آن یک ماهی که با هم شمال بودیم خلاصه شده بود سیر می‌کردم، از خانوادهٔ ما تنها خانم‌جون و فاطی در مراسم شرکت می‌کردند، تا شب هفت منزل پدر حمید بودم، نمی‌دانستم شیرین کجاست؟ هر چند وقت یک بار از فاطی می‌پرسیدم، او هم جواب می‌داد، ولی گویی نمی‌شنیدم بعد از ساعتی دوباره سؤالم را تکرار می‌کردم.

حال مادرِ حمید خیلی خراب بود، فاطی گفت از این مصیبت جان به در نخواهد برد، یک ریز حرف‌هایی می‌زد، که هر کلمه‌اش برای به آتش کشیدن دل‌ها کافی بود، من که در هنگام مصیبت درگیر افکار سیاه، ساکت و خاموش به گوشه‌ای خیره‌می‌شوم، از اینکه او می‌توانست در چنین موقعیتی این‌همه

حرف بزند تعجب می‌کردم، او گاه پسرهای مرا در آغوش می‌کشید و مـی‌گفت بوی حمید را می‌دهند، زار می‌زد و اشک همه را درمی‌آورد، گاه آنها را از خـود می‌راند و فریاد می‌زد بدون حمید اینارو می‌خوام چکار؟ گـاه بـرای شـوهرش اشک می‌ریخت و می‌گفت اگه آقا مرتضی بـود تحـمل می‌کـردم و گـاه خـدا را شکر می‌کرد که او مرده و نیست تا این مصیبت را ببیند. می‌فهمیدم که بچه‌هایم زجر می‌کشند و این محیط آنها را از پا در خواهد آورد، به فاطی گفتم به آقا صادق بگو بچه‌ها رو برداره از اینجا ببره، سیامک منتظر اشاره‌ای بود تا از آن خـانه فرار کند ولی مسعود به من چسبید و گفت: می‌ترسم اگه ما بریم تو خیلی گریه کنی و یه طوری بشی، بهش قول دادم که مواظب خودم باشم و زنده بمانم. بـا رفتن بچه‌ها گویی سرپوش بزرگی را از روی قلبم برداشتند، اشک‌هایم که در حضور آنها اجازۀ فروریختن نداشت سرازیر شدند و نفسم با هق‌هق گـریه از سینه‌ام بیرون آمد.

۞

وقتی به خانه برگشتم می‌دانستم که بیش از این حق عزاداری و اتلاف وقت ندارم، گرفتاری‌های من بیش از آن بود که از تجمّل عزاداری طولانی برخوردار شوم، زندگیم آشفته بود، بچه‌ها از درس و مدرسه عقب افتاده بودند، امتحانات نزدیک بود و از همه مهم‌تر هیچ ممر درآمدی نداشتم، کارم از دست رفته بود، این چند ماه را هم با کمک‌های پدر حمید گذرانده بودم که کفگیر آن‌هم در همان موقع به ته دیگ خورده بود. باید فکری به حال خرجی خانه می‌کردم باید کاری پیدا کنم. افکارم از جهات دیگر نیز مغشوش بود، در این یک هفته در خانۀ پدر حمید زمزمه‌هایی در مورد ارث و میراث شنیده بودم، یک بار زن‌عمو و عمۀ حمید در اطاقی که من دراز کشیده بودم بدون توجه به حضور من دربارۀ خانۀ بی‌بی که ما در آن نشسته بودیم حرف می‌زدند، آنجا بود که تازه فهمیدم خانۀ ما جزء اموال موروثی عمه‌ها و عموهای حمید است که تاکنون به احترام مادرشان که در آن زندگی می‌کرده و پدر حمید که خرج مادر و مسؤولیت او را بر عهده داشته در مورد حقشان صحبت نکرده‌اند ولی حالا دلیلی برای گذشتن از حق نیست بهتر

است خانه را بفروشند و هر کدام سهمشان را بردارند. چند روز بعد هم شاهد گفت‌وگوی شوهرخواهرهای حمید با یکدیگر بودم، شوهر منیر می‌گفت:

ـ طبق قانون چون پسر زودتر از پدر فوت کرده هیچ‌چیز از ارث مرحوم سلطانی به خانوادهٔ حمید نمی‌رسه، از هر کس می‌خواین بپرسین.

عجیب این بود که در میان آن‌همه همهمه و با حالی که داشتم چطور تمام حرف‌هایی را که به زندگیم مربوط می‌شد می‌شنیدم و در ذهن خسته و خواب آلودم ضبط می‌کردم. به هر حال احساس خطر از آینده مرا زودتر از آنچه لازم بود از عزا بیرون آورد و غم از دست دادن حمید را کم‌رنگ کرد. شب‌های سیاه تنهاییم در اضطرابی جانکاه می‌گذشت، خوابم نمی‌برد، آرامش یک جا نشستن هم نداشتم دورِ خانه راه می‌رفتم، فکر می‌کردم و مثل دیوانه‌ها گاه افکارم را با صدای بلند بیان می‌داشتم. احساس می‌کردم تمام درها به رویم بسته‌شده، بدون کار، بدون حمید، بدون پدرش، بدون خانه، بدون ارث و میراثی که بتوانم دست‌مایهٔ کاری کنم و با مُهری که به پیشانی به عنوان همسر یک معدوم دارم چگونه باید در این دریای متلاطم زندگی فرزندانم را حفظ کنم و به سر منزل مقصود برسانم؟ آه آقاجون کجایی...؟ دیدی پیش‌بینی‌ات درست بود و دخترت تنها و بی‌کس در این دنیا سرگردان شد، وای که چقدر بهت احتیاج دارم.

در یکی از این شب‌ها که همچون خواب‌گردها دور خودم می‌چرخیدم با صدای زنگ تلفن از جا پریدم، با تعجب از این زنگ نابهنگام گوشی را برداشتم، صدای دوری گفت:

ـ معصوم، خودتی؟! الهی قربونت برم، راسه که حمید و... حمید فوت‌کرده؟

ـ آه پروانه تویی؟ و اشکم سرازیر شد، تو کجایی؟ از کی شنیدی؟

ـ پس راسته؟ امشب از یکی از این رادیوها شنیدم.

ـ آره راسته، هم خودش هم پدرش.

ـ توروخدا؟... دیگه پدرش چرا؟

ـ سکته کرد، شوک بهش وارد شد، از غصه مرد.

ـ الهی برات بمیرم، خیلی تنها شدی، حالا اگه احتیاج به کمک داشته باشی برادرات کمک می‌کنن؟

ـ ای بابا دریغ از یه قدم که برام بردارن، حتی ختم هم نیومدن، یه تسلیت خشک و خالی هم بهم نگفتن.

ـ حالا خوبه تو خودت کار می‌کنی و به هیچ کس احتیاج نداری.

ـ به! کدوم کار؟ پاکسازی شدم؟

ـ وا! یعنی چی؟ پاکسازی دیگه چیه؟

ـ یعنی از اداره بیرونم کردند.

ـ وای خدا مرگم بده برای چی؟ حالا تو با دو تا بچه چکار می‌کنی؟

ـ سه تا.

ـ چی!؟؟! سه تا؟ کی سه تا شدن؟ مگه من چند وقته ازت بی‌خبرم؟

ـ خیلی وقته. دو سال و نیمه، حالا دخترم یک سال و نیمشه.

ـ ببین چطوری از هم دور شدیم؟ الهی بگم خدا چکارشون کنه، یادته چه سنگی به سینه می‌زدی؟ می‌گفتی ما طاغوتی هستیم، حق مردمو خوردیم، خائنیم، باید همه چیز زیرورو بشه و مردم حقشونو بگیرن... بفرما...! حالا خوبت شد... راستی اگه پول می‌خوای، اگه به کمک احتیاج داری به خودم بگو. باشه.

بغض و تأثر گلویم را می‌فشرد.

ـ چیه چرا ساکتی؟ یه چیزی بگو.

ـ از طعنهٔ دشمنان مرا باکی نیست   مستوجب رحم دوستانم نکنید

چند ثانیه‌ای ساکت شد و بعد با ناراحتی ادامه داد:

ـ معذرت می‌خوام معصوم، ببخش به خدا دست خودم نیست، تو که منو می‌شناسی، حرف تو دلم بند نمی‌شه، بس‌که دلم سوخته نمی‌دونم چی می‌گم، من ناراحتی تو رو اصلاً نمی‌تونم ببینم، دلم خوش بود که تو به چیزی که می‌خواستی رسیدی، حالا حتماً زندگی خوبی داری، فکر نمی‌کردم اینجوری بشه، می‌دونی که چقدر دوستت دارم، از خواهر بهم نزدیک‌تری، اگه ما تو این موقعیت‌ها به‌هم نرسیم کی برسه؟ تورو جون بچه‌هات اگه چیزی می‌خوای به من بگو.

ـ خیلی ممنون، حتماً می‌گم، همین که تلفن‌کردی برام کمک بزرگی بود فعلاً بیش از هر چیز به روحیه احتیاج‌دارم که صدای تو به من می‌ده، فقط ازت خواهش می‌کنم دیگه تماستو با من قطع نکن.

به کارهای مختلف اندیشیدم، باید باز هم به طرف همان خیاطی می‌رفتم، کاری که همیشه از آن بدم می‌آمد، ولی گویی در سرنوشت من رقم زده شده‌بود. پروین قول کمک داد و من خیلی زود شروع کردم ولی او کار خودش هم کساد بود، همهٔ مشتری‌هایش رفته بودند، باید فکری اساسی می‌کردم، می‌دانستم که هیچ ادارهٔ دولتی حق استخدام مراکه پاکسازی شده‌ام ندارد، شرکت‌های وابسته به دولت و یا سازمان‌های بزرگ خصوصی هیأت‌های گزینش دارند ومن هرگز با معیارهای آن‌ها واجدشرایط برای استخدام نیستم. به شرکت‌های خصوصی که اسم و رسمی نداشتند مراجعه کردم، ولی بی‌فایده بود بازار کار بسیار کساد بود. به فکر درست کردن ترشی و فروش به مغازه‌ها افتادم، یا گرفتن سفارش برای پخت کیک، شیرینی یا غذاهای ساده ولی چگونه؟ من هیچ تجربه‌یی در این زمینه‌ها نداشتم و هر کاری مشکلات و محدودیت‌های خاص خودش را داشت.

در یکی از همان روزها آقای زرگر تلفن‌کرد. صدایش بر عکس همیشه، دستپاچه به نظر می‌رسید، احوال‌پرسی کرد، ظاهراً تازه خبر کشته‌شدن حمید را شنیده بود، تسلیت گفت و اجازه خواست که با بچه‌های اداره برای تسلیت به دیدنم بیایند. روز بعد او با پنج نفر از دوستان اداری به خانه‌مان آمدند، با دیدن آنها گویی غم‌هایم تازه شد و بی‌اختیار شروع‌به گریه‌کردم. خانم‌ها پا به پای من اشک می‌ریختند ولی آقای زرگر سرخ شده بود و لب‌هایش را می‌گزید و سعی می‌کرد نگاهش را از ما بدزدد، هرگز او را اینچنین ندیده بودم. وقتی همه آرام گرفتیم گفت:

ـ می‌دونید دیشب کی زنگ زد و به شما تسلیت گفت؟

ـ نه،! کی؟

ـ آقای شیرازی، از آمریکا. در واقع خبر را ما از او شنیدیم.

ـ عجب، پس او هنوز اونجاس؟ فکر می‌کردم بعد از پیروزی انقلاب برگشته.

ـ بله، برگشت، نمی‌دونی چه حالی بود، تـابه‌حال هـیچ آدمـی رو ایـن‌طور ذوق‌زده و خوشحال ندیده بودم. باور کن سال‌ها جوون شده بود.

ـ خوب پس چرا رفت؟

ـ چه می‌دونم، وقتی می‌رفت بهش گفتم کجا می‌ری تو که به آرزوت رسیدی، می‌دونی چی جوابمو داد؟

ـ نه! چی گفت؟

ـ گفت:

افسانهٔ حیات حرفی جز این نبود   یا مرگ آرزو یـا آرزوی مـرگ

ـ باید توی اداره‌تون نگهش می‌داشتین.

ـ ای بابا، دیگه خودمون رو هم تو اداره نگه نمی‌دارن.

ـ شما رو دیگه چرا؟

خانم مولوی گفت:

ـ مگه خبر نداری؟ برای آقای زرگر پرونده درست کردن.

ـ چه پرونده‌ای؟ نکنه کاری کرده بودین.

ـ آره همون کاری که شما کرده بودین.

ـ آخه چیزی به شما نمی‌چسبه.

آقای محمدی گفت:

ـ چطور نمی‌چسبه، از سر تا پای آقای زرگر طاغوتیه!

و همه خندیدند.

ـ شما لطف دارید، از این خبرا هم نیست.

خنده‌ام گرفت، کم‌کم طاغوتی بودن داشت مفهوم تعارف و خوش‌آمدگویی پیدا می‌کرد.

ـ فقط چون عموم یه زمانی وکیل بود و من هم خـارج تـحصیل‌کردم و زنم خارجی بود مدتی به پروپام پیچیدن، علایی که یادته هیچ‌وقت چشم دیدن منو

نداشت، می‌خواست از این فرصت استفاده کنه از شر من خلاص شه ولی خوب نقشه‌ش نگرفت.

ـ حالا شما بگید، چکار می‌کنین؟

ـ هیچی! دربه‌در دنبال کار می‌گردم و پیدا نمی‌کنم. هیچ هم در بساط نمونده.

شب دوباره آقای زرگر زنگ‌زد و گفت: نمی‌خواستم جلوی بچه‌ها بگم اگه واقعاً به کار احتیاج دارید شاید موقتاً بشه یه فکری کرد.

ـ البته که احتیاج دارم، نمی‌دونید در چه شرایطی هستم.

و مختصری از وضع نگران کننده‌ام را برایش بازگو کردم.

ـ پس باید حتماً مشغول بشید، فعلاً چند تا مقاله و یک کتاب برای ویرایش و تایپ داریم، اگه بتونی ماشین‌تایپ جورکنی می‌شه روی اونا کار کرد، ممکنه پولش زیاد نباشه ولی بد هم نیست تا انشاالله یک کار دایمی پیدا کنیم.

ـ مثل اینکه خدا شما رو فرشتهٔ نجات من قرار داده تا موقع سختی‌ها به دادم برسید، ولی من چطوری می‌تونم با اون اداره همکاری کنم، اگه بفهمن، برای شما بد می‌شه.

ـ لازم نیست بفهمن، به اسم دیگه‌ای قرارداد می‌بندیم، من خودم کارا رو به شما می‌رسونم، نمی‌خواد شما این طرفا بیایید.

ـ واقعاً نمی‌دونم چی بگم و چطور تشکرکنم.

ـ تشکر لازم نیست، شما کارتون خیلی خوبه، سواد شما رو در زبان فارسی کمتر کسی داره، فقط فکر یه ماشین‌تایپ باشید، فردا عصری کارا رو می‌آرم.

از خوشحالی در پوست نمی‌گنجیدم، ولی ماشین‌تایپ از کجا بیارم؟ آن را که سال‌ها پیش از پدر حمید برای تمرین گرفتم خیلی قدیمی بود، در همین موقع منصوره، برای احوال‌پرسی تلفن کرد. این خواهر حمید از همه مهربان‌تر، فهیم‌تر و همراه‌تر بود، موضوع را با او در میان گذاشتم، گفت:

ـ صبر کن از بهمن بپرسم، شاید توی شرکتشون یکی داشته باشن که بتونن موقتاً در اختیار تو بذارن. وقتی گوشی را گذاشتم، احساس سبکی و شادمانی

کردم و به خود گفتم خدا را شکر، امروز، روز خوبی بود.

۞

بعد از آن تا مدت‌ها با هـمـین روش در خـانـه تـایـپ، ویـرایـش و خـیـاطـی می‌کردم، پروین‌خانم مونس، کمک و همراهم بود، اغلب روزها می‌آمد شیرین را نگه‌می‌داشت یا با هم خیاطی می‌کردیم، سهم مـرا بـا دقـت حسـاب‌می‌کرد و می‌پرداخت، ولی مطمئن بودم که بیش از آنچه حق من است به من پول می‌دهد. هنوز سرحال و خوشگل بود، باورم نمی‌شد کـه بـعد از احـمـد دوست دیگـری نداشته، ولی وقتی یاد احمد می‌کرد چشم‌هایش پر از اشک می‌شد، قضاوت مردم دربارهٔ او دیگر برای من پشیزی ارزش نداشت از دیدِ من او زن شریف و نازنینی بود که بیش از نزدیک‌ترین کسانم که آن همه ادعای دستگیری از مردم را داشتند به یاریم شتافت، و آن‌قدر انسان و وارسته بود که به راحتی منافع و آسایش خود را فدای دیگران می‌کرد.

طفلک فاطی هم هر کار از دستش بر می‌آمد برای من می‌کرد ولی خودش هم با دو بچهٔ کوچک و درآمد محدود شوهرش هزار گرفتاری داشت، ظاهراً در آن روزها هر کس به نوعی با مشکلات دست‌وپنجه نرم می‌کرد. تنها کسانی که در اطراف من روزبه‌روز وضعشان بهتر می‌شد محمود و علی بودند کـه مـرتب بـر ثروتشان افزوده می‌گردید، ظاهراً از سهم مغازهٔ آقاجون که حالا جـزء امـوال خانم‌جون شده بود، کالاهای کوپنی دریافت‌می‌کردند و در بازار آزاد بـه چـند برابر قیمت می‌فروختند. خانم‌جون هم پیر و خسته‌تر از همیشه غرق در مسایل خودش بود. کمتر می‌دیدمش و در دیدارهای محـدودم از او سعی‌می‌کردم بـا برادرها روبه‌رو نشوم، در هیچ مـراسمی شرکت‌نمی‌کردم، تـا ایـنکه یک روز خانم‌جون زنگ زد و با خوشحالی خبر حامله بودن زن علی را که بعد از چند سال انتظار بالاخره اتفاق افتاده بود، داد و برای سفرهٔ حضرت‌عباس دعوتم‌کرد.

ـ خوب مبارک باشه از طرف منم تبریک بگو ولی می‌دونی که من نمی‌آیم.

ـ این حرفو نزن باید بیایی، دیگه پای حضرت‌عباس در میونه، با چه جرأتی می‌خوای پشت به سفره کنی، می‌دونی که شگون نداره، می‌خوای بازم بـدبختی

سرت بیاد؟

ـ نه مادر، حوصلهٔ دیدن اونا رو ندارم.

ـ تو به اونا چکار داری؟ بیا سر سفره دعا کن، خدا کمکت کنه.

ـ راستش خانم‌جون، خودم هم خیلی احتیاج به یک سفره‌ای، زیارتی چیزی دارم که برم و خودمو خالی کنم ولی نمی‌خوام چشمم به این برادرای بی‌غیرتم بیفته.

ـ جون بچه‌ها از این حرفا نزن، هر چی باشه برادراتن تازه علی چه تقصیری داره، من خودم شاهد بودم چقدر این‌ور و اون‌ور تلفن کرد. به خاطر مـن بیا می‌دونی چند وقته ندیدمت، فکر نمی‌کنی مادرت همین چند روز مهمونته، تا خونهٔ پروین‌خانم می‌آی به من سر نمی‌زنی.

و گریه را سر داد. تا بالاخره راضی شدم.

❦

سر سفره یک ریز اشک ریختم، و از خدا خواستم که بر توان روحی و جسمیم بیفزاید تا بتوانم بار سنگین زندگی را بـه تـنهایی حـمـل کنم، بـرای بـچه‌هایم و آینده‌شان دعا کردم، فاطی و پـروین‌خانم هـم پـابه‌پای مـن گـریه می‌کردند، احترام‌سادات غرق در طلا بالای مجلس نشسته بود و رو از من برمی‌گردانـد، خانم‌جون مدام تسبیح را می‌گرداند و زیر لب دعا می‌خواند، زن علی مغرور و سربلند کنار مادرش نشسته بود و از جایش تکان نمی‌خورد مبادا بچه بیفتد، و مدام از خوراکی‌های مختلف می‌خواست که جلویش می‌گذاشتند. بعد از رفـتن مهمان‌ها مشغول جمع‌آوری شدیم تا آقاصادق که بچه‌ها را به گردش برده بود به دنبالمان آمد. خانم‌جون بچه‌ها را بوسید و در حیاط نشاند و برایشان از آش سر سفره آورد. در همین موقع محمود هم وارد شد، احترام‌سـادات مـثل یک تـوپ بزرگ قِل خورد و به حیاط رفت، ولی خانم‌جون نگذاشت بروند، برای محمود آش ریخت و در گوشش نجوا کنان حرف می‌زد، معلوم بود که موضوع صحبت مـن هستم، آن‌قدر آزرده بودم که نمی‌خواستم هیچ‌کس پادرمیانی کند، هر چند کـه می‌دانستم به کمک‌های مالی محمود احتیاج خواهم داشت، از طرفی نمی‌خواسـتم پسرها در جریان چنین گفت‌وگوهایی باشند، سیامک را صدا زدم و گفتم:

ـ بیا این کیف بچه‌رو بگیر بذار تو ماشین تا من بیام، مسعود تو هم بیا شیرینو بغل کن.

ـ وا، کجا چکارشون داری، بچه‌ها هنوز آششونو نخوردن، تازه به هم رسیدن.

ـ نه خانم‌جون، خیلی کار دارم باید برم.

ـ بدو سیامک

و ساک را به دست سیامک که جلوی پنجره آمده‌بود دادم.

ـ مامان، می‌دونی دایی محمود ماشین تازه خریده، ما می‌ریم نگاه‌کنیم تا تو بیای. بریم غلامعلی.

ـ پس مامان شیرینو خودت بیار من‌هم می‌رم نگاه‌کنم.

و همهٔ بچه‌ها بیرون دویدند، خانم‌جون برنامهٔ آشتی‌کنان را خیلی خوب طراحی کرده بود، ظاهراً محمود هم آمادگی قبلی داشت، با صدای بلند گفت:

ـ کار خلاف نکنن، خیانت نکنن، توطئه نکنن، من چکارشون دارم؟ من از حق خودم می‌گذرم، هر بدو بیراهی که به ما گفته نشنیده می‌گیرم، جهنم فراموش می‌کنم، حضرت فرموده، مسلمون باید گذشت داشته باشه، ولی از حق دین و خدا و پیغمبر که نمی‌تونم بگذرم.

حرصم گرفته بود ولی با شناختی که از محمود داشتم گفته‌هایش را نوعی معذرت‌خواهی هم می‌شد تلقی کرد، خانم‌جون صدایم کرد و گفت:

ـ معصوم ننه یه دقه بیا.

ژاکتم را پوشیدم، هوای اواسط اسفند سرمای ملایم و مطبوعی داشت، شیرین را که آماده کرده بودم در بغل گرفتم و با بی‌میلی و اکراه از اتاق بیرون آمدم، هنوز خانم‌جون مقدمه‌چینی‌های لازم را نکرده بود که سر و صدای بچه‌ها از کوچه بلند شد، غلامحسین پسر کوچک‌تر محمود نفس‌نفس زنان به وسط حیاط پرید و گفت:

ـ بیایید سیامک و غلامعلی دعواشون شده. و دختر محمود با گریه ادامه‌داد، بابا بدو غلامعلی‌رو کشت.

علی و محمود و آقاصادق با سرعت از خانه خارج‌شدند، بچه را زمین گذاشتم

چادری را که روی نرده انداخته‌بودند سرکردم و به دنبالشان دویدم، بچه‌های کوچه همه جمع شده بودند، خودم را به زور به وسط معرکه کشاندم، علی سیامک را به دیوار چسبانده بود و فحش می‌داد، و محمود سیلی‌های محکمی به گوشش می‌نواخت، می‌دانستم چقدر دست محمود سنگین است، درد آنها را تا اعماق وجودم احساس‌کردم، دیوانه و وحشی از غریزه‌ای که شاید بخشی از آن انسانی نباشد فریاد زدم، ولش کن و به طرفش حمله بردم، چادر پخش زمین شد، خودم را بین سیامک و بقیه حایل قرار دادم، مشت‌های گره‌کرده‌ام را به صورت محمود پرت کردم که گویا به شانه‌اش خورد، می‌توانستم به راحتی تکه‌تکه‌اش کنم، این دومین باری بود که با بچه‌های من چنین می‌کردند، گویی هر وقت سایهٔ پدری بر سرشان نمی‌دیدند خود را محق می‌دانستند هر بلایی که می‌خواهند بر سر آنها بیاورند. آقاصادق آنها را کنار کشید ولی من تا چند ثانیه مانند قراول با مشت‌های گره‌کرده جلوی سیامک ایستادم، تازه اینجا بود که چشمم به غلامعلی افتاد که کنار جوی نشسته و گریه می‌کرد، مادرش پشتش را می‌مالید و زیر لب فحش می‌داد و نفرین می‌کرد، هنوز طفلک نمی‌توانست به درستی نفس بکشد، معلوم شد سیامک او را به زمین پرت کرده واو هم پشتش به لبه جوی خورده و نفسش بند آمده، دلم خیلی سوخت، بی‌اختیار گفتم:

ـ بمیرم عمه، چی شدی؟

با بداخلاقی و خشم فریاد زد:

ـ تو دیگه ولم کن، با این وحشی دیوونه‌ات.

محمود صورتش را به صورتم نزدیک‌کرد و با قیافه‌ای که از شدت غضب تغییر کرده بود گفت:

ـ ببین کی دارم بهت می‌گم، اگه این پسرتم دار نزدن، اینا تخم و ترکهٔ همون بی‌شرف بی‌دین هستن آخر عاقبتشون مثل همون می‌شه، این خط و این نشون. ببینم موقع دارزدنش می‌تونی باز مشت گره کنی؟

با عصبانیت و فریاد بچه‌ها را به داخل ژیان قراضه‌ام هل دادم، تمام راه بدوبیراه گفتم، به خودم که چرا رفته بودم، به بچه‌ها که عین خروس جنگی به همه

می‌پریدند، به خانم‌جون، به محمود و علی فحش دادم از بدبختی خودم که گیر چه زندگی افتاده‌ام نالیدم، و در حالی که اشک‌هایم را مدام با پشت دست پاک می‌کردم بی‌محابا رانندگی کردم، در خانه مدتی با خشم و خروش طول و عرض اتاق‌ها را پیمودم، بچه‌ها با چشمان وحشت‌زده نگاهم می‌کردند، کمی که آرامتر شدم رو به سیامک کردم و گفتم:

ـ واقعاً تو خجالت نمی‌کشی؟ تا کی می‌خوای مثل سگ هار به جون مردم بیفتی؟ تو ماه پیش شونزده سالت شد، پس کی می‌خوای آدم بشی؟ اگه بلایی سرش می‌اومد چی؟ اگه کله‌ش به لبهٔ جوی خورده‌بود و خونریزی مغزی می‌کرد چی؟ اگه می‌مرد چه خاکی به سرمون می‌ریختیم؟ یه عمر باید گوشهٔ زندون می‌موندی، یا تو هم اعدام می‌شدی و بغضم ترکید.

ـ مامان ببخشید، غلط کردم به خدا نمی‌خواسم دعوا راه بندازم، ولی نمی‌دونی چه حرفایی می‌زدن، اول هی پز ماشینشونو دادن و ماشین ما رو مسخره کردن و خندیدن بعد گفتند که ما باید از این هم بدبخت‌تر بشیم، چون مسلمون نیستیم و خدا نشناسیم، من هی هیچی نگفتم و به روی خودم نیاوردم، مگه نه مسعود...؟ ولی ول‌کن نبودند، شروع کردند پشت سر بابام مزخرف گفتن، بعد ادای دارزدنشو در آوردن، غلامحسین زبونشو در آورده بود و سرشو کج می‌کرد، بقیه هم می‌خندیدند بعد هم گفت تو قبرسون مسلمونا خاکش نکردن، انداختنش جلوی سگا چون نجس بوده. دیگه نفهمیدم چی شد، نتونستم جلوی خودمو بگیرم، دو تا زدم تو گوشش، غلامعلی رو هم که آمده بود جلومو بگیره هل‌دادم که عین ماست افتاد رو زمین و پشتش خورد به لبهٔ جوی، مامان یعنی تو می‌گی هر کی هر چی گفت من عین بی‌غیرتا هیچی نگم؟ مامان اگه نمی‌زدمش امشب از حرص می‌مردم، نمی‌دونی چقدر بابامو مسخره کردن.

و زد زیر گریه. مدتی نگاهش کردم، دلم خواست که من هم دو تا می‌زدم توی دهن غلامحسین، از این فکر خنده‌ام گرفت، گفتم:

ـ خودمونیم تو هم عجب زدیشون‌ها؟ ولی طفلک غلامعلی نمی‌تونست نفس بکشه، فکر کنم یکی از دنده‌هاش هم شکسته باشه.

بچه‌ها از طرز حرف زدن من فهمیدند که موقعیتشان را درک‌کرده‌ام و تا حدودی حق را به آنها می‌دهم، سیامک اشک‌هایش را پاک‌کرد، و با خنده گفت:

ـ ولی تو هم عجب پریدی اون وسط‌ها!

ـ آخه داشتن تو رو می‌زدن.

ـ عیبی نداشت من حاضر بودم ده تا دیگه از او سیلی‌ها بخورم ولی یکی دیگه بزنم تو سر غلامحسین.

همه خندیدیم، مسعود شروع کرد به ادای مرا درآوردن، پرید وسط اتاق و گفت:

ـ مامان با اون چادرش همچین پرید تو کوچه که من گفتم «زورو» اومده، با اون قدش جلوی دایی محمود و دایی علی با مشت‌های گره‌کرده گاردگرفته‌بود عیناً محمدعلی کلی می‌خواست حمله کنه، اگه یه فوتش می‌کردن می‌پرید رو پشت بوم خونهٔ سرهنگ، ولی بامزه این بود که اونا هم ترسیدن، همه هاج‌وواج مونده بودن...

مسعود آن‌قدر بامزه این مناظر را تصویر کرد که هر کدام از خنده به گوشه‌ای افتادیم، چه خوب، ما هنوز خندیدن را فراموش‌نکرده‌بودیم.

عید نزدیک بود ولی من حوصلهٔ هیچ کاری نداشتم، فقط از اینکه آن سال لعنتی بالاخره داشت تمام می‌شد خوشحال بودم، در جواب پروانه نوشتم نمی‌دانی چه سالی بر من گذشت، هر روزش مصیبتی بود به قول آقای شیرازی:

سیصدو شصت‌وپنج بار به شهر چوب حراجم آشکار زدند
سیصدو شصت‌وپنج بار مرا زنده کردند و باز دار زدند

به اصرار پروین‌خانم برای بچه‌ها پیراهن و شلوار دوختم، ولی عید حقیرانه‌مان نه خانه‌تکانی، نه هفت‌سین و نه نشاطی داشت. مادر حمید اصرار کرد که برای سال تحویل پیش او برویم، می‌گفت سال اول است و همه برای دیدن می‌آیند، ولی من حوصلهٔ هیچ‌کس را نداشتم. از صدای همسایه‌ها فهمیدیم که سال تحویل شده، جای خالی حمید مثل خاری در چشمم می‌نشست، هفده سال عید را با او گذرانده بودم، حتی اگر پیش ما نبود سایه‌اش را بر سرمان احساس می‌کردم و آرامش داشتم، ولی حالا هر چه بود تنهایی بود و بی‌پناهی. مسعود

عکس پدرش را در دست گرفته نگاه می‌کرد، سیامک در را بسته بود و از اتاق خارج نمی‌شد، شیرین سرگردان بود، درِ اتاق خوابم را بستم و گریه کردم.

❊

فاطی، آقاصادق و بچه‌ها با لباس‌های نو و پرسروصدا آمدند، فاطی از دیدن عید ماتم‌زدهٔ ما جاخورد به آشپزخانه آمد و گفت:

ـ آبجی از تو بعیده، این چه وضعیه؟ به خاطر بچه‌ها هم شده باید هفت‌سین می‌ذاشتی، کاری می‌کردی، وقتی گفتی خونهٔ مادر حمید نمی‌ری خوشحال شدم فکر کردم چون اونجا خودبه‌خود عزاداری می‌شه و بچه‌ها ناراحت می‌شن نمی‌خوای بری، حالا می‌بینم خودت بدتری. پاشو، پاشو لباس بپوش، هر چی بود این سال تموم شد، انشاالله سال نو سال خوبی براتون باشه و همهٔ ناراحتی‌ها رو جبران کنه.

آهی کشیدم و گفتم:

ـ چشمم آب نمی‌خوره.

و در دل ادامه دادم:

دل بد دیده‌ام کنون از بیم   مهرت ای سال نو نمی‌ورزد

که مرا در قفا چنان سالی‌ست   که به لعن خدا نمی‌ارزد

❊

بعد از عید زمزمه‌های تخلیه و فروش خانه بلندشد، مادر و منصوره نهیب می‌زدند، ولی عمه‌ها و عموها متفق‌القول بودند که وقت فروش خانه است، وضع ملک و املاک که بعد از انقلاب به دلیل شایعه تقسیم املاک و گرفتن خانه‌ها به شدت نابسامان بود، به تازگی کمی تغییر کرده و قیمت‌ها تکانی خورده‌بود و آنها می‌خواستند هر چه زودتر خانه را بفروشند تا مبادا دوباره قیمت‌ها سقوط کند و یا خانه از دست برود. وقتی خبر رسماً به من رسید، پیغام دادم که تا پایان امتحانات بچه‌ها از جایم تکان‌نخواهم‌خورد، بعد از آن فکری می‌کنم، ولی چه فکری؟ من که خرج خورد و خوراک بچه‌ها را به‌زور درمی‌آوردم چطوری می‌توانستم اجارهٔ خانه هم بدهم، مادر و خواهرهای حمید هم خیلی نگران بودند،

اول پیشنهاد کردند که با مادر حمید زندگی کنیم، ولی من می‌دانستم مادر حمید بیش از چند ساعت تحمل سروصدا، رفت‌وآمدها و شلوغی بچه‌ها را ندارد، من هم نمی‌توانستم و نمی‌خواستم بچه‌هایم را در خانهٔ خودشان هم محدود و معذب کنم، بالاخره عموی حمید پیشنهاد کرد که از محل ارث پدر حمید از خانهٔ مادری دو اتاق و گاراژ مخروبه‌ای را که در آن سر حیاط با دری مجزا وجودداشت بازسازی کند و من و بچه‌ها به آنجا منتقل شویم، بدین ترتیب هم مادر حمید و هم ما ضمن حفظ استقلال تنها نبودیم و خیال دخترها هم از جانب مادرشان راحت می‌شد، با توجه به اینکه ما هیچ حق از ارث پدری حمید نداشتیم همین محبت آنها مرا بسیار متشکر و ممنون کرد.

با پایان‌یافتن امتحانات ثلث سوم، بازسازی خانهٔ مادر حمید هم رو به اتمام گذاشت، ولی حرکات مشکوک سیامک نمی‌گذاشت به اسباب‌کشی فکرکنم و نگرانی‌های گذشته را بار دیگر در من بیدار می‌کرد، عصرها دیرتر از حد معمول به خانه می‌آمد، بحث‌های سیاسی راه‌می‌انداخت، به اخبار و روزنامه‌ها توجه خاص داشت و به گروه‌هایی بیش از معمول ابرازتمایل می‌کرد. ولی من دیگر تحمل هیچ گروه یا دسته‌ای را نداشتم، سعی‌کردم درها را بر اخبار روز ببندم و فرزندانم را از آسیب حفظ نمایم ولی شاید همین محدودیت‌ها آنها را مشتاق‌تر می‌کرد. در مراسم عزاداری برای حمید و پدرش با دوستان تازهٔ سیامک که کمک می‌کردند آشناشده‌بودم، بچه‌های خوب و سالمی به نظر می‌رسیدند ولی از پچ‌پچ کردن‌هایشان هیچ خوشم نمی‌آمد، گویی همیشه اسراری بین خودشان دارند، به تدریج رفت‌وآمد آنهابه خانه ما بیشتر شد، من با اینکه همیشه دلم می‌خواست سیامک دوستان خوبی داشته باشد و از لاک خود بیرون بیاید نسبت به این ارتباطات احساس ناخوشایندی داشتم، صدای مادر حمید که همیشه می‌گفت: «حمید را دوستانش از بین بردند» در گوشم طنین می‌انداخت، سیامک از طرفداران جدی و پروپا قرص مجاهدین شده بود، در هر جمعی با مشت‌های گره کرده به طرفداری از آنها برمی‌خاست، روزنامه‌ها و اعلامیه‌هایشان را به خانه

می‌آورد و مرا تا سر حد جنون عصبانی می‌کرد. همیشه گفت‌وگوهای سیاسی‌مان با دعوا و مرافعه قطع می‌شد و نه تنها به نتیجه نمی‌رسید بلکه او را روزبه‌روز از من دورتر می‌کرد، بالاخره یک روز با کوشش بسیار برای کنترل اعصاب و آرام ماندن نشستم و با او وارد بحث شدم، از پدرش و صدماتی که به خاطر مسایل سیاسی خوردیم، از رنج‌هایی که او و دوستانش کشیدند از بدبختی‌ها و سختی‌های زندگی آنها که در نهایت بی‌نتیجه بود گفتم و از او خواستم که قول بدهد که در هیچ گروه یا دسته‌ای وارد نشود، سیامک با جدیت و صدایی که دیگر مردانه شده بود گفت:

ـ چه حرفایی می‌زنی مامان؟!! مگه می‌شه؟ همه سیاسی هستن، هیچ‌کس توی کلاس ما نیست که جزء گروهی نباشه، بیشتر بچه‌ها هم مجاهدن، خیلی هم بچه‌های خوبین هم خدا رو قبول‌دارن و نماز می‌خونن هم برای آزادی خلق‌ها مبارزه می‌کنن.

ـ یعنی یک چیزی هستن بین بابات و داییت و اشتباهات هر دو رو باهم مرتکب می‌شن.

ـ نه‌خیر اصلاً، با اونا خیلی فرق دارن، من ازشون خوشم می‌آد، دوستای خوبین ازم حمایت می‌کنن، من اگه جزء اونا نباشم تنها می‌مونم، شما متوجه نیستین.

ـ چرا متوجهم، تو همیشه باید به یه چیزی، یه کسی آویزون باشی.

براق شده و چهره‌ای پرخاشگرانه به خود گرفت فهمیدم اشتباه‌کرده و کنترلم را از دست داده‌ام، صدایم را پایین آوردم و گذاشتم اشک‌هایم آشکارا بر صورتم روان شود با صدایی غمگین و گرفته گفتم:

ـ معذرت می‌خوام منظوری نداشتم فقط من تحمل یه بازی سیاسی دیگه رو توی خونه ندارم.

والتماس کردم که خودش را کنار بکشد، نتیجه تمام این گفت‌وگوها این شد که او قول داد که هرگز به طور رسمی به گروهی نپیوندد ولی نمی‌تواند هوادار یا به قول خودش «سمپات» نباشد، نمی‌توانستم به‌تنهایی در مقابلش بایستم، از آقاصادق که با او الفتی داشت خواستم که مواظبش باشد و با او صحبت‌کند، اوضاع روزبه‌روز وخیم‌تر می‌شد، می‌شنیدم که سیامک سر چهارراه روزنامه

می‌فروشد، در درس‌هایش اُفت‌کرده‌بود، به‌زور امتحانات ثلث سوم را داد، هنوز نمره‌ها را نداده بودند ولی مطمئن بودم که تجدید آورده. یک روز آقاصادق خبر داد که مواظب باشم آنها خیال راه‌پیمایی مفصلی دارند و دستورالعمل‌هایی هم برای این کار دریافت کرده‌اند، از صبح چهارچشمی سیامک را می‌پاییدم، شلوار جین و کفش‌های کتانی پوشید، چند بار خواست به هوای خرید چیزی از خانه خارج شود ولی من مسعود را فرستادم، کم‌کم داشت بی‌حوصله می‌شد به حیاط رفت، قدری با گل‌ها ور رفت، شلنگ را گرفت و در حالی که زیرچشمی پنجره را می‌پایید شروع به آب‌پاشی کرد، خود را در زیرزمین مشغول کار نشان می‌دادم ولی از پشت پردهٔ حصیری مواظبش بودم، به آرامی شلنگ را زمین گذاشت و با نوک پا به طرف درِ حیاط رفت، من‌هم دویدم خودم را قبل از او به در رساندم و دست‌هایم را به دو طرف چهارچوب در گرفتم. با خشم فریادزد:

ـ بسه دیگه، می‌خوام برم بیرون چرا مثل بچه‌ها با من رفتار می‌کنی؟ از دستت خسته شدم، ولم کن!

رنگش زرد شده‌بود با خشونت دستم را گرفت تا مرا به کناری بکشاند، می‌دانستم زورم به او نمی‌رسد ولی باید ایستادگی می‌کردم.

ـ مگه از روی جنازهٔ من رد بشی که بتونی امروز بری بیرون.

دوباره به طرفم حمله کرد، مسعود با قیافه‌ای مصمم و هیکلی بلند و باریک، که قد کشیدن‌های اخیر او را باریک‌تر هم نشان می‌داد، به کمکم آمد و جلوی من ایستاد، سیامک خشمی را که نمی‌توانست بر سر من بریزد، بر او فرو کوبید با مشت و لگد به جانش افتاد، از لای دندان‌ها ناسزا می‌گفت:

ـ برو جوجه، حالا دیگه تو واسهٔ من آدم شدی؟ برو گم‌شو خودتو قاطی نکن، مُردنی.

ـ تو حق نداری این جوری با مامان حرف بزنی باید به حرفش گوش بدی.

ـ خفه شو به تو مربوط نیست!

و سیلی محکمی به گوش او نواخت که تعادلش را از دست داد، با گریه گفتم:

ـ خیال می‌کردم پسرِ بزرگم پشتیبانمه، جای پدرشو برام پُر می‌کنه، ولی حالا

می‌بینم حاضره منو به یه عده غریبه بفروشه فقط به خاطر اینکه گفتم امروز، فقط یه امروز از خونه بیرون نرو.

ـ چرا نَرَم؟

ـ برای اینکه دوستت دارم، برای اینکه نمی‌خوام تو رو هم مثل بابات از دست بدم.

ـ چرا جلوی بابامو نگرفتی که کمونیست بود؟

ـ زورم نرسید، همه کاری کردم ولی نشد، اون از من بزرگ‌تر و قوی‌تر بود ولی تو بچهٔ منی، اگه زورم به تو هم نرسه باید برم بمیرم.

ـ اگه نذاری برم اینو می‌کشم.

ـ نه منو بکش چون به‌هرحال بعد از تو من می‌میرم، چه بهتر که خودت این کارو بکنی.

اشک در چشمان سیامک با برق خشم آمیخته بود، مدتی نگاهم کرد بعد با عصبانیت به طرف پله‌ها رفت، کفش‌هایش را با استفاده از پای دیگر در آورد و آنها را با لگد به گوشه‌ای پرت کرد و روی تختی که جلوی اتاق بی‌بی بود چمباتمه زد، بعد از یک ربع به شیرین گفتم:

ـ برو پیش داداشی ماچش کن، داره غصه می‌خوره.

شیرین دوید خود را به سختی از تخت بالا کشید، در کنار او ایستاد و شروع به نوازشش کرد، سیامک با حرص دست او را پس زد و فریاد زد:

ـ ولم کن تو هم دیگه.

رفتم شیرین را بغل کرده، زمین گذاشتم، کنار تخت نشستم و گفتم:

ـ پسرم، من می‌فهمم عضو یک گروه بودن و کارای قهرمانی کردن خیلی کیف داره، داشتن رؤیاهای زیبا و پاک برای نجات مردم و بشریت خیلی لذت‌بخشه، ولی تو می‌دونی پشتش چی خوابیده و به کجا منجر می‌شه؟ تو چه چیزی رو می‌خوای عوض کنی؟ برای چی می‌خوای خودتو به کشتن بدی؟ برای اینکه یه عدهٔ دیگه بیان یه عده رو به عنوان مخالف بکشن و خودشون به قدرت و ثروت برسن؟ آره؟ اینو می‌خوای؟

ـ نه خیر! تو نمی‌دونی، تو اصلاً این گروهو نمی‌شناسی، اینها این طوری نیستن، اینا می‌خوان عدالت رو توی جامعه برقرار کنن.

ـ عزیز دلم، دیگران هم همین حرفو می‌زدند، تا حالا دیدی کسی بخواد بـه قدرت برسه و بگه هدفش اینه که بی‌عدالتی رو در جامعه گسترش بده؟ ولی از نظر همهٔ اونا عدالت زمانی برقرار می‌شه که قدرت و حکومت رو به دست گروه خودشون بدن و اگر هم کسی بر علیه‌شون قد علم‌کرد بلافاصله به دَرَک واصل بشه.

ـ مـامان تـو اصـلاً یـه دونـه از کـتابای اونـا رو خـوندی؟ یـه دونـه از سخنرانی‌هاشونو شنیدی؟

ـ نه عزیزم نشنیدم، تو شنیدی بسه، به نظرت صحیح می‌گن؟

ـ آره! البته، اگه تو هم شنیده بودی می‌فهمیدی.

ـ خوب بقیه چی؟ کتابای دیگرون رو هم خـوندی؟ سخنرانی‌هـاشونو گوش کردی؟

ـ نه احتیاجی نیست می‌دونم چی می‌گن.

ـ نه نشد، به همین راحتی نمی‌تونی بگی راه درست رو که حاضری براش جون بدی پیدا کردی، شاید گروه‌های دیگه حرف‌های بهتری بزنن، تو چند تا نظریه و ایدئولوژی رو بررسی کردی، کتاب‌هاشونو بدون پیش‌داوری خوندی، تا به این نتیجه رسیدی؟ تو یه دونه از کتابای باباتو خوندی؟

ـ نه راه اون درست نبود، اونا بی‌دین بودن، شاید هم ضد دین.

ـ ولی اونم می‌گفت راه درست نجات بشر و برقراری عدالتو پیدا کرده، اونم بعد از اون همه مطالعه و مبارزه، ولی حالا تو که بچهٔ اونی یک‌صدم اونم مطالعه نداری می‌گی تمام عمرش اشتباه‌کرده، و زندگیشو در راه یه اشتباه باخته، شاید حق با تو باشه منم همین عقیده رو دارم، ولی فکر کن وقتی اون با اون همه سابقه چنین اشتباه گرانی کرده تو چرا نکنی؟ تو که هنوز اسامی مکاتب سیاسی رو هم درست بلد نیستی، وقتی اون آلت دست می‌شه تو چرا نشی؟ فکر کـن پـسرم، زندگی با ارزش‌ترین چیزیه که داری، نمی‌تونی به خاطر یه اشتباه به خطرش

بندازی، چون جبران ناپذیره.

ـ تو هیچی درباره اینا نمی‌دونی و بیخودی بهشون بدبینی، خیال می‌کنی می‌خوان ما رو گول بزنن.

ـ آره عزیزم، تو کاملاً درست می‌گی، من چیزی در مورد اینا نمی‌دونم ولی اینو می‌دونم هر کسی که برای منافع خودش از احساسات پاک بچه‌هایی مثل شما که هنوز فرصت مطالعه و یافتن راه را نداشتن استفاده کنه و اونا رو وسیلهٔ پیشرفت و نردبام رسیدن به قدرت قرار بده آدم درستی نیست و بهش بدبین می‌شم. من تو رو از سر راه نیاوردم که به خاطر به قدرت رسیدن آقای فلانی به این راحتی از دست بدم.

همیشه از مقاومتی که آن روز از خود نشان دادم بر خود می‌بالم، از عصر اخبار دستگیری‌ها و کشتار رسید، اوضاع به‌شدت ناآرام بود، سیامک هر روز می‌شنید که عدهٔ دیگری از دوستانش هم در این راهپیمایی گرفتار شده‌اند صاحبان اصلی پنهان شده و در حال فرار بودند ولی بچه‌ها دسته‌دسته اعدام می‌شدند. هر روز بعدازظهر اسامی، مشخصات و سن اعدام‌شدگان را در تلویزیون می‌خواندند من و سیامک فهرست‌های تمام‌نشدنی را با وحشت گوش می‌دادیم. وقتی به اسم آشنایی می‌رسید سیامک مثل شیری درون قفس می‌غرید و به خود می‌پیچید، با خود فکر می‌کردم مادر و پدر این بچه‌ها با شنیدن اسامی فرزندانشان چه حالی پیدا می‌کنند؟ و خودخواهانه و بی‌اختیار خدا را شکر می‌کردم که آن روز مانع رفتن سیامک شدم. مردم رفتار عجیب و غریبی داشتند؛ بعضی مات، برخی بی‌تفاوت عده‌ای عصبی وگروهی حتی خوشحال بودند، عکس‌العمل‌هایی چنین متضاد در جامعه‌ای که تا چندی پیش آن‌همه یک‌دست می‌نمود باورنکردنی بود.

یک روز در خیابان به یکی از همکاران سابق که خیلی هم سیاسی بود برخوردم، براندازم کرد و گفت:

ـ چه خبره خانم صادقی؟ انگار کشتیات غرق شده، خیلی پکری!

با تعجب گفتم:

ـ اوضاع و اخبار شمارو نگران نمی‌کنه.

ـ نه! به نظر من همه‌چیز همان‌طوره که باید باشه.

با غیظ گفتم:

نه شکیبایی، کشخانی و بی‌غیرتی است
این‌همه دیدن و این گونه دوام آوردن

با اخم نگاهم کرد و گفت:

ـ چی...؟ کشخانی یعنی چه؟

ـ برو تو فرهنگ لغت پیدا کن.

و در دل به آقای شیرازی درود فرستادم که با شعرهایش بهترین پاسخ‌ها را برای من آماده کرده بود.

اوایل تابستان اسباب‌کشی کردیم. ترک این خانه پس از هفده سال با انبوهی از خاطرات، ساده نبود. هر آجر آن برای من حکایتی داشت و یادی را در ذهنم زنده می‌کرد، خاطره‌ای که حتی تلخ‌ترین آن‌ها در پس گذشت زمان دوست‌داشتنی به نظر می‌رسید. ما هنوز به اتاق مهمانخانه می‌گفتیم اتاق شهرزاد، به اتاق‌های پایین می‌گفتیم خانهٔ بی‌بی، هر گوشه‌اش بوی حمید را می‌داد، هنوز گاه‌گاهی از زوایای پنهان خانه وسایل مربوط به او را پیدا می‌کردم، بهترین روزهای زندگیم در این چهاردیواری گذشته بود. به خود نهیب زدم که منطق باش. هیچ چاره‌ای نبود، شروع به جمع‌آوری اثاثیه کردم، مقداری را فروختم، مقداری را دور ریختم و مقداری را بخشیدم، فاطی گفت:

ـ وسایل خوبو نگه‌دار شاید بعدها خونهٔ بزرگ‌تری پیدا کردی، حیف مبل‌هات نیست؟ سال اول انقلاب گرفتی، یادته.

ـ آره اون موقع خیلی امیدوار بودم، فکر می‌کردم بعد از این صاحب یک زندگی خانوادگی شیرین خواهم شد، ولی حالا به دردم نمی‌خوره، خونهٔ بزرگ‌تر هرگز نخواهم‌داشت یا لااقل به این زودی‌ها، اونجا هم جا نداریم، نمی‌دونی چقدر

کوچیکه. تازه مگه من چقدر مهمونی می‌دم، تصمیم دارم فقط وسایل اولیه رو ببرم.

❊

خانه جدیدمان از دو اتاق که به هم راه داشتند و گاراژی کـه حـالا نـقش اتاق‌نشیمن و آشپزخانه را بازی می‌کرد تشکیل‌شده‌بود. دسـتشویی، حمـام و توالت در کنار این مجموعه بود که راه رفت‌وآمد آن از حیاط بود، یکی از اتاق‌ها را به پسرها دادم و دیگری به من و شیرین رسید، تخت‌ها، میزهای تحریرِ بچه‌ها، میزِکار خودم با مـاشین‌تحریر و چـرخ‌خیاطی را در ایـن دو اتـاق جـادادیم و تلویزیون و چند مبل و میز کوچک جلوی آن‌ها را در اتاق‌نشیمن گذاشتم، هر سه این اتاق‌ها به حیاط راه داشتند. حیاط بزرگی که دو باغچهٔ مستطیلی شکل و حوض گردی در وسط داشت. آن سوی حیاط هم خانهٔ مادر حمید بود.

اسباب‌ها را بردند و خانه خالی شد، موقع ترک خانه به همهٔ اتاق‌ها سرزدم، به در و دیوارها دست کشیدم و از آن‌ها که این‌همه سال شـاهد زنـدگی مـن بـودند خداحافظی کردم. به پشت‌بام رفتم، بار دیگر راه فرار حمید را تا منزل همسـایه طی‌کردم، درختان پیر باغچه را آب دادم، از پشت پنجره به اتاق‌های خاک‌گرفتهٔ بی‌بی که به زودی تاراج می‌شد نگاه‌کردم، چقدر هیاهو از ایـن خانهٔ سـاکت برخاسته بود، اشک‌هایم را پاک‌کردم، با قلبی فشرده، درها را بستم و با این بخش از زندگی، شادمانی و تمام جوانیم خداحافظی کرده و رفتم.

فصلِ هفتم

بچه‌ها از این جابه‌جایی بسیار ناخرسند و افسرده بودند، از درهم‌ریختگی اسباب‌کشی کلافه شده نمی‌دانستند چه باید بکنند، غُر می‌زدند و اعتراضشان را به صورت عدم همکاری نشان‌می‌دادند، سیامک روی تختی که تشک کجی بر روی آن افتاده‌بود دراز کشیده یک بازویش را بر روی چشمش گذاشته‌بود، مسعود کنار دیوار حیاط روی زمین نشسته چانه‌اش را به زانویش تکیه‌داده، به نقطه‌ای نامعلوم نگاه‌می‌کرد و گاه با گچی که باقیماندهٔ بنایی بود خطوطی روی آجرهای حیاط می‌کشید، خوشبختانه شیرین پیش پروین‌خانم بود و نگرانی از جانب او نداشتم، قیافهٔ درهم و اندوهگین بچه‌ها بیش از هر چیز عذابم می‌داد و این آشفتگی دیوانه‌ام می‌کرد، به تنهایی دیگر کشش هیچ کاری نداشتم، نمی‌توانستم مجبورشان کنم، سکوتشان نشان‌می‌داد که منتظر جرقه‌ای هستند تا منفجر شوند و دعوایی راه بیندازند، رفتم در اطاق نشستم نفس‌عمیق کشیدم، بغضم را فرو خوردم، با خود حرف‌زدم، مدتی طول‌کشید تا توانستم خود را اندکی آرام‌کنم و توان رویارویی با آنها را به دست آورم. بلند شدم چای دم کردم و از خانه بیرون رفتم، نانوایی سرکوچه تازه شروع به پخت بعدازظهر کرده بود. دو عدد نان بربری داغ خریدم و بی‌سروصدا به خانه برگشتم، قالیچه‌ای در حیاط پهن‌کردم، نان و پنیر و کره و چای را با قدری میوه آوردم، بچه‌ها را برای چای خوردن صدا کردم، می‌دانستم گرسنه هستند چون ناهارشان یک ساندویچ بود که ساعت یازده قبل از ترک آن خانه گاززده‌بودند، اول کمی معطل‌کردند ولی بوی نان تازه و خیار که من پوست می‌کندم آنها را به اشتها آورد، کم‌کم مثل گربه به‌طرف قالیچهٔ من آمدند و شروع به خوردن کردند، وقتی مطمئن شدم بدخلق ناشی از گرسنگی جای خود را به رضایت صرف غذایی دلچسب داده

شروع کردم:

ـ ببینید بچه‌ها! ترک اون خونه برای من که تمام روزهای خوش زندگیم و جوانیم در اون گذشته با اون همه خاطره، از همه شما مشکل‌تر بـود، ولی چـاره چیه؟ باید واقع‌بین بود. ما اونجارو تخلیه کردیم، ولی زندگی ادامه‌داره، شماهـا جوون هستین و در اول راه، خونه‌های خودتونو به مراتب زیباتر و بزرگ‌تر از اون خواهید ساخت. نباید به خونه‌های کهنه و قدیمی دل ببندین.

سیامک با عصبانت گفت:

ـ اونا حق نداشتن خونهٔ مارو ازمون بگیرن، حق نداشتن...!

ـ چرا حق نداشتن؟ خونه مال خودشون بود. قرار بوده تا مادرشون زنده است خونه رو نفروشن ولی وقتی او رفته باید ارث و میراثشونو جمع کنن.

ـ ولی اونا حتی به بی‌بی جون سر نمی‌زدن، همه کاراشو ما می‌کردیم.

ـ خوب برای اینکه مـا تـوی اون خـونه نشسته‌بودیم و استفاده‌می‌کردیم وظیفَمون بود که کمکش کنیم.

ـ ما از خونهٔ پدربزرگ هم سهمی نداریم، همه ازش ارث می‌برن جز ما.

ـ خوب، این قانونه پسرم، وقتی پسری زودتر از پدرش فوت کنه دیگه از اون سهمی نمی‌بره.

مسعود گفت:

ـ چرا قانون همیشه به ضرر ماس.

ـ این حرف‌ها چیه؟ تو به ارث و میراث چکار داری؟ کی این حـرف‌هـارو بهتون گفته؟

ـ مگه ما خَریم؟ از هزار جا شنیدیم، از همون روز ختم پدربزرگ.

ـ ما هیچ نیازی به این چیزا نداریم، فعلاً که تـوی خـونهٔ پدربـزرگ نشسـتیم این‌همه خرج‌کردن این اتاق‌ها رو برامون درست کردن، فعلاً که اینجا مشکلـی نداریم، چه فرق می‌کنه به اسم ما باشه یا نباشه ما که براش اجاره نمی‌دیم، خودش خیلی خوبه، بعد هم شماها بزرگ مـی‌شید، خـودتون خـونه و زنـدگی درست می‌کنین، من دوست ندارم بچه‌هام مثل مرده‌خورها به فکر ارث و میراث باشن.

ـ آره بزک نمیر بهار می‌آد، اینا حق مارو گرفتن.

ـ یعنی تو حاضری توی یه همچین خونهٔ قدیمی‌ای زندگی کنی؟ من آرزوهای خیلی بیشتری برای شماها دارم، به زودی دانشگاه می‌رین، هم می‌تونین درس بخونین هم کار کنین، بعد هم آقای دکتر و مهندس می‌شین، خونه و زندگی راه می‌ندازین، اونم چه خونه‌ای...؟ به‌به! نو، مدرن با بهترین وسایل، دیگه به این خرابه نگاه هم نمی‌کنین، اون‌وقت من هم مثل خانم‌باجی‌های زمان قدیم از این خونه به اون خونه می‌رم خواستگاری، وای که چه دخترای خوشگلی براتون پیدا می‌کنم، همه جا می‌شینم و می‌گم پسرام ماشاالله دکتر و مهندس، خوشگل و خوش قد و بالا، خونه دارن مثل قصر، دو تا هم ماشین مثل دسته گل، دخترها از چپ و راست براتون غش می‌کنن.

پسرها نیششان باز شده بود و از حرف‌های من که با ادا و اطوار می‌گفتم خنده‌شان گرفت.

ـ خوب حالا آقا سیامک از دختر بوره بیشتر خوشت اومده یا از مو سیاهه؟

قند توی دلش آب کردند با خنده گفت:

ـ مو سیاهه.

ـ تو چی مسعود، بور دوست داری یا سبزه؟

ـ چشماش آبی باشه، موهاش مهم نیست. گفتم:

ـ آبی، یعنی مثل چشمای فیروزه.

سیامک با خنده گفت:

ـ بیچاره خودتو لو دادی.

ـ نه بابا، مگه چی گفتم؟ چشمای مامان هم بعضی وقت‌ها آبیه.

ـ چرند نگو چشمای مامان سبزه.

ـ تازه فیروزه مثل خواهرمه.

ـ راست می‌گه، فیروزه حالا مثل خواهرشه ولی وقتی بزرگ شدن ممکنه مثل زنش بشه.

ـ اِ... مامان، این حرفا چیه می‌زنی؟ تو هم چرا این‌قدر بی‌خودی می‌خندی؟

بغلش کردم، روی سینه‌ام فشارش دادم، بوسیدمش و گفتم:

ـ وای که برای عروسی شماها من چه می‌کنم.

این حرف‌ها انگار در روحیه خودم هم اثر گذاشته بود، انرژی بیشتری در وجودم احساس می‌کردم.

ـ خوب بچه‌ها حالا به نظر شما خونه رو چطوری درست کنیم؟

ـ خونه؟ همچین می‌گه خونه که آدم خیال می‌کنه واقعاً خونه‌اس.

ـ البته که خونه‌س، صبر کن درستش کنم ببین چه کسانی حسرتشو بخورن، مهم این نیست که خونه چی باشه، مهم اینه که چطوری درستش کنی. بعضیا مخصوصاً می‌رن یه آلونک، یه زیرزمین نمورو می‌گیرن جوری درستش می‌کنن که آدم حظ می‌کنه، از صد تا قصر هم بهتر و راحت‌تر می‌شه، هنر اینه، نه اینکه بری تو یک کاخ حاضر آماده زندگی‌کنی. خونهٔ هر کسی نشون‌دهندهٔ شخصیت، ذوق و سلیقه و روحیهٔ افرادی‌ست که در اون زندگی می‌کنن.

ـ آخه اینجا خیلی کوچیکه.

ـ نه چرا کوچیکه؟ ما دو تا اتاق و یک سالن داریم با یه حیاط به این بزرگی و قشنگی که نصف سال به محل زندگیمون اضافه می‌شه، بذارین پر از گل و گیاهش بکنیم، ببینین چه صفایی پیدا می‌کنه، حوض رو هم همه با هم رنگ می‌کنیم، توش ماهی‌های قرمز می‌ندازیم، عصرها فواره‌شو باز می‌کنیم و اینجا می‌شینیم و کیف می‌کنیم چطوره؟

حالت بچه‌ها عوض شده بود، به جای غم و یأسِ یک ساعت پیش نگاهشان رنگی از شوق گرفته بود، باید از فرصت استفاده می‌کردم.

ـ خوب آقایون بلند شین، اتاق بزرگه مال شماهاست درستش کنید. رنگش هم خیلی قشنگ شده، نه؟ خودمونیم اون خونه دیگه داشت رو سرمون خراب می‌شد، اینجا اقلاً تازه تعمیره، اون یکی اتاق هم مال من و شیرین. شماها اسبابای بزرگو ببرید بقیه‌ش با خودم، اون میز گرده و صندلی‌هاش مال حیاطه، مسعود حیاط دست تورو می‌بوسه، وقتی کمی جابه‌جا شدیم باغچه رو وارسی کن ببین به چی احتیاج داره، براش چه گل‌هایی بخریم؟ سیامک‌خان، جنابعالی هم باید

آنتن تلویزیونو نصب کنی، یه سیم تلفن هم از خونهٔ مادربزرگ به اینجا بکشی، چوب پرده‌ها را هم با کمک مسعود بزنی، راستی یادمون باشه اون تخت چوبیه رو که خونهٔ بی‌بی بود، تمیز کنیم و بیاریم، برای توی حیاط خوبه، روش قالی میندازیم اگه دلمون خواست شب‌ها توی حیاط می‌خوابیم، خیلی خوبه مگه نه؟

بچه‌ها به هیجان آمده بودند شروع به دادن پیشنهاد کردند، مسعود گفت:

ـ پرده‌های اتاق ما رو عوض کن، اونا که مال اون خونه بود خیلی تاریکن.

ـ راست می‌گی، حق با توست، با هم می‌ریم یه پارچهٔ خوشگل با گل‌های شاد انتخاب می‌کنیم، از سر همون هم براتون روتختی می‌دوزم. قول می‌دم اتاق روشن و شیکی داشته باشین.

به این ترتیب بچه‌ها آن خانه را پذیرفتند و ما با آنجا هماهنگ شدیم، بعد از یک هفته تقریباً جا افتادیم و بعد از یک ماه باغچه‌ای پُرگل و باصفا، حوضی زیبا و درخشان و اتاق‌هایی با پرده‌ها و تزیینات شاد و راحت داشتیم. پروین‌خانم از نقل مکان ما راضی بود، می‌گفت رفت‌وآمدش به خانهٔ ما راحت‌تر شده، مادربزرگ از بودن ما در خانه‌اش خوشحال بود و به قول خودش کمتر می‌ترسید، مواقعی که سروصدای جنگ بالا می‌گرفت، خاموشی می‌شد و آژیر می‌زدند همه خودمان را با سرعت به او می‌رساندیم، بچه‌ها به نوعی به جنگ خو‌گرفته بودند و آن را جزیی از برنامهٔ زندگی می‌دانستند، موقع بمب‌باران و موشک‌باران‌ها که برق خاموش می‌شد شیرین را وادار می‌کردیم برایمان شعر بخواند و همه همراهیش می‌کردیم، بدین ترتیب افکار همه جز مادربزرگ که با وحشت به سقف خیره می‌شد از بمب‌باران منصرف می‌گردید.

آقای زرگر مرتب برایم کار می‌آورد و به ما سر می‌زد، چقدر مهربان و با فکر بود، در این برخوردها خشکی رفتار اداری را نداشت، برای هم دوستان خوبی بودیم، دردِ دل می‌کردیم و من در مورد پسرها با او مشورت می‌کردم او هم تنها شده بود. همسر و دخترش با شروع جنگ به فرانسه برگشته‌بودند و او نمی‌دانست چه باید بکند. یک روز گفت:

ـ راستی از آقای شیرازی نامه داشتم.

ـ اِچی نوشته؟ حالش خوبه؟

ـ والله، فکر نمی‌کنم، خیلی دلتنگه، می‌ترسم این دوری از وطن از پا درش بیاره، شعرهای اخیرش تبدیل به غربت‌نامه‌هایی شده که دل آدمو می‌لرزونه. ما یک کلمه نوشتیم خوش به حالت که اونجا هستی و راحتی، اگه بدونی چه جوابی داده.

ـ چی نوشته؟

ـ من مثل شما نیستم که یادم بمونه، شعر بلندیه، خیلی دردناکه، و تمام حالت‌هاشو در غربت توصیف می‌کنه، فقط اولش یادمه که می‌گه:

ترا نان به روغن بود لقمه چرب   نوشتی که در خوان بی خون غرب

غروبی غریبانه دارم به غرب   نبودی ندیدی که با هر طلوع

ـ حق با شماست، او از این تنهایی و دلتنگی جان به‌درنخواهد برد. پیش‌بینی من خیلی زود به حقیقت پیوست و دوست دلشکستهٔ ما به آرامش ابدی رسید، آرامشی که شاید هرگز در زندگی زمینی تجربه نکرد... در مراسم ختمی که خانواده‌اش گرفتند شرکت کردم، تجلیلی از او به عمل آمد، ولی توطئهٔ سکوتی که در زمان حیاتش گرد آثار او بود همچنان ادامه یافت.

آقای زرگر مرا به چند شرکت انتشاراتی معرفی کرد که کارهایشان را در خانه انجام می‌دادم و بالاخره کاری در دفتر یک مجله برایم پیدا کرد که حقوقی مستمر و مطمئن داشت، هر چند که زیاد نبود ولی کمبودها با کارهای اضافی که در خانه انجام می‌دادم جبران می‌شد.

بچه‌ها را در مدارس نزدیک خانه نام‌نویسی کردم، هفتهٔ اول با اخم و ناراحتی به مدرسه جدید رفتند، به خاطر دور شدن از دوستانشان افسرده و دلسرد بودند ولی بعد از یک ماه حتی یاد مدرسهٔ قدیمی را هم نمی‌کردند، سیامک دوستان زیادی پیدا کرد و مسعود که با همه سازگار و مهربان بود خیلی زود مورد محبت اطرافیان قرار گرفت، شیرین که وارد سه سالگی شده بود، شاداب و خوش‌سروزبان با همه حرف می‌زد، می‌رقصید و از سر و کول برادرهایش بالا

می‌رفت، تصمیم داشتم او را هم به کودکستانی که نزدیک بود بگذارم ولی پروین‌خانم نگذاشت و با عصابیت گفت:

ـ مگه پولت زیادی کرده؟ یک‌سره اداره‌ای یا تو خونه داری تایپ می‌کنی، می‌خونی، می‌نویسی، یا خیاطی می‌کنی آن‌وقت پولی که با این بدبختی درمی‌آد بریزی تو جیب اینا، نه نمی‌ذارم، مگه من مُرده‌ام؟

داشتم با ریتم جدید زندگی هماهنگ می‌شدم. هر چند که جنگ بود و اخبار وحشتناک آن را می‌شنیدم ولی خیلی دور از ما به نظر می‌رسید، من آن‌قدر گرفتار زندگی بودم که جز هنگام آژیر خطر به یاد جنگ نمی‌افتادم، در آن هنگام هم اگر همه با هم بودیم نگرانی نداشتم، معتقد بودم که این بهترین نوع مرگ است همه باهم، یک جا و یکدفعه، بحمدالله بچه‌ها هنوز به سن سربازی نرسیده بودند و من خیالم جمع بود که تا اینها بزرگ‌شوند جنگ تمام خواهد شد، مگر چند سال می‌توانستیم بجنگیم؟ بچه‌های من هم از آن بچه‌ها نبودند که عشق جبهه رفتن داشته باشند، داشتم باورمی‌کردم که سختی‌ها را پشت سر گذاشته‌ام، تکلیفم روشن شده و می‌توانم در آرامشی نسبی بچه‌هایم را بزرگ کنم.

چند ماه گذشت، ترورها و کشتار زیادی اتفاق افتاد فعالیت‌های سیاسی به زیرزمین‌ها منتقل شد، سران مخالفین فرار کردند، جنگ همچنان ادامه داشت و من نگران آینده و مواظبت پسرها بودم، ظاهراً حرف‌های من و وقایع پیش آمده در سیامک مؤثر افتاده، دیگر چندان ارتباطی با دوستان مجاهدش نداشت و یا من این‌طور فکرمی‌کردم با آمدن بهار نگرانی‌هایم کمتر شدند. بچه‌ها برای امتحانات خود را آماده می‌کردند و من از همان موقع زمزمهٔ کنکور و درس خواندن برای قبولی در دانشگاه راکه به زودی باید باز می‌شد، شروع کردم. می‌خواستم چنان غرق در درس و مدرسه باشند که فرصت فکرکردن به چیزی دیگر را نکنند.

آن شب بهاری مطابق معمول متنی را که ویرایش کرده‌بودم تایپ‌می‌کردم،

شیرین خواب بود، چراغ اتاق پسرها هنوز روشن بود که صدای ضربه‌های مشت و زنگِ در مرا در جایم میخکوب کرد، قلبم به‌شدت می‌تپید. سیامک از اتاق بیرون آمد، پرسشگرانه و متعجب به هم نگاه کردیم، مسعود خواب‌آلود خودش را به ما رساند، صدای زنگ قطع نمی‌شد، هر سه به طرف در رفتیم. بچه‌ها را کنار زدم و خودم در را نیمه باز کردم، کسی در را با فشار گشود، کاغذی جلوی چشمانم گرفتند که در آن تاریکی هیچ نفهمیدم که چیست، مرا کنار زدند و وارد خانه شدند، سیامک به طرف خانهٔ مادربزرگ دوید، دو نفر به دنبالش دویدند و او را وسط حیاط نشاندند فریاد زدم:

ـ ولش کنید.

خواستم به کمکش بروم که به درون خانه کشیده شدم، فریادزنان و التماس‌کنان می‌گفتم:

ـ مگه چی شده مگه چکار کرده؟

یکی از آنها که مسن‌تر بود به مسعود گفت چادر مادرتو سرش بنداز، نمی تونستم آروم بگیرم سایه سیامک را می‌دیدم که وسط حیاط نشسته. خدایا با جگرگوشه‌ام چه می‌خواستند بکنند؟ از تصور اینکه او را شکنجه خواهند داد فریادی کشیدم و از هوش رفتم وقتی از آبی که مسعود به صورتم می‌ریخت به حال آمدم داشتند سیامک را می‌بردند فریاد زدم:

ـ نمی‌ذارم بچه‌مو ببرین، اون هیچ کاری نکرده.

و دنبالش دویدم.

ـ کجا می‌بریدش؟ به من بگید.

پاسدار میان‌سالی با دلسوزی نگاهم کرد و وقتی دوستانش رفتند، با صدایی آهسته گفت:

ـ می‌بریمش اوین، کاریش ندارن، نترس، هفتهٔ آینده بیا بگو عزت‌الله حاج‌حسینی رو می‌خوام، خودم بهت خبر می‌دم.

ـ الهی قربونت برم، بلایی سر بچه‌ام نیارید، تو روخدا، تورو جون بچه‌هات.

با همدردی سرش را تکان داد و رفت، من و مسعود تا سر خیابان دنبالشان

دویدیم، همسایه‌ها از لای پرده‌ها نگاه می‌کردند. وقتی ماشین از سر پیچ گذشت همان وسط خیابان نشستم، مسعود مرا به سختی به خانه برگرداند چهرهٔ رنگ‌پریده، چشمان وحشت‌زده و صدای ملتمس و لرزان سیامک که می‌گفت: "مامان، مامان تورو خدا یه کاری بکن." یک لحظه تنهایم نمی‌گذاشت، تمام شب حالت تشنج داشتم، دیگر این یکی را نمی‌توانستم تحمل کنم، او تنها هفده سال داشت و واقعاً بی‌گناه بود حداکثر جُرمِ او شاید فروختن روزنامه‌ای بر سر چهارراهی باشد آخر چرا دنبال او آمدند، او که مدتی بود ارتباط چندانی با آنها نداشت.

❧

صبح هر جور بود از جا برخاستم و روی پاهای لرزانم ایستادم، نباید دست روی دست می‌گذاشتم تا بچه‌ام از دست برود، کسی نبود که به دادم برسد، زندگیم مثل سریال‌های تکراری شده‌بود، ولی هر بار شکل خاصی داشت و تحمل من کمتر می‌شد، لباسم را پوشیدم، مسعود با لباس روی کاناپه به‌خواب رفته‌بود، به آرامی صدایش کردم و گفتم:

ـ امروز نمی‌خواد مدرسه بری، بمون خونه تا پروین‌خانم بیاد. شیرینو بده دستش، به خاله فاطی هم زنگ بزن جریانو بگو.

خواب‌آلوده گفت:

ـ کجا می‌ری به این زودی؟ مگه ساعت چنده؟

ـ ساعت پنجه، برم درِ خونه محمود تا نرفته ببینمش.

ـ نه مامان، نه! نمی‌خواد بری.

ـ چاره‌ای نیست، پای بچه‌ام در میونه، وقت این حرفا نیست، اون هزار تا آشنا داره، هر طوری شده وادارش می‌کنم منو ببره پیش حاج‌آقا.

ـ نه مامان، توروخدا نرو، اون هیچ کاری نمی‌کنه مگه یادت نیست؟

ـ نه مامان جون این دفعه فرق داره، حمید براش غریبه بود. ولی سیامک از خون خودشه، بچهٔ خواهرشه، تو بغل خودش بزرگ شده.

ـ نه مامان، آخه تو نمی‌دونی؟

ـ چی رو؟ چی شده؟ چی رو نمی‌دونم؟

ـ نمی‌خواستم بهت بگم، من دیروز عصر یکی از اون پاسدارا رو سر کوچه دیده بودم.

ـ خوب!! که چی؟

ـ آخه تنها نبود، با دایی محمود، بود بـا هـم حـرف‌می‌زدن و بـه خـونۀ مـا نگاه‌می‌کردن.

دنیا دور سرم چرخید. یعنی محمود لوش داده؟ ممکن نیست، چطور ممکنه؟ خواهرزادۀ خودشو؟ دیوانه‌وار از خانه بیرون زدم، نمی‌دانم چطور خود را به خانۀ محمود رساندم. مثل دیوانه‌ها در می‌زدم، غلامحسین و محمود سراسیمه در را باز کردند. غلامعلی مدتی بود که به جبهه رفته بود، محمود هنوز لباس خانه تنش بود، فریاد زدم:

ـ تو، تو، تو بی‌شرف! پاسدار خونۀ ما آوردی؟ تو مأمور آوردی که سیامک منو بگیرن؟ آره؟

با خونسردی نگاهم‌کرد، منتظر بودم بگوید نه! حاشا کـند، یـا نـاراحت و عصبانی از اینکه چطور من چنین فکری کرده‌ام همه چیز را انکارکند، ولی او با همان خونسردی گفت:

ـ خوب پسرت مجاهد بود، مگه نه؟

ـ نه، سیامک من سنی نداره که بتونه فرقه‌ای رو انتخاب کنه. تو همین یکی، دو ساله سه تا عقیده عوض‌کرده، هیچ‌وقت هم جزو هیچ گروهی نبوده.

ـ خیال می‌کنی آبجی...! سرتو کردی زیر بـرف، خـودم دیدم سر چـارراه روزنامه می‌فروخت.

ـ همین، برای همین فرستادیش زندون.

ـ وظیفه شرعی‌ام بود. نمی‌بینی چه خیانت‌ها و آدمکشی‌ها می‌کنن، من کـه دین و آخرتمو به پسر تو نمی‌فروشم. اگه پسر خودم هم بود، همین کارو می‌کردم.

ـ آخه پسر من بی‌گناهه، اصلاً جزء اونا نیست.

ـ این دیگه به من ارتباطی نداره، وظیفۀ من بود معرفی‌کنم که کردم، دیگه

بقیه‌ش با دادگاه عدل اسلامیه، اگه بی‌گناه باشه ولش می‌کنن.

ـ به همین راحتی، اگر اشتباه کنند چی؟ اونا که معصوم نیستن. بچهٔ من به خاطر یه اشتباه از بین بره؟ تو چطوری می‌خوای با وجدان خودت کنار بیای؟

ـ به من چه؟ این دیگه تقصیرش گردن اوناس، تازه اگرم همچین اشتباهی بشه، راه دوری نمی‌ره، جزء شهدا محسوب می‌شه، می‌ره بهشت، روحش هم تا ابد ممنون منه که از سرنوشتی مثل باباش نجاتش دادم. اینها خائن به دین و مملکتند.

تنها چیزی که مرا سر پا نگه‌داشته‌بود خشم بود، فریاد زدم:

ـ هیچ‌کس مثل تو خائن به دین و مملکت نیست، امثال تو دارن اسلامو از بین می‌برن، مردمو گریزون می‌کنن، کی آقا همچین فتوایی داده؟ تو برای استفادهٔ خودت همه جور کثافت‌کاری می‌کنی و به پای دین می‌ذاری.

تُفی به صورتش انداختم و از خانه خارج‌شدم. سرم از درد داشت می‌ترکید، دوبار کنار خیابان نگه‌داشتم و زردآب تلخی را بالا آوردم. خودم را به خانه خانم‌جون رساندم. علی عازم رفتن بود. دستش را گرفتم. التماس کردم که برایم کاری کند. آشنایی پیدا کند، از پدر زنش کمک بگیرد، او همه را می‌شناسد. علی سری تکان‌داد و گفت:

ـ آبجی به خدا نمی‌دونی چقدر ناراحتم، من سیامکو خیلی دوست داشتم. تو بغل خودم بزرگ‌شده‌بود...

ـ شده بود؟!! جوری حرف می‌زنی که انگار همین حالا مُرده.

ـ نه منظوری نداشتم، می‌خوام اینو بگم که هیچ‌کس کاری نمی‌کنه یعنی نمی‌تونه بکنه، وقتی اسم مجاهد روش باشه همه خودشونو کنار می‌کشن، بَس‌که آدم کشتن بی‌شرفا، می‌فهمی که!؟

به اتاق خانم‌جون رفتم. روی قالی ولو شدم، سرم را به دیوار کوبیدم، گفتم:

ـ بیا، اینم پسرات، کمر به قتل بچهٔ خواهرشون بستن. یه بچهٔ هفده ساله؛ آن‌وقت می‌گی به دل نگیرم، می‌گی از یه خونیم.

در همین موقع فاطی و صادق با بچهٔ کوچکشان رسیدند. مرا بلندکردند. به خانه برگشتیم، فاطی هم یک‌ریز اشک می‌ریخت، صادق با حرص سیبیلش را

می‌جوید، فاطی یواشکی گفت:

ـ راستش برای صادق هم نگرانم نکنه بگن اونم مجاهده؟ آخه یکی دوبار با علی و محمود بحث کرده.

به پهنای صورتم اشک می‌ریختم. گفتم:

ـ آقا صادق بیا بریم دم زندان اوین، شاید تونستیم خبری بگیریم.

با هم به آنجا رفتیم ولی بی‌نتیجه بود، عزت‌الله حاج‌حسینی را خواستم کـه گفتند امروز نمی‌آید. گیج و مات به خانه برگشتیم. فاطی و پروین‌خانم از قیافهٔ من فهمیدند که هیچ خبری نیست. سعی کردند وادارم کنند تا چیزی بخورم؛ ولی نمی‌توانستم مدام فکر می‌کردم که حالا سیامک در آنجا چه می‌خورد، و دوباره به گریه می‌افتادم، چکار کنم؟ پیش کی برم؟ من، یک زن تنها، ناگهان فاطی گفت:

ـ محبوبه!!

ـ کدوم محبوبه؟

ـ محبوبهٔ عمه‌جون. مگه نه اینکه اونم پدرشوهرش روحانیه، می‌گفتن خیلی هم مهمه. عمه خیلی تعریف می‌کرد و می‌گفت خیلی مرد مهربون و خوبیه.

ـ آره راست می‌گی.

مثل غریق به هر شاخه‌ای چنگ می‌زدم. نور امیدی در دلم درخشید، بلند شدم.

ـ کجا؟؟

ـ باید برم!

ـ حالا صبر کن، من و صادق هم می‌آییم، فردا با هم می‌ریم.

ـ فردا دیر می‌شه! من خودم تنها می‌رم.

ـ آخه مگه می‌شه؟

ـ چرا نمی‌شه؟! خونهٔ عمه رو که بلدم، آدرسش که عوض نشده؟

ـ نه!

ـ ولی نمی‌تونی تنها بری؟

مسعود درحالی‌که لباس می‌پوشید گفت: تنها نمی‌ره، من باهاشم.

ـ ولی تو مدرسه داری، امروز هم که نرفتی.

ـ مدرسه چیه تو این اوضاع، خیالت راحت، من نمی‌ذارم تنها بری، همین و
بس، حالا من مرد این خونه‌م.

شیرین را به پروین سپردیم و رفتیم؟ مسعود مثل یک بچه از من مواظبت
می‌کرد. خودش را روی صندلی بلند نگه‌می‌داشت تا مـن بـتوانم سرم را روی
شانه‌اش بگذارم و بخوابم. مرتب بهم آب و بیسکویت می‌داد. مثل یک مرد بـا
دیگران حرف می‌زد، تاکسی می‌گرفت و مرا دنبال خودش می‌کشاند. شب بود که
خانهٔ عمه رسیدیم؛ عمه متحیر از دیدن ما در آن وقت شب به چهره‌ام خیره شد و
گفت:

ـ خدا مرگم بده، چی شده؟

زدم زیر گریه.

ـ عمه به دادم برس، بچه‌مو هم دارم از دست می‌دم.

نیم ساعت بعد محبوبه و محسن شوهرش آنجا بودند. محبوبه همان نشاط دوران
گذشته را داشت فقط کمی چاق‌تر و چهره‌اش پخته‌تر شده بود. شوهرش مـرد
خوش‌قیافه، فهمیده و دلسوزی به نظر می‌رسید. عشـق و محبت دوجـانبه در
رفتار و کردارشان کاملاً محسوس بود. من بی‌اختیار زار می‌زدم و آنچه بـر سرم
آمده بود را می‌گفتم. شوهر محبوبه با مهربانی و آرامش دلداریم داد، حـرف‌های
امیدوارکننده زد. گفت:

ـ محاله با مدارکی چنین بی‌ارزش بلایی سرش بیارن.

و قول داد که فردا مرا پیش پدرش برده و هر کمکی که لازم باشد بکند. قدری
آرام گرفتم. عمه وادارم کرد که غذای سبکی بخورم، محبوبه مسکـن و آرام‌بخش
برایم آورد. بعد از بیست‌وچهار ساعت، تلخ و سنگین به خواب رفتم.

۞

پدر شوهر محبوبه مردی نازنین و انسانی وارسته و نورانی بود، از اشک‌های
من بسیار متأثر شد، در کمال فروتنی و محبت دلداریم داد، به چند نفر تلفن کرد و
اسامی و یادداشت‌هایی نوشت، به محسن داد و او را مأمور همراهی با من کرد، به
تهران برگشتیم، مدام دعا می‌خواندم. با خدا رازونیاز مـی‌کردم. محسـن از بـدو

ورود، مشغول تماس گرفتن و صحبت با آدم‌های مختلف شد تا بالاخره توانست برنامهٔ ملاقاتی برای روز بعد ترتیب دهد. فردای آن روز با هم به زندان اوین رفتیم، مسؤول زندان با محسن خوش‌وبش کرد و گفت:

ـ مسلم است که سمپات بوده ولی تاکنون مدارک معتبری بر علیه او به دست نیامده. به محض آنکه مراحل قانونی و معمولی طی شد او را آزادمی‌کنیم و از محسن هم خواست که سلام او را به حاج آقا برساند.

همین حرف‌های او مرا ده ماه سرپا نگه‌داشت. ده ماه سیاه و دردناک، هر شب خواب می‌دیدم که پاهای او را بسته‌اند و شلاق می‌زنند. پوست و گوشت پاهایش به شلاق می‌چسبد و با فریاد ازخواب‌می‌پریدم. فکرمی‌کنم یک هفته پس از گرفتاری سیامک بود که نگاهم در آینه به خودم افتاد،، پیر، زار، لاغر و زرد بودم، از همه عجیب‌تر یک دسته موی سفید بود که در طرف راست سرم خوابیده بود. بعد از اعدام حمید رشته‌های موی سفید در موهایم دیده می‌شد ولی این دسته کاملاً جدید بود و نتیجه زجر همین چند روزه.

مدام با محبوبه و از طریق او با شوهر و پدرشوهرش در تماس بودم. یک‌بار در جلسه‌ای که مسؤولین زندان برای والدین زندانیان گذاشتند شرکت‌کردم. در مورد سیامک پرسیدم، مسؤول او را خوب می‌شناخت، گفت:

ـ جای نگرانی نیست، آزاد می‌شه، خوشحال شدم ولی یاد حرف یکی از مادران زندانی‌ها افتادم که می‌گفت:

ـ وقتی می‌گه آزاد می‌شه، منظورش آزادی از زندگیه.

تمام تنم به لرزه افتاد، این بیم و امید مرا می‌کشت. سعی می‌کردم تا می‌توانم کار کنم، تا هم عقب‌ماندگی‌های کاریم را جبران‌کرده‌باشم و هم وقت کمتری برای فکر کردن برایم بماند.

خبر بازگشایی دانشگاه‌ها به‌واقعیت پیوست، برای طی چند واحد باقی مانده و رسیدن به نتیجه‌ای که آن‌همه برایش زحمت‌کشیده‌بودم به دانشگاه مراجعه

کردم، در نهایت خونسردی و با اخم گفتند شما صلاحیت ورود به دانشگاه را ندارید.

ـ ولی من قبلاً وارد شدم، حالا می‌خوام خارج بشم، فقط باید این چند واحدو بگذرونم. تازه کلاس‌ها را هم دیدم تنها باید امتحان بدم.

ـ خیر، شما مشمول طرح پاکسازی دانشگاه شدید.

ـ چرا؟

با لبخندی تمسخرآمیز گفت:

ـ یعنی خودتون دلیلشو نمی‌دونید؟! شما همسر یک کمونیست معدوم و مادر یک منافق خائن هستید.

با عصبانیت گفتم:

ـ ولی به هردوشون افتخار می‌کنم.

ـ شما هر چقدر دوست‌دارید می‌تونید افتخارکنید، ولی نمی‌تونید از دانشگاه اسلامی ما لیسانس بگیرید و سر کلاس‌های این دانشگاه بنشینید.

ـ می‌دونید من چقدر برای این دوره زحمت کشیدم، اگه دانشگاه تعطیل نشده بود چند سال پیش درسمو تموم کرده بودم.

با بی‌قیدی و بی‌حوصلگی شانه بالا انداخت... با چند نفر دیگر هم صحبت کردم ولی بی‌نتیجه بود. سرخورده و ناکام از دانشگاه بیرون آمدم... تمام زحماتم به باد رفته بود.

آفتاب ملایم اوایل اسفندماه می‌درخشید، هوا تیزی سرمای زمستان را از دست داده بود. بوی خنک بهار در هوا می‌چرخید، صادق‌خان ماشین را برای تعمیر برده بود... پیاده به طرف محل کار رفتم. دلم بدجوری تنگ بود. خود را به شدت مشغول کار کردم. حدود ساعت دو بعدازظهر فاطی تلفن‌کرد و گفت:

ـ عصر از راه اداره بیا این‌جا. صادق هم ماشینو از تعمیرگاه گرفته می‌ره بچه‌هارو می‌آره...

ـ حوصله ندارم، من می‌رم خونه.

ـ نه حتماً باید بیایی کارت دارم.

ـ چکار داری؟ بگو، خبری شده؟

ـ نه بابا، محبوبه تلفن کرد و گفت تهرون هستن. منم گفتم بیان شاید خبری هم داشته باشن.

وقتی گوشی را گذاشتم به فکر فرو رفتم، به نظرم صدای فاطی عادی نبود. دلم به شور افتاد، در همان موقع کار فوری روی میزم گذاشتند مشغول کار شدم. ولی افکارم متمرکز نمی‌شد، به خانه تلفن کردم، به پروین خانم گفتم:

ـ شیرینو حاضر کن، صادق آقا می‌آد دنبالش. خندید و گفت:

ـ اومده، منتظر مسعود بودن. که اونم رسید، دارن می‌رن منزل فاطی، تو کی می‌ری؟

ـ تا کارم تمام بشه می‌رم، راستشو بگو پروین خانم خبریه؟

ـ خبر؟! چه خبری؟ والله من که نمی‌دونم. اگر خبری بود صادق آقا می‌گفت. نه جونم این‌قدر بی‌خودی دلشوره نداشته باش، داری از بین می‌ری.

۞

به محض اینکه کارها را تحویل دادم از اداره بیرون آمدم به اولین تاکسی که رسیدم گفتم دربست و آدرس خونۀ فاطی را دادم. فاطی با هیجانی پنهانی در را به رویم باز کرد. با دقت و تیزبینی نگاهش کردم.

ـ سلام آبجی، چته؟ چرا این جوری نگام می‌کنی؟

ـ راستشو بگو فاطی، چه خبره؟

ـ وا! مگه همیشه باید خبری باشه که تو بیایی خونۀ ما.

فیروزه دوید و رقص‌کنان خودش را به آغوشم انداخت، شیرین هم به طرفم دوید. به مسعود نگاه کردم او هم متفکر و آرام ایستاده بود، خودم را کنترل کردم و داخل شدم، آهسته به مسعود گفتم:

ـ مسعود خبری شده؟

ـ نمی‌دونم، ما هم تازه رسیدیم، به نظرم کاراشون مشکوکه. هی با هم پچ پچ می‌کنن.

فریاد زدم:

ـ فاطی چه خبره؟ دارم دیوونه می‌شم، دِ بگو!! نصف جون شدم.

ـ تورو خدا آروم باش، هر چی هست خبر خوبیه، خیالت راحت باشه.

ـ از سیامک خبری داری؟

ـ آره شنیدم قراره تا عید آزادش کنن.

ـ راس می‌گی؟

صادق گفت:

ـ شایدم زودتر...

ـ تورو خدا!! کی گفته؟ از کجا شنیدی؟

ـ آروم باش حالا بشین چایی بیارم.

مسعود دستم را محکم گرفته بود. صادق مدام می‌خندید و خودش را با بچه‌ها مشغول می‌کرد. گفتم:

ـ صادق آقا، تورو خدا شما درست تعریف کنید.

ـ والله من نمی‌تونم خودش باید بگه. اون بهتر در جریانه.

ـ از کی شنیده، از محبوبه؟

ـ آره، مثل اینکه با محبوبه حرف‌زده.

فاطی با سینی چایی آمد، فیروزه خندان و ورجه ورجه کنان ظرف شیرینی را آورد. گفتم:

ـ فاطی، جون بچه‌ها بیا بشین برام درست حرف بزن، محبوبه چی گفته؟

ـ گفت، کار تمومه، انشاالله همین روزا سیامک آزاد می‌شه!!

ـ تورو خدا راس می‌گی؟ مثلاً کی؟

ـ شاید توی این هفته!

ـ وای خدا جونم، یعنی ممکنه؟!

به مبل تکیه دادم. فاطی گویی همه چیز را از قبل حاضر کرده بود. فوراً قطرهٔ قلب با لیوان آب به دستم داد. آنرا خوردم، تا کمی آرام شدم. از جا جستم.

ـ کجا؟ چه خبره...؟

ـ باید برم اطاقشو مرتب کنم. اگه بچه‌ام فردا بیاد، باید همه چی مرتب باشه. هزار تا کار دارم.

ـ نه خواهر، بشین، چرا تو آروم و قرار نداری؟ راستش محبوبه گفت، شاید امشب بیاد.

دوباره روی مبل افتادم.

ـ یعنی چه؟ درست بگو ببینم.

ـ والله محبوبه اینا رفتن که اگه آزاد شد بیارنش. تو باید به اعصابت مسلط باشی. می‌خوای چند قطرهٔ دیگه کُرامین بهت بدم، بیا این قرصو هم بخور، هر لحظه ممکنه پیداشون بشه، تو باید آمادگی داشته باشی.

بی‌قرار و دست‌پاچه یک‌ریز می‌پرسیدم:

ـ پس چی شد، کی میان؟

در همین موقع مسعود فریاد کشید:

ـ سیامک!

سیامک از پشت دیوار بیرون آمد، واقعاً قلبم کشش این‌همه شادمانی و هیجان را نداشت، می‌خواست از قفسهٔ سینه بیرون بزند. در آغوشش گرفتم. خیلی لاغرتر و درازتر شده بود، نفسم بندآمد، به صورتم آب ریختند. دوباره در آغوشش گرفتم، صورت، چشم‌ها و دست‌هایش را لمس کردم. یعنی این واقعاً خود او بود. سیامک نازنین خودم.

مسعود یک ساعتی در آغوش سیامک گریه کرد، این پسرخوب و مهربان که در این مدت شجاعانه بار مسؤولیت خانه را بر دوش کشیده، آرام و شکیبا به من امید می‌داد، این‌همه اشک را در تمام این مدت چگونه پنهان‌کرده‌بود؟

شیرین خندان و هیجان‌زده از این‌همه شلوغی و شادی بعد از کمی خجالت و اطوار به آغوش سیامک پرید. تمام آن شب در شادی ، هیجان، هذیان و شوق وصف‌ناپذیری گذشت. گفتم:

ـ باید پاهاتو ببینم.

خندید و گفت:

ـ مامان ولم کن، این حرفا چیه می‌زنی.

قبل از همه به حاج‌آقا تلفن کردم، تا می‌توانستم قربان صدقه‌اش رفتم و اشک‌ریزان سپاسگزاری کردم. گفت:

ـ من که کاری نکردم.

ـ چرا! می‌دونم چه کردید، من سیامکو از شما دارم.

دو روزی در ازدحام دیدارها گذشت. منصوره و منیژه هوای مادربزرگ را داشتند. او که روزبه‌روز گیج‌تر و فراموش‌کارتر می‌شد، دیگر فرقی بین سیامک و حمید نمی‌گذاشت.

آن‌قدر نذر داشتم که نمی‌دانستم کدام را باید انجام‌دهم. کارها را رها کردم و چهارنفری به زیارت حضرت رضا رفتیم. بعد به قم و حضوراً از عمه، محبوبه، آقامحسن و فرشتهٔ نجاتم حاج‌آقا تشکر کردیم. چه روزهای شیرینی بود. احساس می‌کردم دوباره زنده شده‌ام. با حضور و سلامت بچه‌ها هیچ غمی نمی‌توانست مرا از پای درآورد.

سیامک به هیجده سالگی نزدیک می‌شد. با اینکه یک‌سال از مدرسه عقب افتاده بود ولی به دلیل اینکه یک‌سال زودتر او را به مدرسه گذاشته بودم از نظر سنی عقب نبود. باید در دبیرستان نام‌نویسی می‌کرد. ولی به دلیل سابقهٔ سیاسی نام او را در دبیرستان ننوشتند. هر چه دوندگی کردیم بی‌فایده بود. من که آرزوی بالاترین سطوح تحصیلی را برای فرزندانم داشتم حالا باید می‌پذیرفتم که حتی از گرفتن دیپلم هم محروم شوند. سیامک عصبی بود، این محرومیت ضربهٔ دیگری به روحیه حساسش وارد کرد. بی‌کاری، بی‌برنامگی و در خانه ماندن اصلاً به صلاح نبود. خصوصاً که اخیراً سروکلهٔ چند نفر از دوستان سابقش هم پیدا شده بود. هر چند که او هیچ تمایلی به آنها نداشت ولی حضورشان دلم را به‌لرزه‌درمی‌آورد و احساس خطر می‌کردم. تصمیم‌گرفت سرکار برود. می‌دید که من چگونه کار می‌کنم و با صرفه‌جویی و زحمت زندگی را می‌گردانم. می‌خواست کمکی به حال

من باشد. ولی او چه کاری می‌توانست بکند. نه سرمایه‌ای داشت و نه تحصیلاتی. از سوی دیگر جنگ هنوز تمام نشده‌بود و روزبه‌روز به ما نزدیک‌تر می‌شد. با این فکر و خیال‌ها دست‌وپنجه نرم می‌کردم که منصوره به دیدنم آمد. نگرانی‌هایم را در مورد سیامک با او در میان گذاشتم، گفت:

ـ راستش منم برای همین اومدم، سیامک باید تحصیل کنه. تو خونوادهٔ ما در نسل اخیر همه دانشگاه رفتن. مگه می‌شه سیامک حتی دیپلم نگیره.

ـ تحقیق کردم، می‌تونه متفرقه امتحان بده. ولی باید به کلاس شبانه بره امـا خودش می‌خواد کار کنه. می‌گه وقتی نمی‌تونم کنکور بدم و دانشگاه برم، دیپلم به چه دردم می‌خوره. اون موقع هم باید کار آزاد کنم پس بهتره از حالا شروع کنم.

ـ راستش معصوم جون، من برنامهٔ دیگه‌ای دارم، نمی‌دونم چه عکس‌العملی در مقابلش نشون می‌دی. ولی خواهش می‌کنم در هر حال اونو محرمانه بدون و به هیچ‌کس نگو.

با تعجب نگاهش کردم.

ـ باشه، چی هست؟

ـ می‌دونی اردشیر من یک‌ساله که دیپلم گرفته، باید بره سربازی، این جنگ هم که تموم نمی‌شه، منم به هیچ عنوان حاضر نیستم اونو بفرسم جنگ. خودش هم که یادته از بچگی خیلی ترسو بود. این‌قدر می‌ترسه که اگه از گلوله نمیره از ترس می‌میره. ما هم تصمیم گرفتیم رَدش کنیم.

ـ ردش کنی؟ چطوری؟ اینا که ممنوع‌الخروجند!

ـ خوب مشکل همینه، باید غیرقانونی از مرز ردشون کنیم. یه نفرو پیدا کردیم دویست و پنجاه تومن می‌گیره، بچه‌ها رو رد می‌کنه. من فکر کردم دو تاشونو با هم بفرسیم، به نفع هردوشونه، مواظب همدیگن. نظرت چیه؟

ـ والله خوبه، ولی من باید پولشو جور کنم.

ـ خیلی نگران نباش اگه کم و کسری بود، ما کمک می‌کنیم. این خیلی مهمه که با هم باشن. شاید بیشتر به نفع اردشیر باشه، چون سیامک می‌تونه گلیم خودشو از آب بیرون بکشه. ماشاالله کاملاً یه مرده ولی اردشیر احتیاج به کمک داره. اگه

بدونه تنها نیست راحت‌تر می‌ره. ماهم خیالمون راحت‌تره.

ـ ولی کجا برن؟

ـ خیلی جاها، ما تحقیق کردیم، همه جا پناهنده می‌پذیرن. اونا اونجا می‌تونن تحصیل کنن، بهشون حقوق هم می‌دن. ببینم تو نگران چی هستی؟ پولش؟

ـ نه اگه به نفع بچه‌م باشه زندگیمو می‌فروشم، قرض می‌کنم، می‌فرستمش. ولی باید مطمئن بشم که به نفعشه. باید فکر کنم، با خودش مشورت کنم. به من یه هفته مهلت بده.

دو روز با خودم فکر کردم که چه باید بکنم، آیا سپردن بچه‌ای با این سن و سال به دست قاچاقچی که به هر حال خلاف‌کار است، کار صحیحی است؟ رد شدن ازمرز چقدر خطر دارد و بعد زندگی در کشورهای غریبه و تنها درآن سر دنیا، اگر احتیاج به کمک داشته باشد چه کسی به او خواهد رسید، باید با کسانی مشورت می‌کردم. داستان را محرمانه به آقاصادق گفتم، گفت:

ـ والله من نمی‌دونم، بالاخره هر کاری ریسک هم داره اینم کار خطرناکیه، از طرفی من هیچ تصوری از زندگی در خارج ندارم ولی خوب خیلی‌ها رو می‌شناسم که اخیراً پناهنده شدن، البته چند نفری رو هم برگردوندن.

روز بعد با آقای زرگر برای تحویل‌دادن و گرفتن کار قرار داشتم، او که تحصیلات دانشگاهی خود را در خارج از ایران گذرانده بود می‌توانست راهنمای خوبی برای من باشد، موضوع را با او درمیان گذاشتم، فکری کرد و گفت:

ـ من البته در مورد خروج غیرقانونی از مرز تجربه‌ای ندارم و نمی‌دونم تا چه حد خطرناکه، هر چند که اخیراً بسیار رایج شده، این ریسکی است که به نظر من خودش باید در موردش تصمیم بگیره، ولی اگه او رو به عنوان پناهنده بپذیرن که با سابقۀ زندانی که داره حتماً می‌پذیرن، مشکل مالی نخواهد داشت، اگه خودش توانایی داشته باشه به بهترین صورت می‌تونه تحصیل کنه، فقط مسأله تنهایی و غربته که خیلی هم جدیه، اغلب بچه‌ها در سن او دچار مشکل و افسردگی می‌شن و بسیاری ناراحتی‌های روانی جدی‌تر پیدا می‌کنن و نه تنها نمی‌تونن درس بخونن بلکه زندگی طبیعی هم نمی‌تونن داشته باشن، نمی‌خوام بترسونمت

ولی خودکشی در بین این‌جور بچه‌ها رایجه، در صورتی این کارو بکن که یه آدم واقعاً دلسوز و مهربون در اونجا داشته باشی که بتونه تا حدودی جای خالی تورو پر کنه و ازش سرپرستی کنه.

تنها کسی که در خارج از ایران می‌شناختم و به او اطمینان داشتم پروانه بود، از خانهٔ منصوره به او تلفن کردم می‌ترسیدم تلفن ما تحت کنترل باشد، وقتی جریان را برایش گفتم با خوشحالی گفت:

ـ حتماً این کارو بکن، نمی‌دونی چقدر نگرانش بودم، توروخدا هر طور شده بفرسش بهت قول می‌دم که خوب ازش نگهداری کنم، مثل پسر خودم بهش می‌رسم، تو اصلاً نگران نباش.

لحن صمیمانهٔ او و استقبال دلپذیرش نگرانیم را از آن طرف تخفیف داد. دیگر وقتش رسیده بود که موضوع را با سیامک در میان بگذارم، هیچ نمی‌دانستم چه عکس‌العملی نشان خواهد داد؟ شیرین خواب بود، آرام درِ اتاق پسرها را باز کردم و به داخل رفتم، او روی تخت دراز کشیده و به سقف خیره شده بود، مسعود پشت میز نشسته، درس می‌خواند. روی تخت نشستم و گفتم:

ـ می‌خوام باهاتون حرف بزنم.

سیامک نیم‌خیز شد و مسعود دست‌ازکارکشید و به طرف من برگشت و گفت:

ـ چی شده مامان؟ اتفاقی افتاده؟

ـ نه پسرم هنوز نه، فکرایی کردم، می‌خوام در مورد آیندهٔ سیامک تصمیمی بگیریم.

ـ چه تصمیمی، مگه ما تصمیم هم می‌تونیم بگیریم، ما هر چه بهمون گفتن باید بگیم چشم.

ـ نه مادرجون، از این خبرا هم نیست، من یه هفته‌ی‌ست که به فرستادن تو به خارج فکر می‌کنم.

ـ به! دلت خوشه، پولشو از کجا می‌خوای بیاری؟ می‌دونی چقدر می‌خواد اقلاً دویست‌هزارتومن برای قاچاقچی، همین‌قدر هم برای زندگی تا تعیین تکلیف پناهندگی.

ـ باریک‌الله! چه دقیق... تو از کجا می‌دونی؟

ـ اوه این‌قدر تحقیق‌کردم، می‌دونی تا حالا چند نفر از دوستام رفتن؟

ـ نه! چرا به من چیزی نگفتی؟

ـ چی بگم؟ می‌دونستم که نداری، بی‌خودی غصه می‌خوردی.

ـ پول مهم نیست، اگه به نفع تو باشه هر جور شده تهیه می‌کنیم. تو فقط اینو بگو که دلت می‌خواد بری یا نه؟

ـ البته که دلم می‌خواد.

ـ می‌خوای بری چکار کنی؟

ـ برم درس بخونم اینجا هیچ آینده‌ای ندارم، دانشگاه هم رام نمی‌دن.

ـ فکر نمی‌کنی دلت برای ما تنگ بشه؟

ـ چرا خیلی هم تنگ می‌شه ولی تا کی می‌تونم بغل دست تو بشینم و خیاطی و تایپ کردنتو نگاه کنم. آینده‌ام چی می‌شه؟

ـ ولی باید غیرقانونی از مرز رد بشی، خیلی خطرناکه، حاضری این ریسک رو بپذیری؟

ـ ریسکش بیشتر از رفتن سربازی و جبهه نیست، هست؟

راست می‌گفت، او سال دیگر مشمول بود و این‌طور که پیدا بود جنگ هم نمی‌خواست تمام شود.

ـ ولی اگر فرستادمت چند شرط داره که باید قول بدی، قسم بخوری که انجام بدی، و همیشه هم به قولت وفادار بمونی.

ـ باشه ولی اونا چیه؟

ـ اول اینکه به هیچ عنوان دوروبر گروه‌های سیاسی نگردی، با اونا قاطی نشی و دیگه آلت دست قرار نگیری. دوم اینکه تا بالاترین مدارج ممکن درس بخونی و یه آدم حسابی و تحصیل‌کرده بشی و سوم اینکه مارو فراموش نکنی، هر وقت تونستی دست خواهر و برادرت‌رو بگیری و کمکشون کنی.

ـ احتیاجی به قول گرفتن نداره این‌ها همه هدفای خودمه.

ـ همه همینو می‌گن ولی بعد یادشون می‌ره.

ـ چطور ممکنه من شماها رو یادم بره، شماها تمام زندگی من هستین من تـنها آرزوم اینه که یه روز خوبی‌ها و زحمـات تورو تلافی کنم، مطمئن بـاش درسمـو خوب می‌خونم، با سیاست هم کاری ندارم، راستش دیگـه از هـر چـی گـروه سیاسیه حالم به هم می‌خوره.

۞

ساعت‌ها در مورد چگونگی سفر، تهیهٔ پول، برنامه‌های آینده صحبت کردیم، سیامک انگار زنده شده بود، هیجان‌زده و امیدوار در عین حال نگران و مضطرب بود. دو قطعه فرش، طلاهای باقیمانده حتی حلقهٔ خـودم و النگـوی شـیرین را فروختم، مقداری از پروین‌خانم قرض‌کردم ولی هنوز کم بود، آقای زرگـر کـه همواره نگاهی دلسوزانه به زندگی من داشت و مسایل و مشکلاتم را قبل از بیان می‌دانست یک روز با پنجاه‌هزار تومن پول به خانهٔ ما آمد و گفت حقوق‌های عقب افتادتو جمع‌کردم.

ـ من این‌قدر حقوق عقب‌افتاده نداشتم.

ـ کمی هم من گذاشتم روش.

ـ چقدر؟ من باید بدونم چقدر بدهکارم، و چطوری باید قرضمو ادا کنم.

ـ چیزی نیست خودم حسابشو دارم، از حقوق‌های بعدی کم می‌کنم.

سر هفته دویست‌وپنجاه‌هزار تومان به منصوره دادم و با اطمینان اعلام کرد که ما آماده‌ایم، متحیر نگاهم کرد وگفت:

ـ از کجا این‌همه پول آوردی؟ من برات صدهزار تومان گذاشته بودم.

ـ خیلی متشکر، خودم جور کردم.

ـ برای خرید ارز و خرج ماه‌های اول که توی پاکستان هستند چی؟ برای اونم داری؟

ـ نه ولی جور می‌کنم، تو فعلاً اینو بگیر و قرار و مدارو بذار تا بعد.

ـ نه دیگه نمی‌خواد این پول هست.

ـ باشه من به تدریج بهت پس می‌دم.

ـ لازم نیست، این پول خودتونه، سهم بچه‌هاته. آه که اگه حمید یه هفته دیرتر

مرده بود نصف خونه و بقیهٔ چیزا مال شماها بود.

ـ اگه حمید نمرده بود پدربزرگ هم الان زنده بود.

❦

ارتباط با این قاچاقچی که پسری جوان و لاغر اندام و سیه چرده با لباس محلی بود. خود داستانی داشت. اسم رمز او «مهین خانم» بود، او فقط به تلفن‌هایی که مهین خانم را می‌خواست جواب می‌گفت. قرار بود بچه‌ها حاضر باشند تا با دستور او در یک فرصت مناسب حرکت کنند و به زاهدان بروند. او تعهد کرده بود که به کمک دوستانش آنها را از مرز رد کرده به شهر کویته و دفتر سازمان ملل برساند. می‌گفتند، پوست گوسفند به آنها می‌پوشاند و در میان گله از مرز ردشان می‌کند. شنیدن این داستان‌ها تن مرا می‌لرزاند ولی سعی می‌کردم سیامک متوجهٔ وحشت، و دلهره و تردید من نشود. ولی خودش به اندازهٔ کافی ماجراجو و بی‌باک بود، بیشتر از این قصه‌ها لذت می‌برد و به هیجان می‌آمد تا ترس و وحشت.

❦

شبی که دستور حرکت رسید بچه‌ها با بهمن‌خان شوهر منصوره بـه طـرف زاهدان به راه افتادند. هنگام خداحافظی احساس می‌کردم تکه‌ای از وجودم را از بدنم جدا می‌کنند. نمی‌دانستم کارِ درستی کرده‌ام یا نـه. غم دوری او از یک طرف و وحشت از خطری که او را تهـدیـد می‌کرد از سوی دیگر مرا در مـنگنه گذاشته بودند. آن‌شب تا صبح از سرِ جانماز بلند نشدم، یک ریز دعا کـردم و اشک ریختم و پسرم را به او سپردم.

سه روز در وحشت و نگرانی گذشت تا اینکه خبر رسید کـه بـالاخره بـه سلامتی از مرز گذشته‌اند. بعد از ده روز با خودش که به اسلام‌آباد رسیده و تقریباً جاافتاده بود صحبت‌کردم. صدایش دور و غمگین بود. پس از آن من بودم و درد دوری و فراق، مسعود از رفتن سیامک بسیار متأثر بود و گریه‌های شبانه من او را بیشتر می‌آزرد. حال منصوره از من خیلی بدتر بـود. او کـه حـتی یک روز از بچه‌اش جدا نشده بود به‌شدت بی‌تابی می‌کرد. در ظاهر به او و در واقع به خودم نهیب می‌زدم:

ـ ما باید قوی باشیم، ما مادران این دوره برای حفظ فرزندانمان و آینده و
سعادت آنها باید غم دوری و فراقشان را تحمل کنیم. این بهایی است که ما بـه
دلیل عشق به فرزندانمان باید بپردازیم و گرنه مادرانی خودخواه خواهیم بود.

چهارماه بعد، یک شب پروانه تلفن‌کرد و گوشی را به دست سیامک داد، از
خوشحالی فریادی زدم. او به مقصد رسیده بود، پروانه به من اطمینان داد کـه
مراقب سیامک هست. ولی سیامک باید مدتی در کمپ پناهندگان بمـاند. او در
آنجا بر خلاف دیگران که وقت خود را به بطالت می‌گذراندند شروع به یادگیری
زبان کرد، به سرعت وارد مدرسه شد و پس از آن به دانشگاه رفت. در رشـتۀ
مهندسی مکانیک ادامه تحصیل داد و هرگز قولش را فراموش نکرد. پروانه ترتیبی
داده بود که او تمام تعطیلات را در منزل آنها بگذرانـد، بـدین تـرتیب مـدام از
وضعیتش خبر داشتم، پروانه هم با حوصله مرا در جریان پیشرفت‌هایش قرار
می‌داد. خیلی خوشحال و سرافراز بودم احساس می‌کردم یک سوم از وظیفه‌ام را
به انجام رسانده‌ام با قدرت کار می‌کردم و به تدریج قرض‌هایم را ادا مـی‌نمودم.
مسعود با دقت و وسواس مواظب من و زندگیمان بود، نقش پدر خـانواده را در
ضمن درس خواندن به خوبی بازی‌می‌کرد و با محبت‌های بی‌دریغش مرا غرق در
سرور و امید می‌نمود. شیرین با شیرین زبانی‌ها، قر و اطوار و شـیطنت‌هایش
نشاط و شادمانی به خانه‌مان می‌آورد، آرامش به زندگیم راه یافته بود، هر چند
می‌دانستم موقتی است زیرا هنوز در اطرافم مشکلاتی مـی‌چرخـیدند و جـنگ
خانمان‌سوز ابدی به‌نظرمی‌رسید. در همان روزها که من خندیدن را دوباره یاد
گرفته بودم، آقای زرگر در نهایت جدیت در حالی‌که به میز جلوی مبل چشم
دوخته بود از من خواستگاری کرد. می‌دانستم که زن فرانسوی و بچه‌اش از ایران
رفته‌اند. ولی نمی‌دانستم که طلاق هم گرفته‌اند. آقای زرگر مردی فهمیده و از هر
نظر موجّه بود. زندگی با او می‌توانست بسیاری از مشکلات مادی و معنوی مرا
حل کند. من هم نسبت به او بدون احساس نبودم، همیشه او را به عنوان انسانی
والا و دوستی خوب و همراه تحسین می‌کردم و دوست مـی‌داشتم، بـه راحـتی
می‌توانستم سفرۀ دلم را پیش او بگشایم. مدت‌ها بود که می‌دانستم نسبت به من

علاقهٔ خاصی دارد. شاید آن علاقه و محبتی که هرگز به‌طور کامل از حمید ندیده بودم را می‌توانست به من عرضه دارد. او سومین نفری بود که بعد از مرگ حمید از من خواستگاری می‌کرد، در دو مورد دیگر بدون هیچ تردیدی در همان لحظه پاسخ منفی داده بودم. ولی در مورد آقای زرگر نمی‌دانستم چه کنم، ازدواج با او هم از نظر عقلی و هم احساسی درست به نظر می‌رسید ولی مسعود که مدتی بود با کنجکاوی رفتارم را زیر نظر داشت عصبی و بی‌قرار می‌نمود و یک بار بی‌مقدمه گفت:

ـ مامان، ما به هیچ‌کس احتیاج نداریم، مگه نه؟ هر چیزی که احتیاج داشتید فقط به خودم بگید من براتون فراهم می‌کنم، به این آقای زرگرم بگید، این‌قدر اینجا نیاد. دیگه تحمل دیدنشو ندارم.

بدین ترتیب فهمیدم که نباید آرامش تازه کسب شده را بر هم زنم، و توجه خود را به کس دیگری جز فرزندانم معطوف نمایم. من وظیفهٔ خود می‌دانستم که با تمام وجود در خدمت آنها باشم، خودم باید جای خالی پدر را برایشان پر کنم نه فردی غریبه. حضور او ممکن است برای من بسیار مغتنم باشد ولی کاملاً مشخص بود که فرزندانم خصوصاً پسران نوجوانم را معذب و ناخرسند می‌کند، پس از چند روز با نهایت معذرت جواب رد دادم ولی از او خواستم کـه دوسـتیش را هرگز از من دریغ نکند.

فصلِ هشتم

وقایع زندگی من همیشه به نحوی رخ می‌داد که مهلتی برای نفس کشیدن و تجدید قوا داشته باشم. هر چه دوران آرامش طولانی‌تر بود شوک واقعهٔ بعدی شدیدتر می‌شد، این باور باعث‌شده‌بود که در بهترین شرایط نیز دلهره‌ای پنهان داشته باشم و ناگهان قلبم فرو ریزد.

با رفتن سیامک ظاهراً مشکل اصلی زندگی ما حل‌شده‌بود، هرچند که دلم برایش پرمی‌زد و دلتنگی‌ام گاه غیرقابل‌تحمل می‌شد ولی هرگز از فرستادن او پشیمان نشدم و نخواستم که برگردد. با عکسش حرف می‌زدم و برایش نامه‌های مفصل می‌نوشتم تا در جریان همهٔ مسایل باشد و با ما غریبه نگردد. مسعود به قدری آرام و مهربان بود که نه‌تنها هیچ مشکلی ایجاد نمی‌کرد بلکه مشکل‌گشایم بود، دوران پرجوش و خروش بلوغ را نیز با متانت و صبوری گذراند، خود را مسؤول ما می‌دانست، همهٔ کارها را بر دوش می‌گرفت، باید مواظب می‌بودم تا مبادا از این همه محبت و ازخودگذشتگی او سوءاستفاده کنم و از این جوان نورسته بیش از توانش مسؤولیت بخواهم. ولی خودش باز هم راضی نبود، اغلب با نگرانی نگاهم می‌کرد. پشتم می‌ایستاد، گردنم را ماساژ می‌داد و می‌گفت:

ـ می‌ترسم مریض بشی، برو بخواب.

ـ نه عزیزم نگران نباش، کار کردن کسی رو مریض نمی‌کنه، خستگی کار با یک شب خواب راحت یا دو روز استراحت هفتگی تموم می‌شه، این بیکاری، فکر و خیال بیهوده، و اعصاب خسته‌اس که بیماری میاره، کار جوهر زندگیه.

بیش از آنکه فرزندم باشد، شریکم، دوستم و مشاورم بود، همه چیز را به هم می‌گفتیم، هر تصمیمی را با مشورت هم می‌گرفتیم، خانوادهٔ کاملی بودیم، او راست می‌گفت ما به هیچ‌کس دیگر احتیاج نداشتیم. تنها نگرانی من این بود که

در جامعه از حسن سلوک و فداکاری‌های داوطلبانه‌اش سوءاستفاده کنند همان‌طور که خواهر شیطانش می‌کرد و او را با بوسه‌ای، عشوه‌ای، اشکی یا خواهشی به هر کاری که می‌خواست وامی‌داشت. مسعود مانند پدری مسؤول در مقابل او رفتار می‌کرد، اسمش را در مدرسه می‌نوشت، با معلم‌هایش صحبت می‌کرد، او را به مدرسه می‌رساند و برمی‌گرداند، برایش خوردنی و لوازم تحریر می‌خرید. موقع بمب‌باران‌ها در آغوشش می‌گرفت و زیر پله‌ها پنهانش می‌کرد، و من از رابطهٔ دلپذیر آنها غرق در مسرت می‌شدم. ولی بر عکس همه مادران دنیا از بزرگ شدنشان اصلاً خوشحال نبودم و در واقع از آن می‌ترسیدم، وحشت عمیق من با ادامهٔ جنگ شدت می‌گرفت، هر سال به خودم می‌گفتم تا سال دیگر تمام می‌شود به مسعود نخواهدرسید ولی جنگ خیال تمام شدن نداشت. خبر شهادت بچه‌های همسایه و اطرافیان وحشت‌زده‌ام می‌کرد و با خبر شهادت غلامعلی بیش از بیش خود را باختم. هرگز آخرین ملاقات‌مان را فراموش نمی‌کنم از دیدنش جلوی در خانه یکه خوردم، چند سالی بود که ندیده بودمش، نمی‌دانم به خاطر لباس سربازی بود یا چیز غریبی که در عمق چشمانش می‌درخشید که خیلی بزرگ‌تر از سنش به نظر می‌رسید، به هر حال غلامعلی همیشگی نبود، سلامش را با تعجب پاسخ گفتم و پرسیدم:

ـ چیزی شده؟ با سرزنش نگاهم کرد و گفت:

ـ مگه باید چیزی بشه تا من به دیدن شما بیام.

ـ اُوه، نه عزیزم، خوش آمدی فقط چون اولین باریه که یه همچین کاری کردی تعجب کردم، بیا تو. بچه‌ها خانه نبودند، کمی معذب به نظر می‌رسید. برایش چای ریختم و با حرف‌زدن و احوال‌پرسی از همهٔ فامیل سعی‌کردم فضا را مأنوس‌تر کنم، ولی هیچ اشاره‌ای به لباس سربازی و بودن او در جبهه نکردم، انگار از این موضوع می‌ترسیدم، جنگ در چشم من آکنده از وحشت و غرق در اشک و خون و مرگ و درد بود، وقتی بالاخره ساکت شدم و روبه‌رویش نشستم گفت:

ـ عمه اومدم ازتون حلالیت بطلبم.

ـ ای وای عمه! مگه تو چکار کردی یا قراره چه اتفاقی بیفته؟

ـ می‌دونم خبر دارید که من جبهه بودم، حالا برای مرخصی اومدم، دوباره بر می‌گردم، خوب جنگه دیگه، اگه انشاالله سعادت داشته باشم امید شهادت هست.

ـ خدا مرگم بده عمه این چه حرفیه؟ خدا نکنه تو حالا اول جونیته، خدا اون روز رو نیاره که بلایی سرت بیاد.

ـ ولی عمه این که بلا نیست، رحمته، منتهای آرزوی منه.

ـ از این حرفا نزن این چیزا توکت من نمی‌ره، به مادر بیچاره‌ت فکر کن، اگه بفهمه تو از این حرفا می‌زنی خدا می‌دونه چه حالی می‌شه... اصلاً نمی‌فهمم چطوری گذاشته تو بری جبهه، مگه نمی‌دونی رضایت پدر، مادر از همه چیز واجب‌تره.

ـ چرا می‌دونم ولی رضایتشو همون اول گرفتم، اوایل گریه زاری می‌کرد راضی نمی‌شد بردمش توی اون هتلی که جنگ‌زده‌ها هستن، بهش گفتم ببین چطور مردمو بی‌خان‌ومان و عزادار کردن، این وظیفهٔ شرعی منه که از اسلام و وطنم و مردم بیگناهمون دفاع کنم، تو می‌خوای مانع انجام وظیفهٔ شرعی من بشی؟ عمه! مامان واقعاً معتقده! به نظر من ایمان اون از بابام خیلی قوی‌تره، گفت من کی باشم که رو حرف خدا حرف بزنم، راضیم به رضای او.

ـ خوب عزیزم برو ولی بعد از تموم شدن درس و مشقت، شاید انشاالله تا اون موقع جنگ تموم بشه و تو بتونی یه زندگی خوب و مفصل برای خودت درست کنی.

با لبخندی تمسخرآمیز گفت:

ـ آره مثل بابام، منظورت اینه؟

ـ خوب آره مگه بابات چه عیبی داره؟

ـ آه چی می‌گی عمه! اگه هیچکی ندونه تو خوب می‌دونی. نه نمی‌خوام! جبهه، چیز دیگه‌س، تنها جاییه حس می‌کنم به خدا نزدیکم، نمی‌دونی چه حال و هوایی داره، همه از جان گذشته، همه در راه یک هدف، نه کسی از پول حرف می‌زنه نه از مقام، نه کسی می‌خواد چیزی رو نمایش بده، نه کسی به دنبال استفاده و سود بیشتره، مسابقهٔ ازخودگذشتگی و ایثاره، نمی‌دونی بچه‌ها برای بودن در خط مقدم چطوری از هم سبقت می‌گیرن. ایمان کامل بدون ریا و نیرنگ اونجاس، من

۴۱۴ سهم من

اونجا با مسلمونای واقعی آشنا شدم که هیچ ارزشی برای مال دنیا و مادیات قایل نیستند، کنار اونا آرامش دارم، به خدا نزدیکم.

سر را پایین انداخته به گفتار پر از باور این نوجوان به‌حقیقت‌رسیده می‌اندیشیدم، سکوت برقرار شده را بار دیگر صدای گرفته غلامعلی شکست:

ـ این اواخر عصرها که با بابام می‌رفتم حجره، از دیدن کاراش ناراحت می‌شدم، داشتم به همه چیز شک می‌کردم، شما که خونهٔ ما نمیاین، خونهٔ تازه‌رو ندیدین.

ـ نه ندیدم ولی شنیدم خیلی بزرگ و قشنگه.

ـ آره بزرگه، تا دلت بخواد بزرگه، آدم توش گم می‌شه، یه جاهایی داره که ما نمی‌فهمیم به چه دردی می‌خوره، ولی عمه غصبیه، غصب، می‌فهمی؟... من نمی‌دونم بابام که این‌همه دم از مسلمونی می‌زنه چطور حاضر شده اونجا زندگی کنه؟ هر چی بهش می‌گم بابا این خونه نماز نداره، صاحبش راضی نیست می‌گه: «غلط کرده، صاحبش یه مال مردم‌خورِ دزد بوده که حالا فرار کرده، وقتی مال دزدی رو پس می‌گیری حق‌نداری ازش استفاده کنی چون آقا دزده راضی نیست؟» حرف‌ها و کاراش گیجم می‌کنه، دلم می‌خواد فرار کنم، می‌خوام مسلمون واقعی باشم نه مثل اون.

آن شب برای شام نگهش داشتم، وقتی برای نماز ایستاد خلوص نیت، اعتقاد و ایمانش تنم را به لرزه در آورد، به مسعود که تازه از راه رسیده بود گفتم:

رشکم آید از آن حضور شگرف   اشکم آید از آن خداخوانی
او در آن حالتست و من مشغول   به هزاران دریغ پنهانی

موقع خداحافظی مرا بوسید و به آرامی در گوشم گفت:

ـ دعا کن شهید بشم.

او به آرزویش رسید و من در غم از دست دادنش مدت‌ها اشک ریختم ولی حتی بدین دلیل نتوانستم پا به خانهٔ محمود بگذارم، خانم‌جون به شدت از من دلخور بود و می‌گفت که کینهٔ شتری دارم، سنگدلم، ولی دست خودم نبود

نمی‌توانستم به آن خانه پای بگذارم. بعد از چند ماه یک روز احترام‌سادات را در خانهٔ خانم‌جون دیدم، پیر و شکسته شده بود، پوست‌های صورت و گـردنش آویزان بودند، با دیدن او بی‌اختیار اشک‌هایم سرازیـر شـد، بـغلش کـردم، نمی‌دانستم به مادری که بچه‌اش را از دست داده چگونه باید تسلیت گفت، به سختی یکی از همان جمله‌های معمول را زمزمه کردم. به آرامی مرا کنار زد و گفت:

ـ تبریک بگو، بچه‌ام شهید شده، این که تسلیت نداره.

وا رفتم با ناباوری نگاهش کردم، اشک‌هایم را با پشت دست پاک‌کردم. چگونه می‌شد به مادری که فرزندش را از دست داده تبریک گفت؟

بعد از رفتن او به خانم‌جون گفتم:

ـ واقعاً احترام‌سادات از مرگ بچه‌اش ناراحت نیست؟

ـ نه! ننه این حرفو نزن، نمی‌دونی داره چی می‌کشه، این جوری خودشو آروم می‌کنه. ایمانش بس‌که قویه تونسته تحمل کنه.

ـ نمی‌دونم من نمی‌فهمم! در مورد احترام حق با شماست ولی مطمئنم که محمود از شهادت بچه‌اش کلی استفاده کرده و امتیاز گرفته...

ـ وا خدا مرگم بده این حرف‌ها چیه می‌زنی دختر؟ بـچه‌شونو ازدست‌دادن پشت سرشون هم لیچار می‌گی؟

ـ من محمودو می‌شناسم، یعنی می‌خوای بگی از شهادت بچه‌اش بهره‌برداری نکرده؟ مگه می‌شه؟ پس این پول‌ها رو از کجا می‌آره؟

ـ خوب تاجره مادر، تو چرا حسودیت می‌شه؟ هر کس تـوی زنـدگی یـه سهمی داره.

ـ دست وردار، خودتم خوب می‌دونی پول حلال این جوری به دست نمی‌آد، مگه عموعبّاس تاجر نبود، سی سال هم زودتر از این شروع کرده، چطور هنوز همون یدونه مغازه رو داره، اون‌وقت علی‌آقا که تازه شروع کرده داره پولش از پارو بالا می‌ره، شنیدم اونم خونهٔ چند میلیونی قول‌نامه کرده.

ـ حالا به علی بنـدکردی، ماشاالله بچه‌هام زرنگن، باخدان، خـدا هـم کمکشون می‌کنه، بعضیا هم سیاه‌بختن مثل تو، خدا اینجوری خواسته. آدم نباید

این‌قدر حسود باشه.

❦

تا مدت‌ها به دیدن خانم‌جون نرفتم، منزل پروین‌خانم سر می‌زدم ولی دلم نمی‌خواست درِ خانه او را بزنم، شاید هم راست می‌گفت من حسادت می‌کردم ولی نمی‌توانستم قبول کنم که مردم در جنگ و سختی و مشقت باشند و اینها روزبه‌روز بر ثروتشان افزوده شود نه! این انسانی نبود و من آن را گناه می‌دانستم.

❦

روزهای آرام زندگی من در میان جنگ، فقر نسبی، تلاش زیاد و نگرانی برای آینده می‌گذشت، مادر حمید یک سال بعد از رفتن سیامک از بیماری سرطان که خیلی سریع پیشرفت کرد بدرود زندگی گفت، تمایل به رفتن را در تمام وجودش می‌دیدم، احساس می‌کردم این خودش است که بیماری را تسریع می‌کند و گسترش می‌دهد. با وجود حال وخیمی که داشت در وصیت‌هایش ما را فراموش نکرد و از بچه‌هایش قول گرفت که نگذارند ما دربه‌در شویم، البته می‌دانستم منصوره در این میان نقشی داشته، بعد از آن هم با تمام قوا سعی کرد این آرزوی مادرش را جامهٔ عمل بپوشاند و در مقابل بقیهٔ خواهرها ایستاد. شوهرش که مهندس ساختمان بود، با سرعت خانه را تخریب کرد و به جای آن عمارتی چند طبقه بنا نهاد در تمام طول کار سعی بر این بود که با این طرف حیاط که ما بودیم کاری نداشته باشند تا مجبور به جابه‌جایی نشویم دو سال در خاک و کثافت و سروصدا زندگی کردیم تا خانهٔ چهارطبقه و زیبایی آماده شد، هر طبقه شامل دو آپارتمان صد و پنجاه متری بود، تنها طبقه سوم از یک آپارتمان سیصد متری تشکیل می‌شد که منصوره در آن زندگی می‌کرد، به ما یک آپارتمان در طبقهٔ اول روی پارکینگ دادند، آپارتمان بغل ما دفتر کار شوهر منصوره بود، طبقهٔ دوم به منیژه رسید که در یک آپارتمان زندگی می‌کرد و دیگری را اجاره داده بود، منیره‌خانم هم که صاحب آپارتمان‌های طبقهٔ چهارم بود هر دو را اجاره داد، وقتی سیامک فهمید که ما یک آپارتمان داریم در تلفن با عصبانیت گفت:

ـ باید یه آپارتمان دیگه هم به ما می‌دادن تا شما اجاره بدید و کمک خــرج زندگیتون باشه، این تازه نصف حق ماست.

با خنده گفتم:

ـ بچه‌جون، تو هنوز ول کن نیستی؟ همین آپارتمانم که به ما دادن نهایت لطف و محبتشونه، می‌تونستن ندن، تو به این فکر کن که ما بدون هیچ خرجی صاحب یه خونۀ نوساز، تمیز و خوشگل شدیم، باید خیلی هم راضی و شکرگزار باشیم.

آپارتمان ما زودتر از بقیه حاضر شد، تا ما بتوانیم اتاق‌های ته حیاط را خالی کنیم و امکان بازسازی آن قسمت هم فراهم شود. ما از اینکه سه اتاق خــواب داشتیم خیلی شادمان بودیم، هر کدام می‌توانستیم اطاقی برای خود داشته باشیم، من از شلوغ بازی‌ها و سروصدای شیرین که هم اطاقی بسیار بدی بود راحت شدم شیرین از نظم و ترتیب و ایرادهای من خلاص شد، مسعود از اتاق روشن و زیبای خودش راضی بود و هنوز خودش را هم‌اتاق سیامک می‌دانست.

❧

سال‌ها به‌سرعت می‌گذشت، مسعود به سال آخر دبیرستان رسیده بود ولی جنگ هنوز ادامه داشت، هر سال که با نمره‌های خوب قبول می‌شد قلبم فــرو می‌ریخت و با اعتراض می‌گفتم:

ـ چه عجله‌ای داری مادر؟ حالا یکی دو سال دیرتر دیپلم بگیر.

ـ چی می‌گی مامان! یعنی می‌خوای من رد بشم؟

ـ چه اشکالی داره؟ دلم می‌خواد تا وقتی جنگ تمام نشده تو توی دبیرستان بمونی.

ـ وای نه! من باید زودتر بزرگ بشم، بار زنــدگی رو از دوش تــو بــردارم، می‌خوام کار کنم. از سربازی هم خیالت راحت باشه من بهت قول می‌دم کــه دانشگاه قبول شم، باز هم سال‌ها فرصت خواهم داشت.

چگونه می‌توانستم از نگرانیم بــرای عــدم پــذیرش او در ســیستم گــزینش سیاسی، اجتماعی دانشگاه حرف بزنم و او را دلسرد کنم؟

❧

بالاخره او با زحمات زیاد و درس خواندن‌های شبانه‌روزی با نمرات بسیار

خوب دیپلم گرفت و در کنکور شرکت کرد، هر دو می‌دانستیم که با این سوابق خانوادگی شانس پذیرش او کم است ولی سعی می‌کردیم به روی هم نیاوریم، گاه او برای تسلای من و در واقع برای قوت قلب دادن به خودش می‌گفت:

ـ من هیچ سابقهٔ سیاسی ندارم. همهٔ مدرسه ازم راضین، در تحقیقات ازم دفاع می‌کنن.

ولی فایده‌ای نداشت او خیلی ساده و صریح به دلیل مسایل سیاسی خانواده از ورود به دانشگاه محروم شد، وقتی خبر را شنید با تمام خودداری و استقامتی که داشت، مشت بر میز کوفت، کتاب‌هایش را از پنجره به بیرون پرت‌کرد و زار زار گریست. و من که تمام امیدم را برای آیندهٔ او برباد رفته می‌دیدم، پابه پایش اشک ریختم و نمی‌توانستم تسلایش دهم.

بعد از آن تمام فکر و ذکرم چگونگی حفظ او بود، تا چند ماه دیگر باید خودش را برای رفتن به خدمت وظیفه معرفی‌می‌کرد، سیامک و پروانه از آنجا تلفن کردند و گفتند به هر وسیله که شده بفرستش، ولی خودش راضی نمی‌شد، می‌گفت:

ـ نمی‌تونم شماها رو تنها بذارم، از طرفی پولشو از کجا بیاریم؟ تازه قرض‌هایی که برای رفتن سیامک کرده بودی تموم شده.

ـ پول مهم نیست، از زیر سنگ هم شده جور می‌کنم، موضوع پیدا کردن فرد مطمئنه.

که البته کار ساده‌ای نبود، تنها سرنخی که داشتم یک شمارهٔ تلفن بود و همان اسم رمز «مهین خانم» تلفن کردم، مردی گوشی را برداشت، گفت خودم هستم ولی لهجه آن جوانک را نداشت، به حرفم گرفت، مسایل عجیب و غریبی پرسید، ناگهان هشیار شدم که دارم در دام می‌افتم، دیگر اطلاعاتی ندادم و تلفن را قطع کردم، از بهمن خان که هنگام رفتن سیامک و اردشیر با آنها به زاهدان رفته بود کمک خواستم، مدتی تحقیق کرد و خبر داد که آن باند همگی دستگیر شده‌اند و اخیراً مراقبت از مرزها بیشتر شده، با مواردی برخوردم که بچه‌ها در مرز دستگیر شده و یا قاچاقچی‌ها پول را گرفته و بچه‌ها را در بیابان رها کرده بودند،

نمی‌دانستم چه کنم، علی می‌گفت:

ـ این که ماتم نداره، بچهٔ تو مگه تافته جدا بافته‌اس، همهٔ جوونا وظیفه دارن برای مملکتشون بجنگن. مگه غلامعلی نبود؟

با عصبانیت گفتم:

ـ البته شماها باید بجنگید چون از مواهب این مملکت برخوردارید، ما اینجا غریبه‌ایم، شما مارو پس می‌زنید، ما هیچ حق نداریم، پول، مقام، احترام، زندگی راحت، مال شماهاست. ولی بچهٔ من که با این‌همه استعداد حتی حق درس خوندن و ادامهٔ تحصیل و بعد هم کار کردن در این مملکت‌رو نداره، و در هر گزینشی به دلیل عقاید بستگانش که هیچ اعتقادی هم به اونا نداره رد می‌شه، بـرای ادای کدوم دین باید در راه این مملکت کشته بشه؟

در آن زمان جز منطق حفظ و بقای فرزندم هیچ منطق دیگری نمی‌شناختم، گیج و سرگشته بودم، هیچ سرنخ مطمئنی برای خروج او از کشور پیدا نمی‌کردم، خود مسعود هم مطلقاً همکاری نمی‌کرد، می‌گفت:

ـ به این راحتی نمی‌تونم کسی رو پیدا کنم.

و مدام با من بحث می‌کرد که:

ـ چرا این‌قدر خودتو باختی؟ دو سال سربازی رفتن که مـهم نیست، همـه وظیفه دارن که برن، برای نجات مملکتمونه، مـنم مـی‌رم، بـعد بـا خـیال راحت پاسپورت می‌گیرم و با خرج کم به صورت قانونی از کشور خارج می‌شم.

ولی من نمی‌توانستم خودم را راضی کنم می‌گفتم:

ـ ولی آخه جنگه، شوخی که نیست، اگه خدای نکرده بلایی سرت بیاد، من چه کنم؟

ـ کی گفته هر کس رفته سربازی باید کشته بشه؟ این همه بچه‌ها سالم برگشتن، بالاخره هر کاری ریسک داره، فکر می‌کنی ریسک و خطر فـرار بـه صـورت غیرقانونی کمتر از جنگه؟

ـ ولی خیلی‌ها هم کشته می‌شن مگه غلامعلی طفلکو یادت رفته؟

ـ ای بابا، مادرِ من این‌قدر سخت نگیر، شما بعد از غلامعلی چشمتون ترسیده،

من قول می‌دم سالم برگردم، اصلاً شاید تا من احضار بشم و دورهٔ آموزشی رو طی‌کنم جنگ هم تموم بشه، تازه شما چرا این‌قدر ترسو شدی؟ شما تنها زنی بودی که این‌همه سال از آژیر و موشک و بمب‌بارون نمی‌ترسیدی و خیلی منطق با اون برخورد می‌کردی، می‌گفتی، احتمال برخورد موشک به خونهٔ ما مثل احتمال تصادف با ماشینه همون‌طور که هر روز دربارهٔ تصادف ماشین فکر نمی‌کنیم در مورد موشک هم نباید فکر کرد، حالا چی شد این‌قدر غیرمنطق شدی؟ مادرای بقیه بچه‌ها هیچ‌کدوم این کارای تورو نمی‌کنن.

ـ وقتی شماها با من هستین از هیچ چیز نمی‌ترسم، موقع بمب‌بارون هم اگه آژیر خطر زده بشه و من دور از شماها باشم نمی‌دونی چه وحشتی سراپامو می‌گیره و چطور خودمو به آب و آتیش می‌زنم تا به شماها برسم، حالا هم اگه منو با تو به جبهه بفرسن من هیچ نگرانی و ترسی نخواهم داشت.

ـ عجب! چه حرفا می‌زنی؟ می‌خوای برم بگم من بدون مامانم جایی نمی‌رم، من مامان جونمو می‌خوام.

همیشه همین‌طور بود نگرانی‌های من به شوخی و خنده می‌کشید و با بوسه‌ای خاتمه یافته تلقی می‌شد.

بالاخره روز موعود فرا رسید و او با هزاران جوان دیگر برای طی دورهٔ آموزشی راهی پادگان شد، سعی می‌کردم که عاقل و خوشبین باشم، شبانه‌روزم سجاده‌ای بود گسترده بر آستان حق و دست‌هایی برخاسته به دعا تا شاید این جنگ هر چه زودتر تمام شود و فرزندان دلبندمان به آغوش خانواده بازگردند، جنگی که هفت سال با ما بود ولی تا آن زمان خطر، وحشت و نگرانی مداومش را این چنین احساس نکرده بودم، هر روز شاهد تشییع جنازه‌های شهدای جنگ بودیم، نمی‌دانم در آن روزها شهید و مجروح بیشتر می‌آوردند یا همیشه این‌طور بود و من توجه نداشتم، هر کجا می‌رفتم مادرانی را که در شرایط من بودند پیدا می‌کردم، انگار به غریزه آنها را می‌شناختم، همگی تسلیم‌شده با چشمانی وحشت‌زده و صدایی سخت غریبه همدیگر را تسلی می‌دادیم و همه ناامیدانه

می‌دانستیم که دروغگوهای بدی هستیم.

❀

دوران آموزشی هم پایان یافت ولی هیچ معجزه‌ای رخ نداد و جنگ تمام‌نشد، تلاش‌هایم برای فرستادن او به جایی کم‌خطرتر بی‌نتیجه ماند و یک روز درحالی‌که دست‌های کوچک شیرین را در دست داشتم او را برای رفتن به جبهه بدرقه کردم، در آن اونیفورم به نظر بزرگ‌تر می‌رسید، چشمان روشن و پرمحبتش نگران به ما می‌نگریست، نمی‌توانستم از ریختن اشک‌هایم جلوگیری کنم، مدام می‌گفت:

ـ مامان، خواهش می‌کنم، شما باید خوددار باشید، باید مواظب شیرین باشید، ببیند مادر فرامرز چطور محکم و قوی ایستاده، ببینید بقیه چطور با آرامش با بچه‌هاشون خداحافظی می‌کنن و به اونا روحیه می‌دن.

برگشتم نگاه کردم به نظر من همهٔ مادرها داشتند زار می‌زدند حتی اگر اشکی بر چهره نداشتند.

ـ باشه مادر، تو ناراحت نشو، بعد خوب می‌شم، یه ساعت دیگه آروم می‌شم، تا چند روز دیگه هم عادت می‌کنم.

شیرین را بوسید و سعی کرد او را بخنداند و در گوش من گفت:

ـ قول بده وقتی برگشتم مثل همیشه خوشگل و سالم و قوی باشی.

ـ تو قول بده سالم برگردی.

تا لحظه‌ای که چشم کار می‌کرد نگاهم بر صورتش خیره بود انگار می‌خواستم خطوط چهره‌اش را در ذهنم حک کنم، بی‌اختیار و به‌عبث چند قدمی به دنبال قطار دویدم.

❀

یک هفته طول کشید تا رفتنش را پذیرفتم ولی به جای خالیش عادت نمی‌کردم، جز دلتنگی برای دوری و نگرانی برای خطرهایی که او را تهدیدمی‌کرد کمبودش را در تمام کارهای زندگی روزمره احساس می‌کردم، با رفتنش تازه می‌فهمیدم که او چقدر در کارهای خانه یارم بوده و چه بارهای سنگینی را از

دوشم برمی‌داشته که انجام آن‌ها در غیبت او بر سختی زندگیم می‌افزود، باخود می‌اندیشیدم که چه خودخواهانه خدمات دیگران را پس از مدتی وظیفهٔ آنها تلقی کرده به کلی لطفی را که به ما می‌کنند فراموش می‌کنیم، حالا که همهٔ کارها را باید خودم انجام می‌دادم، قدر زحمت او را می‌فهمیدم و با هر کاری به یادش می‌افتادم و قلبم فشرده می‌شد. به فاطی گفتم:

ـ وقتی حمید اعدام شد، خیلی دلتنگ و افسرده بودم، از نظر روحی و عاطفی درد می‌کشیدم ولی واقعیت این بود که مرگ او هیچ تأثیری در روال زندگی ما نداشت، چون او هرگز در خانه وظیفه‌ای برعهده نگرفته بود، ما تنها در فقدان انسانی عزیز عزادار بودیم و چند روز پس از مرگش زندگی ما به حال عادی بازگشت چون رفتن او چیزی را تغییر نداد ولی مردانی که نقش یاری‌دهنده در خانه و خانواده دارند کمبودشان محسوس‌تر و فراموش‌کردنشان به همان نسبت سخت‌تر است.

سه ماه گذشت تا ما یاد گرفتیم که چگونه بدون مسعود زندگی کنیم، شیرین که دختری شیطان و شاد بود کمتر می‌خندید و حداقل شبی یک بار بهانه‌ای می‌گرفت و به گریه می‌نشست، من آرامشم را تنها در نماز و نیایش و دعا می‌یافتم، ساعت‌ها بر سر جانماز می‌نشستم و خود و اطرافیان را فراموش می‌کردم و اغلب متوجه نمی‌شدم که شیرین شام نخورده، جلوی تلویزیون یا روی دفترهای مشقش به خواب رفته است. مسعود از هر فرصتی برای تلفن‌زدن استفاده می‌کرد، وقتی با او حرف می‌زدم تا بیست و چهار ساعت آرامش خیال داشتم و مطمئن بودم که او زنده و سالم است، ولی بعد به تدریج دلهره‌ها شروع می‌شد و مانند قطعه سنگی در سراشیبی هر لحظه بر شدت و سرعت آن افزوده می‌گردید.

وقتی دو هفته گذشت و از او خبری نرسید به تقلا در آمدم، به خانهٔ دوستانش که با او عازم جبهه شده بودند تلفن کردم، مادر فرامرز منطق و جدی گفت:

ـ خانم برای نگران شدن خیلی زوده، فکر می‌کنم این بچه شما رو بدعادت

کرده، خونهٔ خاله که نرفتن، تلفن هم تمام مدت دم دستشون نیست، گاه به مناطق اعزام می‌شن که مدت‌ها به حمام دسترسی ندارن چه برسه به تلفن، اقلاً یک ماهی صبر کنید.

یک ماه بی‌خبری از جگرگوشه‌ای که زیر رگبار مسلسل و توپ و تانک به‌سرمی‌برد خیلی سخت است، ولی من صبر کردم، خودم را مشغول می‌کردم، سعی می‌کردم تمام وقتم را با کار پر کنم هر چند که فکرم همراهی نمی‌کرد و تمرکز نداشت.

بعد از دو ماه بالاخره خودم را راضی کردم که به اداره مربوطه مراجعه کنم، باید زودتر این کار را می‌کردم ولی از پاسخی که ممکن بود بدهند می‌ترسیدم، با قدم‌های لرزان مدتی جلوی در ایستادم، چاره‌ای نبود باید داخل می‌شدم، مرا به اتاق شلوغی راهنمایی کردند، زنان و مردان با رنگ‌های پریده، چشمانی خون‌بار، مغلوب و مسخ‌شده درصف ایستاده بودند تا به نوبت به آنها بگویند که فرزندانشان در کجا و چگونه سربه‌نیست شده‌اند، وقتی جلوی میز رسیدم زانوهایم می‌لرزید، ته ماندهٔ توانم را جمع کردم و خودم را سر پا نگه‌داشتم، صدای قلبم چنان طنینی در گوش‌هایم داشت که صداهای دیگر را خوب نمی‌شنیدم، او مدتی که به اندازه یک سال به نظرم رسید در دفاترش جست‌وجو کرد و بالاخره پرسید:

ـ شما چه نسبتی با سرباز وظیفه مسعود سلطانی دارین؟

چند بار دهانم باز و بسته شد تا توانستم بگویم که مادرش هستم، انگار خوشش نیامد کمی اخم کرد، سرش را پایین انداخت و باز دفاترش را ورق زد و بعد مرا با مهربانی و ادبی ساختگی به نشستن دعوت کرد، دوباره پرسید:

ـ تنها هستین؟ پدرشون با شما نیستن؟

قلبم داشت از حلقم خارج می‌شد، آب دهانم را فرودادم سعی‌کردم اشک‌هایم را مهار کنم با صدای لرزان که برای خودم هم غریبه بود گفتم:

ـ نه! پدر نداره، هر چه هست به من بگید؟

و با فریادی خفه ادامه دادم:

ـ چی شده؟ به من بگید، چی شده؟
ـ هیچی خانم، ناراحت نشید چیزی نشده، آروم باشید.
ـ پس پسر من کجاس؟ چرا هیچ خبری ازش نمی‌آد؟
ـ نمی‌دونم!
ـ نمی‌دونی؟ یعنی چی نمی‌دونم؟ شما اونو فرستادین، حالا می‌گید نمی‌دونم کجاس.
ـ ببینید مادر عزیز، واقعیت اینه که عملیاتی در منطقه بوده، بخش‌هایی از مرز دست به دست شده، ما از سرنوشت تمام پرسنل خود دقیقاً خبر نداریم، در حال تجسس هستیم.
ـ من نمی‌فهمم شما چی می‌گید، اگه اونجا رو پس‌گرفتید لابد چیزایی هم پیدا کردید.
نمی‌خواستم بگویم جنازه‌ای پیدا کرده‌اید، ولی او منظور مرا فهمید.
ـ نه مادرجان، تاکنون جنازه‌ای با مشخصات و پلاک پسر شما پیدا نکردن، من که گزارشی ندارم.
ـ کی خبردار می‌شید؟
ـ معلوم نیست، دارن در منطقه تجسس می‌کنن، حالا نمی‌شه اظهارنظر کرد.
ـ چند نفری کمکم کردند تا از روی صندلی بلند شوم، زنان و مادرانی مثل خودم که در انتظار چنین خبرهایی بودند، خانمی در حالی‌که نوبتش را در صف به خانم جلویی می‌سپرد مرا تا دم در همراهی‌کرد عیناً صف خرید اجناس کوپنی بود، نفهمیدم چطور به خانه رسیدم، شیرین هنوز از مدرسه نیامده‌بود، در اتاق‌های خالی راه می‌رفتم و پسرانم را صدا می‌کردم، انعکاس نامشان در خانه می‌پیچید، سیامک، مسعود! بلندتر می‌خواندمشان گویی در جایی پنهان بودند و صدای من آنها را به پاسخ‌گویی وادارمی‌کرد، در کمد لباس را باز کردم، لباس‌های سال‌های پیششان را درآغوش‌گرفته، بوییدم. دیگر چیز زیادی یادم نیست، شیرین عمه‌هایش را خبر کرده بود، دکتری آوردند و چند آرام‌بخش تزریق کردند، خواب‌های آشفته و کابوس‌های سیاهم دوباره شروع شدند.

صادق‌خان و بهمن‌خان شوهر منصوره به مراجعات خود ادامه دادند، هفتهٔ بعد گفتند نام او در فهرست اسامی مفقودالاثرهاست. منظورشان را نمی‌فهمیدم، یعنی چه؟ یعنی او دود شده به هوا رفته، پسر رشیدم، پسر جوانم چنان از میان برود که هیچ اثری از او باقی نماند؟ گویی هرگز نبوده است، نه منطق نبود، باید کاری می‌کردم، یادم آمد یکی از همکارانم گفته‌بود که پسر خواهرش را ماه‌ها بعد در یک بیمارستان پیدا کردند، نمی‌توانستم بنشینم و منتظر کارهای اداری شوم، تمام شب با افکار بیمارم کلنجار رفتم و صبح با یک تصمیم از رختخواب بیرون آمدم، نیم ساعت زیر دوش ایستادم تا نشئهٔ داروهای آرام‌بخش و خواب‌آور از سرم پرید. لباس پوشیدم، چشمم به آینه افتاد، وای که چقدر موهایم سفید شده بود. پروین‌خانم که در تمام این روزهای سیاه در کنارم مانده بود از خواب بیدار شد. با تعجب نگاهم‌کرد و گفت:

ـ چه خبره؟ کجا می‌خوای بری؟

ـ به منطقه می‌رم خودم باید دنبال بچه‌ام بگردم.

ـ تنهایی مگه می‌شه، یه زن تنها رو تو منطقهٔ جنگی راه نمی‌دن.

ـ بیمارستان‌های اطرافو که می‌تونم بگردم.

ـ صبر کن به فاطی تلفن کنم شاید صادق کاراشو راس و ریس کنه و باهات بیاد.

ـ نمی‌خوام، اون بیچاره چرا باید از کار و زندگی بیفته؟ چه گناهی کرده داماد ما شده؟

ـ به علی بگو، حتی محمود، بالاخره برادرن، تنهات نمی‌ذارن.

با زهرخندی گفتم:

ـ خودتم می‌دونی که مزخرف می‌گی، اونا بیشتر از هر غریبه‌ای منو در روزهای سخت زندگیم تنها گذاشتن. اصلاً باید تنها برم، اینجوری با خیال راحت‌تر دنبال طفل معصومم می‌گردم. اگه کسی باهام باشه مجبور می‌شم نیمه‌کاره رها کنم.

با قطاری که بیشتر مسافرانش سرباز بودند عازم اهواز شدم. در کوپه همسفر

زن و مردی شدم که آنها هم به دنبال عزیزشان بودند با این تفاوت که آنها می‌دانستند پسرشان زخمی شده و در یکی از بیمارستان‌های اهواز بستری است. هوای بهاری در آنجا تابستانی گرم بود. در آن منطقه بود که پس از نزدیک به هشت سال معنی واقعی جنگ را فهمیدم، چه مصیبتی، چه رنجی، چه ویرانی و چه آشوبی. هیچ چهرهٔ خندانی ندیدم. همه در حرکت و جنب‌وجوش بودند ولی حرکتشان مانند کارکردن عزاداران و گورکن‌ها در مراسم به‌خاک‌سپاری خالی از نشاط و زندگی بود و در عمق چشمانشان ترسی مداوم و اضطرابی پنهانی می‌درخشید. با هر که حرف می‌زدم به نوعی داغدار بود.

با خانم و آقای فراهانی که در قطار آشناشده‌بودم به بیمارستان‌ها سرزدیم. آنها پسرشان را که از ناحیه صورت مجروح شده بود یافتند. صحنهٔ ملاقات پدر و مادر با فرزند مجروح رقت‌انگیز بود. با خود گفتم اگر مسعود تمام صورتش را هم از دست داده باشد من او را از روی ناخن پا خواهم شناخت. برایم مهم نبود که او را ناقص‌العضو و بدون دست و پا پیدا کنم. فقط می‌خواستم زنده باشد. وجودی که بتوانم دوباره در آغوش بگیرم. دیدن آن‌همه مصدوم، آن‌همه مجروح، آن‌همه جوان ناقص‌العضو که درد می‌کشیدند دیوانه‌ام می‌کرد. دلم برای تک‌تک مادرانشان آتش می‌گرفت، خدایا چه کسی پاسخگوست؟ ما چطور متوجه نبودیم، همان بمباران‌های متناوب را جنگ می‌پنداشتیم، در صورتی که هشت سال است مردم چنین زندگی می‌کنند و ما در آنجا هرگز عمق فاجعه را درک نکردیم.

همه‌جا را گشتم، به ادارات مختلف مراجعه کردم و بالاخره توانستم کسی را که شب عملیات، مسعود را دیده بود پیدا کنم. او که به تازگی جراحاتش التیام یافته و در حال انتقال به تهران بود بالبخندی که سعی می‌کرد امیدوارکننده باشد گفت:

ـ مسعودو می‌دیدم، اون‌شب با هم جلو می‌رفتیم اون چند قدم جلوتر از من بود که انفجار شروع شد. من بیهوش شدم و دیگه نفهمیدم چه به سر بقیه اومد. ولی شنیدم از گردان ما بیشتر شهدا و مجروحین پیدا شدن.

فایده‌ای نداشت، هیچ‌کس نمی‌دانست چه بر سر پسرم آمده. کلمهٔ مفقودالاثر مثل پتکی بر سرم می‌خورد. در راه بازگشت احساس می‌کردم کوله‌بار دردهایم

هزاران بار سنگین‌تر شده است. گیج و منگ به خانه آمدم، یک‌راست به اتاق مسعود رفتم و گویی وظیفه‌ای را فراموش کرده‌بودم با عجله لباس‌های مسعود را بیرون آوردم. به نظرم چند تا از پیراهن‌هایش اطو نداشتند، وای لباس‌های بچه‌ام اطو نداشت، شروع به اطو کشیدن کردم گویی این مهم‌ترین کاری است که دارم، تمام حواسم متوجهٔ چروک‌های ناپیدای لباس بود، ولی وقتی آنها را در مقابل نور نگاه‌می‌کردم باز هم چروک بودند، باید دوباره اطو کنم... وای که چقدر منصوره حرف‌می‌زد حضور او را تنها با قسمت کوچکی از مغزم احساس می‌کردم، ناگهان متوجه‌شدم که می‌گوید:

ـ فاطی‌جون، اینجوری بدتره، دیگه رسماً داره دیوانه می‌شه. الان دو ساعته که داره یه پیرهن مسعودو اطو می‌کنه. اگه می‌گفتن شهید شده بهتر بود. یه طرفه می‌شد، درست عزاداری می‌کرد.

مانند سگی وحشی از اتاق بیرون پریدم و گفتم:

ـ نه! اگه بگن اون مرده، خودکشی می‌کنم، اگه هنوز زنده‌م و راه می‌رم به امید زنده بودن اونه.

خودم هم احساس می‌کردم که با جنون فاصلهٔ چندانی ندارم. بی‌اختیار حرف می‌زدم مخاطبم همیشه خدا بود، رابطه‌ام با او قطع‌شده‌بود یا نه تبدیل به رابطهٔ خصومت‌آمیز مغلوبی خشمگین و دست‌ازجان‌شسته با قدرتی بی‌رحم شده‌بود، شکست‌خورده‌ای که هیچ امیدی به نجات ندارد و شهامت واپسین لحظات، او را بر آن می‌دارد که هر چه در دل دارد بگوید، کفر می‌گفتم، او در نظرم مانند بتی بزرگ جلوه‌می‌کرد که احتیاج به قربانی دارد و من باید یکی از بچه‌هایم را با دست خود به قربانگاه بفرستم، آنوقت سعی می‌کردم از بین آنها انتخاب‌کنم، گاه سیامک و گاه شیرین را به جای مسعود می‌فرستادم و آن‌وقت با عذاب وجدان و تنفری شدید نسبت به خود دوباره عزادار می‌شدم، اگر بچه‌هایم بفهمند من یکی را به جای دیگری قربانی می‌کنم چه احساسی نسبت به من پیداخواهندکرد؟ هیچ کاری نمی‌کردم حتی پروین‌خانم مرا به زور به حمام می‌برد، خانم‌جون و احترام‌سادات نصیحتم می‌کردند، از مقام شهید و جایگاه او می‌گفتند، خانم‌جون

مرا از خدا می‌ترساند می‌گفت:

ـ باید راضی به رضای او باشی، هر کسی در زندگی یه قسمتی داره، وقتی اون می‌خواد چکار می‌تونی بکنی؟

ولی من دیوانه می‌شدم و فریاد می‌زدم:

ـ چرا باید همچین سهم و قسمتی رو نصیب من بکنه؟ نمی‌خوام، این چه قسمتیه؟ این همه بلا کشیدم بسم نبود چقدر از این زندون به اون زندون رفتم، لباسای خون آلود عزیزامو شستم، تنها بودم، داغ دیدم، شبانه‌روز کار کردم، دلم به بچه‌هام خوش بود با هزار بدبختی بزرگشون کردم، که چی؟ که آخر سر اینطوری بشه.

احترام‌سادات با گریه گفت:

ـ کفر نگو، اینها امتحان الهیه.

ـ تا کی باید امتحان پس بدم؟ خدایا چرا منو این‌قدر امتحان می‌کنی؟ مگه من کیم؟... می‌خوای قدرتتو به رخِ منِ افتادهٔ بدبخت بکشی، نمی‌خوام توی امتحانت قبول بشم فقط بچه‌مو می‌خوام، بچه‌مو بهم بده و رفوزه‌ام کن.

ـ خدا مرگم بده، این حرف‌هارو نزن، خدا غضبش می‌گیره، مگه فقط تو تنها هستی؟ اینهمه مادر، هر زنی که پسری به سن بچه‌های ما داره توی همین وضعه بعضی‌ها چهار پنج تا بچه شهید دادن. بیا ببین و این‌قدر ناشکری نکن.

ـ تو خیال می‌کنی من بدبختی بقیهٔ مردمو ببینم شکر می‌کنم؟ من برای اونا هم دلم کبابه، برای تو هم دلم می‌سوزه، برای خودم که جوون نوزده ساله‌ام نیست و نابود شده آتیش می‌گیرم، حتی جسدی نداره که در آغوشش بکشم...

ظاهراً داشتم مرگ او را می‌پذیرفتم چون برای اولین بار از جسدی حرف زدم. این برخوردها وضعم را خراب‌تر می‌کرد، دیگر حساب روز و ماه و سال از دستم در رفته بود. مُشت‌مُشت قرص اعصاب و آرام بخش می‌خوردم و در عالمی بین خواب و واقعیت دست و پا می‌زدم.

❀

یک روز صبح از خواب بیدار شدم، داشتم از تشنگی خفه می‌شدم، آشفته و منگ به آشپزخانه رفتم تا لیوانی آب بردارم. دیدم شیرین مشغول شستن

ظرف‌هاست. با تعجب نگاهش کردم، او هیچ‌وقت از این کارها نمی‌کرد. اصلاً دوست نداشتم با آن دست‌های کوچکش از حالا کارِ خانه کند گفتم:

ـ شیرین تو چرا مدرسه نرفتی؟

با حیرت نگاهم‌کرد و با لبخندی تلخ و سرزنش‌آمیز گفت:

ـ مامان یه ماهه مدرسه‌ها تعطیل شده!

متعجب بر جا ماندم... یعنی چه؟ من کجا بودم؟

ـ امتحانات چی؟ امتحان ثلث سومو دادی؟

با بغض گفت:

ـ آره، خیلی وقت پیش امتحان دادم، تو نفهمیدی؟

نه من نفهمیده بودم، چقدر لاغر شده. چقدر زرد و غمگین است. وای چه خودخواهانه، تمام این ماه‌ها غرق در غم و دلسوزی برای خود، وجود او را به کلی از یاد برده بودم. این کوچولویی که شاید به اندازهٔ من غمگین و عزادار بود. در آغوشش گرفتم، گویی مدت‌ها بود آرزوی چنین لحظه‌ای را داشت. سعی می‌کرد خودش را هر چه بیشتر در آغوش من پنهان‌کند. هر دو گریه می‌کردیم. گفتم:

ـ منو ببخش، عزیزم منو ببخش. من حق‌نداشتم تو رو فراموش کنم.

دیدن شیرین با آن چهرهٔ غم‌زده، آن‌همه تشنهٔ محبت، زرد و ضعیف پتکی بود که بر پیکر رخوت‌زده و خواب‌آلود من فرودآمد و مرا بیدار کرد. قسم خوردم که دیگر چنین خودخواهانه با مسایل برخورد نکنم. من هنوز فرزند دیگری داشتم که موظف بودم به خاطرش زندگی کنم. باید راه می‌افتادم.

دل‌شکسته و تنها زندگی روزمره را شروع‌کردم. سعی می‌کردم بیشتر در شرکت بمانم و کار کنم. در خانه مطلقاً تمرکز نداشتم تصمیم‌گرفتم جلوی شیرین گریه نکنم، او احتیاج به زندگی طبیعی، تفریح و شادی داشت. این بچهٔ نه ساله به اندازه کافی صدمه دیده بود. از منصوره خواهش کردم که او را با خودشان به شمال ببرد، ولی او حاضر نبود مرا تنها بگذارد. به ناچار من‌هم رفتم. ویلای منصوره همان ویلای ده سال پیش بود و شمال با همان زیبایی منتظر بود تا مرا به بهترین

روزهای زندگیم ببرد و آن‌همه خاطرات شیرین را بار دیگر برایم زنده کند. صدای پسرها که با هم بازی می‌کردند در گوشم می‌پیچید. نگاه مشتاق حمید را پشت سرم احساس می‌کردم، ساعت‌ها می‌نشستم و به توپ‌بازی حمید و بچه‌ها نگاه‌می‌کردم، حتی یک بار دولا شدم و توپشان را برایشان پرتاب‌کردم. تصاویر زیبایی که با صدایی نابه‌هنگام به‌هم می‌ریخت. خدایا چه زود گذشت. سهم من از زندگی شیرین خانوادگی همان چند روز بود. بقیه هر چه بود درد بود و ستم. به خود گفتم:

ز ما گذشت، ولی ظلم این چنین شدنی است؟

که عمر کس به سرآید به رنج و ماتم‌ها؟

در هر گوشه خاطره‌ای و یادی زنده‌می‌شد. گاه بی‌اختیار دست‌هایم را می‌گشودم که عزیزان بازیافته‌ام را در آغوش بکشم. ناگهان به‌خودمی‌آمدم، وحشت زده به دوروبر نگاه‌می‌کردم، آیا کسی مرا در این حالت دیده بود؟ شب کنار دریا نشستم، غرق در افکارم سنگینی دست حمید را بر شانه‌ام احساس کردم. حضور او پشت سرم کاملاً طبیعی به نظر می‌رسید به نجوا گفتم:

ـ وای حمید نمی‌دونی چقدر خسته‌ام.

شانه‌ام را فشرد، سرم را روی دستش گذاشتم، موهایم را به‌آرامی نوازش کرد، ناگهان با صدای منصوره از جا پریدم:

ـ یک ساعته دنبالت می‌گردم، کجایی؟

از جا پریدم، چگونه رؤیایی می‌تواند تا این حد واقعی باشد؟ هنوز گرمی دستش را بر شانه‌ام حس می‌کردم، اگر تعریف دیوانگی قطع تماس با واقعیت باشد، من به همین مرز رسیده‌ام، ولی چقدر لذت‌بخش بود، می‌توانستم به آن تسلیم شوم و تا ابد در رؤیاهای شیرینم به سر برم، از آزادی دیوانگان بهره‌مند شوم و هیچ مسئولیتی را احساس‌نکنم. وسوسهٔ جنون و رها شدن و به دنیای رؤیاها قدم گذاشتن مرا در لبهٔ پرتگاه گذاشته بود، تنها یاد و مسؤولیت شیرین وادار به مقاومتم کرد. به سرعت تصمیم گرفتم، باید برمی‌گشتم، نمی‌توانستم اینجا دوام بیاورم، این رؤیاها مقاومت ناپذیر بودند و می‌ترسیدم بالاخره بر من پیروز

شوند، دوباره داشتم به‌هم می‌ریختم، روز سـوم اسبـاب‌هایم را جـمع‌کردم و بـه تهران برگشتم.

🌿

یک روز گرم مرداد ساعت دو بعدازظهر از صدای فریاد شادی بچه‌ها که در راهروی اداره می‌دویدند به خود آمدم، همه به هم تبریک می‌گفتند. علی‌پور در اطاقم را باز کرد و فریاد زد جنگ تمام شد. از روی صندلی تکان نخوردم. اگر این خبر را یک‌سال پیش به من می‌دادند چه می‌کردم؟

🌿

مدت‌ها بود که به هیچ ادارهٔ نظامی سر نمی‌زدم. هر چند این بار به عنوان مادر یک رزمندهٔ مفقودالاثر بسیار احترامم می‌کردند. ولی این احترام‌ها هم مانند آن ناسزاها که پشت در زندان‌ها به عنوان مادر یک مجاهد، یا همسر یک کمونیست می‌شنیدم دردناک بود، طاقت تحملش را نداشتم.

🌿

بیش از یک ماه از پایان جنگ می‌گذشت، هنوز مدارس بـاز نشـده‌بودند. ساعت ۱۱ صبح بود که درِ اطاقم باز شد، شیرین و منصوره، دگرگون و آشفته وارد شدند. وحشت‌زده از جایم بلند شدم، می‌ترسیدم بپرسم چه شده؟ شیرین خودش را به آغوشم انداخت، گریه‌می‌کرد. و نمی‌توانست حرف‌بزند. مـنصوره خیره در چشمانم می‌نگریست و اشک‌های بی‌صدایش سرازیر بود. بالاخره به صدا درآمد و گفت:

ـ معصوم...!! زنده‌س! زنده‌س!

روی صندلی افتادم، سرم را به پشتی تکیه‌دادم و چشمانم را بستم. می‌خواستم اگر خواب می‌بینم در همان حال باقی بمانم و هرگز بیدار نشوم. شیرین بـا دست‌های کوچکش به صورتم می‌زد. می‌خواست ببیند آیا زنده‌ام یا نه. با التماس گفت:

ـ مامان، پاشو، تورو خدا حرف بزن.

چشمانم را باز کردم، خندید و گفت:

ـ از ستاد تلفن کردن، خودم باهاشون حرف زدم.
با نگاه پرسیدم چه گفتند، نمی‌دانم آیا صدایی هم از گلویم بیرون آمد یا نه. گفتند:
ـ اسم مسعود در فهرست اُسرا آمده. توی فهرست سازمان ملل.
ـ مطمئنی، شاید اشتباه شنیده باشی. باید خودم برم اونجا ببینم.
ـ نه! وقتی شیرین با اون حال پیش من اومد، خودم تلفن کردم. مفصل باهاشون حرف زدم. اسم مسعود با تمام مشخصات در فهرست بود. گفتند به‌زودی مبادله می‌شن.

نمی‌دانم چه کردم. فکر می‌کنم مثل دیوانه‌ها رقصیدم. بعد به سجده افتادم. خوشبختانه منصوره بود. همه را از اتاق بیرون کرد تا شاهد دیوانه‌بازی‌های من نباشند باید خودم را به جایی می‌رساندم. نمی‌دانم کجا، جایی مقدس، منصوره نزدیک‌ترین جایی که به خاطرش رسید امامزاده صالح بود. می‌ترسیدم، باید هر چه زودتر از آن‌همه کفرگویی‌هایم استغفار کنم وگرنه این خوشبختی مثل آبی از میان انگشتانم خواهد ریخت. ضریح امامزاده را گرفتم. صدها بار گفتم خدایا غلط کردم، غلط کردم، مرا ببخش، خدایا تو بزرگی، تو رحیمی، تو باید مرا ببخشی، قول می‌دم تمام نمازای قضا شده‌مو بخونم. پول به گدا می‌دم، به پابوس امام‌رضا می‌رم. و هزاران نذر و نیاز دیگر. برایش دلیل می‌آوردم که چرا آن‌همه کفر گفته بودم، استدلال می‌کردم، می‌گفتم بدبختی که از حد بگذره، آدم دیگه چیزی نداره که از دست بده آن‌وقت تورو فراموش می‌کنه. کفر می‌گه. خواهش می‌کنم هر چه می‌خوای با من بکن. فقط منو از طریق بچه‌هام امتحان نکن.

حالا که به آن روزها نگاه‌می‌کنم می‌بینم واقعاً خُل شده‌بودم، با خدا چنان حرف‌می‌زدم که بچه‌ای با همبازیش. قواعد بازی را مشخص می‌کردم، با تهدید مواظب بودم که هیچ‌کدام پا از این قوانین فراتر نگذاریم. در روز بارها و بارها احساس‌می‌کردم که باید سجدهٔ شکر به‌جاآورم، در این مواقع حتماً باید این کار را می‌کردم تا مبادا که دوباره از من روی‌گردان شود، مانند عاشق که پس از مدت‌ها قهر و جدایی به آشتی رسیده حالتی از بیم و امید داشتم، با شرمندگی از

آنچه گفته بودم مدام با او راز و نیاز می‌کردم، شاید ناسپاسی‌هایم را به دست فراموشی بسپارد و شرایط مرا در آن زمان درک کند.

❦

دوباره زنده شدم، شادی به خانه‌ام بازگشته بود، صدای خندهٔ شیرین که مدت‌ها خاموش بود بار دیگر در خانه طنین‌انداز شد، می‌دوید، بازی می‌کرد، دست برگردنم می‌انداخت و مرا می‌بوسید. می‌دانستم که اسارت هزاران سختی و مشقت دارد، می‌دانستم که او در آنجا رنج می‌کشد، ولی این‌ها همه می‌گذرد، مهم زنده‌بودن اوست، حالا هر روز منتظر آزادیش بودم، خانه را تمیز نگه‌می‌داشتم، لباس‌هایش را مرتب می‌کردم، ماه‌های فراق را یکی بعد از دیگری می‌گذراندم، هر ماه سخت‌تر از ماه پیش بود ولی امید دوباره دیدنش مرا زنده و سر پا نگه می‌داشت. تا بالاخره در یک شب تابستانی او را به منزل آوردند، از روز قبل کوچه و خیابان را چراغانی کردند، روی پارچه‌های بزرگ نامش را نوشته و بازگشتش را تبریک گفته‌بودند، بوی گل و شیرینی و شربت خانه‌ام را غرق در عطر زندگی کرده بود، خانه مملو از آدم بود، بسیاری را نمی‌شناختم، از آمدن محبوبه و شوهرش ذوق‌زده شدم و وقتی دیدم حاج‌آقا هم آمده دلم می‌خواست دستش را ببوسم، چهرهٔ او در چشم من سمبل روحانیت، محبت و عشق بود... مدیریت و پذیرایی بر عهدهٔ پروین‌خانم، منصوره، فاطی، منیژه و فیروزه بود، من هیچ کاری جز انتظار بی‌صبرانه از دستم برنمی‌آمد، پروین، فاطی و فیروزه که حالا نوجوان زیبایی شده‌بود از چند روز قبل در خانهٔ ما مشغول تهیهٔ مقدمات بودند، روز قبل فاطی گفته بود:

ـ آبجی موهاتو رنگ کن، این بچه اگه تورو این جوری ببینه که دور از جونش پس‌می‌افته. قبول کردم آمادهٔ پذیرش همه چیز بودم خودش موهایم را رنگ‌کرد ابروانم را برداشت و صورتم را بند انداخت، فیروزه می‌خندید و می‌گفت:

ـ انگار عروسی خاله‌س، خودشم شکل عروس‌خانوما شده.

ـ آره عزیزم عروسیمه، خیلی بهتر از عروسی چون هرگز شب عروسیم این‌قدر خوشبخت و خوشحال نبودم.

لباس سبز زیبایی پوشیدم مسعود عاشق این رنگ بود، برای شیرین پیراهنی صورتی خریده بودم، از بعدازظهر لباس پوشیده و منتظر نشستیم، خانم‌جون، علی و خانواده همراه با احترام‌سادات و بچه‌هایش هم آمدند، احترام داغون بود، این عزاداری فروخورده و دیرهنگام روزبه‌روز بیشتر او را درخودمی‌شکست، سعی می‌کردم چشمانم را از نگاهش بدزدم، از اینکه بچهٔ من زنده بود و بچهٔ او نبود خجالت می‌کشیدم، گویی تقصیر من بود که بچهٔ او برنمی‌گشت، به خانم‌جون گفتم:

ـ چرا احترامو آوردین؟

ـ خودش خواست بیاد مگه چی شده؟

ـ هیچی ناراحتم، حسرتی که توی نگاهشه معذبم می‌کنه.

ـ چه حرفا؟ اون اصلاً حسرت تو رو نمی‌خوره، اون مادر شهیده، مقامش خیلی بالاتر از توس، می‌دونی چه ارجی پیش خدا داره، فکر کردی به تو که یک صدم اونم نیستی حسودی می‌کنه؟ نه جونم، اون خیلی هم خوشحاله، تو هم ناراحتش نباش.

شاید هم راست می‌گفت، این من بودم که درک نمی‌کردم، شاید به راستی ایمان او آن‌قدر قوی بود که می‌توانست سرپا نگهش دارد و من در این مورد از او بسیار ضعیف‌تر بودم، سعی کردم دیگر به او فکر نکنم ولی هنوز از نگاهش می‌گریختم.

شیرین بیش از صدبار منقل کوچک اسفند را روشن کرد و دوباره خاموش شد، دیگر طاقت من تمام شده و ساعت از نه شب گذشته بود که کاروان رسید، با تمام تمرینی که کرده‌بودم، قرص‌های آرام‌بخشی که خورده‌بودم باز هم دچار تشنجی شدید شدم و ازحال‌رفتم، چقدر زیبا بود لحظه‌ای که چشم گشودم و خود را در آغوش او دیدم.

مسعود درازتر، ولی بسیار لاغر و رنگ‌پریده بود. نگاهش تغییرکرده و با انبوهی از تجارب دردناک بزرگ‌شده‌بود، یک پایش می‌لنگید و اغلب درد

داشت، از حالتش، از کابوس‌های شبانه و بی‌خوابی‌هایش می‌فهمیدم که چقدر زجر کشیده. ولی برای من چیزی تعریف نمی‌کرد. معلوم شـد کـه او زخـمی و نیمه‌جان به دست دشمن افتاده و در چند بیمارستان مختلف بسـتری بـوده است. هنوز زخم‌هایی التیام نیافته داشت که گاه باعث تب و درد می‌شد. دکتر گـفت پایش را با عملی مشکل می‌توان درست کرد، بعد از کمی تقویت به اتاق عمل رفت که خوشبختانه موفقیت‌آمیز بود، مثل یک کودک مـراقبش بـودم، تـر و خشکش می‌کردم و قدر هر لحظه با او بودن را می‌دانستم، وقتی خواب بود بالای سرش می‌نشستم و به چهره‌اش نگاه‌می‌کردم، از دیدن صورت زیبا و مردانه‌اش که در خواب مانند کودکی معصوم بود سیر نمی‌شدم. اسمش را گـذاشته بـودم، «خداداد»، واقعاً خدا او را دوباره به من بخشیده بود. کم‌کم سلامتی جسمی‌اش را به دست آورد ولی روحاً شاد و سرحال نبود. نقاشی نمی‌کرد. هیچ برنامه‌ای برای آینده نداشت. گاهی دوستانش، هم‌رزمان و هم‌بندانش به دیدنش مـی‌آمدند، کمی مشغول می‌شد. ولی باز در خود فرومی‌رفت، از آنها خواستم که او را تنها نگذارند، از هر سن و سالی در میان آنها بود و همه دوستش داشتند. با یکی از آنها به نام آقای مقصودی که حدود ۵۰ سال داشت و مسعود او را بسیار محـترم می‌داشت و به نظر مهربان و جهان‌دیده می‌رسید، مشکل دل‌مردگی او را در میان گذاشتم، گفت:

ـ نگران نباشید. همه کم‌وبیش همین‌طور بودیم، این طفلک که به‌شدت هـم زخمی بود، کم‌کم خوب می‌شه، باید سرِ کار بره.

ـ ولی او بچهٔ بااستعدادی بود، دلم می‌خواد درس بخونه.

ـ البته، البته، باید بخونه اون می‌تونه از سهمیهٔ آزادگان استفاده کـنه و بـه دانشگاه وارد بشه.

خیلی خوشحال شدم. کتاب‌هایش را جمع کردم و گفتم:

ـ خوب دیگه دوران نقاهت تمام شده، باید برای آینده برنامه‌ریزی کـنی و کارای نیمه تمامتو به پایان برسونی، مهم‌ترین کار نیمه‌تمام تو درسه که بایـد از همین امروز شروع کنی.

ـ نه مامان از من گذشته، دیگه فکرم کار نمی‌کنه حوصلهٔ کنکور و درس خوندن ندارم. تازه محاله قبول شم.

ـ نه مادر، این بار حتماً قبول می‌شی. برای تو تسهیلاتی در نظر می‌گیرن. از سهمیهٔ آزادگان استفاده می‌کنی.

ـ یعنی چه؟ من اگه صلاحیت علمی نداشته باشم، چه فرقی می‌کنه چه آزاده چه یه آدم دیگه، نمی‌تونم دانشگاه برم.

ـ تو اگه بخونی بیش از همه صلاحیت داری. اینم حقیه که برای شماها قائل شدن.

ـ یعنی به من حق دادن که حق دیگری رو بگیرم؛ نه نمی‌خوام.

ـ تو حق خودتو می‌گیری، حق که سه، چهار سال پیش به‌ناحق از تو گرفتند.

ـ چون اون موقع حق منو گرفتن. من‌هم حالا برم و حق کسی دیگه‌ای رو بگیرم. آره؟!

ـ درست یا غلط این قانونه، باید اطاعت کنی، نکنه تو عادت کردی که قانون همیشه به ضررت باشه؟ نه جونم گاهی هم به نفع آدمه. تو برای این مردم، این مملکت زجر کشیدی، جنگیدی. حالا همین مردم و دولت می‌خوان به تو پاداش بدن صحیح نیست که نپذیری!

بحث‌های پایان‌ناپذیر ما در نهایت به پیروزی من انجامید. البته وجود فیروزه نیز بی‌تأثیر نبود. او که حالا سال‌های آخر دبیرستان را می‌گذراند کتاب‌هایش را آورده و با سؤال کردن از مسعود او را وادار به درس‌خواندن می‌کرد. چهرهٔ زیبا و پرمحبت او نشاط زندگی را به مسعود برمی‌گرداند، با هم درس می‌خواندند، حرف می‌زدند، می‌خندیدند، گاه وادارشان می‌کردم که گردشی بکنند. این روش در بهبود سریع مسعود بسیار موثر بود.

مسعود در رشته معماری که آرزوی همیشگی‌اش بود قبول شد. بوسیدمش و تبریک گفتم، با خنده گفت:

ـ خودمون که می‌دونیم حق من نبود، ولی خوب خیلی خوشحالم.

مشکل دیگر مسعود بیکاری بود. او می‌گفت:

ـ خجالت آوره پسری در سن و سال من هنوز سربار مادرش باشه.

حتی چند بار زمزمه‌هایی در مورد رها کردن دانشگاه و آغاز به کــار کــرد. موضوع را مجدداً با آقای مقصودی که حالا به شغلی در سطوح بالا منصوب شده بود در میان گذاشتم. با اطمینان و خوشحالی گفت:

ـ البته که کار براش هست. درسش رو هم اصلاً نباید رها کنه.

برای او کار خوبی در همان وزارتخانه‌ای که خودش مسؤولیت داشت پیدا کرد. او به راحتی از مراحل گزینش و امتحان و مصاحبه که بیشتر جنبهٔ فرمالیته داشت گذشت و رسماً استخدام شد. داغ خانوادگی ما از پیشانی او پاک‌شده‌بود و حالا نگین محبوبیت بر انگشت داشت. همه جا در صدر بود. هر چند که خودش از این وضع احساس رضایت نمی‌کرد. حالا به من به عنوان مادر یک آزاده احترام زیادی می‌گذاشتند و کارها و امکانات زیادی پیشنهاد می‌شد که گاه مجبور بودم آن‌ها را رد کنم. از این همه دگرگونی خنده‌ام می‌گرفت، چه دنیای عجیبی بـود، حالا با تمام وجودم می‌فهمیدم که نه قهرش ارزشی دارد و نه لطفش.

فصلِ نهم

زندگیم روال طبیعی و آرامی را طی می‌کرد. بچه‌هایم همه سالم و موفق مشغول تحصیل بودند، از نظر مادی مشکلی نداشتیم، درآمد من نسبتاً خوب بود و مسعود حقوقی بالاتر از معمول می‌گرفت، تسهیلاتی هم برای خرید ماشین و خانه در اختیارش گذاشتند، سیامک درسش تمام شده کارمی‌کرد و همیشه آمادهٔ فرستادن پول برای ما بود، پروانه بعد از خاتمهٔ جنگ مرتباً به ایران می‌آمد، وقتی به هم می‌رسیدیم فاصلهٔ تمام این سال‌ها ازمیان‌می‌رفت و ما دوباره به روزهای نوجوانی برمی‌گشتیم، پروانه هنوز شوخ و شیطان بود و کارهایش مرا از خنده بی‌حال می‌کرد، هرگز دینی را که به او داشتم فراموش نمی‌کردم، او ده سال مانند مادری دلسوز از پسرم سرپرستی کرده بود هنوز هم سیامک تمام تعطیلاتش را در خانهٔ آنها می‌گذراند، پروانه جزییات پیشرفت، رشد و تکاملش را برایم تعریف‌می‌کرد، من چشمانم را می‌بستم و سعی‌می‌کردم زمانی راکه از دست داده‌ام در ذهنم بسازم و او را در مراحل مختلف در نظر مجسم می‌کردم، دلم برایش یک ذره شده‌بود، این تنها اندوهی بود که گهگاه چهرهٔ زندگیم را تیره می‌کرد، دو سالی بود که اصرار داشت برای دیدنش به آلمان بروم ولی فکر و خیال مسعود و نگرانی برای شیرین که هنوز نسبتاً کوچک بود مانع می‌شد، تا بالاخره آن سال احساس کردم که واقعاً طاقتم تمام شده، در عکس‌ها به نظرم غریبه می‌آمد، با اصرارِ بچه‌ها و پروانه راهی آلمان شدم، چه التهابی داشتم، هر چه تاریخ سفر نزدیک‌تر می‌شد، صبرم کاهش می‌یافت، تعجب می‌کردم که چطور ده سال دوری او را تحمل‌کرده‌ام، گرفتاری‌های زندگی چگونه مرا در خود گرفته بود که گاه روزها می‌گذشت و من حتی به عکس او نگاه‌نمی‌کردم، یاد حمید بخیر، همیشه می‌گفت، ناراحتی اعصاب، دلتنگی و غم و غصهٔ بی‌خودی از خواص زندگی

بورژوازی‌ست، وقتی شکمت سیر بود و بدبختی دیگران هم برات اهمیتی نداشت به یاد این احساسات آبکی می‌افتی. شاید حق با او بود، ولی من این دلتنگی را همیشه در قلبم داشتم که چون امکان رفع آن نبود بر رویش سرپوش می‌گذاشتم و حتی به خود نیز اعتراف نمی‌کردم که چقدر به دیدنش نیازمندم ولی حالا در آرامشی نسبی بودم و مثل بقیهٔ مردم حق دلتنگ‌شدن و آرزوی دیدار فرزندم را داشتم.

موقع خداحافظی، شیرین خیلی دلخور بود، در کمال پررویی گفت از رفتن تو ناراحت نیستم، از اینکه به من ویزا ندادن ناراحتم، او حالا دختری چهارده ساله بود که خود را عقل کل می‌دانست و با بی‌پروایی خاص بچه‌های سیراب از محبت هر چه دلش می‌خواست می‌گفت، با وجود اعتراض‌های بسیارش او را به دست مسعود، فاطی و منصوره و فیروزه سپردم و راهی سفر شدم.

وقتی از سالن ترانزیت فرودگاه فرانکفورت بیرون آمدم ایستادم، با قلبی ملتهب به اطرافم نگریستم، مرد جوان و زیبایی جلویم ایستاد، به چهره‌اش خیره شدم، فقط نگاه و لبخندش برایم آشنا بود، چند حلقه موی پریشان بر پیشانیش مرا بیشتر به یاد حمید می‌انداخت تا سیامک، با آن‌همه عکسی که خانه‌ام را رنگین کرده بود باز هم انتظار پسر نوجوانی را با گردن باریک و رفتاری ناپخته داشتم، ولی او حالا مردی بود بلند قد، خوش‌قیافه، و موقر که دستانش را بررویم گشوده بود، صورتم را بر سینه‌اش گذاشتم، مرا محکم در بر گرفت، وای که چه لذتی است در آغوش فرزند چون کودکی پناه گرفتن. سرم تا شانه‌اش می‌رسید، عطر تنش را به مشام کشیدم و زار زار گریستم، گریه‌ای از سر شوق، مدتی گذشت تا متوجه دختر جوان و با طراوتی شدم که تندتند از ما عکس می‌گرفت، سیامک او را معرفی کرد باورکردنی نبود؛ او لیلی دختر پروانه بود، در آغوشش گرفتم و گفتم:

ـ چقدر بزرگ و خوشگل شدی، عکساتو دیده بودم ولی خودت چیز دیگه‌ای.

با خنده‌ای از ته دل دندان‌های زیبا و سفیدش را نشانم داد. سوار ماشین

کوچک سیامک شدیم، گفت:

ـ اول می‌ریم منزل لیلی، خاله پروانه ناهار درست کرده و منتظره، اگه دلت خواست امشب، اگر نه فردا می‌ریم شهر من، تا شهر لیلی اینها دو ساعت فاصله داره.

ـ آفرین! فارسی یادت نرفته لهجه نداری.

ـ معلومه که یادم نرفته! اینجا کلی ایرانی هست از همه مهم‌تر خاله پروانه که به هیچ زبونی غیر از فارسی جواب نمی‌ده، پدر بچه‌های خودشو هم درآورده مگه نه لیلی.

قبل از رسیدن به خانهٔ پروانه فهمیدم بین این دو جوان کششی بیش از دوستی دوران کودکی و خانوادگی وجود دارد.

❀

پروانه خانهٔ زیبا و دلپذیری داشت، با خوشحالی بسیار از ما استقبال کرد خسرو شوهر پروانه به نظرم پیر شده بود، با خود گفتم: طبیعی است چهارده پونزده سال گذشته، حتماً من هم از نظر او پیر و شکسته شده‌ام، بچه‌ها همه بزرگ شده بودند. لاله فارسی را با لهجهٔ غلیظ صحبت می‌کرد و اردلان بچهٔ سومش که متولد همانجا بود حرف‌های ما را می‌فهمید ولی به فارسی جواب نمی‌داد. پروانه خیلی اصرار کرد که پیش آنها بمانیم ولی ما تصمیم گرفتیم به شهر سیامک برویم و برای تعطیلات هفتهٔ بعد بازگردیم، من حداقل یک هفته وقت می‌خواستم تا دوباره با پسرم آشنا شوم، خدا می‌داند چقدر حرف برای گفتن داشتیم ولی وقتی تنها شدیم تا مدتی نمی‌دانستم چه باید بگویم؟ از کجا شروع کنم؟ چگونه روی این همه سال جدایی پل بزنم، تا مدتی او از فامیل می‌پرسید و من می‌گفتم خوبند، سلام رساندند و من می‌گفتم هوا همیشه این‌قدر خوبه؟ نمی‌دونی تهرون چقدر گرم بود و از این قبیل، یک روز گذشت تا یخ‌های غریبی ناشی از سال‌ها دوری آب شدند و ما با گرمی شروع به حرف‌زدن کردیم، خوشبختانه روزهای بعد شنبه و یک‌شنبه بود و ما به اندازهٔ کافی وقت داشتیم، او برایم از سختی‌های پس از جدایی، خطرهای فرار از مرز، چگونگی زندگی در کمپ، ورود به دانشگاه و بالاخره درس و کارش گفت و من از مسعود، صدماتی که

کشید، روزهایی که او را مرده می‌پنداشتم، بازگشتش و همین‌طور از شیرین، شیطنت‌ها، حاضرجوابی‌هایش، روحیات سرکشش که بیشتر به او می‌ماند تا مسعود گفتم. حرف‌هایمان تمامی نداشت، از روز دوشنبه او سرکار رفت، من خیابان‌های اطراف را گشتم، از بزرگی و زیبایی دنیا متحیر شدم و از اینکه کوته‌نظرانه سعی می‌کنیم خود را مرکز عالم بدانیم خنده‌ام گرفت. یادگرفتم خریدکنم، غذا می‌پختم و منتظرش می‌نشستم، هر روز عصر به گوشه‌ای می‌رفتیم و او جایی را نشانم می‌داد ولی هرگز از گفت‌وگو غفلت نمی‌کردیم، بحث‌های سیاسی را خیلی زود کنار گذاشتیم، او آن چنان از مسایل و جو واقعی کشور دور بود که حتی کلمات و اصطلاحاتش قدیمی به‌نظرمی‌رسید و مرا به یاد اوایل انقلاب می‌انداخت، از گفته‌هایش خنده‌ام می‌گرفت، یک بار با ناراحتی گفت:

ـ چرا مسخره می‌کنی؟

ـ نه عزیزم مسخره نمی‌کنم، فقط بعضی حرفات یه جوریه.

ـ چه جوریه؟

ـ مثل حرفای رادیوهای بیگانه میمونه.

ـ رادیوهای بیگانه؟

ـ آره توی ایرون به رادیوهایی که از خارج پخش می‌شه مخصوصاً رادیوهای گروه‌های ضد انقلاب می‌گن.

ـ مگه اونا چطوری حرف می‌زنن؟

ـ مثل تو، اخبار راست و دروغو قاطی می‌کنن، اصطلاحاتی دارن که مال سال‌ها پیشه هر بچه‌ای می‌فهمه که اینا توی این مملکت نیستن، بعضی وقتا آن‌قدر از جو واقعی دورن که حرفاشون خنده‌دار به‌نظرمی‌رسه و البته لج‌آور. راستی تو هنوز سمپات مجاهدین هستی؟

ـ نه! راستش بعضی کاراشونو هیچ جوری نمی‌تونم بپذیرم.

ـ مثلاً؟

ـ حمله به ایران و جنگ با سربازای ایرونی، گاهی فکرمی‌کنم اگه هنوز با اونا بودم و درمقابل مسعود قرارمی‌گرفتم چی می‌شد؟ راستش این کابوس منه که

بعضی شبا وحشت‌زده از خواب بیدارم می‌کنه.

ـ خدا رو شکر، عاقل شدی.

ـ نه خیلی هم، حالا بیشتر به بابام فکر می‌کنم، خیلی مرد بزرگی بود، مگه نه؟ ما باید بهش افتخارکنیم، این جا همفکر اون زیاده، منو هم خیلی دوست دارن، اونا چیزایی در مورد بابام می‌گن که ما خبر نداشتیم، خیلی دلشون می‌خواد تو رو ببینن و براشون از بابا بگی.

با تردید نگاهش‌کردم، مشکل همیشگی از روح او دست برنمی‌داشت، دلم نمی‌خواست تصویر پدرش را مغشوش کنم یا این سربلندی را از او بگیرم ولی این نوع وابستگی را هم نشانهٔ عدم بلوغ شخصیت او می‌دانستم گفتم:

ـ ببین پسرم! من اصلاً حوصله این نمایشا رو ندارم، تو می‌دونی که من با عقاید پدرت موافق نبودم، اون مرد بسیار خوب، شریف و مهربانی بود ولی معایب و نواقصی هم داشت که مهم‌تر از همه نگرش یک بُعدیش بود. از نظر او و همفکرانش دنیا دو بخش بود: یا با اونا بود یا بر ضد اونا، هر چه مربوط به جناح مقابل بد بود، حتی در هنر هم تنها هنرمندانی که به اونا تمایل داشتند هنرمند واقعی بودند، شاهکار خلق می‌کردند و بقیه هیچی سرشون نمی‌شد، حتی پدرت با من دعوا می‌کرد که چرا از صدای فلان خواننده خوشم می‌آد و یا می‌گم فلان کس شاعر خوبیه اینا درباری هستن یا ضد کمونیستن و من احساس گناه می‌کردم که پس چرا صدای او این‌قدر به دلم می‌شینه و یا شعرای اون شاعرو دوست دارم، اونا حق داشتن سلیقهٔ شخصی هم نداشتند، یادت می‌آد روزی که آقای طالقانی فوت‌کرده‌بود خانم دهقانی همسایمون که با شوهرش طرفدار یکی از احزاب چپ بودن، مدام به خونهٔ ما می‌اومد، تلفن می‌کرد و نمی‌دونست چه باید بکنه، چون آقا در اواخر عمرش حرفایی بر ضد کسانی که در کردستان شلوغ کرده بودند زده‌بود، اونا هم نمی‌دونستن برای مرگش چه موضعی بگیرن تمام روز دنبال سران بودند تا ببینند که باید عزادار باشند، غصه بخورند یا نه و تا دستور رسید که بله او از حامیان خلق بود؛ چطوری آن خانم شروع به گریه کرد. و چه عزاداری از ته دلی راه انداخت، یادته؟

ـ نه!

ـ ولی من یادمه، دلم می‌خواد خودت با فکر و عقیدهٔ خودت و از طریق مطالعه به خوب و بد بودن امور پی ببری و تصمیم بگیری طرفداری صرف از هر ایدئولوژی تورو به بند می‌کشه، پیش‌داوری در ذهنت ایجاد می‌کنه، مانع قضاوت فردی و داشتن سلیقه و بی‌طرفی می‌شه و در نهایت متعصب و یک بُعدیت می‌کنه، اگه بخوای من همینارو به دوستات هم می‌گم و اشتباهات اونا و پدرت رو براشون می‌شمارم.

ـ اِ...، مامان، چه چیزا می‌گی، ما باید خاطرهٔ اونو زنده نگه‌داریم، اون یک قهرمان بود.

ـ از قهرمان‌بازی خسته شدم، خاطرات گذشته هم به قدری تلخند که دیگه حاضر نیستم غرغره‌شون کنم، تو هم دست بردار و به آینده بچسب، زندگی جلوی روی توس، چرا می‌خوای خودتو در گذشته‌ها غرق کنی؟ این رو هم بهت بگم که از این هواداران هم اصلاً خوشم نمی‌آد. به قول معروف:

خلقم اگر آشنای خود می‌خواهد الحق سپر بلای خود می‌خواهد

نفهمیدم تا چه میزان حرف‌هایم را پذیرفت و یا در او اثر گذاشت ولی دیگر هیچ‌کدام به بحث‌های سیاسی علاقه‌ای نشان ندادیم، و باز به مسایل شخصی و خانوادگی برگشتیم، از او خواستم تا برایم از پروانه و خانواده‌اش بگوید تا بهتر به مکنونات قلبیش پی ببرم، بالاخره به حرف آمد:

ـ نمی‌دونی لیلی چقدر مهربون و باشعوره، مدیریت بازرگانی می‌خونه، امسال درسش تمام می‌شه و سرکار می‌ره.

ـ دوستش داری؟

ـ آره، از کجا فهمیدی؟

غش‌غش خندیدم.

ـ از توی همون فرودگاه، مادرا زود می‌فهمن.

ـ می‌خوایم نامزد کنیم ولی موانعی هست.

ـ چه موانعی؟

ـ خانوادهش، البته خاله پروانه خیلی ماهه، توی این مدت مثل یک مادر به من رسیده، می‌دونم که دوسم داره، ولی خوب در این مورد طرف شوهرشو می‌گیره.

ـ مگه خسرو چی می‌گه؟

ـ نمی‌دونم، انگار از این موضوع راضی نیست، محدودیت‌های عجیب و غریب برامون ایجاد می‌کنه، نمی‌ذاره با خیال راحت همدیگه رو ببینیم، اخلاقش مثل مردای صد ساله پیش ایرونه، انگار نه انگار که اینجا درس خونده و این‌همه سال زندگی کرده.

ـ حرف حسابش چیه؟

ـ ما می‌خوایم نامزد باشیم می‌گه نه! نمی‌شه.

ـ همین؟، نگران نباش خودم می‌رم صحبت می‌کنم ببینم مشکل کجاس.

پروانه با سیامکِ من هیچ مخالفتی نداشت، حتی خوشحال و راضی هم بود، گفت:

ـ سیامک مثل بچهٔ خودم می‌مونه، ایرونیه، هم زبون خودمه، می‌تونم باهاش درد و دل کنم، همیشه از این که بچه‌هام با یه آلمانی وصلت کنند که نتونم هیچ رابطه‌ای با اونا برقرار کنم وحشت داشتم، سیامکو از همه نظر می‌شناسم، می‌دونم جد و آبادش کیه، بچه توس که عزیزترین دوستمی، شاهد رشد و بزرگ شدنش بودم، می‌دونم اهل هیچ کثافتکاری نیست، باهوشه، خوب درس خونده، الان هم موفقه، آینده‌اش درخشانه از همه مهم‌تر همدیگه رو دوست‌دارن، اینجا دیگه ایرون نیست که من بتونم به زور از هم جداشون کنم.

ـ آخه پس مشکل کجاس، ظاهراً خسروخان مثل تو فکر نمی‌کنه.

ـ چرا بابا، مشکل چیز دیگه‌ایه، مشکل اختلاف طرز فکر ما با بچه‌هامونه، ما هنوز ایرونی هستیم، خیلی چیزارو نمی‌تونیم بپذیریم، ولی بچه‌ها اینجا بزرگ شدن، اصلاً درک نمی‌کنن که ما چی می‌گیم، مدام از نامزدی طولانی حرف می‌زنن.

ـ پروانه از تو تعجب می‌کنم، حالا اگه یه سال هم نامزد بمونن چه اشکالی داره؟ توی ایرون هم مرسومه، شاید می‌خوان بهتر همدیگرو بشناسن شاید می‌خوان پول جمع کنن یا به هر دلیلی کمی وقت می‌خوان.

ـ چقدر ساده‌ای؟ می‌دونی نامزدی از نظر اونا چیه؟

ـ خوب نامزدی دیگه مثل همه.

ـ اینکه الان هم هست، نه جونم منظور اونا ازدواج غیررسمیه، اونا می‌خوان مثل جوونای دوروبرشون مدتی بدون عقد رسمی با هم زندگی‌کنن، منظور از طولانی هم حداقل پنج ساله، تا اگه بعد از این مدت هنوز همدیگرو می‌خواستن ازدواجو به ثبت برسونن و گرنه جدا بشن، اگه این وسط بچه‌ای هم بود مهم نیست بالاخره یک کدومشون برمی‌دارن.

چشم‌هایم از تعجب گرد شده‌بود متحیرانه گفتم:

ـ نه! فکر نمی‌کنم منظورشون این باشه.

ـ چرا جونم همینه، هر شب لیلی با باباش سر همین دعوا داره، راستش معصوم جون این موضوع هم هیچ جوری تو کَلّهٔ خسرو نمی‌ره، با اینکه حالا خودش یه‌پا آلمانیه ولی نمی‌تونه این یکی رو بپذیره، فکر نمی‌کنم تو هم همچین انتظاری داشته باشی.

ـ البته که ندارم، چه غلط‌های زیادی، آخ اگه دایی‌محمود و بقیه بفهمن، بیخود نبود خسروخان این‌طور با ما سرسنگین بود، بیچاره حق داشت، از سیامک تعجب می‌کنم به کلی یادش‌رفته از کجا اومده، یعنی واقعاً این‌قدر فرنگی شده؟ تو ایرون هنوز سر یک حرف‌زدن ساده دختر و پسر خون راه می‌افته، سر می‌برن، اون‌وقت آقا می‌خواد پنج سال با دختر مردم بدون عقد رسمی زندگی کنه، به حق چیزای ندیده و نشنیده!

ـ قربونت برم معصوم، خودت باهاشون حرف بزن، ما که زبونمون مو درآورده.

ـ باشه، همین امشب می‌شینیم و حرف می‌زنیم. خدایا چقدر دنیاها با هم فرق دارن.

آن شب تا نزدیکی‌های صبح حرف زدیم، بچه‌ها از ارزش آشنایی عمیق قبل از ازدواج، و بی‌ارزش بودن یک نوشته در مقابل عشق گفتند و ما از ارزش خانوادهٔ منسجم، لزوم ثبت عقد، احترام به زندگی زناشویی گفتیم و بالاخره به

این نتیجه رسیدیم که بچه‌ها این کار بی‌ارزش! و احمقانه را به خاطر ما انجام دهند و هر وقت که احساس کردند به درد هم نمی‌خورند باطلش کنند، قرار شد تا من هستم عقد صورت گیرد و هر وقت خانه و زندگیشان را درست کردند و آمادگی داشتند زندگی مشترکشان را آغاز کنند. خسروخان با خوشحالی گفت:

ـ متشکرم، بار سنگینی رو از دوشم برداشتی.

ـ واقعاً که چه دنیای عجیبیه، هنوز برام قابل هضم نیست.

❊

شیرینی و زیبایی این سفر دل‌انگیز با مراسم عقد سیامک و لیلی کامل شد، از اینکه عروسم دختر پروانه بود با این‌همه لطف و شعور و ملاحت در پوست نمی‌گنجیدم، آن‌قدر به من خوش گذشته بود که دلم نمی‌خواست برگردم، خاطرهٔ شیرین این سفر از زیباترین تصاویری‌ست که تا ابد در ذهنم نقش بسته و بهترین سوغاتم عکس‌هایی بود که تمام دیوارها و طاقچه‌ها و میزهای خانه‌ام را آراست.

❊

سال‌های خوب سریع می‌گذرند، در چشم بر هم‌زدنی شیرین به سال آخر دبیرستان رسید و مسعود آخرین ترم‌های دانشگاهش را می‌گذراند، مسعود برای تهیهٔ پروژه و پایان‌نامه‌اش به شدت گرفتار بود، خصوصاً که مسؤولیت‌های اداریش هم ظاهراً سنگین‌تر شده بودند، در خانه مدام طرح و نقشه می‌کشید، ولی ساکت شدن اخیرش به این مربوط نبود، چیزی در دل داشت، می‌فهمیدم که مدتی است می‌خواهد مطلبی را با من درمیان بگذارد ولی مردد است، تعجب می‌کردم چون ما همیشه خیلی راحت و صمیمی حرف می‌زدیم، نمی‌فهمیدم مسأله چیست که او این چنین در بیانش مشکل پیدا کرده، گذاشتم با تردیدهایش کلنجار برود، با خودش کنار بیاد و آماده صحبت شود، بالاخره یک شب که شیرین برای شرکت در جشن تولد دوستش به مهمانی رفته بود آمد و کنارم نشست و گفت:

ـ مامان اگه من بخوام از شماها جدا بشم و در خانهٔ دیگری زندگی کنم تو خیلی ناراحت می‌شی؟

قلبم فروریخت، چه شده بود که می‌خواست ما را ترک کند، سعی کردم به خود مسلط باشم، گفتم:

ـ بالاخره هر بچه‌ای یه روزی از پدر و مادرش جدا می‌شه، تـا دلیـل ایـن جدایی چی باشه؟

ـ مثلاً ازدواج.

ـ ازدواج؟ می‌خوای زن بگیری؟ الهی قربونت برم، چه خوب بالاخره تصمیم گرفتی، این از آرزوهای منه.

واقعیت این بود که من خیلی به ازدواج او فکر کرده بودم، سال‌ها بود که آرزو داشتم فیروزه را برای او بگیرم، آنها از بچگی به‌هم علاقه داشتند.

ـ خدا را شکر! می‌ترسیدم راضی نباشی.

ـ چرا راضی نباشم، انشاالله مبارکه، خوب کی قرار عقد و بذارم؟

ـ چقدر تـندمی‌ری مـامان، هنوز نـه بـه‌بـاره نـه بـه‌داره، اول بـایـد بـریـم خواستگاری، ببینیم قبول می‌کنن یا نه.

ـ وا چه حرفا؟ معلومه که قبول می‌کنن، کی از تو بهتر؟ اونا همـه از بـچگی عاشق تو بودن، چند بار هم بفهمی نفهمی به من کنایه زدن کـه چـرا پـا پـیش نمی‌ذاری؟ فیروزه هم که از همه بدتر، طفلکی هیچ وقت نتونست رازشو از من پنهون کنه. توی چشماش همه چی پیدا بود، الهی فداش شم چه عروس خوشگلی می‌شه.

مسعود با اخم و به سردی گفت:

ـ فیروزه چیه؟ فیروزه برای من مثل شیرینه، مثل خواهرم میمونه.

یخ کردم، چطور ممکن بود من این همه اشتباه کنم، یعنی این رابطۀ صمیمانه، این نگاه‌های پرمعنی، این درد و دل‌های طولانی همه از احساسات خواهر برادرانه نشأت می‌گرفت؟ به خودم لعنت فرستادم که چرا بی‌گدار به آب زدم، سعی کردم عکس‌العمل‌هایم را کنترل کنم گفتم:

ـ خوب پس طرف کیه؟

ولی سردی در صدایم موج می‌زد.

ـ دختر خالۀ رامینه، بیست و چهارسالشه خیلی خـوشگله، واقـعـاً جـذابـه،

خانوادهٔ محترم و معتبری هستن، پدرش بازنشستهٔ وزارت راهه.

ـ معلومه خوب می‌شناسیشون چند وقته بدجنس؟ چطور تا به حال صدات در نیومده بود.

و خندیدم، می‌خواستم کمی از سردی برخوردم کاسته‌شود. مثل بچه‌ها از خندهٔ من خوشحال شد و به حرف آمد:

ـ تازه سه ماهه باهاش آشنا شدم، یه ماهه که با هم صمیمی شدیم و به هم اظهار علاقه کردیم.

ـ فقط سه ماهه باهاش آشنا شدی و به این سرعت تصمیم به ازدواج گرفتی؟ چه تب تندی؟

ـ مامان شما چرا این حرفو می‌زنی؟ مردم می‌رن خواستگاری دوبار همدیگه رو می‌بینن و چند بار بیرون می‌رن و ازدواج می‌کنن.

ـ بله، ولی آخه می‌دونی پسرم ما دونوع ازدواج داریم، یکی بر مبنای عقل و شرایط مشخص و دیگری بر مبنای عشق. ازدواج‌های سنتی و از طریق معرفی یک نفر و خواستگاری، ازدواج از نوع اوّله، در این روش شرایط دو طرف بررسی می‌شه، تحقیق می‌کنن، خواسته‌ها رو می‌گن، عده‌ای بزرگ‌تر این شرایط، موقعیت‌ها، و خواسته‌ها رو تطبیق می‌دن و می‌سنجن وقتی مطمئن شدند شرایط هماهنگ و مساعده، جوون‌ها رو وارد میدون می‌کنن اونا چند بار همدیگه رو می‌بینن اگر حساسیت خاصی نسبت به هم نداشتند از ریخت و ظاهر همدیگه خوششون اومد قرار ازدواجو می‌ذارن به این امید که چون همهٔ شرایط مناسبه عشق بعداً به وجود بیاد، ولی نوع دوم ازدواج بر پایه عشقه؛ در این نوع دو نفر به هم علاقمند می‌شن، احساسات عمیق نسبت به هم پیدا می‌کنن و دیگر به سایر شرایط توجه چندانی ندارن، به خاطر عشق که به هم دارن از کم و کسری‌ها می‌گذرن، شرایط رو برای هم تعدیل می‌کنن، اگه با مخالفت روبه‌رو شدند خودشون مسؤولیت رو می‌پذیرند، جلوی دیگران می‌ایستند و علی‌رغم همه دلایل عقلی و منطق به عقد ازدواج همدیگه درمی‌آن، البته تلفیق‌های متعددی از این دو حد نهایی هم هست ولی ظاهراً برنامهٔ شما از نوع دومه برای این منظور دو

نفر باید خیلی خوب همدیگه‌رو بشناسن، با روحیات و مشخصات هم آشنا باشن، از عشق عمیق و پایدارشون مطمئن بشن تا بتونن هر عدم‌هماهنگی رو جبران کنند و در مقابل نظرات دیگران بایستند، حالا به نظر تو برای رسیدن به چنین شناخت عمیق و عشق راستینی یک ماه یا حتی همان سه ماه کم نیست؟

ـ مامان ببخشید ولی باز فلسفه می‌بافید، من می‌خوام ازدواجم مخلوطی از دو نوع شما باشه، چه اشکالی دارد که هم عاشق باشیم و هم شرایط عقلی، صحیح و مناسب باشن، اصلاً می‌دونین اشکال اینه که شما هیچ‌چیز در مورد عشق نمی‌دونین، شما که به قول خودتون تا دو سه روز بعد از عروسی هم قیافهٔ شوهرتونو درست ندیده بودین و نمی‌شناختین نمی‌تونین در مورد عشق قضاوت کنین، لادن می‌گه «عشق مثل افتادن یه سیب در دامن انسانه در یک لحظه اتفاق می‌افته» می‌بینی چه تعبیر زیبایی از عشق داره، خیلی احساساتی و جذابه شما باید ببینیدش.

دلم گرفته بود می‌خواستم بگویم، من روزی می‌خواستم در راه عشق بمیرم قسم می‌خورم که این خواستهٔ واقعیم بود ولی لب گزیدم و گفتم:

ـ من از عشق چی می‌دونم؟ تو از من چه می‌دونی؟ به قول فروغ تمام زخم‌های من از عشق است.

ـ ولی تو هیچ‌وقت حرفی نزدی.

ـ حالا هم حرفی نزدم، فقط اینو بدون که در بین ما این تنها تو نیستی که با عشق آشنایی.

ـ خوب حالا می‌گی چکار کنیم؟

ـ کاری نباید بکنیم، باید به خودتون فرصت بدین تا زمان، عشقتون رو محک بزنه، بذار از آزمون‌های مختلف بگذره، آب‌دیده بشه.

ـ ما از این فرصتا نداریم، اون خواستگار داره، ممکنه همین روزا شوهرش بدن و ما برای همیشه همدیگه رو از دست بدیم.

ـ این خودش یکی از همون آزمون‌هاست، اگه واقعاً به تو علاقمند باشه، زیر بار این ازدواج نمی‌ره.

ـ شما شرایط اونو نمی‌دونین، خانواده‌ش در فشارش گذاشتن، مگه شما رو به زور شوهر ندادن، باید وضعیت اونو درک کنید.

ـ پسرم، اون دختر تحصیل‌کرده و باشعوریه، خانواده‌اش هم این‌طور که تو می‌گی آدمای فهمیده‌ای هستن، با خانم‌جون و آقاجون سی‌سال پیش من خیلی فرق دارن، اگه بگه حالا نمی‌خوام ازدواج‌کنم حتماً می‌فهمن و به‌زور سر سفرهٔ عقد نمی‌شوننش. حالا اوضاع خیلی عوض شده.

ـ چی عوض شده؟ فرهنگ ما همون فرهنگه، هنوز هم خانواده‌ها تنها هدف زندگی یک دخترو شوهر کردن می‌دونن و می‌تونن به این کار مجبورش کنن، در واقع از هجده سالگی می‌خواستن شوهرش بدن اون مقاومت کرده.

ـ پس می‌تونه یه سال دیگه هم مقاومت کنه.

ـ مامان! شما چرا این‌طور جبهه گرفتین؟ یک کلمه بگید نمی‌خوام با اون ازدواج کنی.

ـ من چنین حرفی نمی‌زنم، من که هنوز اونو ندیدم، شایدم خیلی خوب باشه، فقط می‌گم کمی صبر کن.

ـ وقت برای صبر کردن نداریم.

ـ خوب بفرمایید بنده چه باید بکنم؟

از جایش پرید، کاغذی جلویم گذاشت و گفت:

ـ این شماره تلفنشونه، همین حالا تلفن‌کن و برای پس‌فردا قرار بذار.

گیج بودم، به خودم نهیب می‌زدم نباید با خواست مشروع او مخالفت کنم، آیا من در مقابل این دختر نادیده جبهه گرفته‌ام، یاد خانم‌جون افتادم که دلش می‌خواست دختر خواهرش را برای محمود بگیرد تا چه حد در خواستگاری از محبوبه تعلل کرد. این اولین باری بود که این بچه چیزی را با این اصرار از من می‌خواست نباید مخالفت کنم ولی قیافهٔ فیروزه، فاطی و صادق‌خان از نظرم محو نمی‌شد، این خبر چه ضربه‌ای بر آنها وارد خواهد کرد!!.

ـ حالا نمی‌خوای یک کمی بیشتر مطالعه کنی؟

ـ نه مادر، همهٔ حرفامونو زدیم، باباش گفته اگه کس دیگه‌ای هست باید تا

آخر همین هفته بیاد و گرنه لادن باید زن همون خواستگار مورد نظر بشه.

چاره‌ای نبود تلفن را برداشتم، به محض معرفی مرا شناختند، ظاهراً منتظر بودند و باگرمی استقبال کردند.

مسعود خوشحال بود گویی باری را از دوشش برداشته بودم، دوروبر من می‌پلکید و سعی می‌کرد مرا هم خوشحال کند. گفت:

ـ پاشو بریم دنبال شیرین، ساعت نزدیک یازده‌س.

حوصله نداشتم، کارهایم نیمه کاره مانده‌بود ولی فکرکردم اگر بگویم نه، حمل بر مخالفت و نارضایم می‌شود، نمی‌خواستم شادمانیش را بگیرم، در ماشین هم یک‌ریز حرف می‌زد، ولی من از فکر فاطی و فیروزه بیرون نمی‌آمدم، با خود می‌گفتم مگر نه اینکه وجود فیروزه او را به زندگی بازگرداند شوق تحصیل را در نهادش بیدار کرد، پس چه شد؟ یعنی من که ادعا می‌کنم پسرم را می‌شناسم تا این حد در اشتباه بودم؟

شیرین با آن تیزی و شیطنت همیشگی پس از چند دقیقه حال غیرمعمول مسعود را دریافت و گفت:

ـ چه خبره؟ آقا با دُمشون گردو می‌شکنن.

ـ خبری نیست، تو از مهمونی بگو، خوش گذشت؟

ـ آره، خیلی خوب بود، کلی آهنگ گذاشتیم و رقصیدیم، راستی من باید دعوتشون کنم، گفتن حتماً باید تولد بگیرم، آخه خونهٔ همه رفتم ولی هیچ‌وقت مهمونی ندادم. می‌خوام ماه دیگه دعوتشون کنم.

ـ تو که تولدت تابسونه.

ـ عیب نداره، بالاخره باید یه بهانه‌ای داشته باشم، تو خونهٔ ما که هیچ اتفاق نمی‌افته تا من دوستامو دعوت کنم.

ـ شایدم افتاد و تو بتونی دوستاتو برای عروسی دعوت کنی.

شیرین با چشمان گردشده نگاه مشکوکی به مسعود و بعد به من انداخت و گفت:

ـ عروسی؟ عروسی کی؟

ـ عروسی من، برادرت ، دوست داری من زن بگیرم؟

با تردید مرا نگاه کرد:

ـ تو زن بگیری؟ نه! راستش دوست ندارم، ولی خوب تا طرف کی باشه؟

ـ ما نمی‌شناسیمش، خودشون همدیگه رو دیدن و پسندیدن.

ـ نکنه همون دختر پرروست که دم به دقیقه زنگ می‌زنه؛ آره مسعود خودشه، نه؟ حدس می‌زدم که کاسه‌ای زیر نیم‌کاسه‌اس. می‌دونی مامان، همون مزاحمس دیگه؟ مسعود سرخ شد.

ـ مزاحم کیه! خوب وقتی تلفن می‌کنه، من گوشی رو برنمی‌دارم روش نمی‌شه با شما حرف بزنه، قطع می‌کنه.

ـ چی‌چی روش نمی‌شه؟ خیلی وقت‌ها هم حرف می‌زنه، در کمال پرروپی می‌گه، مسعود خان تشریف دارن؟ وقتی می‌گم شما؟ با عشوه می‌گه خودم بعد تلفن می‌کنم. این‌قدر با ادا و اطوار حرف می‌زنه که لج آدم درمی‌آد.

ـ بسه دیگه؛ راسی مامان برای فردا باید گل سفارش بدیم، یادتون باشه لباس شیک بپوشیدها...

با تعجب نگاهش کردم.

ـ انگار صد دفعه رفتی خواستگاری، چه خوب واردی.

ـ نه بابا! لادن بهم گفته که چکار باید بکنم که پدرو مادرش خوششون بیاد.

ـ منم می‌آم.

ـ نه نمی‌شه، دفعه بعد تو بیا.

ـ چرا؟ من باید ببینمش. منم خواهر دامادم باید بپسندم!

ـ نه وقتی خواهر داماد بچه‌س.

ـ من کجام بچه‌س!؟ هیجده سالمه! مامان تورو خدا تو یه چیزی بگو.

ـ مسعود چه اشکالی داره اونم بیاد، معمولاً مادر و خواهر داماد می‌رن خواستگاری. اینقدم بهش نگو بچه، باور می‌کنه، من که به سن اون بودم خودم بچه داشتم.

ـ نه مامان، حالا نه، صلاح نیست. دفعهٔ دیگه بیاد.

به خانه رسیده بودیم، شیرین با عصبانیت در را به‌هم کوفت و پیاده شد، قهر کرد ولی قهر، گریه و دلخوری او در تصمیم مسعود هیچ خللی ایجاد نکرد. ظاهراً دستور از جای دیگر می‌رسید و امکان سرپیچی نبود.

سبد گل آن‌قدر بزرگ بود که در ماشین جا نمی‌گرفت، به هر زحمتی بود آن را در صندوق عقب جا دادیم و درِ صندوق را باز گذاشتیم گفتم:

ـ حالا چرا سبد به این بزرگی گرفتی؟

ـ لادن گفته باید بزرگ‌ترین سبدی که می‌تونی بیاری تا از مال بقیه بزرگ‌تر باشه...

ـ چه حرفای احمقانه‌ای!!

خانه‌یشان قدیمی و بزرگ بود. اتاق‌ها با انواع اشیای عتیقه تزیین شده بود. هر چه گلدان بزرگ چینی که در جاهای مختلف و مغازه‌ها دیده بودم در آن خانه بود. مبل‌های استیل با پایه‌های بلند، دسته‌های طلایی و روکش سرخ و زرد و نارنجی، تابلوهای بزرگ از روی نقاشی‌های قدیمی در قاب‌های پهن و کنده کاری‌شدهٔ طلایی، پرده‌ها به رنگ سرخ با شرابه و مغزی‌های طلایی. بیشتر شبیه هتل و رستوران به نظر می‌رسید تا خانه‌ای آرامش‌بخش و راحت. مادر لادن زنی بود هم‌سن‌وسال خودم با موهای رنگ کردهٔ طلایی، آرایشی کامل، صندل‌های پاشنه بلند و پای بدون جوراب، مرتب هم سیگار می‌کشید، پدرش مردی موقر بود با موهای جوگندمی، که پیپی کنار دهان می‌گذاشت و مدام در مورد خودشان، شأن و مقام گذشته، فامیل‌های مهم، سفرهای خارج صحبت می‌کرد. من بیشتر شنونده بودم. آن‌شب به آشنایی و حرف‌های متفرقه گذشت. هر چند ظاهراً منتظر بودند که من مسایل جدی‌تری را مطرح کنم ولی واقعاً احساس می‌کردم که هنوز زود است. وقتی خواستم به دستشویی بروم مادر لادن با اصرار مرا به دستشویی که در قسمت خصوصی خانه بود برد. می‌خواست بقیهٔ خانه و زندگیشان را هم نشان دهد. ولی حتی در محل نشیمن هم یک مبل راحت

با رنگ آرام وجود نداشت. برای رعایت ادب گفتم:

ـ خانه قشنگی دارید.

با خوشحالی گفت:

ـ می‌خواین بقیهٔ اتاق‌ها رو هم ببینین.

ـ نه، نه، متشکرم، جسارت نمی‌کنم.

ـ نه خواهش می‌کنم. بفرمایید.

و با دستی که بر پشتم گذاشته بود تقریباً مرا به طرف اتاق خواب‌ها هل داد. هر چند که از این کار نفرت داشتم و اگر کسی می‌خواست به بخش‌های خصوصی زندگیم تجاوز کند حتماً مانع می‌شدم. ولی یک نوع کنجکاوی آمیخته با بدجنسی باعث شد که به این کار تن در دهم. پردهٔ تمام اتاق‌ها کلفت و گران‌قیمت با نوار و آویز بود. بقیه اسباب خانه هم در همان مایه بودند. هنگام بازگشت مسعود با دلخوری گفت:

ـ چرا صحبت نکردی؟

ـ چه صحبتی؟ تازه جلسه اول بود.

او رو برگرداند و دیگر کلامی حرف نزد. در خانه، شیرین، که با مسعود قهر بود، رو به من کرد و گفت:

ـ خوب! تعریف کنین. در قلعهٔ سنگباران چه خبر بود؟

ـ خبری نبود.

شیرین که معلوم بود دلش پر است، زد زیر گریه و گفت:

ـ خوب نگین، من غریبه‌ام، من اصلاً آدم نیستم. شماها منو بچه و جاسوس می‌دونین، همه چیزو از من پنهون می‌کنین.

ـ نه مامان جون این چه حرفیه! تو یه دونه خواهر دامادی. بذار لباسامو در بیارم بعد همه رو می‌گم.

او به دنبالم آمد، روی تخت چهار زانو نشست.

ـ خوب بگو.

همان‌طور که مشغول عوض کردن لباس‌هایم بودم گفتم:

ـ تو بپرس تا من بگم.

ـ دختره چطوری بود؟

هر چه فکر کردم یک خصوصیت بارز در وجودش را عنوان کنم چیزی به نظرم نرسید کمی مکث کردم و گفتم:

ـ قدش کمی کوتاه بود. یک کمی از من کوتاه‌تر. ولی خوب از من خیلی درشت‌تر.

ـ یعنی چاق بود.

ـ نه توپُر بود. خوب من لاغرم. کسی که از من چاق‌تر باشه، الزاماً چاق نیست.

ـ خوب بقیه‌ش.

ـ پوستش فکر می‌کنم سفید بود. البته چون خیلی توالت داشت و اتاق هم نور کافی نداشت درست متوجهٔ رنگ پوستش نشدم. چشماش فکر می‌کنم قهوه‌ای بود. موهاش هم رنگ کرده بود قهوه‌ای روشن بود به بور می‌زد.

ـ وا...! چی پوشیده بود؟

ـ یه دامن مشکی تنگ، تا بالای زانو. با یک کت طرحدار مشکی و صورتی و بنفش.

ـ موهاش صاف بود؟

ـ نه فکر نکنم چون با اینکه پیچیده بود باز کمی فرهای اضافی داشت.

ـ به به! چه لعبتی؟!! حالا ننه، باباش چطور بودن؟

ـ این‌طوری حرف نزن. زشته. پدر و مادرش آدمای محترمی به نظر می‌رسیدن. مادرش تقریباً هم‌سن‌وسال من بود. ولی خوب خیلی به خودش ور رفته بود خیلی هم شیک پوشیده بود. خونشون هم پر از گلدونای چینی و اشیای عتیقه بود با پرده‌های منگوله‌دار و مبل‌های استیل طلایی.

ـ این آقا که بعد از اومدن از جنگ اون‌همه مسلمون شده‌بود، اگه من یک کمی توالت می‌کردم غیرتی می‌شد، می‌گفت چرا همیشه روسریت عقبه؟ حالا چطور می‌خواد همچین زنی بگیره؟! اونم با اون دوستای حزب‌اللهی؟

ـ والله منم اصلاً نمی‌فهمم. انگار همه چیز از این‌رو به اون‌رو شده.

ـ این‌ها که گفتی یک جوریه. خوب حالا تو خوشت اومد؟

ـ والله چی بگم!

در همین موقع برگشتم، مسعود بر سینهٔ در تکیه‌داده، با چشمانی مملو از سرزنش و ناراحتی مرا نگاه‌می‌کرد. بعد سرش را تکان داد و بدون کلامی حرف به اطاقش رفت.

با هر دیدار اختلاف افق‌های فکری آنها با ما بیشتر مشخص می‌شد و من عدم هماهنگی بین این دو جوان را با وضوح بیشتری می‌دیدم. ولی مسعود اصلاً متوجه نبود. چنان واله و شیدا بود که گویی چشم‌هایش اطراف را نمی‌دیدند. در عین حال می‌ترسید با من صحبت کند، من هم هیچ نمی‌گفتم و منتظر بودم تا خودش به زبان بیاید. تنها حرفی که در مورد آنها بین ما رد و بدل می‌شد این بود که مثلاً می‌گفت قرار است آنها فردا به بازدید بیایند یا خواهر بزرگ لادن ما را دعوت کرده و من بدون هیچ اظهارنظر و گفت‌وگویی همه جا با او می‌رفتم و حرف‌ها را می‌شنیدم. در این مدت فهمیده‌بودم که مَهریهٔ دختر بزرگ چند صد سکه طلا بوده که بعد داماد رفته و خودش آن را دوبرابر کرده است. یا اینکه دختر خالهٔ لادن که به تازگی ازدواج‌کرده حلقهٔ برلیانش را از کجا خریده، سرویس جواهرات دختر عمه با چه سنگی بوده و عروسِ هفتهٔ پیش چقدر پول لباس داده، که البته همه هم راست نبود چون گاه گفته‌ها ضد نقیض می‌شد. یک بار در کمال بدجنسی گفتم:

ـ خوش به حالتون، شما توی این چند هفته حداقل ده تا عروسی رفتین!

آنها ساکت شدند و به هم نگاه‌کردند. حوصله یشان داشت کم‌کم سر می‌رفت، حالا دیگر در مورد اینکه تابستان بهترین فصل برای ازدواج است یا پاییز با هم بحث می‌کردند. نمی‌دانستم چه کنم، هر چه با خود کلنجار می‌رفتم این دختر به دلم نمی‌نشست و نمی‌توانستم با این خانوادهٔ سطحی که در تمام این مدت حرفی جز پول، تشریفات، لباس، مو و آرایش نزده بودند، رابطهٔ صحیح برقرار کنم. نمی‌خواستم با مسعود به گفت‌وگو بنشینم می‌ترسیدم هر اظهارنظری از سوی من به جبهه‌گیری از جانب او منتهی شود. او باید خودش به این عدم هماهنگی

پی می‌برده بالاخره با فشار لادن، مسعود زبان به صحبت گشـود. بـا نهـایت دلخوری و سردی که هرگز از او نشنیده بودم گفت:

ـ خوب مامان تا کی می‌خوای این بازی رو ادامه بدی؟

ـ کدوم بازی رو؟

ـ همین که هیچ حرفی در مورد لادن و برنامهٔ من نمی‌زنی.

ـ چی می‌خوای بگم؟

ـ نظر تو بگو!

ـ خودت چه نظری داری؟ فکر می‌کنم تو هم با خونوادهٔ لادن تـازه آشـنا شدی، اونا رو چطوری دیدی؟

ـ من به خونواده‌ش چکار دارم؟! من خودشو دوست دارم.

ـ هر آدمی توی یک خونواده‌ای بزرگ می‌شه و زمینهٔ فرهنگی و تربیتی همون خونه رو داره.

ـ حالا مگه زمینهٔ فرهنگی اونا چه اشکالی داره؟ خیلی هم با کلاسن. ساکت ماندم، اصلاً این کلمه در فرهنگ لغات مسعود نبود.

ـ یعنی چی، با کلاسن؟ اصلاً چه آدمایی از نظر تو کلاس دارن؟

ـ چه می‌دونم؟ چه چیزا می‌پرسی، آدم حسابین.

ـ چطور فهمیدی آدم حسابین؟ چون گلدونای عتیقه‌شون زیاد بود؟ یا برای نمایش به جای توجه به راحتی و هماهنگی و زیبایی محیط، هر چیزی رو تنها به دلیل گران‌قیمت بودن دور و بر خودشون جمع کردن؟ مدام از مد و لباس و رنگ مو می‌گن، یا پشت سر همدیگه بدگویی و چشم‌وهمچشمی می‌کنن؟

ـ ولی مامان تو خودت خیلی زیباپسند بودی همیشه به من ایراد می‌گرفتی که رنگ بلوزم با شلوارم جور نیست، برای هر وسیلهٔ خونه صد تا مغازه رو می‌گشتی.

ـ عزیزم زیباپسندی یا اشتیاق برای تمیزتر، زیباتر و دلپذیرتر کـردن خانه نشانهٔ شوق زندگیه با اون اصلاً مخالف نیستم، زندگی هر کسی نشونهٔ سلیقه، طرز فکر و فرهنگ اونه.

ـ حالا تو از خونه و زندگیشون فهمیدی که اونا طـرز فکـر و فـرهنگشون

ایراد داره؟

ـ یعنی تو نفهمیدی؟

ـ نه!

ـ تا حالا یک کتابخونهٔ کوچیک توی خونهٔ اینا دیدی؟ یا حتی یک کتاب توی دست یک نفرشون بوده. تا حالا از یک اثر هنری، علمی، فرهنگی بدون ذکر قیمت مادی‌ش حرفی زدن؟

ـ چه حرفا می‌زنید؟ همهٔ مردم که کتاباشونو جلوی چشم نمی‌ذارن، اصلاً تو چکار به کتابای اونا داشتی؟

ـ می‌خواستم بدونم خط فکریشون چیه.

ـ ای بابا ما از هر فرقه‌ای کتاب داریم، کی می‌فهمه خط فکریمون چیه!؟

ـ کسی که ژرف‌اندیش باشه.

ـ چطور؟

ـ کتابای یک کمونیست از سر تا ته، کتابای ایدئولوژیکی چپه از پایه تا پیشرفته، کتابای داستانش کتابای ماکسیم گورکی و بقیهٔ نویسندگان روسی و رومن رولانه و بقیه هم در این مایه، تک‌وتوک کتابای سایر مکاتب رو در کتابخونه‌اش می‌بینی. کتابخونهٔ یک روشنفکر غیر کمونیست، کتاب‌های پایهٔ کمونیستو داره، ولی نه کامل، نیمه‌کاره رها شده. تعدادی هم کتاب در نقد کمونیست بینشون پیدا می‌شه، بقیهٔ کتاباش به قول کمونیستا از کتابای بورژوازیه... مثلاً داشتن کتابای علی شریعتی الزاماً بیانگر این نیست که این خانواده تمایلات مذهبی دارن چون در بیشتر خونه‌ها بعد از انقلاب این کتابا وارد شد، ولی کتابخونهٔ مذهبیون سرشار از داستان‌های مذهبی، کتاب‌های دعا، تفاسیر، توضیح‌المسایل‌ها و از این قبیله، در کتابخونهٔ ملی‌گرایان تا بخوای کتاب خاطرات سیاستمداران و تاریخ‌های مختلف ایران هست؛ در ضمن هر آدم تحصیل‌کرده که واقعاً اهل مطالعه باشه، تعدادی کتاب هم در رشتهٔ تحصیلی و کاری خودش داره. که بیانگر زمینهٔ تخصصی اونه.

ـ حالا برای چی این‌قدر دنبال خط فکری، سیاسی اونا هستی؟

ـ برای اینکه تمام زندگیم از خطوط سیاسی مختلف و خط‌مشی‌های فکری افرادی که با اونا طرف بودم تأثیر پذیرفته باید می‌فهمیدم این بار با کی طرفم.

ـ ولی تو که با سیاست‌بازی مخالفی. مرتب از ما قول می‌گیری که توی هیچ گروهی نریم.

ـ ولی تا به حال بهتون گفتم که مطالعه هم نکنین!؟ شما مثل هر آدم باشعور دیگه باید بدون تعصب تمام خطوط و دیدگاه‌ها رو مطالعه کنین. بفهمین، تا بتونین حق رو از باطل تشخیص بدین، آلت دست قدرت‌خواهان نشین. خوب تابه‌حال لادن در مورد چیزی که خونده یا ایده یا جهان‌بینی خاصی با تو حرف زده؟ پسر، تو یک هنرمندی! تو با کتاب بزرگ شدی. اصلاً هیچ زمینهٔ فکری مشابه در مسایل هنری دارید؟ از همه مهم‌تر پسرم تو با اون زمینهٔ مذهبی که به خصوص بعد از دوران اسارت پیدا کردی چطور می‌خوای با خونواده‌ای که از دین فقط سفرهٔ حضرت ابوالفضل رو بلدن، اون رو هم مثل عروسی برگزار می‌کنن کنار بیایی؟ اینا شاهی هستن منتظرن ولیعهد برگرده، اونم نه از روی درک و منطق بلکه چون اون زمان‌ها مشروب‌خوردن آزاد بوده، می‌شده کنار دریا بیکینی بپوشن و از این چیزها، ما با اون سابقهٔ سیاسی و فرهنگی چی می‌تونیم به همدیگه بگیم؟ مسعود جان این دختر هیچ هماهنگی با تو نداره. هرگز اون‌طوری که تو می‌خوای لباس نمی‌پوشه، هر بار که بخواهین جایی برین یک دعوا با هم خواهید داشت.

ـ نگران نباش، گفته به خاطر من حاضره چادر هم سرکنه.

ـ تو هم باور کردی؟ تازه این هم درست نیست. یک آدم با شخصیت، با فکر و ایده نباید این‌قدر هُرهُری مذهب باشه.

ـ بیچاره حالا دیگه هرهری مذهب هم شد، به خاطر علاقه به من می‌گه، نه مامان جون تو اصلا دنبال بهانه هستی، به نظرت همه بَدَن، غیر از ما.

ـ نه جونم، من کی اینو گفتم اونا خیلی هم خوبن، شاید بهتر از ما باشن. ولی با ما فرق دارن.

ـ نه! تو ایرادای بنی اسرائیلی می‌گیری.

ـ تو از من پرسیدی منم نظرمو گفتم. این به تمام زندگی و آیندهٔ تو مربوط می‌شه، که می‌دونی برای من بیش از هر چیز اهمیت داره.

ـ مامان من دوسش دارم، اصلاً وقتی حرف می‌زنه یه جوری می‌شم حرکات و خنده‌هاش برایم خیلی جالبه، تابه‌حال زنی با این‌همه خصوصیات زنونه ندیده بودم با همه فرق داره.

مبهوت نگاهش کردم، درست است، چطور تابه‌حال نفهمیده بودم، بله این دختر برای مسعود جالب است چون با تمام زن‌هایی که در طول زندگیش با آنها سر و کار داشته متفاوت است. چیزی خاص و بسیار زنانه دارد که ما که زن‌های زندگی او بودیم با کوشش بسیار سعی در پنهان کردنش داشتیم. از انصاف نباید گذشت این دختر در تمام حرکات و رفتارش عشوه و نازی خاص دارد، حتی حرف زدنش از پشت تلفن این عشوه‌گری را به شنونده القا می‌کند. حرکاتش فریبا و تحریک‌کننده است، در یک کلام دختر بسیار فتّانی است. طبیعی است که پسرِ چشم‌وگوش‌بسته و سادهٔ من که در اطرافش کمتر با این خصوصیات زنانه روبه‌رو بوده چنین تحت‌تأثیر قرار گیرد. به شوق بیاید و فکرکند زنی متفاوت با دیگران یافته است. من چگونه می‌توانم به این پسر بفهمانم که این جذابیت که مطمئناً به شدت امیال جنسی او را تحریک می‌کند با عشق فاصلهٔ زیادی دارد و پایهٔ صحیحی برای زندگی آینده نیست. دراین شرایط هیچ حرف و منطق نمی‌توانست کارساز باشد و به لجاجت و جبهه گیری تعبیر می‌شد پس گفتم:

ـ من بزرگ‌ترین آرزوم خوشبختی فرزندامه و معتقدم که خوشبختی در گرو ازدواجی سرشار از عشق و محبته. من به عشق تو احترام می‌ذارم و هرچه بخوای برات می‌کنم، حتی اگر علی‌رغم میل خودم باشه. تنها خواهشی که ازت دارم اینه که یک‌سال نامزد باشین. در این مدت می‌تونین بهتر همدیگه رو بشناسین. چون محدودیت رفت‌وآمدتون کم می‌شه، ما هم می‌تونیم پول‌هامونو جمع‌کنیم و برای جشنی مطابق میل اونا آماده‌بشیم، چون می‌بینی که خواسته‌های زیادی دارن. این تنها شرط منه.

۞

خانوادهٔ لادن با وجود اصرار و مخالفت زیاد وقتی مرا مصمم دیدند پذیرفتند که بچه‌ها مدتی نامزد باشند. مطمئن بودم که نگرانی آنها از نامزدی طولانی ناشی از اعتقادات مذهبی نیست بلکه بیشتر نوعی محکم کاری است. آنها می‌خواستند مراسم نامزدی مفصلی برگزار کنند تا تمام فامیل بزرگشان با داماد آینده آشنا شوند، و تاریخ این مراسم را برای هفتهٔ بعد تعیین‌کردند. دیگر بیش از این نمی‌توانستم موضوع را پنهان کنم. باید به همه خبر می‌دادم. ولی چگونه داستان این عشق و خواستگاری را به فاطی و فیروزه و آقا صادق بگویم؟

۞

یک روز صبح به منزل فاطی رفتم. مدتی از خواست خدا و نصیب و قسمت گفتم. فاطی با سوءظن و تردید نگاهم می‌کرد، بالاخره گفت:

ـ آبجی، چی شده؟ درست حرف بزن چی می‌خوای بگی؟

ـ چی بگم؟! همیشه آرزو داشتم بیام در مورد فیروزه باهات حرف بزنم و اونو برای مسعود خواستگاری کنم. ولی نشد. مثل اینکه خدا نمی‌خواد.

چهرهٔ فاطی تیره شد و در هم رفت، با دلخوری گفت:

ـ مدتی بود حس می‌کردم چیزی اتفاق‌افتاده. حالا خدا نمی‌خواد یا شما نمی‌خواین؟

ـ این چه حرفیه فاطی. من فیروزه رو از شیرین بیشتر دوست دارم. این بزرگ‌ترین آرزوم بود. اصلاً همه چیزو تموم شده می‌دونستم. ولی نمی‌دونم چی شد که این پسره یدفعه زده به سرش و عاشق شده. پاشو کرده تو یه کفش که می‌خوامش. مجبورمون کرد بریم خواستگاری. حالا قراره دیگه نامزد بشن.

سایهٔ فیروزه را که با سینی چای در چهارچوب در خشک شده بود دیدم. فاطی دوید و سینی را از او گرفت. فیروزه خیره به من با چشم‌هایش می‌پرسید:

ـ چرا؟!

سرخوردگی، ناامیدی و غم، صورتش را پوشانده بود. ولی به تدریج سایه‌ای از خشم و احساس اهانت به آن افزوده شد. به طرف اطاقش دوید. فاطی برگشت و با خشم نگاهم‌کرد و گفت:

ـ آخه از بچگی راه رفتین و گفتین فیروزه مال مسعوده، روابطشونم خیلی خوب بود. نمی‌تونی بگی مسعود فیروزه رو دوس نداشت.

ـ خیلی هم دوست داشت. هنوز هم داره ولی می‌گه احساسم به اون برادرانه‌س.

فاطی با عصبانیت خندهٔ مسخره‌ای کرد و از اتاق خارج شد. می‌دانستم می‌خواهد خیلی چیزها بگوید ولی احترام مرا نگه‌داشته. به دنبالش به آشپزخانه دویدم.

ـ فاطی جون، به خدا هرچی بگی حق‌داری. منم دارم دیوونه می‌شم. تنها کاری که تونستم بکنم به تأخیر انداختن این عروسی مسخره بود. حالا قراره یک‌سال نامزد بمونن. شاید چشمای این پسره باز بشه.

ـ این حرف‌ها چیه می‌زنی خواهر، خوب عاشق شده. انشاالله با هم خوشبخت بشن. تو هم نباید مثل مادرشوهرای بدجنس از قبل از نامزدی به فکر جداییشون باشی.

ـ آخه تو نمی‌دونی فاطی. دلم خونه، اگه یه نقطهٔ مشترک داشتن دلم نمی‌سوخت. نمی‌دونی چقدر با هم فرق دارن نمی‌گم دختر بدیه. ولی اصلاً وصلهٔ مانیستن. حالا خودت می‌آیی و می‌بینی. اتفاقاً خوبه تو هم نظر بدی. شاید من چون از اول موافق نبودم پیش‌داوری می‌کنم. تازه من‌که خوبم، حرفی نمی‌زنم. تحمل می‌کنم. ولی شیرین اصلاً حاضر نیس نگاش کنه. اصلاً بهش حساسیت پیدا کرده، اگه مسعود بفهمه شیرین چه حرفا در مورد دختره می‌زنه دیگه اسممونو نمیاره و من برای همیشه از دست می‌دمش.

ـ حتماً یه چیزی داره که مسعود این‌قدر می‌خوادش. علف باید به دهن بزی شیرین باشه.

ـ می‌خوای من برم با فیروزه صحبت کنم. نمی‌دونی چقدر ناراحت این بچه‌ام. تو این مدت این‌قدر که به فکر اون بودم به هیچ‌کس فکر نکردم.

فاطی شانه بالا انداخت و گفت:

ـ نمی‌دونم، شاید حوصله نداشته باشه.

ـ عیبی نداره، فوقش از اطاقش بیرونم می‌کنه، مهم نیست.

آرام در اتاق را زدم، لای در را باز کردم. روی تخت درازکشیده بود چشم های آبی و صورت اشک آلودش سرخ بود. تا مرا دید پشتش را به من کرد تا صورتش را نبینم. دلم خیلی می سوخت، اصلاً طاقت گریهٔ این دختر مهربان و نازنین را نداشتم. کنار تخت نشستم، نوازشش کردم. گفتم:

ـ مسعود لیاقت تورو نداره. بذار ببین چه روزی بهت می گم. مثل سگ پشیمون می شه، این وسط کسی که ضرر کرده خودشه. نمی دونم چرا خدا نمی خواد این بچه بعد از اون همه صدمه و مشقت، زندگی آروم و سعادتمندی داشته باشه، همهٔ امیدم این بود که تو اون زندگی شیرینو براش فراهم می کنی. حیف که عُرضه نداشت.

شانه های ظریفش تکان می خورد. ولی هیچ حرفی نمی زد. درد شکست در عشق را می دانستم، برخاستم، خسته و خُرد به خانه برگشتم.

❦

در مراسم نامزدی از طرف ما عمه های مسعود به اضافهٔ خانم جون، فاطی، صادق خان و پروین خانم آمدند، مسعودم رشید و زیبا با کت و شلوار شیک و کراوات کنار لادن که تازه از سلمانی آمده، لباس توری پوشیده، گل های صورتی به موهایش داشت، ایستاده بود. شیرین با حرص گفت:

ـ به به! کراوات شادومادو! مگه این نبود که می گفت از کراوات بدم می آد مثل افسار می مونه، نمی تونم تحملش کنم، پس چی شد؟ افسارو به این راحتی انداخت گردنش؟ آخ که اگه همکاراش ببینن.

سعی می کردم خودم را خوشحال و سرزنده نشان دهم، ولی راستش هیچ احساس خوبی نداشتم، با خود گفتم چه رؤیاهایی برای شب عروسی مسعود داشتم. فکر می کردم یکی از بهترین شب های زندگیم خواهد بود. شیرین خیلی بدخلقی می کرد، از همه چیز ایراد می گرفت، تا کسی تبریک می گفت و برایشان آرزوی خوشبختی می کرد رویش را برمی گرداند و می گفت ایش...! کلمهٔ ناتمامی که من خیلی از آن بدم می آمد و متأسفانه گفتن آن عادت ثانویه شیرین شده بود، هرچه می گفتم زشته، به خاطر مسعود نکن به گوشش نمی رفت. از همه بدتر وقتی

بود که با اصرار زیاد خواستند که خواهر داماد به قول خودشان رقص چاقو را بکند و در حال رقص کارد را برای بریدن کیک به عروس بـدهد، شـیرین بـا بدخلقی رد کرد و گفت:

ـ این‌قدر از این مسخره‌بازی‌ها بدم می‌آد. مسعود بـا سرزنش و دلخـوری نگاهمان می‌کرد، نمی‌دانستم در این بین من چه باید بکنم.

🌺

سه ماه از نامزدی مسعود نگذشته بود که فیروزه ازدواج کرد، ظاهراً مـن آخرین نفری بودم که خبردار شدم، دلم گرفته بـود ولی بـه آنهـا حـق‌می‌دادم، می‌دانستم که فیروزهٔ زیبا، خانم و باشعورِ ما خواستگاران زیادی دارد ولی فکر نمی‌کردم به این زودی ازدواج کند، به دیدارش رفتم و گفتم:

ـ عزیزم چرا به این سرعت؟ مدتی به خودت مهلت بده تا با فکـر بـازتر و آرامش بیشتر به کسی علاقمند بشی، کسی که ارزش جواهری مثل تـورو درک کنه. با خندهٔ تلخی گفت:

ـ نه خاله، من دیگه عشق و علاقهٔ آنچنانی به کسی نخواهم داشت، در نتیجه به پدر و مادرم وکالت دادم تا هر کسی رو صلاح می‌دونن انتخاب کنن، البته منم از سهراب بدم نمـی‌آد، پسر خوب و باشعوریه، فکر می‌کنم بعدها بهش خیلی هـم علاقمند بشم و همه چیزو فراموش کنم.

ـ بله، البته (و در دل گفتم: ولی هرگز این آتش خاموش نخـواهدشد) ولی کاشکی یک سالی صبر می‌کردی، خیال نمی‌کنم این نامزدی خیلی طولانی باشه، از حالا رگه‌های اختلاف پیدا شده.

ـ نه خاله، اگه مسعود همین الان هم بیاد، روی دست و پام بیفته، نامزدیشو به‌هم‌بزنه و خواستگاری کنه نمی‌پذیرم، بتی که از مسـعود سـاخته بـودم و یک چیزی در درون خودم شکسته و هرگز مثل روز اول نمی‌شه.

ـ ببخش که این حرفو زدم، منظوری نداشتم، حق با توس، ولی آخه نمی‌دونی چقدر آرزو داشتم تو عروسم باشی.

ـ وای خاله بسه دیگه، کاشکی هیچ‌وقت این حرفو نمی‌زدین، همـین حـرفا

بدبختم کرد، از روزی که چشم باز کردم خودمو عروس شما و زن مسعود دیدم، و حالا احساس زنی رو دارم که همسرش جلوی چشمش بهش خیانت‌کرده، درصورتی که مسعود بیچاره هم کاری نکرده، ما تعهدی به هم نداشتیم، اونم حق داره برای آیندهٔ خودش تصمیم بگیره و زنی رو که دوست داره انتخاب کنه، حرفای شماها این توهّو در ذهن من ایجاد کرد و رشد داد.

خوشبختانه سهراب پسری مهربان، فهمیده، خوش‌قیافه و تحصیل‌کرده بود، در خانواده‌ای فرهنگی پرورش یافته، در فرانسه تحصیل می‌کرد. یک ماه بعد از ازدواجشان راهی پاریس شدند و من به همراه فاطی و خانواده‌اش با قلبی فشرده و چشمی گریان با آرزوی سعادت ابدی بدرقه‌شان کردیم.

نامزدی مسعود و لادن تنها هفت ماه طول کشید، مسعود گویی ناگهان از خوابی سنگین بیدار شده بود می‌گفت:

ـ دیگه هیچ حرفی برای گفتن نداشتیم، من ساعت‌ها از معماری و نقاشی و هنر و اندیشه و دین و فرهنگ حرف می‌زدم ولی او که اوایل اون‌همه علاقه نشون می‌داد و می‌گفت عاشق این چیزاس، اصلاً نمی‌فهمید. فقط در فکر سر و لباس و مو و ناخن بود، حتی به ورزش هم علاقه نداشت، حرفا و ایده‌هاش نمی‌دونی چقدر پوچ و مسخره بودند، تنها زمانی که از پول حرف می‌زدم توجهش جلب می‌شد. آدم‌های عجیبی بودند حاضر بودند شام شب نداشته باشند، هر خفت و خواری و قرض و قوله را تحمل کنند، ولی در فلان مهمانی لباسی بپوشند که قبلاً کسی ندیده باشد، اصلا تعریف آنها از حیثیت و آبرو با آن چه ما بدان معتقدیم زمین تا آسمان فرق داشت.

بعد از ماه‌ها نفس راحتی کشیدم، ولی بسیار متأسف بودم که در این میان فیروزه نازنین را از دست دادیم به خصوص که این تأسف را در رفتار و گفتار مسعود هم حس می‌کردم، فکر می‌کنم ازدواج فیروزه اولین ضربه برای بیداری او بود ولی چه سود که خیلی دیر اتفاق افتاد.

مسعود دوباره به کار و درسش چسبید، روابطش با شیرین خوب شد و محفل

خانوادگیمان گرمی سابق را به دست آورد. مسعود خود را برای آن چند ماهی که مرا آزرده بود سرزنش می‌کرد، می‌خواست به نوعی آن را جبران کند، یک روز شادمان به منزل آمد و گفت:

ـ مامان مژده، کارت درست شد.

ـ کار من؟ کار من درست بود.

ـ نه، منظورم کار ادامهٔ تحصیلته. می‌دونم چقدر آرزو داشتی لیسانس بگیری و ادامه تحصیل بدی. هیچ‌وقت قیافه‌تو وقتی از دانشگاه اخراج‌شده‌بودی فراموش نمی‌کنم؛ حالا با چند نفر صحبت کردم. معاون دانشکدهٔ ادبیات از هم‌رزمان سابقه، قبول‌کردن که شما اون چند واحدو پاس کنین و لیسانستونو بگیرین. بعد به‌راحتی وارد دورهٔ فوق لیسانس می‌شین. با شناختی که من از شما دارم حتماً دکترا هم می‌گیرین.

افکار مختلفی به مغزم هجوم آوردند، متفکر بر جای ماندم مسلماً در دلم دیگر هیچ شوقی برای دریافت این تکه کاغذ نداشتم. گفتم:

ـ در دانشگاه یک همکلاسی داشتم به اسم مهناز، جمله‌ای داشت که داده بود با خط خوش نوشته بودند و به دیوار زده بود می‌گفت: «هرچه را که می‌خواستم، روزی به دست آوردم که دیگر نمی‌خواستم.»

ـ چی مامان؟ یعنی نمی‌خوای؟

ـ نه عزیزم بیخود زحمت کشیدی.

ـ آخه چرا؟

ـ چرا؟ حق منو این‌همه سال گرفتند. حداقل صدمهٔ اون این بود که اضافه حقوقی که در سال‌های سختی بهش احتیاج داشتم از دست دادم. حالا با هزار منت و پارتی‌بازی می‌خوان لطف کنن... نه! نمی‌خوام، حالا همه منو به خاطر سوادم می‌شناسن. گاهی معادل کسی که دکترا داره برای ویرایش‌هام دستمزد می‌گیرم، همه قبولم دارن. دیگر کسی این مدرکو ازم نمی‌خواد. عنوانش هم برام خنده داره. بس که لقبِ دکتر و مهندس پیشکش کردن، دیگه ارزششو برام از دست داده. من می‌خواستم با شایستگی خودم به چیزی برسم.

نه با تصدّق.

همان سال شیرین در کنکور دانشگاه در رشتهٔ جامعه‌شناسی پذیرفته شد. خیلی خوشحال و سربلند بودم. از اینکه هر سه فرزندم به دانشگاه راه یافته‌اند غرور و لذتی ناگفتنی احساس می‌کردم. شیرین خیلی زود در دانشگاه دوستانی پیدا کرد، من برای اینکه بتوانم معاشرت‌هایش را دورا دور زیرنظرداشته‌باشم، تشویقش می‌کردم که گردهمایی‌هایشان در خانهٔ ما برگزار شود. به این ترتیب احساس امنیت بیشتری می‌کردم، اطرافیانش را بهتر می‌شناختم و شرایط معاشرت سالم را برایش فراهم می‌کردم. کم‌کم خانهٔ ما به پاتوقی راحت برای دوستان شیرین تبدیل شد. هر چند که گاه مانع کار، تمرکز و آرامشم می‌شدند و زحمت بیشتری برای نظافت، پخت‌وپز و پذیرایی تحمیل می‌کردند ولی من راضی بودم و همه را به جان می‌خریدم.

دو سال بعد در اوایل زمستان نوهٔ اول من و پروانه متولد شد. من برای تولد او به آلمان رفتم، نوزاد دختری زیبا و دوست‌داشتنی بود که اسمش را دُرنا گذاشتند. من و پروانه عاشقانه با این بچه ور می‌رفتیم، تروخشکش می‌کردیم و مدام بر سر اینکه بیشتر شکل کدام یک از ماست بحث و جدل داشتیم، خوشبختی و سعادت درونم را آرامش می‌بخشید، با اینکه مادربزرگ شده بودم ولی خیلی بیش از ۱۰ سال پیش احساس جوانی و شادابی می‌کردم. بچه دو ماهه بود، با وجود اینکه دل کندن از او برایم سخت بود، ناچار برای عید نوروز به ایران برگشتم چون دلم نمی‌آمد شیرین و مسعود را بیش از آن تنها بگذارم.

در بازگشت متوجهٔ تغییراتی در اطرافم شدم. بین دوستان شیرین جوانی حدود بیست‌وشش سال بود که قبلاً ندیده بودم. او را به نام فرامرز عبداللهی معرفی کرد. گفت که دانشجوی فوق لیسانس است. پس از سلام و احوالپرسی گفتم:

ـ به جمع این جامعه‌شناسانِ کبیر خوش آمدین ولی چطور تحملشون می‌کنین؟

خندید و گفت:

ـ به سختی!

با دقت و کنجکاوانه براندازم کرد. شیرین با حالتی خاص گفت:

ـ اِوا...! فرامرز، مارو مسخره می‌کنی؟

با نگاهی تحسین‌آمیز به شیرین گفت:

ـ اختیار دارین خانم، شما تاج سر ما هستین.

شیرین شادمانه خندید. در دل گفتم:

ـ عجب! غلط نکنم اینجا خبراییه!

بعد از رفتن بچه‌ها شیرین نظرم را در مورد دوستانش پرسید:

ـ در غیبت من خیلی عوض نشدن، بیشترشونو قبلاً دیده بودم و می‌شناختم.

ـ خوب نظرتو در مورد اونا که ندیده بودی و نمی‌شناختی بگو.

ـ اون دختر قد بلنده که روی کاناپه نشسته بود و ندیده بودم، نه؟

ـ نه، اون نگینه، اون پسره هم کنارش نشسته بود نامزدشه، خیلی بچه‌های خوبی هستن قراره ماه دیگه عروسی کنن، ما هم همه دعوت داریم.

ـ خوبه به هم میان.

ـ خوب...!

ـ نظرت در مورد بقیه.

ـ کدوم بقیه؟ مگه کس دیگه‌ای هم بود؟

می‌دانستم تمام این سؤالات به خاطر کسب نظر من در مورد پسری است که فرامرز معرفیش کرده ولی خوشم می‌آمد سر به سرش بگذارم. با حرص گفت:

ـ یعنی مردِ به اون گُندگی رو ندیدی؟

ـ همشون گُندن، کدومشونو می‌گی؟

ـ اِه... فرامرز دیگه، اون از تو تعریف کرد گفت چه مــادر خــوشگلی داری، معلومه جوانی‌هاش تیکه‌ای بوده.

ـ عجب! چه پسر خوبی و بلند خندیدم... اونم به نظر من بد نبود.

ـ همین...؟!

ـ خوب من در این ملاقات کوتاه با دو کلمه حرف چه شناختی می‌تونم پیدا

کنم، تو از مشخصاتش بگو، تا من ببینم با قیافه‌اش جور درمی‌آد یا نه.

ـ من چی بگم؟

ـ هرچی ازش می‌دونی، حتی اونا که به نظرت بی‌اهمیته.

ـ پسر دوم یک خانواده‌س که سه تا بچه دارن، عین ما، فرامرز مسعودشونه، بیست‌وهفت سالشه، خیلی باسواده، مادرش دبیره، پدرش مهندس راه و ساختمانه، بیشتر مسافرته، اونم تو دفتر پدرش کار می‌کنه.

ـ ولی به رشته‌اش که نمی‌خوره، مگه دانشکدهٔ شماها نیست؟

ـ نه! مگه نگفتم اون دانشکدهٔ فنّیه.

ـ پس با شماها چکار داره، از کجا باهاش آشنا شدی؟

ـ دوست خیلی صمیمی سروش نامزد نگینه، همیشه با سروش بود، ما توی دانشکده زیاد می‌دیدیمش ولی تقریباً از وقتی تو رفتی رسماً جزء گروه شد و بیشتر با ماهاس.

ـ خوب، دیگه بگو.

ـ دیگه چی بگم؟ من که همه چیزو گفتم.

ـ نه عزیزم تو مشخصات ظاهری رو گفتی حالا از خصوصیات اخلاقی و شخصیتیش بگو.

ـ وا! من چه می‌دونم؟

ـ یعنی چه من چه می‌دونم؟ تو با اون دوست شدی چون بچهٔ دوم خانواده‌س، مادرش دبیره، باباش مهندسه، خودش دانشکدهٔ فنیه؟

ـ مامان اصلاً نمی‌شه با شما حرف زد، همچین می‌گی باهاش دوست شدی که انگار بوی‌فرندمه.

ـ خوب شاید هم باشه، من نگران این مسأله نیستم، فعلاً مهم اینه که بدونیم اون چطور آدمیه.

ـ تو نگران نیستی؟ یعنی از نظر تو اشکال نداره اگه من با او خیلی دوست باشم؟

ـ ببین دخترم، تو دختر بزرگی هستی، به زودی بیست‌ویک سالت می‌شه یعنی کاملاً عاقل و بالغ، من بهت اعتماد دارم، به تربیت خودم اطمینان دارم،

می‌دونم تو کمبود محبت نداری که با اولین دست محبتی که به طرفت دراز بشه ندیده و نشناخته جواب بدی، با حق و حقوق خودت آشنایی، نمی‌ذاری کسی اونو پایمال کنه، به قوانین شرع و اجتماع پایبندی، فکر و عقل و آینده‌نگری داری، در دام هوس‌ها نمی‌افتی، می‌تونی احساساتتو کنترل کنی و تصمیم عاقلانه بگیری.

ـ واقعاً...! جداً شما فکر می‌کنید من اینجوریم؟

ـ بله عزیزم، البته! تو گاه عاقلانه‌تر از من فکر می‌کنی و تصمیم می‌گیری، بهتر از من می‌تونی احساساتتو کنترل کنی.

ـ راس می‌گی؟

ـ چرا به خودت شک‌داری؟ شاید اخیراً احساساتت آن‌قدر قوی شده که می‌ترسی عقلتو تحت‌تأثیر قرار بده؟

ـ آه، آره، نمی‌دونی چقدر می‌ترسم.

ـ خیلی خوبه، همین ترس تو نشون می‌ده که عقل و منطقت هنوز کار می‌کنه.

ـ راستش نمی‌دونم چکار باید بکنم.

ـ مگه باید کاری بکنی؟

ـ نباید کاری بکنم؟

ـ نه! الان وقت انجام هیچ کاری نیست جز درس‌خوندن، شناختن، برنامه‌ریزی برای آینده، به خودت فرصت بده که هم خودت و هم اونو بهتر بشناسی.

ـ ولی من همش تو فکرشم، دلم می‌خواد بیشتر ببینمش، بیشتر باهاش باشم...

ـ خوب توی دانشکده می‌بینیش، هر وقت هم دلت خواست دعوتش کن خونه، البته وقتی من هستم، من هم دوست دارم بیشتر باهاش آشنا بشم.

ـ نمی‌ترسی که من یک وقت، ... چه می‌دونم... زیاده‌روی کنم؟

ـ نه ...! تو نمی‌کنی، من به تو بیشتر از چشمم اطمینان دارم، دختری که بخواد کاری بکنه اگه غل و زنجیرش هم بکنن کار خودشو می‌کنه، و از هر مانعی رد می‌شه، آدم باید مانع درونی داشته باشه که تو داری.

ـ مرسی مامان، چقدر تو خوبی، خیالم راحت شد. مطمئن باش همه چیزو در

کنترل می‌گیرم.

۞

بعد از تعطیلات عید نوروز یک بعدازظهر که من و مسعود تنها در خانه بودیم کنارم نشست و گفت:

ـ مامان احساس می‌کنم باید یه تصمیم جدی برای آینده‌ام بگیرم. به نظر تو این‌طور نیست؟

ـ چرا نیست؟ اتفاقاً مدتیه می‌خوام در این مورد باهات حرف بزنم ولی من راستش خیلی به خواستگاری اعتقاد ندارم دلم می‌خواد خودت کسی رو بپسندی، کسی که خوب بشناسی و باهات جور باشه، امیدوار بودم توی دانشکده یا محیط کارت با دختر مناسبی آشنا بشی.

ـ راستش مامان اون‌دفعه اون‌قدر اشتباه کردم که دیگه چشمم ترسیده، فکر هم نمی‌کنم دیگه اون‌طوری عاشق بشم، حالا موقعیتی پیش اومده که به قول تو از نظر عقلی همه چیزش درسته، فکر کردم اگر تو هم به نظرت مناسب آمد اقدام کنم راستش تمام دوستام سروسامون گرفتن، دارم خیلی تنها می‌شم.

ـ الهی قربونت برم، تو حقته که خوشبخت بشی، یاد فیروزه قلبم را فشرد، آه بلندی کشیدم گفتم خوب تعریف کن، این چه موقعیتیه؟

ـ آقای مقصودی یه دختر بیست‌وپنج ساله داره که دانشجوی رشتهٔ شیمیه. از رفتار آقای مقصودی فهمیدم که بدش نمی‌آد من دامادش بشم.

ـ آقای مقصودی مرد نازنینیه، حتماً خانواده‌ش هم خوبن فقط یه عیب داره.

ـ چه عیبی؟

ـ معاون وزیره، پست سیاسی داره.

ـ مامان ول کن. تو واقعاً داری شورشو درمی‌آری. نکنه می‌ترسی اونم زندانی و اعدام بشه!

ـ چرا نه؟! راستش دیگه از هر بازی سیاسی می‌ترسم، برای همین نگران تو هم بودم و ازت قول گرفتم که هیچ‌وقت پست حساس و سیاسی نداشته باشی.

ـ اگه همه این‌طور فکر کنن، کی مملکتو بچرخونه. ببخشیدها، ولی به نظرم

احتیاج به دکتر روانشناس داری.

❧

به هر حال قرار خواستگاری گذاشته شد. من و شیرین آمادهٔ رفتن بودیم که مسعود گفت:

ـ می‌شه یه خواهشی ازتون بکنم. اگر ممکنه برای احترام به آقای مقصودی یک چادر هم سرتون بندازین. بی‌اختیار عصبانی شدم و گفتم:

ـ ببین مسعود جان، فکر نمی‌کنی ما هم آدمیم. فکر و نظر و عقیده داریم. نمی‌تونیم هر لحظه خودمونو یه شکل درآریم. می‌دونی من از اول عمرم چند بار پوششم رو به خواست آقایون عوض کردم؟ در قم چادری بودم، تهران با روسری شدم. بعد از ازدواج، پدرت خواست که بی‌حجاب باشم، بعد انقلاب شد، باید روسری و مانتو می‌پوشیدم. بعد جنابعالی برای خواستگاری لادن خانم می‌خواستی که شیک باشم. اگه دکولته هم می‌پوشیدم بدت نمی‌اومد. حالا برای خواستگاری از دختر رئیست می‌گی چادر سر کنم. نه پسرم، من اگر جلوی خیلی‌ها نمی‌تونستم بایستم، جلوی تو که پسرمی می‌تونم و به عنوان زنی بالغ، میانسال و سرد و گرم چشیده. بگم خودم شعور دارم، می‌تونم پوششمو انتخاب کنم. ما باید با همون شکلی که واقعاً هستیم به خواستگاری بریم نه اینکه به خاطر خوش‌آیند اونا کاری که واقعیت نداشته باشه بکنیم.

❧

عاطفه دختری متدین، موقّر، آرام و از همه مهم‌تر فهمیده و باشعور بود، پوستی روشن و چشمانی درشت و میشی داشت، مادرش که حتی از من و شیرین هم رو می‌گرفت خیلی خوش‌تعارف بود و مرتب پذیرایی می‌کرد، آقای مقصودی هم مثل همیشه مهربان و آقا بود و من هنوز به خاطر کمک‌هایی که به مسعود کرده بود خود را مدیون او می‌دانستم، کمی چاق شده و موهایش تقریباً سفید شده بود، مدام با تسبیحی که در دست داشت بازی می‌کرد. از بدو ورود با مسعود مشغول بحث‌های اداری شدند، انگار نه انگار که ما به خاطر کار خاصی به خانه‌شان آمده‌ایم، جو حاکم بر خانه هرچند از بعضی جهات مرا به یاد خانهٔ

محمود و علی می‌انداخت ولی هیچ احساس منفی در من ایجاد نکرد، اینجا نوعی از خداشناسی و ایمان حاکم بود که آرامش و محبت را به انسان القا می‌کرد، از مَلک‌های عذاب و آتش جهنم خبری نبود، رد پایی از گناه و وحشت احساس نمی‌شد، در عوض فرشتگان عشق، عطوفت و دوستی را در پرواز می‌دیدی بر خلاف خانهٔ محمود، خنده و شادمانی در این جا گناه نبود، به طوری که حتی شیرین که به خاطر طرز فکر و زندگی دایی‌هایش از خانواده‌های مذهبی دل خوشی نداشت، آنها را پسندید و خیلی زود با عاطفه گرم حرف زدن شد، صحبت‌ها سریع و بدون مشکل پیش رفت و در اواسط بهار جشن عقد و ازدواج برگزار گردید، هرچند که مسعود با استفاده از امکانات اداره چند سال پیش آپارتمان خوبی خریده بود و می‌توانست همسرش را به آنجا ببرد، ولی آقای مقصودی به اصرار از او خواست که در طبقهٔ دوم خانه‌شان که خالی بود و برای عاطفه در نظر گرفته بودند ساکن شوند.

روزی که مسعود وسایلش را جمع‌کرد تا از ما جدا شود و برای همیشه به خانهٔ خودش برود خیلی سعی کردم ظاهری بشاش داشته باشم، کمکش می‌کردم و سر به سرش می‌گذاشتم، وقتی خداحافظی کرد و رفت، روی تخت به جا مانده در اتاق خالی نشستم، به در و دیوار نگاه کردم، خانه بدون او خالی و بی‌روح به نظر می‌رسید، غم سنگینی در قلبم بود با خود گفتم، «جوجه‌ها پرواز کردند و تهی شد آشیان» و برای اولین بار از آینده و تنهایی که در پیش داشتم به وحشت افتادم.
شیرین که تازه از راه رسیده بود لای در را باز کرد و گفت:

ـ رفت؟ چقدر اینجا خالی شده.

ـ آره همهٔ بچه‌ها می‌رن، ولی خوب این بهترین نوع جداشدنه، خدا رو صد هزار مرتبه شکر که زنده و سالمه و بالاخره عروسیشو دیدم.

ـ ولی مامان، خودمونیم خیلی تنها شدیم، نه؟

ـ آره، ولی هنوز ما همدیگرو داریم، الحمدلله تو هستی و هنوز چند سالی به رفتنت باقی مونده.

ـ چند سال ...؟!

ـ حداقل تا درست تمام بشه که خیال شوهر کردن نداری؟ هان؟

لب‌هایش را جمع کرد، شانه بالا انداخت و گفت:

ـ خدا رو چه دیدی شاید تا یکی دو ماه دیگه منم شوهر کردم.

ـ وا مگه من می‌ذارم، چه عجله‌ای داری، تا دَرسِت تمام نشده نباید از این فکرا بکنی.

ـ آخه شاید شرایطی پیش بیاد که مجبور بشم.

ـ چه شرایطی؟ زیر بار نرو، با آرامش و بدون مسؤولیت درستو بخون، سر کار برو، روی پای خودت بایست، تا بعد توسری‌خور و دست و پا بسته مجبور نشی به هر خواری تن بدی. بعد به ازدواج فکر کن، برای شوهرکردن همیشه فرصت هست، وقتی هم ازدواج کردی برای همیشه زن شوهرداری با مسؤولیت خونه و زندگی، ولی دوران تجرد، جوانی، بی‌خیالی و بدون گرفتاریه که هیچ‌وقت تکرار نمی‌شه، خودش به اندازهٔ کافی کوتاهه، چه اصراری داری بهترین دورهٔ زندگیتو کوتاه‌تر کنی؟

مسعود مرتب به من سر می‌زد و می‌گفت:

ـ بسه دیگه نمی‌خواد کار کنی، تو دیگه به سن استراحت رسیدی.

ـ ولی پسرم، من کارمو دوست دارم، حالا دیگه برای من بیشتر حکم سرگرمی داره، بدون اون احساس بیهودگی می‌کنم.

ولی او گوشش بدهکار نبود نمی‌دانم باز از چه طریق توانست تمام سوابق مرا جمع‌وجور کند و برایم امکان بازنشستگی فراهم کرد. از اینکه حقوق مطمئنی داشتم راضی بودم ولی نمی‌توانستم کار نکنم باز هم با قراردادهایی خودم را مشغول می‌کردم، مسعود هم بیش از حدّ نیاز، پول در اختیارم می‌گذاشت، می‌دانستم بحمدالله وضع مالی‌اش خوبست ولی از کارش راضی نبودم، نمی‌خواستم پست اداری داشته باشد، مرتب غر می‌زدم که:

ـ تو یه هنرمندی، یه مهندس معمار هستی، چرا خودتو درگیر کارای

خسته‌کننده و پرپیچ‌وخم اداری می‌کنی؟ پیشرفت‌های اداری کاذبن، به محض اینکه دارودستهٔ تو برن، با مغز به زمین می‌خوری، فقط وقتی کار قبول کن که به راستی شرایط احرازشو داشته باشی، شماها که همگی این‌قدر مؤمن و معتقدید چرا وقتی پای پست و مقام در میون می‌آد این‌طور سهل‌انگار و حق‌به‌جانب می‌شید و خودتونو شایستهٔ هر مقامی می‌دونید؟

ـمامان می‌دونم چته؟ مار گزیده‌ای، ولی نگران نباش خودم هم هیچ حوصلهٔ این اداره بازی رو ندارم، بزودی کار مستقلی شروع می‌کنم، قراره با چند نفر از بچه‌ها شرکتی باز کنیم فعلاً چند صباحی کار می‌کنم تا به تعهداتم عمل کرده باشم، شرکت که سروسامون بگیره همه رو ول می‌کنم.

با تمام فراری که می‌کردم چند ماه بعد مجبور شدم به صحبت‌های جدی‌تری در مورد ازدواج شیرین تن‌دردهم، فرامرز فوق لیسانسش را گرفته و مقدمات را برای رفتن به کانادا فراهم کرده بود، اصرار داشتند تا قبل از رفتن او رسماً شیرین را عقد کنند، تا او بتواند کارهای مربوط به اقامت همسرش را هم درست کند، من به هیچ عنوان با ترک تحصیل شیرین موافق نبودم ولی آنها اطمینان دادند که جریان کارهای شیرین یک سالی طول می‌کشد و او فرصت تمام کردن درسش را خواهد داشت. فکر دور شدن از شیرین خیلی سخت بود ولی وقتی خوشحالی و تمایل او را به این وصلت می‌دیدم به خود اجازهٔ اظهار کوچک‌ترین دلتنگی نمی‌دادم، آنها عقد کردند و مدتی بعد فرامرز رفت تا وقتی که درس شیرین تمام شد و اجازهٔ اقامت او آمد بازگردد، جشن ازدواج بگیرند و عروس و داماد برای همیشه بروند.

احساس می‌کردم وظایفم را با هر سختی که بود به خوبی انجام داده‌ام، بچه‌هایم همگی به سر و سامان رسیده‌اند، خوب درس خوانده و موفق هستند، باری را بر زمین گذاشته بودم، ولی مثل روزهای بعد از امتحان خالی و بدون هدف بودم، حالا باید چه می‌کردم. ظاهراً کار دیگری در این دنیا نداشتم،

بیش‌ازپیش خدا را شکر می‌کردم تا مبادا مرا ناسپاس بداند و تنبیهم کند خودم را دلداری می‌دادم و می‌گفتم خوشبختانه هنوز فرصت هست، حداقل یک سالی به رفتن شیرین مانده ولی نمی‌توانستم ابرهای تیرهٔ پیری و تنهایی را که بر سرم سایه انداخته بود نادیده بگیرم.

فصلِ دهم

هرچه به زمان رفتن شیرین نزدیک‌تر می‌شدم نگرانی و دلتنگیم بیشتر می‌گردید. با خودم کلنجار می‌رفتم تا وابستگیم را به بچه‌ها کمتر کنم، نمی‌خواستم مانند مادران پیر و مزاحم به فرزندانم آویزان شوم و وادارشان کنم که مدام نگران من باشند، سعی می‌کردم دایرهٔ معاشرت‌هایم را وسیع‌تر کرده، وقت آزادم را که روزبه‌روز هم بیشتر می‌شد به نوعی پُر کنم، ولی یافتن دوستان جدید در این سن و سال ساده نیست، با خانواده‌ام نیز چندان مراوده‌ای نداشتم، خانم‌جون کاملاً پیر و از کارافتاده شده بود و در خانهٔ محمود زندگی می‌کرد، حاضر نبود به خانهٔ ما بیاید و چند روزی را با ما بگذراند و من هم چون خانهٔ محمود نمی‌رفتم خیلی کم او را می‌دیدم، پروین‌خانم پا به سن گذاشته بود و دیگر حوصله و توانایی سابق را نداشت، هرچند که هنوز تنها کسی بود که هنگام نیاز می‌توانستم رویش حساب کنم و فاطی بعد از جریان فیروزه و رفتن او افسرده و دلگیر بود، با من نمی‌جوشید، معلوم بود که ما را به نوعی در رنجی که از هجران فرزندش می‌کشد مقصر می‌داند، با خانم‌های ادارهٔ سابق دوره داشتم و گاه دور هم جمع می‌شدیم، هنوز گاه‌گاهی آقای زرگر را می‌دیدم، او هم چند سالی بود که ازدواج کرده و به نظر سعادتمند می‌رسید. تنها زمانی فکر، خیالات و نگرانی‌های من کاهش می‌یافت که پروانه در تهران بود، با او به روزهای خوش جوانی می‌رفتیم، می‌خندیدیم، حرف می‌زدیم، اتفاقاً آن سال مادر پروانه بیمار شده بود و او وقت بیشتری را در تهران می‌گذراند. پروانه عقیده داشت که:

ـ بعد از رفتن شیرین تو باید این خونه رو اجاره بدی و هرچند ماه رو پیش یکی از بچه‌هات بگذرونی.

ـ ابداً! حاضر نیستم استقلال و احتراممو از دست بدم، خیال هم ندارم مزاحم

بچه‌هام بشم، اونا زندگی خودشونو دارن، دیگه زندگی چند نسل در یه خونه مقدور و صحیح نیست.

ـ چه مزاحمتی؟! خیلی هم دلشون بخواد این‌همه براشون زحمت‌کشیدی، حالا باید جوابگو باشن.

ـ این حرفو نزن یاد ننه‌جون، مادربزرگم می‌افتم، همیشه می‌گفت: «پسر بزرگ‌کردن مثل بادمجون سرخ‌کردن می‌مونه کلی روغن مصرف می‌کنه ولی بعدش باید روغن پس بده» من همچین انتظاری از بچه‌هام ندارم، وظیفه‌ام بوده، به خاطر خودم کردم، دینی بر گردن کسی نیست، تازه اونا مضایقه ندارن من می‌خوام مستقل باشم.

ـ مستقل باشی که چی بشه؟ تنها بشینی گوشهٔ خونه، اونا هم با وجدان آروم و خیال راحت، فراموشت کنن.

ـ چه حرفی می‌زنی، تمام انقلابای دنیا برای کسب استقلال بوده، حالا من بیام دستی‌دستی اونو از دست بدم.

ـ ولی معصوم چقدر زود بچه‌ها بزرگ‌شدن و همه چی گذشت، خوشا به حال اون روزا، کاش برمی‌گشتند.

ـ نه! نمی‌خوام حتی یک ساعتش برگرده، خدا رو شکر که گذشت، امیدوارم این باقیمونده هم هرچه زودتر بگذره.

روزهای گرم تابستان شروع‌شده‌بود. من مشغول تهیه و تدارک جهیزیه شیرین بودم. اغلب با پروانه برای خرید می‌رفتیم و هر روز را به بهانه‌ای با هم می‌گذراندیم. آن روز یکی از گرم‌ترین ظهرهای تابستان بود، تازه کمی دراز کشیده بودم که صدای زنگ بی وقفهٔ در مرا از جا پراند. باعجله پرسیدم:

ـ کیه؟

ـ منم بابا درو واکن، زود باش.

ـ تویی پروانه؟ چی شده؟ ما عصری قرار داشتیم.

ـ درو باز می‌کنی یا بزنم بشکنمش؟

دکمه رو فشار دادم، در چشم برهم زدنی بالای پله‌ها رسید، گونه‌هایش سرخ شده بود و دانه‌های عرق بر پیشانی و پشت لب‌هایش برق می‌زد.

ـ چی شده؟ چه خبره؟

ـ برو، برو تو.

با تعجب به داخل آپارتمان رفتم، پروانه روسریش را کند مانتویش را به طرفی انداخت و روی مبل ولو شد و گفت:

ـ آب، آب خنک بده. یک لیوان آب به دستش دادم و گفتم:

ـ بعد شربت می‌آرم بگو چی شده، خفه‌ام کردی.

ـ اگه گفتی؟ اگه گفتی کی رو دیدم؟

احساس کردم قلبم مثل سنگی بر زمین افتاد و سینه‌ام خالی شد، می‌دانستم، می‌دانستم حالت و رفتار او دقیقاً سی و سه سال پیش را برایم ترسیم کرده بود، با صدایی شکسته گفتم:

ـ سعید...؟!

ـ ای پدرسوخته، از کجا فهمیدی؟

دوباره دو دختر نورسیده بودیم که در اتاق طبقهٔ بالای خانهٔ پدرم پچ و پچ می‌کردیم، من همان‌طور قلبم به تپش افتاده‌بود و او همان‌گونه هیجان‌زده و بی‌تاب بود.

ـ خوب بگو، بگو کجا دیدیش؟ چطوری بود؟ چه شکلی شده؟

ـ ای بابا صبر کن یکی یکی، رفته بودم داروخانه دواهای مامانو بگیرم، دکترش با من آشناس، مهمون داشت، هر دو پشت پیشخوان ایستاده بودند، ولی من صورت مهمونشو نمی‌دیدم پشتش به من بود، صدا به نظرم آشنا اومد چون پشتِ موها و قد و هیکلش هم تر و تمیز و خوشگل بود. کنجکاو شدم که قیافه‌شو ببینم، دستیارش دواها رو داد ولی من نمی‌تونستم این مردو نبینم و برم، بی‌خودی رفتم طرف دکتر و گفتم سلام آقای دکتر، حالتون خوبه؟ به نظر شما روزی چند تا قرص خواب‌آور می‌شه خورد...؟ فکر کن چه سؤال احمقانه‌ای کردم ولی همین باعث شد که مهمونش برگشت و با تعجب نگاهم کرد، وای معصوم خودش بود،

نمی‌دونی چه حالی شدم، حسابی دست و پامو گم کردم.

ـ اونم تو رو شناخت...؟

ـ آره ماشاءالله، چه هوشی داره، بعد از این همه سال با این روپوش و روسری و موهای رنگ کرده منو شناخت! البته اولش کمی مکث کرد، من هم فوراً عینکمو برداشتم و بهش خندیدم تا خوب ببینه و روش بشه سلام علیک کنه.

ـ حرف هم زدید؟

ـ پس نه...؟ معلومه که زدیم خیال‌کردی هنوز از داداشات می‌ترسم؟!

ـ چه شکلی شده؟ خیلی پیر شده؟

ـ موهای شقیقه‌هاش کاملاً سفیده بقیه هم جوگندمی شده، عینک پنسی هم زده بود. آن وقت‌ها که عینکی نبود؟ بود؟

ـ نه نبود.

ـ صورتش هم البته پیر شده ولی خیلی فرق نکرده، مخصوصاً چشماش هنوز همان چشماس.

ـ چی گفت؟

ـ سلام علیک کرد، اول از حال بابام پرسید، گفتم خیلی وقته فوت کرده، تسلیت گفت، منم با پررویی از خودش پرسیدم گفتم:

ـ کجایید؟ چه می‌کنید؟ گفت:

ـ مدتی آمریکا بودم، توی دلم گفتم، چه غلطا، بعد پرسیدم:

ـ یعنی ایران اقامت ندارین؟ گفت:

ـ چرا چند سالی هست که اومدم و دوباره شروع به کار کردم، نمی‌دونستم چطوری بپرسم که زن و بچه داره یا نه، گفتم:

ـ خانواده چطورن؟ خوبن؟ با تعجب نگاهم‌کرد یعنی تو اونا رو از کجا می‌شناسی، گفتم منظورم مادر و خواهراتونه، گفت:

ـ مادرم متأسفانه بیست سالی هست که مرحوم شده، خواهرام هم ازدواج کردن و سر خونه و زندگی خودشونن، حالا که تو ایرون تنها هستم بیشتر می‌بینمشون، گوشام تیز شد، دیدم بهترین فرصته، پرسیدم:

ـ تنها هستین؟ گفت:

ـ آره، خانواده‌م امریکا موندن، گفتم:

ـ این که خیلی سخته، شما اینجا، اونا اونجا... گفت:

ـ چه می‌شه کرد؟ بچه‌ها بزرگ شدن به اونجا بیشتر عادت دارن، خانم هم نمی‌تونست تنهاشون بذاره. دیگه تقریباً همهٔ اطلاعاتو گرفته بودم، دیدم بیشتر از این سؤال کنم زشته، گفتم از دیدنتون خیلی خوشحال شدم، تلفن منزل ما رو یادداشت کنید، اگر فرصت کردید خیلی خوشحال می‌شیم ببینیمتون. با ناامیدی پرسیدم:

ـ از من چیزی نپرسید؟

ـ چرا صبر کن، همون‌طور که داشت تلفنو می‌نوشت گفت، از دوستان چه خبر؟ هنوز با هم در ارتباط هستین؟ از خوشحالی پر درآوردم گفتم:

ـ بله بله! البته، اونم دوست داره شما رو ببینه. بعدازظهر زنگ بزنید، شاید یک قراری گذاشتیم و همدیگه رو دیدیم، نمی‌دونی چشماش چه برقی زد، پرسید، اشکالی نداره؟ به نظرم هنوز از داداشات می‌ترسه، گفتم:

ـ ابداً! خیالتون جمع باشه. مثل باد خداحافظی کردم و نمی‌دونم چطوری خودمو به اینجا رسوندم، خدایی بود که تصادف نکردم، حالا چی می‌گی؟

باز هم هزار جور فکر در مغزم می‌رقصید، به معنی واقع می‌رقصیدند چون هیچ‌یک آرام و قرار نمی‌گرفتند تا من بفهمم که واقعاً به چه می‌اندیشم...

ـ آی... کجایی...؟ می‌گم حالا اگه عصری تلفن کرد چی بهش بگم؟ می‌خوای قرار بذارم فردا بیاد؟

ـ بیاد...؟ بیاد کجا؟

ـ یا خونهٔ ما یا اینجا، فقط ببین شیرین فردا چه برنامه‌ای داره؟

ـ فردا چند شنبه‌س؟

ـ دوشنبه.

ـ نمی‌دونم برنامه‌ش چیه.

ـ مهم نیست، خونهٔ مامان قرار می‌ذاریم، مامان که خوابیده و حالیش نیست.

ـ حالا برای چی قرار بذاریم؟ اصلاً ول کن.

ـ خودتو لوس نکن، دلت نمی‌خواد ببینیش؟ بالاخره اونم یه دوست قدیمیه، بعد از این‌همه سال، جالبه ببینیم چی به سرش اومده، مگه می‌خوایم چکار کنیم؟

ـ نمی‌دونم حسابی قاطی کردم.

ـ اینکه تازگی نداره، تو کی قاطی نبودی؟

ـ فکرم کار نمی‌کنه، دست و پام می‌لرزه.

ـ واقعاً که...؟ انگار هنوز شونزده سالشه.

ـ همون، چون شونزده سالم نیست نمی‌خوام ببینمش، اون منو در همون سن و سال یادشه، بیچاره، اگه حالا قیافهٔ منو ببینه وحشت می‌کنه.

ـ وا چه حرفا...؟ مگه فقط ما پیر شدیم؟ خودشم پیر شده، تازه به قول خسرو تو ماشاالله عین قالی کرمون میمونی. بهتر شدی که بدتر نشدی.

ـ چرند نگو خودمون که می‌دونیم پیر شدیم.

ـ مهم اینه که دیگرون ندونن، ما خودمون خیلی چیزا می‌دونیم، نباید به روی خودمون بیاریم.

ـ مگه مردم کورن؟ از روی عکسا معلوم می‌شه چقدر عوض شدیم، دلم نمی‌خواد دیگه به خودم تو آینه نگاه کنم.

ـ خوبه تو هم، چی‌چی رو پیر شدیم؟ هر کی ندونه خیال می‌کنه نود سالمونه، تازه چهل‌وهشت‌سالمونه.

ـ نه جونم خودتو گول نزن، پنجاه‌وسه‌سالمونه.

ـ به به! ماشاالله، تو با این‌همه علم ریاضی چطور اینیشتن نشدی؟

در همین موقع شیرین وارد شد، ما عین دو بچهٔ مقصر خود را جمع‌وجور کردیم، شیرین پروانه را بوسید و بدون توجه به ما به اطاقش رفت، ما به هم نگاه کردیم و زدیم زیر خنده.

ـ یادته تا علی می‌اومد چطوری کاغذا رو قایم می‌کردیم؟

ـ وای خدا مرگم بده، من برای یه ربع از خونه اومده‌بودم بیرون، حالا مامان دلش شور افتاده که چی به سر من اومده، در حالی‌که روپوشش را می‌پوشید

ادامه داد: من عصری نمی‌آم، اگه تلفن کرد فردا ساعت شش بعدازظهر باهاش قرار می‌ذارم خونهٔ مامان، اونجا مطمئن‌تره، ولی تو زودتر بیا، حالا تلفنی هم با هم حرف می‌زنیم.

به اطاقم رفتم، جلوی آینهٔ میز توالت نشستم، به خودم از نزدیک نگاه کردم، سعی کردم چیزی از چهرهٔ شانزده‌سالگیم را در آینه پیدا کنم، با دقت چروک‌های ریزی را که کنار چشمم بود و موقع خندیدن عمیق‌تر می‌شد وارسی کردم، دو خط مشخص از گوشهٔ بینی آمده، دو طرف لب‌هایم را گرفته بود، چال‌های گرد و زیبایی که در گونه داشتم و موقع حرف‌زدن و خندیدن به قول پروین‌خانم یک بند انگشت فرو می‌رفت به خطی دراز در کنار شیارهای گوشهٔ لب‌هایم تبدیل شده بود، آن پوست شفاف و صاف حالا رنگ‌پریده و افتاده بود و لک‌های کم‌رنگی روی گونه‌ها داشت، پوست پلک چشم‌هایم دیگر کشیده و آبی رنگ نبود و حلقه‌ای تیره درخشندگی چشم‌هایم را گرفته بودند، موهای خرمایی، پرپشت و لختی که تا کمرم می‌رسید، نصف شده بود کوتاه، نازک و بدحالت بودند. سفیدی ریشهٔ موها علی‌رغم رنگ کردن‌های مداوم خود را نشان می‌داد، حتی حالت نگاهم عوض‌شده‌بود. نه، من دیگر آن دختر زیبایی که روزی سعید عاشقش بود نیستم، حیران و مبهوت در آینه به دنبال خودم می‌گشتم که با صدای شیرین به خود آمدم.

ـ چی شده مامان؟ یه ساعته محو جمال خودت توی آینه‌ای. هیچ‌وقت ندیده بودم این‌قدر به آینه دلبستگی نشون بدی.

ـ دلبستگی؟ نه...! دلم می‌خواد هرچی آینه‌س بشکنم.

ـ عجب! چی شده؟ به قول معروف «خود بشکن آینه شکستن خطاست» حالا برای چی؟ مگه چی نشون می‌ده؟

ـ خودمو، پیری‌مو.

ـ شما که هیچ‌وقت از پیر شدن ناراحت نبودی، بر عکسِ همهٔ زنا، با شهامت از سن‌وسالت می‌گفتی.

ـ آره، ولی بعضی وقت‌ها یک حادثه، یک عکس آدمو بـه دوران گـذشته برمی‌گردونه، اون‌وقت به آینه نگاه می‌کنی، می‌بینی که با تصویری که از خودت داشتی چقدر تفاوت داری، خیلی ظالمانه است مثل یک سقوط میمونه.

ـ ولی مامان، تو همیشه می‌گفتی هر سنی زیبایی خودشو داره.

ـ بله ولی زیبایی جوونی چیز دیگه‌ایه.

ـ همهٔ دوستام می‌گن چقدر مامانت خانمه، چقدر باشخصیته.

ـ عزیز جون، مادرِ خانم‌جون زن خیلی خوش‌قلبی بود. وقتی دختر زشتی‌رو می‌خواست توصیف کنه، دلش نمی‌اومد بگه زشته، می‌گفت عوضش بانمکه، حالا دوستای تو هم برای اینکه نگن چقدر مامانت درب و داغونه می‌گن بـاوقار و باشخصیته.

ـ مامان، به تو نمی‌آد از این حرفا بزنی. از نظر من تو همیشه زیباترین هستی. وقتی بچه بودم دلم می‌خواست شکل تو بودم. بهت حسودیم می‌شد، تا همین چند سال پیش مردم بیشتر به تو نگاه می‌کردن تا به من، از اینکه چشمام رنگ چشمای تو نیست و پوستم به سفیدی و صافی تو نبود غصه می‌خوردم.

ـ چه حرفا می‌زنی؟ تو خیلی از مـن جـذاب‌تـر و زیبـاتری، مـن همیشه رنگ‌پریده بودم. همه فکر می‌کردن مریضم. ولی تو با اون چشمای شیطون، پوست گندمی خوش‌رنگ، چال خندان گونه، واقعاً چیز دیگه‌ای.

ـ حالا چی شده به فکر جوونیات افتادی؟

ـ این خاصیت سنه، آدم وقتی به این سن می‌رسه گذشته براش رنگ دیگه‌ای می‌گیره حتی روزای بدش هم جذاب به نظر می‌آد. تا جوونیم بـه آینده فکر می‌کنیم. سال دیگه چی می‌شه، پنج سال دیگه در چه وضعیم، عجله داریم که روزا زودتر بگذره. و ما زودتر به آینده برسیم. ولی وقتی به سن من مـی‌رسی، چون دیگه آینده‌ای پیش رو نیست و در واقع به قله رسیدی، بـرمی‌گردی بـه گذشته نگاه می‌کنی، به قول آقای شیرازی:

بـه ره رفته همچو رهگذری   گـاه دارم نگـاه پشت سری

تـو نمی‌دانی ای سـپیدهٔ مـن   که چه راهی‌ست پیش دیدهٔ من

نیستت از دریغ من خبری که تو را نیست راه پشت سری

عصر پروانه زنگ‌زد و گفت که برای ساعت شش بعدازظهر فردا قرار گذاشته. آن شب تا صبح در تب‌وتاب بودم. با خود می‌گفتم بهتر است او را نبینم لااقل خاطرهٔ جوانی و زیبایمان برای همدیگر باقی می‌ماند. یادم می‌آمد در تمام طول این سال‌ها بارها و بارها وقتی لباس زیبایی می‌پوشیدم. به خودم می‌رسیدم و از قیافهٔ خودم در آینه خوشم می‌آمد. آرزو می‌کردم او مرا در یک موقعیت غیرمنتظره در یک مهمانی، عروسی، خیابان ببیند. همیشه دلم می‌خواست اگر دیداری دیگر در زندگی ما رخ می‌دهد من در اوج زیبایی و کمال باشم. صبح اول وقت پروانه زنگ زد:

ـ چطوری...! من که دیشب اصلاً خوابم نبرد.

خندیدم و گفتم:

ـ آخه ما عین ظروف مرتبطه هستیم.

بعد تند و تند شروع کرد به دستور دادن:

ـ اول موهاتو رنگ‌کن

ـ تازه رنگ کردم.

ـ باشه، ریشه‌هاش خوب رنگ نگرفته، بعد حمام گرم بگیر. بعد یک کاسهٔ بزرگ آب سرد درست کن. توش یخ بریز، صورتتو فرو کن تو آب.

ـ خفه می‌شم.

ـ نه خنگ خدا، صورتتو چند بار بکن توی آب و بیرون بیار، بعد، از اون کرم‌ها که برات آوردم بزن اون کرمه که رنگش سبزه ماسک خیاره، بزن بیست دقیقه چشماتو ببند و بخواب بعد بشور بعد با کرم زرده خوب صورتتو کرم مالی کن، ساعت پنج هم اینجا باش تا خودم درستت کنم.

ـ چی‌چی رو درست کنی؟ مگه من عروسم؟

ـ خدا رو چی دیدی، شاید هم شدی.

ـ برو بابا، خجالت بکش. تو این سن‌وسال.

ـ باز گفت سن‌وسالی، اگه یه دفعه دیگه از این حرف‌ها بزنی به خدا می‌زنمت...

ـ حالا چی بپوشم؟

ـ اون پیرهن خاکستریه که تو آلمان با هم خریدیم.

ـ نه، زشته، اون لباس شبه.

ـ راست می‌گی، اون دوپیس کِرِمتو بپوش، نه! بلوز سرخابیه که دور یقه‌اش تور کمرنگ‌تر داره اونو بپوش.

ـ حالا خودم یه فکری می‌کنم.

ـ یادت نره اون کارایی که بهت گفتم حتماً بکنی‌ها....!

من که هرگز حوصلهٔ انجام این جور کارها را نداشتم، دستورات پروانه را کم و بیش اجرا کردم. وقتی ماسک به صورت زده و خوابیدم، شیرین به اطاقم آمد و با تعجب گفت:

ـ چه خبره، امروز خوب به خودت می‌رسی، چی شده؟

ـ هیچی پروانه وادارم کرده از این ماسک استفاده کنم. منم گفتم ببینم چطوره.

شیرین شانه‌هایش را بالا انداخت و از اتاق خارج شد. از ساعت سه‌ونیم شروع‌کردم به حاضر شدن، موهایم را که پیچیده بودم با دقت سشوار کشیدم. لباس‌هایم را یکی‌یکی پوشیدم در آینهٔ قدی نگاه کردم با خود گفتم، حداقل ده کیلو نسبت به اون وقت‌ها چاق شدم ولی عجیبه اون موقع که لاغر بودم، صورتم پر و گونه‌هام برجسته بود حالا که این‌همه چاق‌تر شدم صورتم نصف اون وقت‌هاست. هر لباسی به نظرم عیبی داشت. روی تخت پر از بلوز و دامن و پیراهن شده بود. شیرین به چهارچوب در تکیه‌داد و گفت:

ـ مامان، چه خبره؟ کجا می‌خوای بری؟

ـ خونهٔ پروانه.

ـ یعنی واسهٔ خاله پروانه داری این‌همه به خودت ور می‌ری؟

ـ آخه می‌دونی، پروانه چند تا از دوستای زمان قدیمو پیدا کرده و دعوت کرده. دلم نمی‌خواد به چشم اونا پیر و زشت باشم هنوز ازشون رودرواسی دارم.

ـ ها...! پس بگو... چشم هم‌چشمی دوران جوونیه که هنوز ادامه داره.

ـ چشم هم‌چشمی که نه، ولی احساس عجیبیه، انگار بعد از سی و چند سال می‌خوای دوباره توی آینه نگاه کنی. دلم می‌خواد چیزی از قیافهٔ اون وقتا رو در همدیگه پیدا کنیم وگرنه خیلی غریبه خواهیم بود.

ـ چند نفرن؟

ـ کی؟

ـ همونا که خاله پروانه دعوت کرده.

کمی گیج شدم. من همیشه دروغگوی بدی بودم. با مِن‌مِن گفتم اون یه نفرو دیده اونم قراره هرکسی رو که پیدا کنه بیاره. حالا دیگه نمی‌دونم، خودش تنها می‌آد یا ده نفرن.

ـ هیچ‌وقت از دوستای دیگه‌تون صحبت نکرده بودین، اسمش چیه؟

ـ آخه این‌قدر که من و پروانه صمیمی بودیم با اونا نبودیم ولی خوب دوست و همکلاسی بودن.

ـ خیلی جالبه، نمی‌تونم تصور کنم که دوستام سی سال دیگه چطورین. وای فکرشو بکن چه پیرو پاتالایی می‌شیم.

به روی خودم نیاوردم، منتظر بودم که اگر خواست با من بیاید بهانه‌ای بیاورم ولی خوشبختانه او مثل همیشه بودن با هم‌سن‌وسال‌های خودش یا حتی تنهایی را به جمع ما پیر و پاتال‌ها ترجیح می‌داد. بالاخره پیراهن شکلاتی رنگ، نخی و خنکی که در کمر تنگ می‌شد را پوشیدم با صندل‌های پاشنه بلند قهوه‌ای. با تمام عجله‌ای که کردم ساعت پنج و نیم گذشته بود که به خانهٔ پروانه رسیدم. او خوب مرا برانداز کرد.

ـ خوبه، بیا بقیه‌شو دُرُس کنم.

ـ ببین نمی‌خوام اَجق‌وجَق درستم کنی. همینم که هستم. بالاخره عمری ازم گذشته، با این زندگی که من داشتم.

ـ نه بابا، تو همین‌جوری هم خوشگلی فقط یه سایهٔ کمرنگ شکلاتی برات می‌زنم، با یه خط چشم باریک و کمی ریمل. رژ هم بزن همین. به چیز دیگه‌ای احتیاج نداری. ماشاالله هنوز پوستت مثل آینه‌اس.

ـ آره، اما آینهٔ شکسته.

ـ حالا ترک‌هاش همچین هم معلوم نیست، تازه اونم چشماش ضعیفه، اصلاً می‌خوای تو اتاق ازش پذیرایی کنیم که تاریک باشه و نبینه؟

ـ واقعاً که...! تو هم با این حرفات، مگه می‌خوای جنس بنجل بهش بفروشی. همون توی حیاط می‌شینیم.

رأس ساعت شش زنگ زدند، هر دو از جا پریدیم، پروانه گفت:

ـ به جون مامان اقلاً ده دقیقه‌اس که پشت در ایستاده تا سر ساعت زنگ بزنه، اون حالش از ما خراب‌تره.

دگمهٔ دربازکن را فشار داد و به طرف در رفت بعد از چند قدم برگشت و دید که من ایستاده‌ام، با دست اشاره کرد که بیا، ولی من سر جایم خشک شده بودم. از پنجره دیدم که پروانه او را به طرف حیاط هدایت می‌کند، کمی چاق شده بود، کت و شلوار خاکستری پوشیده و موهایش جو،گندمی می‌زد، هنوز صورتش را ندیده بودم. بعد از چند دقیقه پروانه به داخل ساختمان آمد و با عصبانیت گفت:

ـ تو کجایی؟ نکنه می‌خوای با سینی چایی وارد بشی عروس خانم؟

ـ خودتو لوس نکن، قلبم اومده تو دهنم، پاهام یه لحظه خشک شدن، نمی‌تونستم راه برم.

ـ الهی بمیرم کوچولو، حالا تشریف می‌آرین؟

ـ نه صبر کن!

ـ یعنی چه؟ خجالت بکش، از من پرسید تو اومدی گفتم آره، زشته، بیا دیگه، ما سنی ازمون گذشته، چرا ادای دخترای چهارده ساله‌رو درمی‌آری؟

ـ صبر کن بذار به خودم مسلط بشم.

ـ اَه... حالا برم چی بگم؟ بگم خانم غش کرده؟ زشته تنها نشسته.

ـ نه بگو پیش مامانمه، الان می‌آد، راستی مامانتو ندیدم، خدا مرگم بده.

و با دو به اتاق مادر پروانه رفتم... هرگز باورم نمی‌شد در این سن و سال هم چنین احساسات و دلهره‌هایی داشته باشم، من خودم را خیلی عاقل و سرد و گرم چشیده تصور می‌کردم، در این‌مدت با مردهای زیادی که توجه و علاقهٔ خاص

به من نشان می‌دادند برخورد کرده بودم ولی چنین احـوالی را جـز در هـمـان سال‌های جوانی نداشتم. خانم احمدی گفت:

ـ مادر، کی اومده؟

ـ یکی از دوستای پروانه ایناس.

ـ تو هم می‌شناسی؟

ـ بله، بله، من هم تو آلمان باهاش آشنا شدم.

در همین موقع صدای پروانه بلند شد:

ـ معصوم جان بیا سعید خان تشریف آوردن.

در آینه نگاهی به خودم انداختم، دستی به موهایم کشیدم گویا خانم احمدی هنوز مشغول حرف زدن بود که بیرون آمدم، نباید به خودم مـهلت فـکرکردن می‌دادم. با سرعت به حیاط آمده، با صدایی که سعی می‌کردم نلرزد: گفتم:

ـ سلام!

از جایش پرید، تمام قد ایستاد، مات نگاهم‌کرد، پس از چند لحظه به خود آمد و به آرامی گفت:

ـ سلام!

بعد از چند کلمه احوال‌پرسی همهٔ دلشوره‌ها به پایان رسیده بود، پروانه رفت چای بیاورد، ما روبه‌روی هم نشستیم. هـیچ‌کدام نـمی‌دانسـتیم چـه بگـوییم، صورتش شکسته شده بود، ولی چشمهای قهوه‌ای جذابش دقیقاً همان نگاهی بود که به یاد داشتم و در تمام این سال‌ها سنگینی‌اش را بـر زنـدگیم احسـاس می‌کردم، به‌طورکلی به نظرم پخته‌تر و دلنشین‌تر آمد، امیدوار بودم مـن هـم در چشمان او همین‌گونه دیده شوم. با نشستن پروانه و صحبت‌های اولیه، پس از نیم ساعت مجلس ما به تدریج گرم‌شد، ازش خواستیم بگوید که در این مدت کجا بوده و چه می‌کرده؟ گفت:

ـ به شرطی که همه بگن...

ـ من که چیزی برای گفتن ندارم، زندگیم خیلی عادی بوده، بعد از دیپلم شوهر کردم رفتم آلمان، بچه‌دار شدم، دو دختر و یک پسر دارم، دختر بزرگم عروسی

کرده، مقیم آلمان هستم ولی چون مامان مریضه بیشتر اینجام، اگه هم حـالش انشاالله بهتر بشه و راه بیفته، با خودم می‌برمش، همین، مـی‌بینید، حـتی یک اتـفاق جالب و هیجان‌انگیز تو زندگیم نیفتاده و با اشاره‌ای به من ادامه داد برعکس ایشون.

ـ پس شما بگید، تو این سال‌ها چه کردید؟

ـ چی بگم... و با التماس به پروانه نگاه کردم.

ـ نه تورو خدا تو هیچی نگو، آخه می‌دونید زندگی این یه کتابه اگـه الان شروع کنه تا نصف شب هم تموم نمی‌شه، تازه همشو هم من می‌دونم حوصله‌ام سر می‌ره شما بگید.

ـ یعنی معصوم خانم نمی‌خوان بگن؟

ـ چرا ولی سر فرصت، حالا شما بگید.

ـ من کمی دیرتر از آنچه قرار بود فارغ‌التحصیل شدم، به دلیل تنها پـسر و سرپرست خانواده بودن از سربازی معاف شـدم، بـرگشتم ارومیه، بـا کـمک عموهام داروخانه‌ای باز کردم، وضعمان خوب شد، زمین‌های پدری هم قیمتشان بالا رفت، خواهرها را یکی‌یکی شوهردادم، بعد داروخانه را فروختم و با مادرم به تهران آمدم، چند نفر از هم‌کلاسی‌ها مـی‌خواسـتند یک شرکت دارویـی راه بندازن، منم با اونا شریک شدم، کار توسعه پیدا کـرد، هـم در کـار واردات و صادرات بودیم و هم یک کارخونۀ لوازم آرایشی و بهداشتی راه انداختیم، مادرم اصرار داشت که زن بگیرم، با نازی که خواهر یکی از شرکام بود ازدواج کردم، نازی تازه درسش تموم شده بود، بعد از مدتی بچه‌دار شدیم اونم دوقلو، دو تا پسرِ آتیش‌پاره، اونقدر بزرگ کردنِ اینا سخت بود که دیگه بچه نخواسـتیم، بـعد از انقلاب همـه چیز به‌هم‌ریخت، وضع شرکت معلوم نبود، با شروع جنگ اوضاع آشفته‌تر شد، تمام فامیل نازی در حال رفتن بودند، اونم پاشو تو یک کفش کرد که باید بریم خارج، راه‌ها بسته بود، نازی اصرار داشت که غـیرقانونی از مـرز رد شیم، یکی دو سالی مقاومت‌کردم تا شرایط بهتر شد، مادرم مریض بود، غصۀ رفتن من مرگشو جلو انداخت، خیلی افسرده بودم، تمام زندگیمونو فروختیم، تنها کار عاقلانه‌ای که کردم نگهداشتن سهم شرکت بود، اول به اتریش رفتیم پیش

برادر دیگر نازی تا کارمان برای آمریکا درست شد، شروع کردن زندگی از صفر برای من مشکل بود ولی هر طور بود ماندیم و کم‌کم جا افتادیم، بچه‌ها خیلی راضی و خوشحال بودند، بعد از یکی دو سال هم به کلّی آمریکایی شدند، نازی برای اینکه زبان خودش خوب بشه فارسی حرف زدنو توی خونه ممنوع کرده بود در نتیجه بچه‌ها تقریباً فارسی رو فراموش کردند، از صبح تا شب یک‌سره کار می‌کردیم زندگیمون خوب بود، همه چیز داشتم، بجز دلخوشی، دلم برای خواهرام، دوستام، تهران، ارومیه تنگ شده‌بود، نازی تمام دوستان و فامیلش را در اطرافش داشت، بچه‌ها هم با دوستان مدرسه و همسایگان در دنیای دیگری زندگی می‌کردند، در عوالمی بودند که من هیچ تجربه و آگاهی از آن نداشتم بدجوری احساس تنهایی و غربت می‌کردم. با تمام‌شدن جنگ، گفتند اوضاع خوب شده، خیلی‌ها برگشتند، منم اومدم، دیدم شرکت پابرجاست، زمینهٔ کار هم بد نبود، دوباره شروع کردم، روحیه‌ام خیلی خوب شد، آپارتمانی خریدم و به دنبال نازی رفتم، ولی اون به هیچ وجه حاضر به بازگشت نبود، بهانهٔ خوبی هم داشت، بچه‌ها...! راست هم می‌گفت دیگه امکان جدا کردن بچه‌ها از فرهنگی که در اون حل شده بودند وجود نداشت، بالاخره تصمیم گرفتیم با توجه به اینکه من در تهران بهتر از اونجا پول درمی‌آرم، اینجا بمونم و کار کنم، نازی هم اونجا باشه تا بچه‌ها به سروسامون برسن، الان شش هفت سالی هست که زندگیمون این‌طوریه، بچه‌ها بزرگ شدن، از پیش ما رفتن در ایالت دیگه‌ای زندگی می‌کنن ولی نازی به هیچ‌وجه خیال اومدن به ایران رو نداره، سالی یک بار برای دیدنشون می‌رم، یه ماهی رو باهاشون می‌گذرونم، بقیه تنهاییه و کار و فکر و خیال، می‌دونم زندگی سالمی نیست ولی کاری هم برای تغییرش نمی‌کنم.

پروانه با لبخند فروخورده و شیطنت‌آمیزی که من خوب می‌شناختم به سعید نگاه‌می‌کرد و از زیرِ میز به پای من می‌زد، ولی من خیلی دلم سوخته بود، همیشه امیدوار بودم که لااقل او خوشبخت باشد اما ظاهراً تنهاتر از من بود.

ـ خوب حالا دیگه نوبت شماست.

من هم داستان ازدواج زودهنگام با حمید، خوبی و مهربانی او، مبارزات سیاسی‌اش، زندان رفتن، آزادی، زندان مجدد و بالاخره اعدامش را تعریف کردم. از کار و درسم، بلاهایی که به خاطر بچه‌ها کشیدم گفتم و شرایط فعلی را که تقریباً همه چیز روبه‌راه شده، هر سه به سر و سامان رسیده‌اند را مختصراً شرح دادم. آن شب مانند سه دوست صمیمی که پس از سال‌ها به هم رسیده‌اند، آن‌قدر حرف زدیم که گذشت زمان فراموشمان شد، با صدای زنگ تلفن هر سه از جا پریدیم، پروانه گوشی را برداشت و با تعجب گفت:

ـ بچه‌ها شیرینه، می‌گه ساعت دهه؟

همه تعجب کردیم، گوشی را گرفتم، شیرین با عصبانیت گفت:

ـ کجایی مامان، انگار خیلی خوش می‌گذره، دلم شور افتاد.

ـ عیبی نداره، یه دفعه هم تو دلت برای من شور بیفته. ما مشغول حرف زدن بودیم نفهمیدیم زمان چطور گذشت.

موقع رفتن، سعید گفت:

ـ من می‌رسونمتون.

پروانه با بی‌پروایی همیشگی گفت:

ـ نه الحمدلله خودش ماشین داره. نمی‌تونین دور از چشم من حرف بزنین.

سعید با صدای بلند خندید، من به پروانه چشم‌غره رفتم.

ـ چیه باز به من چشم‌غُرّه می‌ری؟ خوب می‌خواهم ببینم چی می‌گین، می‌بینید سعید خان از بچگی همین‌طور بود همیشه می‌گفت اینو نگو زشته، این کارو نکن زشته، حالا هم که پنجاه سال از عمرمون گذشته همون‌طوره.

ـ بسه دیگه پروانه، این حرفا چیه می‌زنی؟

ـ خوب من راحت حرفامو می‌زنم، به خدا اگه ببینم دور از چشم من با هم قرار گذاشتین خودتون می‌دونین، منم باید باشم... سعید می‌خندید، من لب‌هایم را گزیدم و گفتم:

ـ خوب معلومه که هستی.

ـ خوب پس چرا قرار بعدی رو حالا و جلوی من نمی‌ذارین، نکنه دیگه

نمی‌خواین همدیگه رو ببینین. برای اینکه غائله را ختم کنم گفتم:

ـ دفعه دیگه تشریف بیارید خونهٔ ما.

ـ آها این خوب شد، کی؟

ـ چهارشنبه صبح، شیرین از ساعت ده می‌ره دانشگاه تا عصر نمی‌آد، برای ناهار تشریف بیارید.

پروانه دست‌هایش را به‌هم‌کوفت.

ـ چه خوب! من به فرزانه می‌گم بیاد پیش مامان، وقتش برای شما خوبه سعید خان؟

ـ مزاحمتون نیستیم؟

ـ اختیار دارید خیلی هم خوشحال می‌شم.

آدرس و تلفنم را به سرعت یادداشت کرد. و با قرار پس فردا از هم جدا شدیم.

هنوز لباس‌هایم را درنیاورده‌بودم که تلفن زنگ‌زد، پروانه از آن طرف سیم با خنده گفت:

ـ تبریک عرض می‌کنم، طرف زن هم که نداره.

ـ چطور نداره، پس اون‌همه داستان برات تعریف کرد، چی بود؟

ـ تعریف جدایی بود نه تعریف زندگی زناشویی، نفهمیدی؟

ـ خدا نکنه، بیچاره... چقدر تو بدجنسی، انشاالله زنش هم می‌آد و زندگیشون روبه‌راه می‌شه.

ـ برو بابا تو هم، هنوز بعد از این‌همه سال نفهمیدم، واقعاً خنگی یا خودتو به خنگی می‌زنی!

ـ عزیز من اونا زن و شوهر رسمین، جدا نشدن، حرفی هم از طلاق نبود، تو چطور به خودت اجازه می‌دی در مورد روابط مردم با این سرعت قضاوت کنی؟

ـ ببینم جدایی یعنی چی؟ یعنی فقط برن یک جایی رو امضا کنن همین؟ نه جونم، اینا هفت ساله که از نظر عاطفی، علایق، نوع زندگی، نوع مسایل مشکلات، فرهنگ، محیط، زمان و مکان از هم جدان، تو هم به عقلت رجوع کن،

واقع بین باش، خیال کردی اون خانم توی ناف امریکا، تک‌وتنها، بدون سرخر، در اون محیط آماده، هفت ساله نشسته از هجران شوهرش که به خاطرش حاضر نیست حتی یک تُک پا به ایران بیاد اشک می‌ریزه؟! و این آقا هفت ساله که عیناً عیسی مسیح به یاد عشق نداشته‌اش، دست از پا خطا نمی‌کنه؟ برو بابا، همون ک‍ گفتم یا تو خیلی ساده‌ای یا خودتو می‌زنی به خریت.

ـ خوب اگه این‌طوریه چرا رسماً از هم جدا نمی‌شن؟

ـ چه لزومی داره؟ زنه زرنگ‌تر از این حرف‌هاس. یه خری اینجا براش جون می‌کنه، پول درمی‌آره و می‌فرسه. هیچ مزاحمتی هم نداره، نه ناهار می‌خواد، نه لباسِ شسته و نه چیز دیگه، آدم باید احمق باشه که یه همچین مرغ تخم‌طلایی رو از دست بده. این آقا هم تا حالا نخواسته زن بگیره، شاید هم اونجا سرمایه‌ای داره که اگه بخواد زنه رو طلاق بده ثروتش نصف می‌شه، فعلاً لزومی نمی‌بینه.

ـ تو به چه چیزایی فکر می‌کنی.

ـ من هزار تا مورد اینجوری دیدم. بعضی شرایطشون ممکنه با هم فرق داشته باشه ولی مطمئناً همه در یک چیز مشترکن.و اون اینکه، این زن و شوهر دیگه تا ابد برای هم زن و شوهر بشو نیستن. خیالت راحت.

برای روز چهارشنبه، با انرژی دوران جوانی، که فکر می‌کردم مدت‌هاست از دست داده‌ام، خانه را مرتب کردم، غذا پختم، به خودم رسیدم و چه روز خوبی را با هم گذراندیم، دیدارهای ما به همین ترتیب ادامه یافت و تمام زندگیم را تحت‌الشعاع خود قرار داد. احساس می‌کردم جوانی را از سرگرفته‌ام. به خودم می‌رسیدم. آرایش می‌کردم. لباس می‌خریدم. حتی گاهی به کمد شیرین دستبرد می‌زدم و بعضی بلوزهایش را می‌پوشیدم. دنیا رنگ دیگری گرفته بود. زندگیم جهت داشت. کارهایم را با ذوق و شوق انجام می‌دادم. دیگر احساس تنهایی، پیری، ازکارافتادگی و فراموش‌شدگی نداشتم حتی احساس می‌کردم چهره‌ام جوان شده. خط‌های زیر چشم‌هایم کمتر دیده می‌شد. شیارهای کنار لب آن عمق اولیه را نداشتند. پوستم درخشان و شاداب به نظر می‌رسید. همیشه

انتظاری دلپذیر در قلبم موج می‌زد. صدای زنگ تلفن برایم معنی دیگری پیدا کرده بود. بی‌اختیار موقع حرف‌زدن صدایم را پایین می‌آوردم و با کلمات مقطع و مبهم جواب می‌دادم. از نگاه کنجکاو شیرین می‌گریختم، می‌دانستم با آن حساسیت شدیدی که روی من دارد متوجهٔ همه چیز هست، تغییرات را درک می‌کند ولی نمی‌توانست بفهمد چه اتفاقی افتاده. یک هفته پس از شروع دیدارها گفت:

ـ مامان از وقتی که دوستای قدیمیتو پیدا کردی روحیه‌ات خیلی خوب شده.

یک بار دیگه با طعنه گفت:

ـ مامان به خدا رفتارت مشکوکه.

ـ یعنی چی که مشکوکه. مگه چیکار می‌کنم؟

ـ کارایی که قبلاً نمی‌کردی، به خودت می‌رسی، زیاد بیرون می‌ری، شاد و شنگولی، آواز می‌خونی. خلاصه نمی‌دونم یه جوری هستی.

ـ آخه چه جوری؟

ـ مثل عاشقا، مثل دختربچه‌ها.

با پروانه صلاح را در این دیدیم که سعید با شیرین آشنا شود. چون برای من دیگر خیلی زشت بود که در این سن‌وسال پنهان‌کاری کنم و مثل بچه‌ها از اینکه مرا با سعید ببینند وحشت داشته باشم. ولی باید دلیلی برای رفت‌وآمدهای او می‌یافتیم، بعد از گفت‌وگو با پروانه به این نتیجه رسیدیم که او را به عنوان یکی از دوستان خانوادگی پروانه که به تازگی از خارج آمده معرفی‌کنیم و در توجیه رفت‌وآمدهای زیادش هم مسایل کاری را مطرح نماییم. اتفاقاً او هم مقالاتی ترجمه کرده بود که برای ویرایش پیش من گذاشت و من خودم را مشغول با آنها نشان می‌دادم. شیرین یکی دوبار با او روبه‌رو شد، دلم می‌خواست نظرش را در مورد سعید بدانم ولی نمی‌خواستم ایجاد سوءظن کنم، بالاخره خودش به حرف آمد و بار دومی که او را دید و بیشتر با هم آشنا شدند گفت:

ـ خاله پروانه اینو از کجا پیدا کرده؟

ـ فامیل دورشونه، خیلی سال هم اینجا نبوده چطور مگه؟

ـ هیچی، پیرمرد خوش تیپیه.

ـ پیرمرد...؟!

ـ آره با شخصیت و آقا به نظر می‌آد. به خاله پروانه نمی‌خوره.

ـ بی‌تربیت، فامیلای خاله پروانه همه آدم حسابین.

ـ پس چرا خودش اینجوریه؟

ـ چه جوریه...؟

ـ یک کمی خُله.

ـ خجالت بکش، آدم در مورد خاله‌اش این‌طوری صحبت نمی‌کنه، حـالا بده خوش‌اخلاق و بگو بخنده، روحیهٔ آدمو جوون می‌کنه.

ـ آره والله شما که وقتی اون هست سر از پا نمی‌شناسین، هی یواشکی با هـم هرهر و پچ پچ می‌کنین.

ـ تو به اونم حسودی می‌کنی؟ یعنی من حتی یک دوست هم نباید داشته باشم؟

ـ نه بابا، کی من همچین حرفی زدم، من خیلی هم خوشحال می‌شم که شما سرحال باشید و روحیه‌اتون خوب باشه، فقط اون انگار متوجه سن و سالش نیست.

❧

در تمام طول تابستان حداقل یک روز در میان همدیگر را می‌دیدیم. اواسط شهریور بود که ما را به باغی که در اطراف دماوند خریده بود دعوت کرد. چه روز زیبا و خاطره‌انگیزی...! بادی دلنشین از روی کوه‌های سر به فلک کشیده خنکی برف‌های قله را با خود می‌آورد. هوا تمیز و عطرآگین بود، برگ‌های کـوچک درختان سپیدار که دور تا دور باغ را گرفته بودند در انتهای ساقهٔ نازک خـود مانند پولک‌های درشت با وزش هر نسیمی تکان می‌خوردند و در شعاع‌های درخشان خورشید رنگ‌به‌رنگ می‌شدند. وقتی باد شدیدتر بود، صدای حرکت این برگ‌ها چنان بود که گویی هزاران نفر برای تو، زندگی و تمـام زیبایی‌های طبیعت دست می‌زنند. در کنار جوی‌های آب گل‌های اطلسی در عطر دلپذیرشان آرمیده بودند. درختان میوه بارهای بهشتی خود را حمـل می‌کردند، سیب‌های

دورنگ، گلابی‌های رسیده، آلوهای زرد، هلوهای کرکدار دعوت کننده و اشتهاآور زیر انوار طلایی آفتاب می‌درخشیدند؛ در زندگیم روزهای نادری بود که آرزو کردم زمان از حرکت باز ماند و آن روز یکی از همان روزها بود. آرام، زیبا، بدون دغدغه، ما سه نفر چقدر در کنار هم شادمان و راحت بودیم. پرده‌های محافظه‌کاری و غربت فروافتاده بود و ما آزادانه با هم به گفت‌وگو می‌نشستیم. پروانه به عنوان نیمهٔ دیگر من چیزهایی را که شاید من توان گفتنش را نداشتم مطرح می‌کرد. با شیطنت‌ها و رک‌گویی‌هایش باعث خنده و شادمانی می‌شد. و من نمی‌توانستم خنده‌هایم را کنترل کنم، گویی از عمیق‌ترین ذرات وجودم برمی‌خاست، بر لبانم می‌شکفت، صدایش در گوشم طنینی دلپذیر و عجیب داشت، با خود می‌گفتم:

ـ آیا این واقعاً منم که این چنین می‌خندم.

عصر آن روز بعد از یک پیاده‌روی نشاط‌آور و زیبا در تراس بلند ویلا نشستیم، با نگاه به منظرهٔ غروبی باشکوه، چای و شیرینی می‌خوردیم که پروانه شروع کرد.

ـ سعید، من نمی‌تونم این سؤالو نپرسم، در تمام این سال‌ها من و معصوم اینو از خودمون پرسیدیم. تو چرا بعد از اون شب گم شدی؟ چرا برنگشتی؟ چرا مادرتو برای خواستگاری نفرستادی؟ فکر نمی‌کنی تعلل کردی و تمام این سختی‌هایی که هر دو در زندگی کشیدید نتیجهٔ این تعلل تو بود؟

تا آن روز همه سعی کرده بودیم که در مورد آن شب و مسایل آن صحبت نکنیم. چون هم باعث شرمندگی من می‌شد و هم او را حتماً خجالت زده می‌کرد. لذا از این گستاخی پروانه ناراحت شدم. به طرفش نگاه کردم، لب‌هایم را گزیدم و با سرزنش گفتم:

ـ پروانه؟!

ـ چته؟ من احساس می‌کنم ما این‌قدر صمیمی شدیم که بتونیم در مورد دلایل کارامون صحبت کنیم. اونم مسأله‌ای به این مهمی که سرنوشت هر دوی شما رو تغییر داد. نه؟ سعید، اگر نمی‌خوای جواب بدی، نده!

ـ نه! نه! من باید توضیح بدم. اتفاقاً خیلی خواستم در مورد اون شب و وقایع بعدش حرف بزنم ولی ترسیدم معصوم ناراحت بشه.

ـ معصوم، تو ناراحت می‌شی؟ نمی‌خوای بدونی؟

ـ چرا، بدم نمی‌آد بدونم... و او تعریف‌کرد و گفت:

ـ آن شب من از همه جا بی‌خبر در مغازه بودم، که احمد آمد و شروع به فحاشی کرد. هاج و واج مانده بودم. دکتر عطایی رفت طرفش که آرومش کنه. به طرف دکتر حمله کرد. من دویدم که دکترو کنار بکشم، با مشت و لگد به جانم افتاد. نمی‌خواستم باهاش گلاویز بشم خیلی مست بود. همهٔ اهل محل جمع شدند. من‌که آدم کم‌رویی بودم و برای حفظ آبروم حتی جلوی مردم سیگار نمی‌کشیدم داشتم از خجالت می‌مردم. هزار نسبت زشت ناموسی به من داد. گفت، خواهرشو از راه به در کردم و خیلی چیزای دیگه که برای آبروی خودش هم بد بود. ولی اصلاً حالیش نبود. بعد چاقوشو درآورد و به طرفم حمله کرد. مردم ریختن و گرفتنش و منو از زیر دست و پاش بیرون کشیدند. بعد تهدید کرد که اگه اون طرفا پیدام بشه می‌کشدم. البته من از تهدیدش نترسیدم ولی دکتر گفت که من چند روزی به مغازه نرم، در ضمن حالم هم خراب بود اصلاً نمی‌تونستم از جام تکون بخورم. بدنم به شدت کوفته بود و یک چشمم اونقدر ورم کرده بود که دیگه جایی رو نمی‌دید. زخمام چیز مهمی نبودند فقط دستم چند بخیه خورد. چند روز بعد دکتر عطایی آمد دیدنم. گفت که احمد هر شب مست و لایعقل می‌ره جلوی مغازه فحش می‌ده و گفته اگه اینجا مردم نذاشتن اون سگ کثافتو بکشم، تو خونه دیگه کسی نمی‌تونه جلومو بگیره. می‌رم اون دختره‌رو می‌کشم که داغش به دل اون فلان‌فلان‌شده بمونه. از طرفی دکتر طباطبایی که سرکوچه مطب داشت به دکتر عطایی گفته بود که برای معاینه تو به خانهٔ شما آمده و تعریف کرده‌بود که تو را چطوری زده‌اند و چقدر حالت بده. دکتر گفت به خاطر اون دختر معصوم هم که شده فعلاً برو و چند ماهی این‌طرفا نیا، تا آب‌ها از آسیاب بیُفته اونوقت خودم با پدرش حرف‌می‌زنم و خبرت می‌کنم، تو هم مادرتو بیار و برو خواستگاری. گاهی شب‌ها دیروقت مثل دزدها می‌آمدم پشت خونتون، امیدوار بودم از پنجره

ببینمت. اون ترم دیگه دانشگاه نرفتم و امتحان ندادم. رفتم ارومیه، منتظر خبر دکتر موندم. تصمیم گرفته بودم که عقد کنیم تا من درسم تموم بشه. اگرم تو قبول کردی ازدواج کنیم و تو بمونی پیش مادرم. تو این فکر و خیال‌ها بودم، مادرم هم آماده بود. ولی از دکتر خبری نشد. خودم اومدم تهرون، رفتم پیشش، شروع کرد به نصیحت کردن که باید درسمو بخونم، که زندگی من تازه شروع شده، که غصه نخورم، که همه چیز به زودی فراموش می‌شه. خلاصه نصیحت‌هایی که به کسانی که عزیزشون مرده می‌گن. اول فکر کردم خدای نکرده تو مردی. ولی بـالاخره گفت که چقدر با عجله، در عرض یک هفته تو رو شوهر دادن. دنیا در برابرم تیره و تار شد. ترم بعدی هم به دانشگاه نرفتم. شش ماه دیگه هم طـول کشیـد تـا تونستم خودمو پیدا کنم و به زندگی ادامه بدم.

هر چه بیشتر سعید را می‌شناختم بیشتر می‌فهمیدم که چه ظلمی در حقم روا داشته‌اند. ما می‌توانستیم خوشبخت‌ترین زوج دنیا شویم، آه که اگر فقط چند ماه دیرتر مرا شوهر می‌دادند...

❦

روزهای زیبای تابستان با سرعتی باورنکردنی گذشت. خنکی روزهای آخر شهریور یادآور پاییزی بود که داشت از راه می‌رسید. حال مادر پروانه بهتر شده بود و دکترها به او اجازهٔ سفر داده بودند، پروانه هـم داشت خـودش را بـرای بازگشت آماده می‌کرد. من و او با سعید در حیاط نشسته بودیم. من شال نازکی بر دوش انداخته بودم. دلم گرفته بود. گفتم:

ـ پروانه این بار بیشتر از همیشه از رفتنت ناراحتم و احساس تنهایی می‌کنم.

ـ خدا از ته دلتون بشنوه. کلی نذر و نیاز کردین تا از شر من خلاص بشین، ولی بعد از این باید هر کلمه‌ای که می‌گین برام بنویسین. اصلاً تا به هم می‌رسین یه ضبط صوت بذارین صداتونو ضبط کنین.

سعید برخلاف همیشه نخندید، با ناراحتی سرش را تکان داد و گفت:

ـ نگران نباش منم باید برم.

هر دو در جایمان راست نشستیم، با تعجب گفتم:

ـ کجا بری؟

ـ باید برم امریکا. هر سال اول تابستون می‌رفتم یک تا سه ماه پیش نازی و بچه‌ها می‌موندم. امسال هم قرار بود برم ولی تا حالا دست‌دست کردم. راستش دلم نمی‌آمد، نمی‌خواستم برم...

در صندلی فرو رفتم. خنده از لب‌هایم پر کشید. هر سه ساکت و متفکر بودیم. پروانه برای آوردن چای به داخل خانه رفت. سعید از فرصت استفاده کرد، دستش را روی دستم که روی میز مانده بود گذاشت و گفت:

ـ قبل از رفتن حتماً باید باهات حرف بزنم، ولی تنها. فردا برای ناهار بیا همون رستوران که هفتهٔ پیش رفته بودیم. ساعت یک منتظرم، حتماً بیایی‌ها.

می‌دانستم چه می‌خواهد بگوید. تمام عشق آن سال‌ها دوباره بیدارشده‌بود، با دلهره و اضطراب وارد رستوران شدم. در دورترین نقطه پشت میز کوچکی نشسته بود و از پنجره به بیرون نگاه‌می‌کرد. به طرفش رفتم، بلند شد، بعد از گفت‌وگوهای معمولی، ناهار خوردیم، هر دو در فکر بودیم و هیچ‌کدام حرف نمی‌زدیم، غذایمان را نتوانستیم کامل بخوریم، بعد از ناهار سیگاری آتش زد و گفت:

ـ معصوم، حتماً حالا دیگه فهمیدی که تو تنها عشق واقعی من در تمام طول زندگیم بودی. سرنوشت مشکلات زیادی جلوی پای ما گذاشت و سختی‌های زیادی کشیدیم. ولی حالا شاید می‌خواد جبران کنه و روی خوشش رو به ما نشون بده. من دارم می‌رم امریکا که تکلیفمو با نازی یک‌سره کنم. از دو سال پیش بهش اخطار داده‌بودم که یا بیاد ایران و با من زندگی کنه یا طلاق بگیره. ولی هیچ‌کدوم پی‌گیری نمی‌کردیم. حالا اون ظاهراً رستورانی باز کرده کارش هم خیلی گرفته. می‌گه به نفعمونه که اونجا بمونیم. در هر حال باید همین امسال دیگه برنامهٔ زندگیمونو روشن کنیم، از این زندگی بلاتکلیف و نامرتب خسته شدم. اگر از تو مطمئن باشم که با من ازدواج می‌کنی خیلی چیزا برام روشن می‌شه. با خیال راحت می‌تونم تصمیم بگیرم و قاطعانه عمل کنم؛ خوب! حالا چی می‌گی؟ با من ازدواج می‌کنی؟

با اینکه همیشه منتظر این پیشنهاد بـودم و از روزی کـه او را دیـده بـودم می‌دانستم چنین تقاضایی از من خواهد کرد ولی باز هم قلبم فرو ریخت و به تته پته افتادم، چون حتی در فکرهایم هم نمی‌دانستم که چه جوابی باید بدهم.

ـ نمی‌دونم.

ـ چطور نمی‌دونی؟ یعنی بعد از سی و چند سال هنوز هم نمی‌تونی برای خودت تصمیم بگیری؟

ـ سعید بچه‌هام، بچه‌هامو چکار کنم.

ـ بچه‌ها؟ کدوم بچه‌ها؟ دیگه بچه‌ای وجود نداره، همه بزرگ شدن هر کدوم پی زندگی خودشون رفتن. دیگه به تو احتیاج ندارن.

ـ ولی در مورد من خیلی حساسن می‌ترسم ناراحت بشن. آخه مادرشون در این سن و سال...

ـ تو رو به خدا بیا و یک بار در زندگی فقط به خودمون فکر کنیم. بالاخره ما هم سهمی از زندگی داریم. مگه نه؟!

ـ باید با بچه‌هام صحبت کنم.

ـ خوب بکن. ولی هر چه زودتر به من جواب بده. وقت ندارم این شنبه که می‌آد نه شنبهٔ بعدش پرواز دارم. نمی‌تونم بیشتر از ایـن سـفرمو عـقب بـندازم. مخصوصاً که سر راه یک قرار ملاقات کاری هم در آلمان دارم.

از همان جا یک‌راست به خانهٔ پروانه رفتم. همه چیز را تعریف کردم، از جا پرید و گفت:

ـ ای خائن‌ها، بالاخره کار خودتونو کردین و دور از چشم من حرف‌هاتونو زدین. سی و چند سال منتظر بـودم کـه عکس‌العملتو در اون لحـظه کـه ازت خواستگاری می‌کنه ببینم. ولی شماها خیانت کردید.

ـ آخه پروانه...!

ـ خیلی بدجنسین. ولی عیبی نداره. می‌بخشمتون، تو رو خدا همین چند روزه تا من هستم عقد کنید. من باید باشم. این یکی از بزرگترین آرزوهای زندگی من بوده.

ـ پروانه تو رو به خدا بس کن. آخه تو این سن و سال، دوباره شوهر کـنم،

بچه‌هام چی می‌گن؟

ـ چه می‌خوان بگن؟ تو جوونیتو پاشون گذاشتی. همه کار براشون کردی. حالا دیگه باید به فکر خودت باشی. اونا همه می‌رن سر خونه زندگی خودشون. تو هم حق داری مونسی برای روزای پیری و تنهاییت داشته باشی. به نظر من اونا خیلی هم خوشحال می‌شن.

ـ تو متوجه نیستی، می‌ترسم جلوی سر و همسر خجالت‌زده بشن. باید فکرآبروی اونا هم باشم.

ـ خوبه، خوبه، تو هم با این آبروداریت. از دست آبروی تو خفه شدم، تا بود که فکر آبروی بابات بودی. بعد داداشات. بعد شوهرت حالا بچه‌هات، به خدا اگه یک دفعه دیگه بگی آبروم! آبروم! خودمو از این پنجره می‌اندازم پایین.

ـ وا... از کدوم پنجره؟ این جا که یه طبقه‌اس.

ـ نه بابا!... پس می‌خواستی واسه خاطر آبروی جنابعالی من خودمو از برج ایفل بندازم پایین؟ تازه مگه می‌خوای کار بی‌آبرویی بکنی؟ خیلی‌ها چندبار ازدواج می‌کنن، بذار اقلاً بقیهٔ عمرتو در آرامش و سعادت بگذرونی. خدا نکرده تو هم آدمی. برای خودت حق و حقوقی داری.

تمام آن شب فکرکردم، چگونه به بچه‌ها بگویم. سعی کردم عکس‌العمل هر کدامشان را مجسم کنم. در بهترین و بدترین حالت چه خواهند گفت؟ احساس می‌کردم مثل دختر مدرسه‌ای هستم که جلوی پدر و مادرش می‌ایستد و می‌گوید، «آره می‌خوامش، می‌خوام باهاش عروسی کنم.» و پایش را بر زمین می‌کوبد، تا صبح چند بار از کل ماجرا منصرف شدم. تصمیم گرفتم سعید را ندیده بگیرم و به زندگیم با همان روال سابق ادامه‌دهم. ولی قیافهٔ دلنشین و مهربان سعید، تنهایی، صداقت و عشق کهنه‌ای که در تمام این سال‌ها در ته قلب هر دو زنده مانده و حالا تر و تازه شده بود مانع می‌شد صرف‌نظر کردن از او مشکل بود. تمام شب از این دنده به آن دنده غلتیدم ولی فایده‌ای نداشت. صبح اول وقت پروانه زنگ زد و گفت:

ـ خوب، گفتی؟

ـ نه بابا، به کی بگم نصف شبی، تازه چطوری بگم.

ـ ای بابا، مگه غریبن؟ تو که ماشاالله یک‌سره با بچه‌هات در حـال حـرف زدنی. حالا نمی‌تونی یه حرف به این سادگی رو بگی. زبونت فقط برای من درازه؟

ـ چی چی رو ساده! کجاش ساده‌س؟

ـ اول به شیرین بگو. هر چی باشه اون زنه، بهتر مـی‌فهمه. از ایـن غـیرت میرتای پسرای ایرونی واسه ننه‌شونو هم نداره.

ـ نمی‌تونم، خیلی سخته.

ـ می‌خوای من بگم؟

ـ تو؟ نه خودم باید بالاخره شهامتشو پیدا کنم. یا از خیرش بگذرم.

ـ چی چی رو از خیرش بگذرم! مگه عقلت کم شده، بعد از سی و چند سال به عشقت رسیدی حالا ازش بگذری. اونم به خاطر هیچ و پوچ. اصلاً می‌آم اونجا دوتایی بهش می‌گیم. این‌طوری بهتره. دو نفر در مقابل یه نـفر بهـتر از پسش برمی‌آیم.

ـ مگه می‌خوایم کتک‌کاری کنیم؟

ـ اگه لازم بود کتکش هم می‌زنیم. من طرفای ظهر می‌آم.

❊

شیرین بعد از ناهار لباس پوشید و گفت:

ـ من یک سری باید برم پیش شهناز دوستم، زود برمی‌گردم.

ـ اوا شیرین جون من اومدم تو رو ببینم، کجا می‌ری؟

ـ ببخشید خاله، مجبورم برم، برای کار این ترم تابسونی دانشگاهه، اگه خـدا بخواد این کار هم تمام بشه ترم دیگه از شر دانشگاه خلاص می‌شم، و مـی‌تونم برم... تا شما استراحتی کنید من برگشتم.

ـ زشته، حالا نمی‌شه نری؟ خاله پروانه چند روز دیگه بیشتر مهمون ما نیست.

ـ خاله که غریبه نیست، اگه مجبور نبودم نمی‌رفتم، شما یک کمی دراز بکشید، من عصری یک کیک نسکافه که خاله دوست داره می‌خرم و می‌آم، شماها هم

بساط چای رو توی تراس بچینید تا من خودمو برسونم.

من و پروانه کنار هم روی تخت درازکشیدیم، پروانه گفت:

ـ داستان شماها عین فیلما شده.

ـ آره فیلمای هندی.

ـ مگه فیلمای هندی چه ایرادی دارن؟ اونا هم آدمن، اتفاق‌هایی براشون می‌افته.

ـ آره ولی اتفاق‌های عجیب و غریب، که امکان وقوعش در دنیای واقعی خیلی کمه.

ـ حالا فیلمای جاهای دیگه کم عجیب و غریبن؟ یا امکانش توی دنیا واقعی هست؟ اون مرد هیکل‌داره امریکاییه کیه؟ آها آرنولد، یک تنه یه ارتشو از بین می‌بره، یا اون یکی که با یه لگد ششصد تا آدمو پرت می‌کنه. از توی هواپیما می‌پره روی قطار، از روی قطار می‌پره روی ماشین، از روی ماشین پرواز می‌کنه می‌ره توی کشتی این وسط سیصد نفر و لَت‌وپار می‌کنه، خودشم یه خراش برنمی‌داره، این‌ها واقعیت داره و امکان پذیره؟

ـ خوب حالا منظور؟

ـ منظورم اینه که خدا، سرنوشت یا هر چی که اسمشو بذاری خیلی شرایط قشنگی برات فراهم کرده اگه ازش استفاده نکنی، ناشکری کردی.

❧

عصر در تراس نشسته بودیم که شیرین نفس‌زنان آمد کیک را روی میز گذاشت و گفت باز که هوا گرم شده، مُردم، برم لباسامو در بیارم. نگاه ملتمسانه‌ای به پروانه کردم، او هم با سر اشاره کرد که آرام باشم و سرجایم بنشینم، شیرین برگشت و تعریف‌کنان مشغول نوشیدن چای که برایش ریخته بودم شد، پروانه از یک فرصت استفاده کرد و گفت:

ـ شیرین جون با یه عروسی چطوری؟

ـ عروسی...؟! آخ جون، دلم لک زده برای یه عروسی درست و حسابی، از اون عروسیا که بزن و برقص داشته باشه، نه مثل عروسیای خونهٔ داییمحمود و علی،

خوب حالا عروسی کی هست؟ راستی عروس داماد خوشگلن؟ باحالن؟ من از عروس دامادای بی‌ریخت بدم می‌آد.

ـ مامان درست حرف بزن، باحال، چیه؟

ـ با حال! یعنی سرزنده، سرحال، خیلی هم کلمهٔ خوبیه، خارجی هم نیست، حالا چون اصطلاح جووناس بده، خدا رحم کرد که مامان استاد ادبیات فارسی ما نشد و گرنه باید مثل زمان قائم مقام فراهانی حرف می‌زدیم.

ـ ماشاالله می‌بینی چه زبونی داره؟ یک کلمه که حرف بزنی ده‌تا جواب می‌ده.

ـ حالا سر چیزای بیخودی بحث نکنین، من دیرم شده، باید برم.

ـ اِ... خاله من تازه اومدم.

ـ تقصیر خودته، می‌خواستی نری، من که بهت گفتم.

ـ خوب حالا نگفتین عروسی کیه...؟

ـ دوست داری عروسی کی باشه؟

شیرین سرش را به پشتی صندلی تکیه داد، چایش را مزه‌مزه کرد و گفت چه می‌دونم.

ـ اگه عروسی مامانت باشه چی؟

شیرین با پفی ذرات چای را به اطراف پخش‌کرد، به جلو خم‌شد با صدای بلند می‌خندید، من و پروانه به هم نگاه‌کردیم، سعی کردیم ما هم کمی بخندیم. ولی خندهٔ شیرین تمامی نداشت. انگار بامزه‌ترین شوخی‌ها را برایش تعریف‌کرده‌بودند.

ـ چته؟ مگه حالا این‌قدر خنده داره؟

ـ چطور خنده نداره خاله؟ تصورشو بکن مامان با این سن‌وسال لباس عروسی بپوشه، تور به سرش بزنه. با یه پیرمرد قوزی عصا زنون بیان توی مجلس. لابد منم باید دامن عروسو بگیرم. تصور کنید بعد داماد لقوه‌ای با دستای لرزون بخواد حلقه رو توی انگشتای چروکیدهٔ عروس خانم بکنه. تو رو خدا تصورشو بکنین. خنده‌دار نیست؟

من شرمنده و خشمگین سرم را پایین انداخته انگشت‌هایم را به هم

می‌فشردم. پروانه با عصبانیت گفت:

ـ بَسه دیگه، کجای مامانت چروکیده‌س. همچین حرف می‌زنی انگار صد سالشه. چقدر این جوونا پررو و بی‌ملاحظه شدن. خیالت جمع، دامادم هم لقوه‌ای نیست. از فرامرزخان تو هم خوش‌تیپ‌تر و خوش قد و هیکل تره.

شیرین مبهوت به من و پروانه نگاه کرد.

ـ حالا چرا بهتون برمی‌خوره، من این صحنه رو توی فیلم دیده بودم. اصلاً درست بگید ببینم منظورتون چیه؟

ـ منظورم اینه که مامانت اگه بخواد همین الانم می‌تونه ازدواجای خیلی خوب داشته باشه.

ـ ترو خدا ول کنید خاله، از این حرفا نزنید، مامان من خانمه، از این وصله‌ها بهش نمی‌چسبه. خودش دو تا عروس داره دو تا نوه، حالا هم به فکر شوهر دادن دختر یکی یک دونشه. راستی مامان فرامرز گفت، کارای من دیگه تقریباً درست شده، خودش هم به احتمال زیاد برای تعطیلات ژانویه می‌آد که جشن بگیریم و بعد هم با هم برگردیم.

نمی‌توانستم عکس‌العمل‌هایم را کنترل کنم. مسألهٔ ازدواج دخترم در میان بود، باید علاقه نشان می‌دادم، با گیجی سرم را تکان داده و گفتم:

ـ بعداً در موردش حرف می‌زنیم.

ـ چته مامان ناراحت شدی من گفتم شما پیر هستین؟ ببخشید، تقصیر خاله پروانه‌س. یک حرف‌هایی می‌زنه که آدم خنده‌ش می‌گیره.

ـ چرا خنده‌ت می‌گیره؟ اونجا زنا و مردای ۸۰ ساله ازدواج می‌کنن، هیچ‌کس هم نمی‌خنده، بچه‌ها و نوه‌ها شونم خوشحالی می‌کنن و مهمونی می‌گیرن. مامان تو که سنی نداره.

ـ خاله پروانه، شما زیادی اون طرفا بودین، حسابی فرنگی شدین. اینجا فرق می‌کنه. اینجا من یکی روم نمی‌شه بگم، عروسی مامانمه. تازه مامان من چیزی کم نداره که بخواد شوهر کنه.

ـ مطمئنی...؟!

ـ البته، خونه و زندگی درست و حسابی داره، کارشو داره. مسعود هم با کلی زحمت تمام سوابقشو توی شرکت‌های مختلف جمع‌کرده و کار بازنشستگی‌شو درست کرده. پسراشم که همه جور تأمینش می‌کنن. مسافرت و گردش و تفریحش هم به راهه. تازه قراره بعد از ازدواج من بیاد اونجا پیش من و بچه‌های منو نگهداره.

ـ چه افتخاری...!!!

من دیگر نمی‌توانستم این بحث را تحمل کنم. بلند شدم استکان‌ها را جمع‌کردم و داخل آمدم. از پنجره می‌دیدم که پروانه تندوتند حرف می‌زند و شیرین عصبانی نگاهش می‌کند. دیگر به تراس نرفتم. پروانه کیفش را برداشت و آمد تو. روپوش و روسری را پوشید و یواش گفت:

ـ بهش گفتم که نیاز یک انسان در هر سنی فقط مادیات نیست. عواطف هم هست. گفتم همون آقایی که اومده بود اینجا خواستگار مامانته.

از پنجره شیرین را می‌دیدم. آرنج‌ها را روی میز گذاشته و سرش را میان دست‌هایش گرفته بود، با رفتن پروانه به تراس رفتم، سرش را بلندکرد، چشمان اشک آلودش را به من دوخت و گفت:

ـ مامان بگو که پروانه دروغ می‌گه. بگو که حقیقت نداره.

ـ چی حقیقت نداره؟ اینکه سعید از من خواستگاری کرده؟ چرا، حقیقت داره. ولی من هنوز بهش جواب ندادم... نفس راحتی کشید.

ـ آه...، خاله‌پروانه همچنین گفت که من خیال‌کردم کار تمومه تو که این کارو نمی‌کنی، نه؟!

ـ نمی‌دونم، شایدم کردم.

ـ مامان، به ما فکر کن. می‌دونی فرامرز چقدر برای تو احترام و ارزش قائله. همیشه از وارستگی، خانمی، ازخودگذشتگی تو صحبت می‌کنه. می‌گه این همون مادریه که می‌شه به پاش سجده‌کرد. حالا من چطور بگم مامانم هوس شوهر

کرده. با این کار تصویری رو که این‌همه سال از تو رسم کرده‌بودیم و ستایش می‌کردیم خراب می‌کنی.

ـ من نه می‌خوام جنایت کنم. نه خیانت، نه کار خلاف شرع، چرا باید شخصیت من برای شماها زیر سؤال بره؟

با عصبانیت بلند شد، صندلی را با صدا کنار زد و به طرف اطاقش دوید، بعد از چند لحظه زنگ‌های مقطع و کوتاه تلفنِ هال نشان داد که دارد شماره می‌گیرد، مطمئن بودم که به مسعود زنگ می‌زند، با خود گفتم طوفان شروع شد. احساس می‌کردم کوچک شده‌ام، انگار من بچه بودم و شیرین مادر، و من باید منتظر اجازهٔ او باشم.

یک ساعت بعد مسعود با چهره‌ای گرفته وارد شد، من در تراس نشسته بودم، خودم را مشغول خواندن روزنامه نشان‌دادم، شیرین با صدای آهسته ولی با سرعت با او حرف می‌زد بعد از مدتی به تراس آمدند، اخم‌های مسعود در هم بود.

ـ علیکم السلام، چه عجب؟!!

ـ ببخشید مامان سلام، حواسم پرته، نمی‌دونی چقدر کار و گرفتاری دارم، اصلا شب و روزمو نمی‌فهمم.

ـ چرا مادر؟ چرا خودتو این‌قدر گرفتار کارای بیهودهٔ اداری می‌کنی؟ مگه قرار نبود بری سر کار خودت، به مهندسی و نقاشیت برسی؟ این کارا اصلاً با روحیهٔ تو جور نیست، قیافه‌ت چندین سال پیر شده، مدت‌هاس ندیدم از ته دل بخندی...

ـ دیگه آلوده شدم، بابای عاطفه می‌گه، وظیفهٔ شرعیه، باید کمک کنیم.

ـ به کی کمک کنی؟ به مردم؟ فکر می‌کنی اگه بری سر کاری که تخصصشو داری، کم کمک کردی؟ اصلاً تو کی تجربهٔ مدیریت داشتی؟

ـ خوب مامان حالا این حرفا رو ول کن، این مزخرفاتی که شیرین می‌گه چیه؟

ـ کدوم مزخرفات، شیرین مزخرف زیاد می‌گه.

شیرین که در همان موقع با سینی چای واردشده‌بود، کنار مسعود نشست،

انگار می‌خواست جبهه‌ها را مشخص کند و با دلخوری گفت:

ـ اِ...! مامان...

ـ اینکه براتون خواستگار اومده...

هر دو خندهٔ از درون برخاسته را فرو خوردند و یواشکی به هم نگاه کردند. خیلی لجم گرفته بود، سعی کردم اعتمادبه‌نفسم را از دست ندهم، گفتم:

ـ خواستگار برای من زیاد اومده، فکر می‌کنید. بعد از مرگ پدرتون کم به من پیشنهاد ازدواج شد؟

ـ نه! من می‌دونم چه افرادی خواهان شما بودن، بعضیا هم تا بخوای سمج بودن، شما زن زیبا و کاملی بودین، خیال می‌کنین نگاه‌های مشتاقی رو که به شما می‌شد نمی‌دیدم یا متوجه نمی‌شدم چه کسانی دنبالتون هستن، شاید بعضی رو خودتون هم متوجه نشدین. مثل سایر بچه‌هایی که در موقعیت من هستن شب‌ها کابوس ازدواج مجدد شما رو با یه مرد غریبه می‌دیدم، مثل دیوونه‌ها از خواب می‌پریدم، آخ چقدر شب‌ها نقشهٔ قتل آقای زرگرو کشیدم، تنها چیزی که در اون زمان‌ها آروم نگهم می‌داشت اطمینان از شما بود، می‌دونستم ما رو رها نمی‌کنین و به دنبال دلتون نمی‌رین، ایمان داشتم که شما بهترین و فداکارترین مادر دنیا هستین و مارو با هیچ چیز عوض نمی‌کنین، و به همه ترجیح می‌دین، فقط حالا نمی‌فهمم چی شده و این آقا چطور اینهمه روی شما تاثیر گذاشته که ما رو فراموش کردین.

ـ من هیچ‌وقت شما را فراموش نکرده و نمی‌کنم، تو هم دیگه مردی هستی مثل پسربچه‌هایی که هنوز گرفتار عقدهٔ «اُدیپ» هستن حرف نزن، حالا دیگه باید بدونی که فرزند چه ارزشی برای پدر و مادر داره و هیچ چیزی نمی‌تونه جایگزین اون بشه. تا موقعی که شماها کوچیک بودین و به حمایت من نیاز داشتین خودمو موظف می‌دونستم فقط برای شماها زندگی کنم، نمی‌دونم این کار تا چه حد درست بود ولی می‌دونستم که نوجوانانی مثل تو و سیامک نمی‌تونن به‌راحتی حضور ناپدری رو تحمل کنن، هر چند که شاید هم می‌تونست کمک و راهنمای خوبی برای شماها باشه و منو در رفع بسیاری از گرفتاری‌ها و بدبختی‌ها یاری بده، ولی

اون موقع هیچ چیزی جز خوشحالی و راحتی شماها برام مطرح نبود، اما حالا
وضع خیلی فرق کرده، شماها بزرگ شدین، من وظیفه‌مو در حد توانم به انجام
رسوندم، دیگه احتیاجی به من ندارین، بعد از این من برای شماها دست و پاگیر
می‌شم، فکر نمی‌کنی حالا دیگه حق داشته باشم به زندگی و آیندهٔ خودم فکر کنم
و برای خودم تصمیم بگیرم و کاری رو که دلم می‌خواد انجام بدم. واقع‌بین باش
این‌طور برای شماها هم بهتره، از گرفتاری‌های یه مادر تنها و پابه‌سن‌گذاشته که
خواه، ناخواه پرتوقع و بهانه‌گیر می‌شه، راحت می‌شین.

ـ نه مامان، خواهش می‌کنم این حرفو نزن، شما تاج سرِما هستین، هنوز هم
برای من عزیزترین موجود روی زمینی، تا روزی که زندم نوکرتم، هر کاری
بخوای خودم برات می‌کنم، به خدا این چند روزم که بهت سر نزدم گرفتار بودم،
وگرنه تمام فکرم پیش تو بود.

ـ همین! تو یه مرد متأهل، با این‌همه گرفتاری و مسئوولیت چرا باید تمام
فکرت پیش مادرت باشه؟ من همینو نمی‌خوام، شماها باید به فکر زندگی و مسایل
خودتون باشین من نمی‌خوام یه نگرانی فکری، وظیفه یا باری باشم بر دوش
شماها، می‌خوام ببینین که تنها نیستم، خوشبختم و خیالتون از جانب من کاملاً
راحت باشه.

ـ احتیاجی به این کار نیست، شما تنها نخواهید بود، من نمی‌ذارم تنها بمونین، ما
با عشق و احترام می‌خواهیم در خدمت شما باشیم شاید بتونیم ذره‌ای از
زحماتتونو جبران کنیم.

ـ مادر جون، من نمی‌خوام! شماها که مدیون من نیستین، منم کاری جز انجام
وظیفه نکردم، من می‌خوام باقیموندهٔ عمرمو با کسی که می‌تونه آرامشی رو که
همیشه در آرزوش بودم به من بده بگذرونم، این توقع زیادیه؟

ـ مامان از شما بعیده، چطور متوجه نیستین که با این کار چه بلایی سر ما می‌آرین.

ـ چه بلایی؟ مگه خلاف شرع می‌کنم؟

ـ مادر جون، خلاف عُرف می‌کنین که به همون اندازه بده، هیچ فکر کردین

چنین خبری چطور مثل بمب صدا می‌کنه، چقدر ما خجالت‌زده و انگشت‌نما می‌شیم، دوستا، همکارا و کارمندام چی می‌گن؟ از همه بدتر چطور سرمو جلوی فامیل عاطفه بلند کنم؟ شیرین مواظب باش یه وقت جلوی عاطفه از این موضوع صحبت نکنی‌ها...!

ـ حالا اگه بفهمه چی می‌شه؟

ـ چی می‌شه؟ تمام احترامی که برای شما قائله از بین می‌ره، بتی که من از شما براش ساختم می‌شکنه، به پدر و مادرش می‌گه، به گوش آقای مقصودی می‌رسه. تو اداره همه می‌فهمن...

ـ خوب بفهمن.

ـ می‌دونی اگه این خبر به اداره برسه چه چیزا پشت سرم می‌گن؟

ـ چی می‌گن؟

ـ می‌گن آقای مدیر تو این سن و سال شوهر ننه پیدا کرده، دیشب مادرشو با یه مرتیکهٔ الدنگ دست به دست داده، چطور می‌تونم سرمو بلند کنم.

بغض گلویم را می‌فشرد، نمی‌توانستم به صحبت ادامه دهم، نمی‌توانستم تحمل کنم که از عشق پاک و زیبای من این‌طور حرف بزنند، بلند شدم سرم به شدت درد می‌کرد قرص خوردم و در تاریکی روی مبل نشستم و سرم را به پشتی آن تکیه دادم، بچه‌ها مدتی در تراس حرف‌زدند، مسعود عازم رفتن شده‌بود، به داخل آمدند شیرین در حال مشایعت او گفت:

ـ همش زیر سر این خاله پروانه‌س، هیچی حالیش نیست، مامان بیچاره که اهل این حرفا نبود، بس‌که اون تو گوشش خونده این‌طوری شده.

ـ هیچ‌وقت از خاله پروانه خیلی خوشم نمی‌اومد، همیشه کاراش و حرفاش به نظرم جلف بود، رعایت هیچ چیزو نمی‌کنه، اون شب خونهٔ ما دست دراز کرده با آقای مقصودی دست بده....، بیچاره آقای مقصودی این‌قدر ناراحت‌شد. مطمئن باش اگه خودش جای مامان بود تا حالا صد تا شوهر کرده بود.

از روی مبل بلند شدم، چراغ کم‌نوری را روشن کردم و گفتم:

ـ این موضوع اصلاً به پروانه ربط نداره، این از حقوق شخصی هر انسانیه که برای زندگی خودش تصمیم بگیره.

ـ بله مامان این حق توست، تو خیلی حق‌ها داشتی و داری و خواهی داشت ولی تو که نمی‌خوای از همهٔ اونا به قیمت آبروی بچه‌هات استفاده کنی؟ می‌خوای...؟

ـ سرم درد می‌کنه می‌خوام بخوابم، تو هم دیرت شده، بهتره بری سراغ زن و بچه‌ت.

آن‌شب با وجود خوردن چندین مسکن در تلاطم و تبی عصبی دست و پا زدم، افکار متضاد مرا از هر سو می‌کشیدند، از فکر اینکه باعث رنج و ناراحتی بچه‌هایم شده‌ام احساس ناراحتی وجدان می‌کردم، از سوی دیگر رؤیای رهایی و آزادی مرا به خود می‌خواند، آه که چقدر احتیاج داشتم یک بار در عمرم خود را از قید هر مسؤولیتی خلاص کنم، همهٔ بندها را بگسلم و آزادانه و بی‌پروا در جهان بزرگ به پرواز درآیم ولی قیافهٔ خسته، غمگین و ناخشنود مسعود و اشک‌های شیرین رهایم نمی‌کرد، از سوی دیگر میلِ دل، کششی که به سوی سعید داشتم و وحشت از دست دادن دوبارهٔ او قلبم را می‌فشرد. صبح شد، ولی توان بلند شدن از جایم را نداشتم، تلفن چندبار زنگ زد، شیرین گوشی را برمی‌داشت ولی از آن طرف قطع می‌شد، می‌دانستم سعید است که نگران حال من است و نمی‌خواهد با شیرین حرف بزند. دوباره تلفن زنگ زد، شیرین سلام سردی کرد و با بی‌ادبی گفت مامان پروانه خانومه تلفنو بردار. تلفن را برداشتم.

ـ چی شده؟ حالا دیگه من پروانه‌خانم شدم، کم مونده بود فحشم بده.

ـ ببخشید، تو ناراحت نشو به دل نگیر.

ـ نه بابا مهم نیست. از خودت بگو، تو چطوری؟

ـ افتضاح! سردرد ولم نمی‌کنه.

ـ مسعود هم فهمید؟ چکار کرد؟ شیرین که خیلی تنده، اونم همون‌طوره؟

ـ خیلی بدتر.

ـ عجب بچه‌های ازخودراضی‌ای هستن، تنها چیزی که براشون اهمیت نداره خواست و خوشحالی توست، اصلاً درک نمی‌کنن... تقصیر خـودتـه، بس‌کـه در مقابلشون کوتاه اومدی و از خودگذشتگی کردی، پررو شدن، حالا دیگه حتی تصور اینکه تو هم حق‌داری رو نمی‌کنن. حالا می‌خوای چکار کنی؟

ـ نمی‌دونم، فعلاً بذار کمی خودمو جمع‌وجور کنم.

ـ این بیچاره سعید نصف جون شده، می‌گه دو روزه ازت خبر نداره، هرچی هم زنگ می‌زنه شیرین گوشی رو برمی‌داره، نمی‌دونه اوضاع و احوال چطوره، می‌شه با اون حرف بزنه یا فعلاً دوری و دوستی؟

ـ بهش بگو فعلاً تماس نگیره، خودم بعداً بهش زنگ می‌زنم.

ـ می‌آیی عصری سه‌تایی بریم پارک کمی قدم بزنیم؟

ـ نه بابا حوصله ندارم.

ـ من فقط یکی دو روز دیگه اینجام، سعید هم چیزی به رفتنش نمونده.

ـ نمی‌تونم حالم خوش نیست اصلاً نمی‌تونم روی پام بندشم، از قول من بهش سلام برسون، بعداً بهت تلفن می‌کنم.

❀

شیرین به چهارچوب در تکیه‌داده‌بود و با حرص به حرف‌های من و پروانه گوش می‌داد. گوشی را گذاشتم و گفتم:

ـ بله؟! کاری داری؟

ـ نه‌خیر...!

ـ پس چرا مثل دربون جهنم اینجا ایستادی؟

ـ می‌خواستم ببینم این پروانه خانوم، مگه قرار نبود تشریفشونو ببرن؟ پس چرا شرشو کم نمی‌کنه؟

ـ درست صـحبت‌کن، خـجالت داره، آدم در مـورد خـالـه‌ش ایـن‌طوری حرف نمی‌زنه.

ـ کدوم خاله...؟ من یه دونه خاله دارم اونم خاله فاطیه.

ـ بسه دیگه، اگه یه بار دیگه در مورد پروانه این طوری صحبت کردی، هرچه دیدی از چشم خودت دیدی، فهمیدی؟

ـ اوه ببخشید نمی‌دونستم، پروانه خانوم چنین جایگاه رفیعی در پیشگاه شما دارن.

ـ بله دارن، حالا هم دیگه برو بیرون، می‌خوام بخوابم.

طرف‌های ظهر بود که سیامک زنگ زد. خیلی عجیب بود، هیچ‌وقت این ساعت تماس نمی‌گرفت. یعنی بچه‌ها آن‌قدر هول رساندن خبر بودند که نگذاشتند او از سر کار به منزل برگردد. بعد از سلام و احوال‌پرسی سردی گفت:

ـ مامان این حرفا چیه بچه‌ها می‌زنن؟

ـ کدوم حرفا؟

ـ اینکه شما می‌خوای شوهر کنی.

شنیدن این نوع حرف‌ها و با این لحن از دهان بچه‌های خودم خیلی سخت بود، با این همه محکم و جدی گفتم:

ـ اشکالی داره؟

ـ البته که اشکال داره. شما چطور می‌تونین بعد از همسری مثل پدر من، اسم مرد دیگه‌ای رو ببرین؟ این خیانت به خاطرهٔ پدره، من برعکس مسعود و شیرین نه آبروم می‌ره، نه برام عجیبه که زنی به سن و سال شما ازدواج کنه. ولی نمی‌تونم ببینم خاطرهٔ پدر شهیدم لجن‌مال بشه. همه پیروانش چشمشون به ماست که ببینن چطوری خاطره‌شو حفظ می‌کنیم، اون‌وقت شما می‌خوای یه بی‌سروپایی رو بیاری جای اون بشونی؟

ـ خودت می‌فهمی چی می‌گی سیامک؟! کدوم پیروان، همچین از پدرت بت ساختی و جوری حرف می‌زنی که انگار پیغمبر بوده. از یک میلیون ایرونی هم که بپرسی یه نفر اسم پدر تو نشنیده. تو چرا دوست داری مدام بزرگ‌نمایی کنی؟ می‌دونم که اطرافیانت این‌کارو باهات می‌کنن و تو هم ساده و خوش‌باور از این همه اکرام و تمجید لذت می‌بری و نقش فرزند یک قهرمانو بازی می‌کنی، عزیزم چشماتو باز کن، مردم عاشق قهرمان‌پروری هستن، یک نفرو بزرگ می‌کنن تا

بتونن پشتش قایم بشن، حرفاشونو اون بزنه و اگه خطری هم هست اون سپر بلا بشه و مجازات‌ها رو تحمل کنه. تا خودشون فرصت فرار داشته باشن، با پدرتم همین کارو کردن، انداختنش جلو، براش سینه‌زدند، هورا کشیدند، ولی وقتی به زندان افتاد همه فرار کردند، و وقتی کشته شد ارتباطشونو با اون انکار کردند. و بعد هم شروع به نقد کرده و اشتباهاتشو شمردند. برای ما از قهرمان‌بازی‌های اون چی موند؟ چه کسی درِ خونهٔ ما رو زد که بگه شما که خونوادهٔ اون قهرمان بودین چطوری زندگی می‌کنین؟ اگه خیلی با جرأت و بی‌باک بودن در صورت برخورد توی خیابون زیر لبی جواب سلاممون رو می‌دادن، نه پسرم تو به قهرمان نیاز نداری. تا بچه بودی شاید قابل درک بود. ولی حالا مرد بزرگی هستی، نه لازمه قهرمان بشی و نه پیرو قهرمانی باشی، روی پای خودت بایست به افکار، شعور و مطالعاتت تکیه کن، هر راهی رو که به نظرت درست رسید انتخاب کن، به محض اینکه دیدی داره خطا می‌رن رأی خودتو ازش پس بگیر، تو نباید پیرو کسی یا ایدئولوژی باشی که مجبورت کنه همه کاراشو چشم بسته قبول کنی و حتی بر اشتباهاتش صحه بذاری، تو انسان کاملی هستی به هیچ اسطوره‌ای نیاز نداری. بذار بچه‌هات تورو شخصیتی استوار ببینن که می‌شه پشتش پناه گرفت، نه کسی که خودش هنوز به پناهگاه احتیاج داره.

ـ آه ...، مامان، شما هیچ‌وقت ارزش مبارزات و عظمت پدرمو درک نکردین.

هر وقت می‌خواست از او غولی بسازد، بابا به پدر تبدیل می‌شد. گویا لفظ بابا برای آن غول کوچک بود.

ـ تو هم هیچ‌وقت رنجی‌رو که من کشیدم و او باعثش بود نفهمیدی، پسرم چشماتو بازکن. اینو برای خودت می‌گم. حقیقت‌بین باش. پدرت مرد خوبی بود، ولی نقاط ضعفی هم حداقل برای ما که اعضای خانواده‌اش بودیم داشت. هیچ انسانی بی‌نقص نیست.

ـ پدر من هر چه کرد برای مبارزه و نجات انسان‌ها کرد. می‌خواست مملکتی به شیوه سوسیالیزم و سرشار از برابری و عدل و آزادی ایجاد کنه.

ـ آره، مثل همون مملکتی که بعد از هفتاد سال تیکه‌تیکه شد. مردمش از عدم آزادی بیمار بودند. تو ندیدی شهروندان جمهوری‌های جنوبی این ابرقدرت که برای کار به ایران می‌اومدن، چقدر ژنده، ناآگاه و پریشان بودند، بعد از اون واقعه روزها گریه‌کردم و ماه‌ها فکرکردم که پدرت برای چی مُرد؟ آیا این بود اون مدینهٔ فاضله‌ای که او براش جان فدا کرد؟ چقدر خوشحالم که پدرت ندید که کعبهٔ آمالش به چه روزی افتاد.

ـ مادر، شما از مسایل سیاسی چی می‌دونین؟! من تلفن نکردم که با شما در این موردها بحث کنم موضوع شما و کاری که می‌خواین بکنین مطرحه. من واقعاً نمی‌تونم تحمل کنم کسی رو جای پدرم ببینم، همین. و تلفن را قطع کرد.

بحث با سیامک بی‌فایده بود. مشکل سیامک من نبودم، مشکل او پدرش بود و من باید به پای این بت ساخته‌شده قربانی می‌شدم.

عصر مسعود، عاطفه و پسر نازنینشان که مرا به یاد کودکی مسعود می‌انداخت به خانهٔ ما آمدند. بچه را از عاطفه گرفتم و گفتم:

ـ خوش اومدی عاطفه جون، مدتی بود این کاکل زری رو ندیده بودم.

ـ تقصیر مسعوده، خیلی کارش زیاده، دیگه امروز با اینکه جلسه داشت کارشو ول کرد و زود اومد، گفت باید برم منزل مامان، حالش خوب نیست، من هم به‌زور باهاش اومدم، حوصله‌ام سر رفته بود دلم هم برای شما تنگ شده‌بود.

ـ خوب کاری کردی، من هم دلم برای تو و این خوشگل کوچولو تنگ شده بود.

ـ خدا بد نده چتون شده؟

ـ هیچی، اینا بزرگش می‌کنن، فقط کمی سردرد داشتم، نمی‌خواستم باعث زحمت شما بشم. مسعود رشتهٔ حرف را از عاطفه گرفت و گفت:

ـ اختیار دارید مامان زحمت چیه؟ وظیفه‌مونه، شما باید ببخشین که من این مدت گرفتار بودم و از شما غفلت کردم و بهتون نرسیدم.

ـ مگه من بچه‌ام؟ که می‌خوای به من برسی. خودم هنوز از پا نیفتادم تو هم باید به زندگی خودت و زن بچه‌ت برسی، هیچ هم دوست ندارم به خاطر من کار تو ول‌کنی بیایی اینجا که مثلاً انجام وظیفه کرده باشی. اینجوری من بیشتر معذب می‌شم.

عاطفه با نگاهی پرسشگر بچه را که گریه می‌کرد بغل کرد و رفت که عوضش کند. من هم بلند شدم و به آشپزخانه پناهگاه همیشگیم رفتم. مشغول شستن میوه‌ها شدم و گذاشتم تا شیرین با خیال راحت اطلاعات را به مسعود منتقل کند، و نقشه‌های بعدی را بکشد. ولی عاطفه بچه به بغل به کنار آنها رفت. با کنجکاوی سعی می‌کرد از گفت‌وگوی آهسته و مبهم‌شان سر درآورد. بالاخره گویا چیزی دستگیرش شد. با صدای بلند گفت:

ـ کی؟ کی می‌خواد عروسی کنه؟

ـ مسعود با دستپاچگی گفت:

ـ هیچ‌کس...! شیرین با خونسردی به کمکش شتافت.

ـ یکی از دوستای قدیم مامان که چند سال پیش شوهرش مرده حالا با عروس و داماد و نوه می‌خواد شوهر کنه.

ـ وا!! عجب زنایی پیدا می‌شن. یکی نیست بهشون بگه تو این سن‌وسال دیگه به فکر باقیات‌وصالحاتتون باشین. برین نماز، روزه‌هاتونو درست کنین. برین طرف خدا، اون دنیاتونو بسازین. هنوز به فکر دلشون و هوی و هوس‌هاشون هستن. واقعاً که...!

من با ظرف میوه ایستاده بودم و سخنرانی غرّای عاطفه را گوش می‌کردم. مسعود به شیرین نگاه کرد و چشمش را از من دزدید. ظرف میوه را روی میز گذاشتم و گفتم:

ـ یه دفه بهش بگین بره یه قبر بخره و توش بخوابه دیگه!

ـ این حرفا چیه مامان. زندگی معنوی خیلی دلنشین‌تر از زندگی مادیه. این نوع زندگی رو هم آدم باید در یک سنی تجربه کنه.

نوع برخورد اینها با مسألهٔ سن‌وسال من و طرز فکرشان در مورد زنان در این
سن، باعث شد بفهمم که چرا زن‌ها دوست‌ندارند سن واقعیشان را فاش کنند و
آن را مانند یک راز سر به مهر پیش خود حفظ می‌کنند. روز بعد به خانهٔ پروانه
رفتم، شیرین هم لباس پوشید و گفت:

ـ منم می‌آم.

ـ نه‌خیر لازم نیست.

ـ دوست ندارین من باهاتون باشم؟

ـ نه! از وقتی یادمه. نگهبان داشتم. از داشتن محافظ متنفرم. شماها هم از این
طرز رفتارتون دست بردارین. و گرنه سر به کوه و بیابون می‌ذارم که هیچ‌کدوم
دستتون بهم نرسه‌ها...

۰۰۰

همان‌طور که پروانه مشغول بستن چمدان‌هایش بود همه‌چیز را برایش تعریف
کردم، گفت:

ـ واقعاً باورکردنی نیست. بچه‌ها چقدر زود آدمو به اون دنیا مـی‌فرسن. از
سیامک تعجب می‌کنم. اون چرا نمی‌فهمه...؟ تو هم واقعاً عجب قسمتی داشتی.

ـ خانم جون همیشه می‌گفت «سهم هرکس از قبل مشـخصه، بـراش کـنار
می‌ذارن، اگه آسمون هم به زمین بیاد عوض نمی‌شه.» اغلب فکر می‌کنم واقعاً سهم
من از زندگی چی بود؟ آیا اصلاً سهم مشخص و مستقلی داشتم؟ یا جزیی بودم از
سهم مردان زندگیم که برای باورها، ایدآل‌ها، یا هدف‌هاشون، هر کدام به نوعی
مرا به قربانگاه بردند، برای حفظ آبروی پدر و برادرانم من باید قربانی می‌شدم،
بهای خواستها و ایده‌آل‌های شوهرم، قهرمان‌بازی‌ها و وظایف میهنی پسرانم را
من پرداختم. اصلاً من کی بودم؟ همسر یک خرابکار، یک خائنِ وطن‌فروش؟
مادر یک منافق؟ زن یک قهرمان مبارزه در راه آزادی؟ یا مادر فداکار و از جان
گذشتهٔ یک رزمندهٔ آزاده؟ چند بار منو در زندگی به اوج بردند و بعد با سر به
زمین زدند در صورتی که هیچ‌کدوم حق من نبود، منو نه به دلیل شایستگی‌ها و

توانایی‌های خودم بالا بردند و نه سقوط‌هام محصول اشتباهات خودم بود. انگار هرگز من وجود نداشتم، حق نداشتم، کی برای خودم زندگی‌کردم؟ کی برای خودم کار کردم؟ کی حق انتخاب و تصمیم‌گیری داشتم؟ کی از من پرسیدند تو چی می‌خوای.

ـ خیلی روحیّتو باختی، هیچ‌وقت این‌طوری شکایت نمی‌کردی، بهت نمی‌آد، تو باید جلوشون وایسی و کار خودتو بکنی.

ـ می‌دونی دیگه نمی‌خوام، نه اینکه نمی‌تونم، می‌تونم، ولی دیگه برام لطف نداره، احساس شکست می‌کنم، انگار هیچ چیز با سی‌سال پیش فرق نکرده، من با تمام زجری که کشیدم حتی توی خونه‌م هم نتونستم چیزی رو عوض کنم. حداقل انتظاری که از بچه‌هام داشتم یک کمی درک و همدلی بود، حتی اونا هم حاضر نشدند به عنوان یک انسان حق برای من قائل بشن، من فقط وقتی ارزش دارم که مادر اونا باشم و در خدمتشون به قول معروف:

خود را ز برای ما نمی‌خواهد کس   ما را همه از برای خود می‌خواهند

شادی من و خواست من براشون هیچ ارزشی نداره، حالا دیگه هیچ میل و شور و شوقی برای این ازدواج ندارم، یه جوری ناامید شدم، طرز فکر اونا ارتباط زیبای من و سعید رو آلوده کرده. وقتی اونا که فکر می‌کردم بیش از همه به من نزدیکن، دوستم دارن و دست‌پروردهٔ خودم هستن این‌طور در مورد من و سعید حرف می‌زنن ببین بقیه چی می‌گن. چطور من و اونو به لجن خواهند کشید.

ـ به‌درک! بذار هر کسی هر چی دلش می‌خواد بگه، نباید به هیچ حرف و سخنی گوش کنی، قوی باش کار خودتو بکن، افسردگی اصلاً به تو نمی‌آد، چارهٔ تو ملاقات با سعیده. بلند شو، بلند شو یه زنگ به این بیچاره بزن، که تا حالا دیوونه شده، خیلی منتظره.

سعید بعدازظهر به خانهٔ پروانه آمد. پروانه دیگر دوست نداشت در گفت‌وگوهای ما حضور داشته باشد. مشغول کارهای خودش شد گفتم:

ـ سعید، خیلی متأسفم. ولی ازدواج ما امکان‌پذیر نیست. من محکومم که هرگز روی سعادت و زندگی آرام خانوادگی را نبینم.

چهرهٔ سعید به شدت در هم رفت با صدایی شکسته گفت:

ـ تمام جوانیم با این عشق بی‌سرانجام تباه شد. در بهترین شرایط هم در عمق وجودم تنها و غمگین بودم. نمی‌گم به هیچ زن دیگه‌ای در طول زندگیم توجه نکردم. نمی‌گم هیچ‌وقت نازی‌رو دوست نداشتم. ولی به جرأت می‌گم که تنها عشق زندگیم تو بودی. وقتی پیدات کردم، فکر کردم خداوند بالاخره بر من رحمت آورده و خواسته در این نیمه پایانی عمر روی سعادت رو بهم نشون بده. باور نمی‌کنی شادترین، آرام‌ترین و دلپذیرترین روزهای زندگیم همین روزایی بود که در این دو ماه اخیر با هم گذروندیم. حالا تحمل نبودن تو برام سخت‌تره. حالا تنهاتر از قبلم. حالا بیشتر از همیشه بهت احتیاج دارم. ازت خواهش می‌کنم. تجدید نظر کن. تو بچه نیستی. تو دیگه اون دختر شونزده ساله نیستی که اجازه‌ات دست پدرت باشه، تو حالا می‌تونی خودت تصمیم بگیری. نذار دوباره من سقوط کنم. اشک در چشمانم پر بود. گفتم:

ـ ولی پای بچه‌هام در میونه. بچه‌هامو چه کنم؟.

ـ یعنی تو حرفای بچه‌هارو قبول داری؟

ـ ابداً! استدلال و منطقشون برای من پشیزی ارزش نداره. همه ناشی از خودخواهی و خودبینیه، ولی با همین طرز تفکرشون منو محکوم می‌کنن و خودشون رنج می‌برن و افسرده و سرگشته می‌شن، من هیچ‌وقت نتونستم دل شکستگی اونا رو ببینم. حالا چطور خودم این شرمندگی، خجالت و اندوه و براشون فراهم کنم. از اینکه باعث بشم که همکاران، دوستان و فامیلِ همسرانشون به اون‌ها به چشم تحقیر نگاه کنن احساس گناه می‌کنم. بچه‌های من همیشه نقطه ضعف من بودن.

ـ مدتی ممکنه چنین احساسی داشته باشن، ولی به زودی فراموش می‌کنن.

ـ اگه نکنن؟ اگه تا ابد اونو به صورت عقده‌ای در دلشون نگه دارن؟ اگه این

کار تصویر منو در ذهنشون خدشه‌دار کنه؟

ـ به تدریج به شکل اول برمی‌گرده.

ـ اگه برنگشت؟

ـ چه می‌تونیم بکنیم؟. شاید این بهای سعادت زندگی آینده‌مونه که باید بپردازیم.

ـ و هزینهٔ اونو من از بچه‌هام بگیرم؟ نه! نمی‌تونم.

ـ بیا یک بار هم که شده در زندگیت دل به دریا بزن «که هرکس دل به دریا زد رهایی یافت...»

ـ نه سعید جان! «... مرا آن دل که بر دریا زنم نیست!»

ـ به نظرم بچه‌ها رو بهانه کردی، خودت اینطور فکر نمی‌کنی؟

ـ نمی‌دونم، شاید، آمادگیمو از دست دادم، خیلی دلم گرفته، شرایط برام برخورنده بود، انتظار چنین عکس‌العمل‌هایی رو نداشتم. الان آن‌قدر خسته و غمگینم که نمی‌تونم تصمیمی به این بزرگی برای زندگیم بگیرم، احساس می‌کنم صد ساله. نمی‌خوام از روی لجبازی یا برای اثبات توانایی‌یم اقدامی بکنم، متأسفم ولی واقعاً در این شرایط نمی‌تونم جوابی که می‌خوای بهت بدم.

ـ ولی معصوم این جوری دوباره از دست می‌ریم.

ـ می‌دونم، در مورد خودم مطمئنم، برای من مثل یک جور خودکشی میمونه دفعهٔ اوّلم هم نیست، ولی می‌دونی دردناک‌ترین مسأله و چیزی که واقعاً منو از پا درمیاره چیه؟

ـ نه!

ـ اینکه در هر دو دوره عزیزانم، کسانی که بیشترین بستگی را با من داشتند، این گونه مردنم را رقم زدند.

پروانه رفت، من یکی دو بار دیگر سعید را دیدم. از او قول گرفتم که با همسرش آشتی کند و همانجا بماند. به هر حال خانواده داشتن، حتی خانوادهٔ نه چندان گرم،

بهتر از خانواده نداشتن است... وقتی از سعید جدا شدم، قدم زنان به‌سوی خانه آمدم. باد سرد پاییزی وزیدن گرفت. بسیار خسته بودم. کوله‌بار تنهاییم سنگین‌تر شده بود، و قدم‌هایم سست و ناتوان‌تر. خود را در ژاکت سیاهم پیچاندم، به آسمان گرفته نگاه کردم و گفتم:

ـ وای...! چه زمستان سختی در پیش است.

پاییز ۱۳۷۹

یادآوری: اشعاری که از زبان آقای شیرازی نقل می‌شود برگرفته از کتاب سرود آرزو سرودهٔ شادروان دکتر فخرالدین مزارعی است، که در سال ۱۳۸۷ توسط همین انتشارات به چاپ رسیده است.